#수학유형서
#리더공부비법
#한권으로유형올킬
#학원에서검증된문제집

수학리더
유형

Chunjae
Makes
Chunjae

▼

기획총괄 박금옥
편집개발 윤경옥, 김미애, 박초아, 조선현, 조은영, 김연정, 김수정, 김유림, 남태희
디자인총괄 김희정
표지디자인 윤순미, 박민정
내지디자인 박희춘
제작 황성진, 조규영

발행일 2021년 11월 15일 2판 2021년 11월 15일 1쇄
발행인 (주)천재교육
주소 서울시 금천구 가산로9길 54
신고번호 제2001-000018호
고객센터 1577-0902
교재 구입 문의 1522-5566

※ 이 책은 저작권법에 보호받는 저작물이므로 무단복제, 전송은 법으로 금지되어 있습니다.
※ 정답 분실 시에는 천재교육 홈페이지에서 내려받으세요.
※ KC 마크는 이 제품이 공통안전기준에 적합하였음을 의미합니다.
※ 주의
책 모서리에 다칠 수 있으니 주의하시기 바랍니다.
부주의로 인한 사고의 경우 책임지지 않습니다.
8세 미만의 어린이는 부모님의 관리가 필요합니다.

수학 리더 유형 5-2

라이트 유형서 차례

구성과 특장

1 단원 도입

단원에서 중요한
핵심 개념이나 자주 틀리는
유형에 대해 재미있는
스토리로 진단해 주고
처방해 준다능~

2 기본 학습

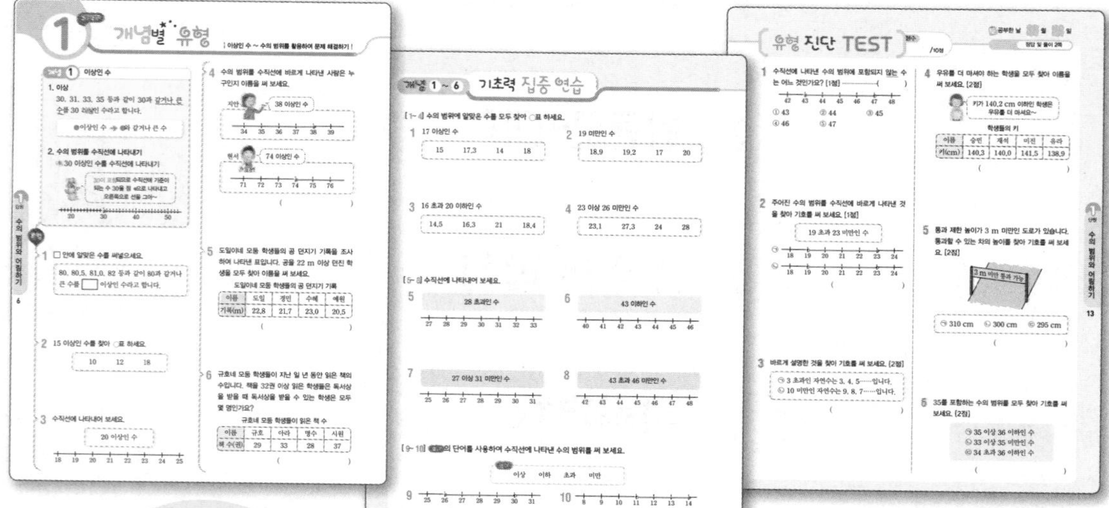

개념에 따른
교과서 유형
수록!

연산 • 이해
기초 문제
반복 연습

개념별 유형 중
핵심 유형을
진단하는 TEST

문제 해결력 강화 학습

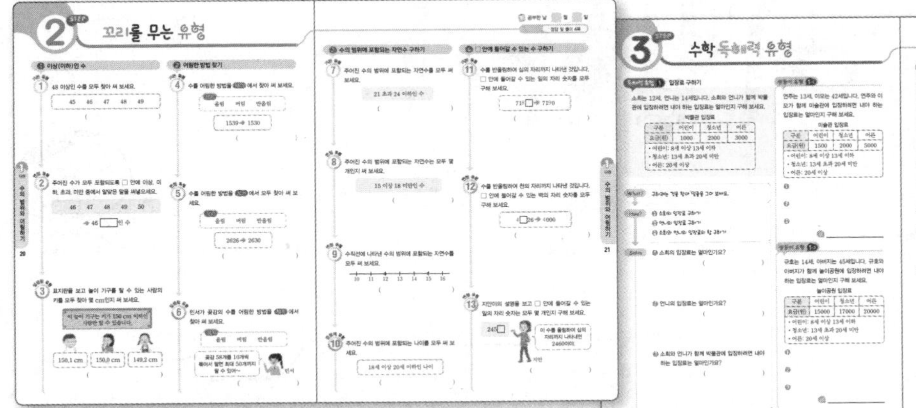

기본 → 변형 → 문장제 → 실생활 유형으로 **꼬리를 무는 유형**

What → How → Solve 단계로 문제를 **분석하고 해결하는 유형**

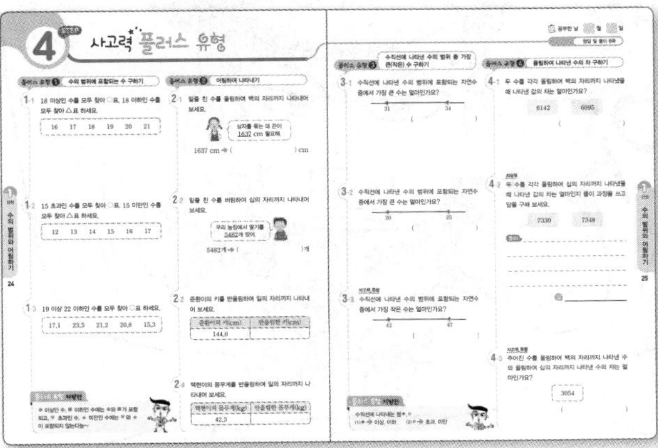

하나의 유형을 반복해서 연습한 후 변형된 어려운 유형을 함께 익히는 **사고력을 플러스 시켜주는 유형**

특별 학습

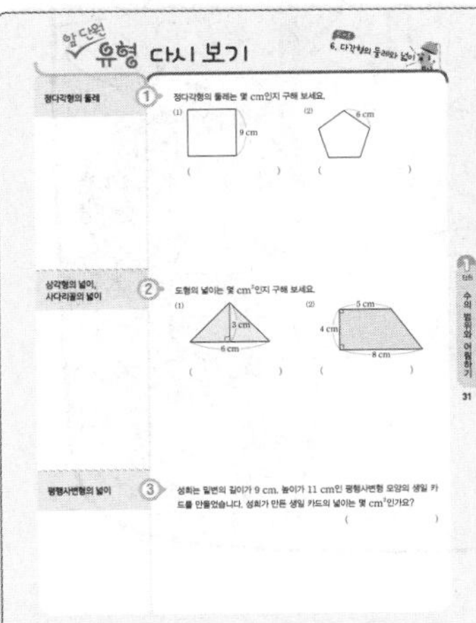

앞 단원 내용을 잊기 전에 다시 한번 풀어 보면서 기억하자!

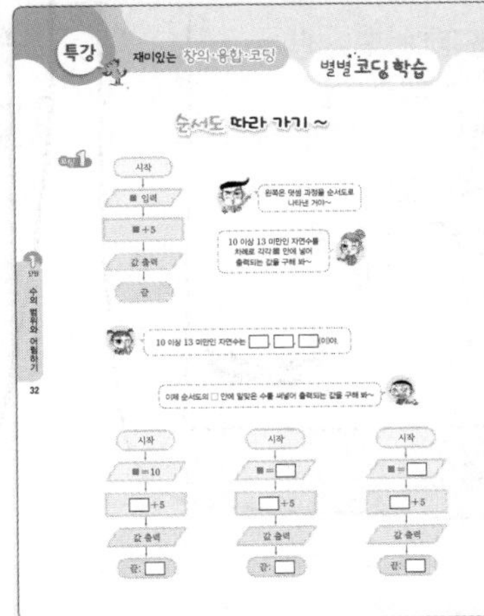

창의 • 융합 • 코딩 관련 문항이나 이야기를 접해 볼 수 있는 특별 코너!

1 수의 범위와 어림하기

네! Dr. 탐정입니다당~

뭐! 도둑이 현관 비밀번호를 바꾸고 가서 집에 못 들어가고 있다능?

내가 해결해 준다능!

타앗

Dr. 탐정

흠……. 정말 대단한 놈인뎅?

617호

소중한 물건들 잘 가지고 간다. 비밀번호는 1542를 올림하여 천의 자리까지 나타낸 수로 변경했다.

어디 보자~ 1542를 올림하여 천의 자리까지 나타내려면 …….

빨리 열어 주세요. 나올 것 같다구요~

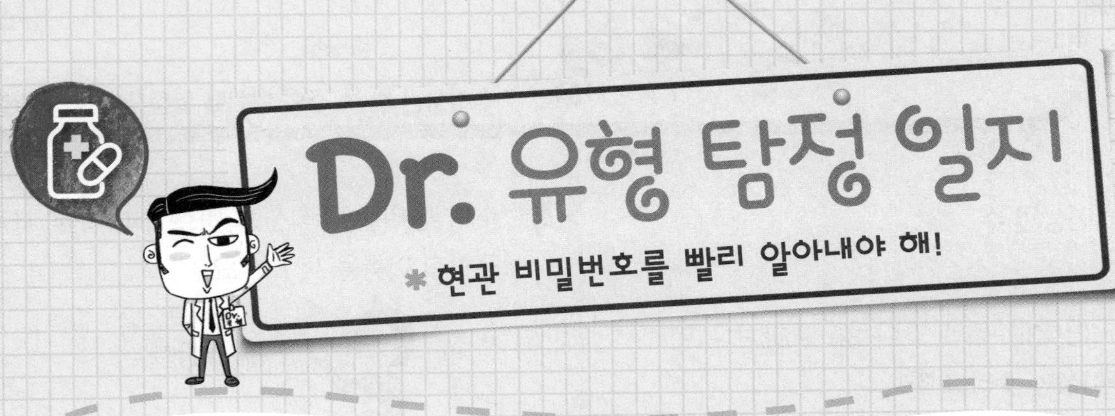

그래! 구하려는 아래 자리의 수인 542를 1000으로 생각해서……

비밀번호는 바로 2000!

1542 → 2000

악! 빠, 빨리요!

으~~ 탐정님, 이젠 천천히 여셔도 돼요.

헉, 이 냄새는…… 벌써 싼 거라능? ㅠㅠ

구리

구리

Dr. 탐정

1 STEP 개념별 유형

개념 1 이상인 수

1. 이상

30, 31, 33, 35 등과 같이 30과 같거나 큰 수를 30 이상인 수라고 합니다.

● 이상인 수 ➔ ●와 같거나 큰 수

2. 수의 범위를 수직선에 나타내기

예 30 이상인 수를 수직선에 나타내기

30이 포함되므로 수직선에 기준이 되는 수 30을 점 ●으로 나타내고 오른쪽으로 선을 그어~

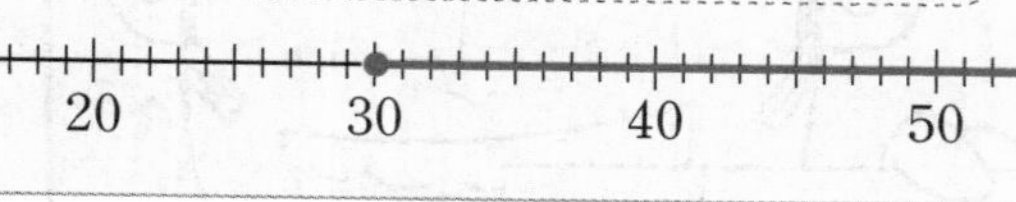

유형

1 □ 안에 알맞은 수를 써넣으세요.

80, 80.5, 81.0, 82 등과 같이 80과 같거나 큰 수를 □ 이상인 수라고 합니다.

2 15 이상인 수를 찾아 ○표 하세요.

10　　12　　18

3 수직선에 나타내어 보세요.

20 이상인 수

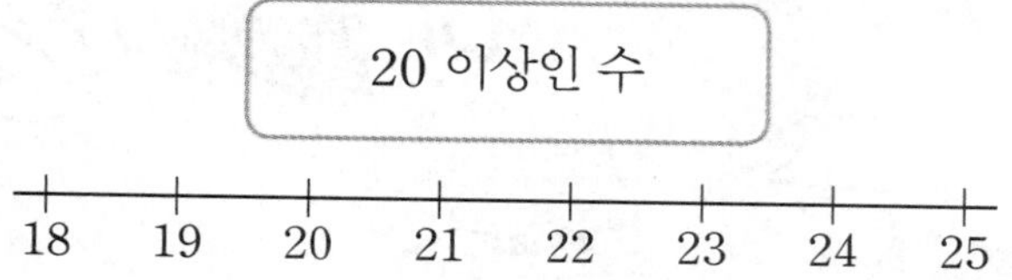

4 수의 범위를 수직선에 바르게 나타낸 사람은 누구인지 이름을 써 보세요.

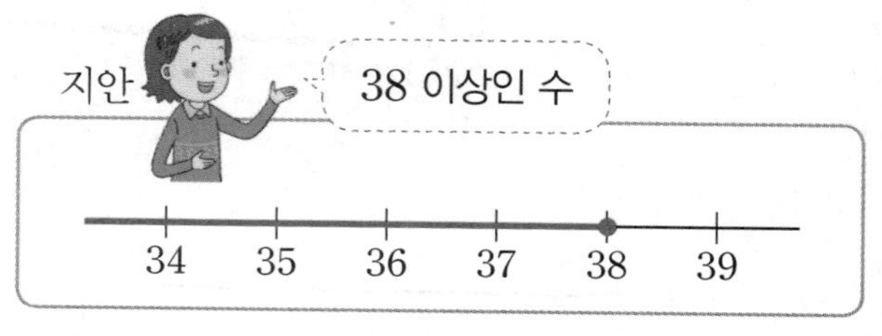

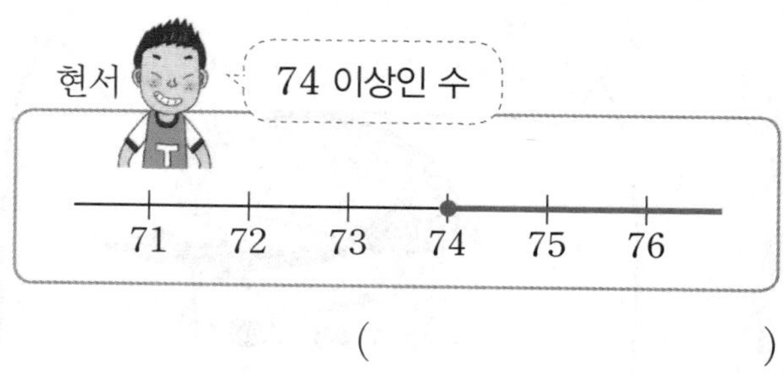

(　　　　　　　　)

5 도일이네 모둠 학생들의 공 던지기 기록을 조사하여 나타낸 표입니다. 공을 22 m 이상 던진 학생을 모두 찾아 이름을 써 보세요.

도일이네 모둠 학생들의 공 던지기 기록

이름	도일	경민	수혜	예원
기록(m)	22.8	21.7	23.0	20.5

(　　　　　　　　)

6 규호네 모둠 학생들이 지난 일 년 동안 읽은 책의 수입니다. 책을 32권 이상 읽은 학생들은 독서상을 받을 때 독서상을 받을 수 있는 학생은 모두 몇 명인가요?

규호네 모둠 학생들이 읽은 책 수

이름	규호	아라	명수	시원
책 수(권)	29	33	28	37

(　　　　　　　　)

개념 2 이하인 수

1. 이하

20.0, 19.5, 18.9, 18.7 등과 같이 20과 같거나 작은 수를 20 이하인 수라고 합니다.

■ 이하인 수 → ■와 같거나 작은 수

2. 수의 범위를 수직선에 나타내기

예 20 이하인 수를 수직선에 나타내기

20이 포함되므로 수직선에 기준이 되는 수 20을 점 ●으로 나타내고 왼쪽으로 선을 그어~

18 19 20 21

7 □ 안에 알맞은 말을 써넣으세요.

125, 124, 120.5 등과 같이 125와 같거나 작은 수를 125 [ ]인 수라고 합니다.

8 수직선에 수의 범위를 바르게 나타낸 것에 ○표 하세요.

25 이하인 수

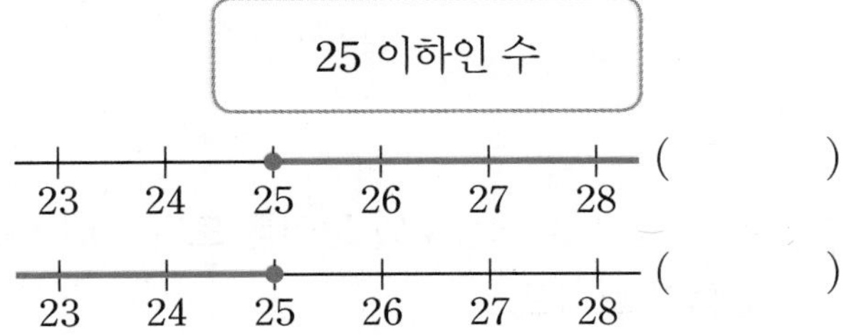

23 24 25 26 27 28 (   )

23 24 25 26 27 28 (   )

9 22 이하인 수를 모두 찾아 ○표 하세요.

20 21 22 23 24

10 18 이하인 수는 모두 몇 개인가요?

16 18 19 17

(   )

11 수직선에 나타낸 수의 범위를 써 보세요.

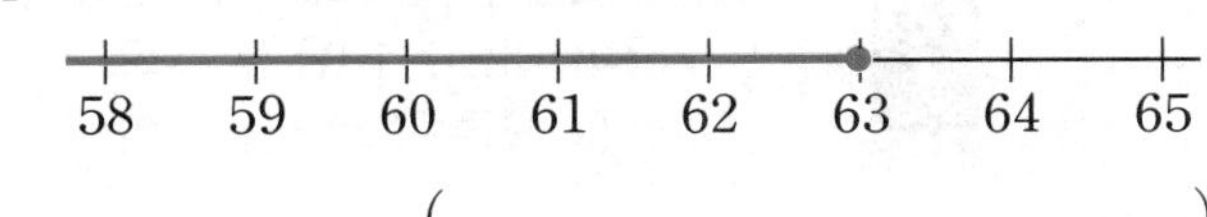

58 59 60 61 62 63 64 65

(   )

12 진주와 친구들의 몸무게를 조사하여 나타낸 표입니다. 몸무게가 46 kg 이하인 친구의 몸무게를 모두 찾아 몇 kg인지 써 보세요.

진주와 친구들의 몸무게

이름	진주	민정	지수	예지
몸무게(kg)	46.2	45.0	47.1	45.5

(   )

13 서희네 모둠 학생들의 키를 조사한 것입니다. 키가 150 cm 이하인 학생의 키는 어느 것인가요? (   )

① 150.2 cm ② 151.0 cm
③ 151.9 cm ④ 149.9 cm
⑤ 152.7 cm

개념 3 초과인 수

1. 초과

18.4, 19.9, 20.0 등과 같이 18보다 큰 수를 18 초과인 수라고 합니다.

● 초과인 수 ➔ ●보다 큰 수

2. 수의 범위를 수직선에 나타내기

㉮ 18 초과인 수를 수직선에 나타내기

18이 포함되지 않으므로 수직선에 기준이 되는 수 18을 점 ○으로 나타내고 오른쪽으로 선을 그어~

유형

14 29 초과인 수에 ○표 하세요.

28	29	30
(　　)	(　　)	(　　)

15 수직선에 나타낸 수의 범위를 보고 □ 안에 알맞은 수를 써넣으세요.

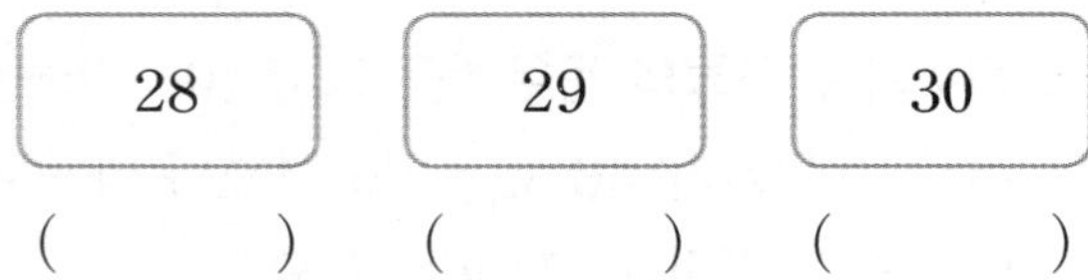

➔ □ 초과인 수

16 수직선에 나타내어 보세요.

26 초과인 수

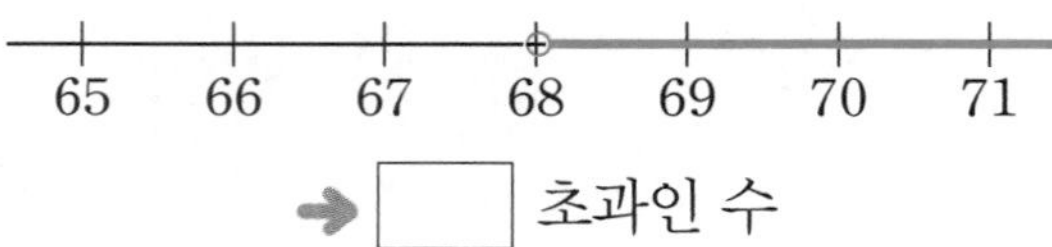

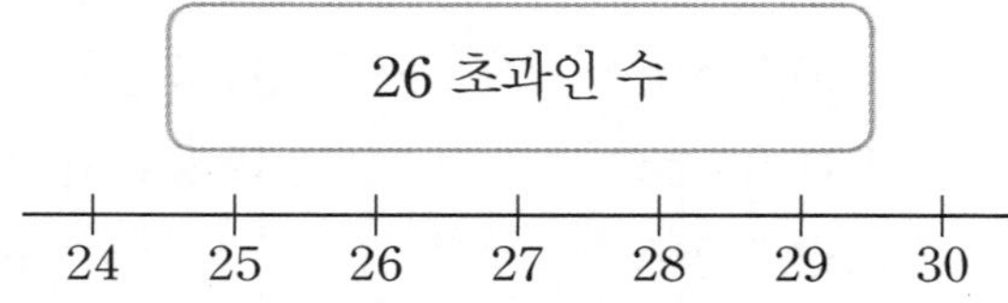

17 32 초과인 수를 모두 찾아 써 보세요.

27.5　　32.1　　32.0　　35.2

(　　　　　　　　)

18 잘못 설명한 것을 찾아 기호를 써 보세요.

㉠ 10 초과인 수에는 9.5, 9.0 등이 있습니다.
㉡ 15 초과인 수에는 15.1, 16.2 등이 있습니다.

(　　　　　　　　)

19 수지와 친구들이 1분 동안 넘은 줄넘기 횟수를 조사하여 나타낸 표입니다. 줄넘기 횟수가 52회 초과인 학생의 이름을 써 보세요.

수지와 친구들이 1분 동안 넘은 줄넘기 횟수

이름	수지	석주	명훈	희주
횟수(회)	51	57	49	52

(　　　　　　　　)

20 두 사람이 말하는 수와 단어를 모두 넣어 문장을 만들어 보세요.

110

초과

개념 4 미만인 수

1. 미만

129.5, 127.0, 125.8 등과 같이 130보다 작은 수를 130 미만인 수라고 합니다.

■ 미만인 수 ➔ ■보다 작은 수

2. 수의 범위를 수직선에 나타내기

예 130 미만인 수를 수직선에 나타내기

130이 포함되지 않으므로 수직선에 기준이 되는 수 130을 점 ○으로 나타내고 왼쪽으로 선을 그어~

유형

21 14 미만인 수를 찾아 ○표 하세요.

13 14 15 16

22 수직선에 나타낸 수의 범위를 보고 □ 안에 알맞은 말을 써넣으세요.

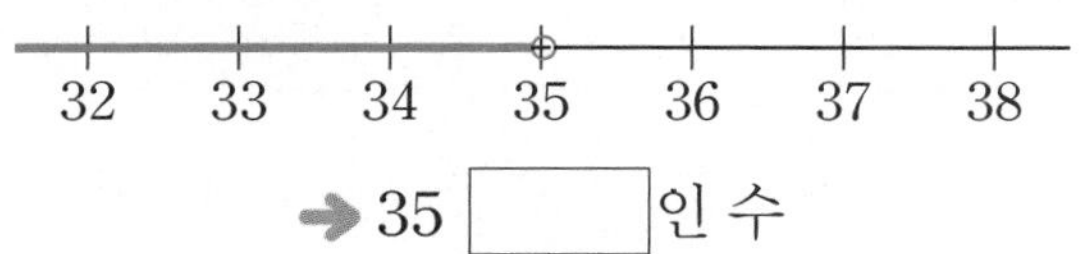

➔ 35 □인 수

23 다음 중 37 미만인 수는 어느 것인가요? ( )

① 47 ② 41 ③ 39
④ 37 ⑤ 36

24 밑줄 친 무게의 범위를 수직선에 나타내어 보세요.

무게가 13 kg 미만인 가방만 선반에 올려놓을 수 있습니다.

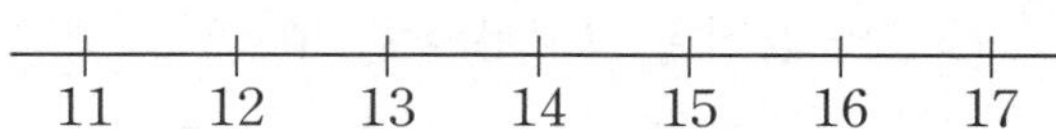

[25~26] 나루네 모둠 학생들의 키를 조사하여 나타낸 표입니다. 물음에 답해 보세요.

나루네 모둠 학생들의 키

이름	키(cm)	이름	키(cm)
나루	147.7	진명	154.2
정근	133.8	영탁	150.9
평화	150.0	시내	152.5

25 키가 148 cm 미만인 학생을 모두 찾아 이름을 써 보세요.

( )

26 키가 150 cm 미만인 학생은 모두 몇 명인가요?

( )

27 25가 포함되는 수의 범위를 찾아 기호를 써 보세요.

㉠ 25 미만인 수 ㉡ 26 미만인 수

( )

개념 5 이상, 이하, 초과, 미만

• 두 가지 수의 범위

(1) 2 이상 5 이하인 수
➔ 2와 같거나 크고 5와 같거나 작은 수

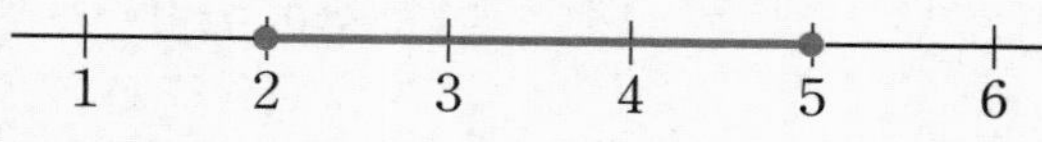

(2) 2 이상 5 미만인 수
➔ 2와 같거나 크고 5보다 작은 수

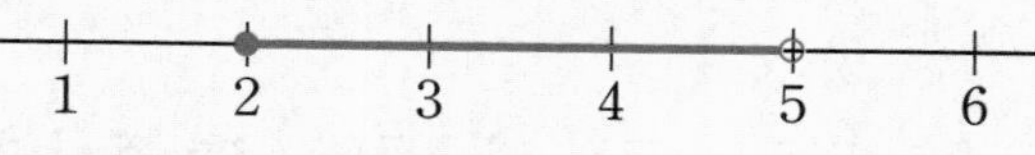

(3) 2 초과 5 이하인 수
➔ 2보다 크고 5와 같거나 작은 수

(4) 2 초과 5 미만인 수
➔ 2보다 크고 5보다 작은 수

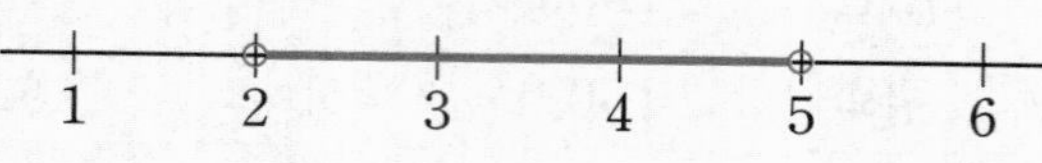

유형

28 수의 범위를 수직선에 나타낼 때 □ 안에 알맞은 모양을 찾아 각각 ○표 하세요.

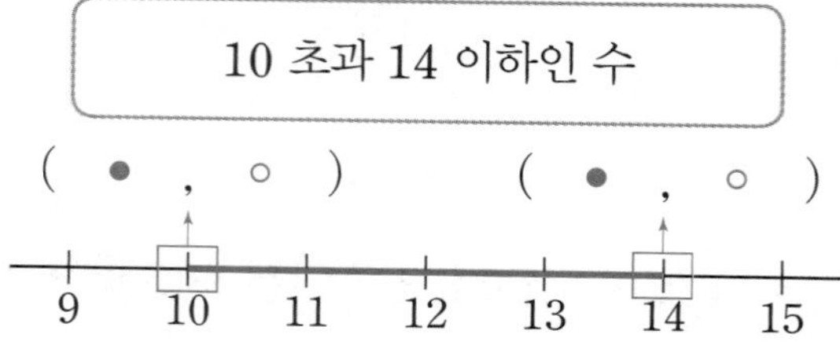

29 민서가 말한 수의 범위에 포함되는 수를 모두 찾아 ○표 하세요.

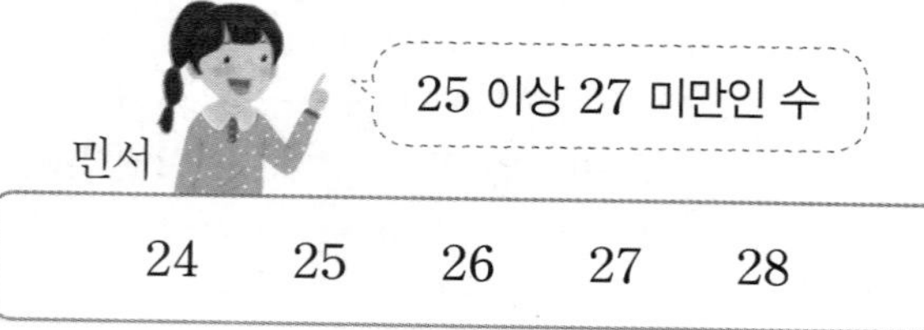

30 수직선에 나타내어 보세요.

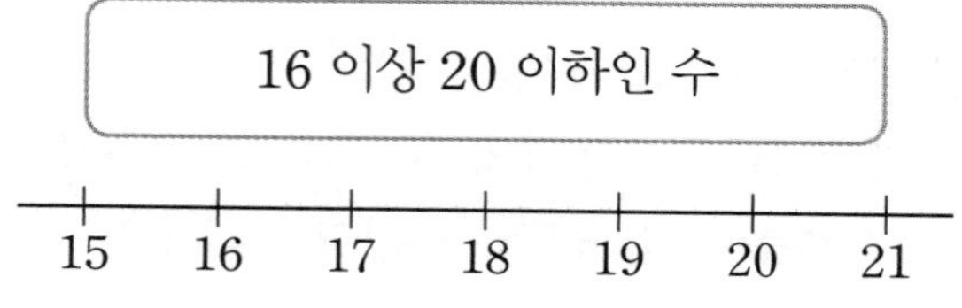

31 13 초과 15 미만인 자연수를 써 보세요.

( )

32 주어진 수가 모두 포함되도록 □ 안에 이상, 이하, 초과, 미만 중에서 알맞은 말을 써넣으세요.

40, 41, 42, 43, 44

➔ 40 □ 44 □인 수

33 53이 포함되는 수의 범위를 찾아 기호를 써 보세요.

㉠ 53 초과 55 이하인 수
㉡ 52 이상 54 미만인 수

( )

개념 6 수의 범위를 활용하여 문제 해결하기

예 몸무게가 38.5 kg인 선규의 태권도 체급 알아보기

태권도 체급별 몸무게(초등학교 남학생용)

체급	몸무게(kg)
핀급	32 이하
플라이급	32 초과 34 이하
밴텀급	34 초과 36 이하
페더급	36 초과 39 이하
라이트급	39 초과

선규의 체급

(1) 선규의 체급: 페더급

(2) 선규가 속한 체급의 몸무게의 범위를 수직선에 나타내기

30 31 32 33 34 35 36 37 38 39 40

[34~35] 마을별 10월 1일의 최고 기온을 조사하여 나타낸 표입니다. 물음에 답해 보세요.

마을별 10월 1일의 최고 기온

마을	푸른	꿈	별
최고 기온(°C)	20.1	17.8	20.0

최고 기온별 마을

최고 기온(°C)	마을
18 이하	
18 초과 20 이하	㉠
20 초과	

34 최고 기온이 18 °C 이하인 마을에 ○표 하세요.

푸른 마을	꿈 마을	별 마을

35 ㉠에 알맞은 마을은 어느 마을인가요?

( )

[36~37] 지아와 친구들이 1분 동안 한 윗몸 말아 올리기 횟수를 조사하여 나타낸 표입니다. 물음에 답해 보세요.

지아와 친구들이 1분 동안 한 윗몸 말아 올리기 횟수

이름	지아	선혜	영후	경진
횟수(회)	24	19	20	31

등급별 횟수

등급	횟수(회)
1	30 이상
2	20 이상 30 미만
3	20 미만

36 경진이는 몇 등급인가요?

( )

37 2등급을 받은 친구를 모두 찾아 이름을 써 보세요.

( )

38 준모가 씨름 대회에 참가하려고 합니다. 준모의 몸무게가 50 kg일 때 준모가 속한 체급의 몸무게 범위를 쓰고, 수직선에 나타내어 보세요.

체급별 몸무게

체급	몸무게(kg)
백두급	40 이하
한라급	40 초과 45 이하
지리급	45 초과 50 이하
설악급	50 초과 55 이하
태백급	55 초과

( )

40 50 60

개념 1 ~ 6 기초력 집중 연습

[1~4] 수의 범위에 알맞은 수를 모두 찾아 ○표 하세요.

1 17 이상인 수

15	17.3	14	18

2 19 미만인 수

18.9	19.2	17	20

3 16 초과 20 이하인 수

14.5	16.3	21	18.4

4 23 이상 26 미만인 수

23.1	27.3	24	28

[5~8] 수직선에 나타내어 보세요.

5 28 초과인 수

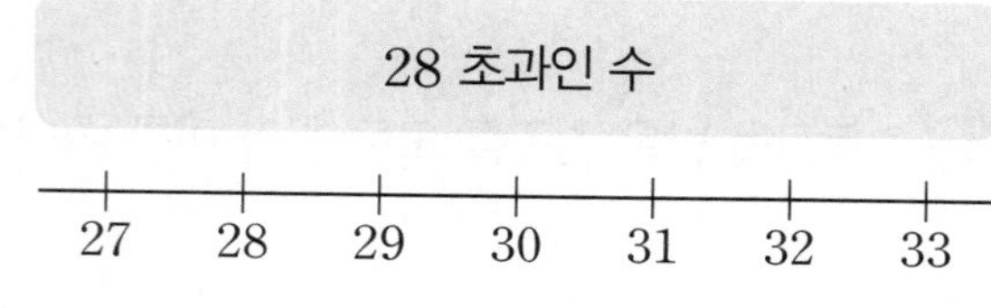

6 43 이하인 수

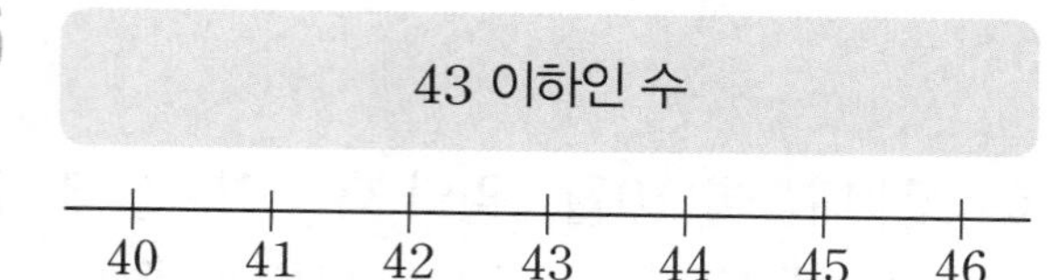

7 27 이상 31 미만인 수

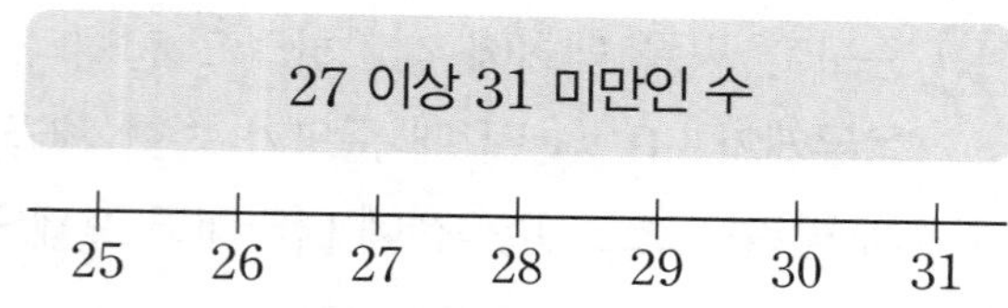

8 43 초과 46 미만인 수

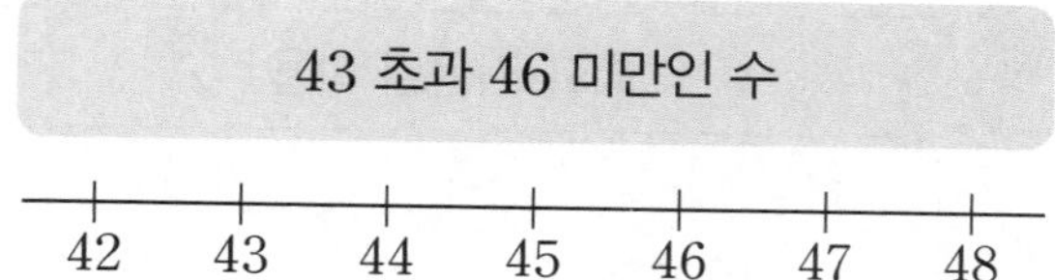

[9~10] 보기 의 단어를 사용하여 수직선에 나타낸 수의 범위를 써 보세요.

보기

이상 이하 초과 미만

9

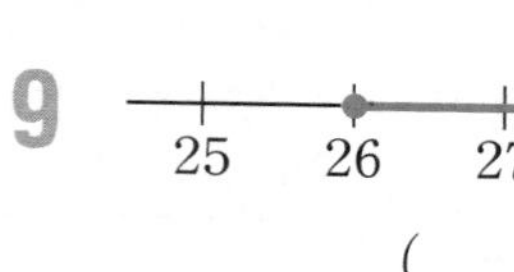

(   )

10 8 9 10 11 12 13 14

(   )

유형 진단 TEST

점수 /10점

정답 및 풀이 2쪽

1 수직선에 나타낸 수의 범위에 포함되지 않는 수는 어느 것인가요? [1점] ······················( )

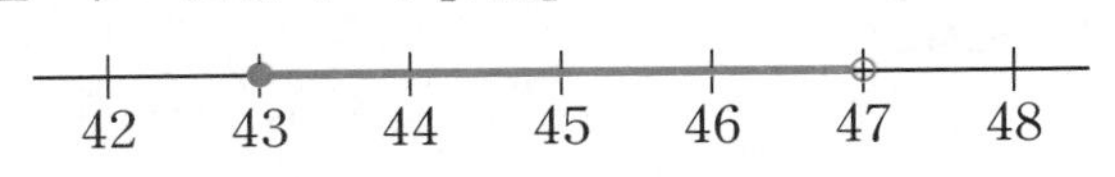

① 43 ② 44 ③ 45
④ 46 ⑤ 47

2 주어진 수의 범위를 수직선에 바르게 나타낸 것을 찾아 기호를 써 보세요. [1점]

19 초과 23 미만인 수

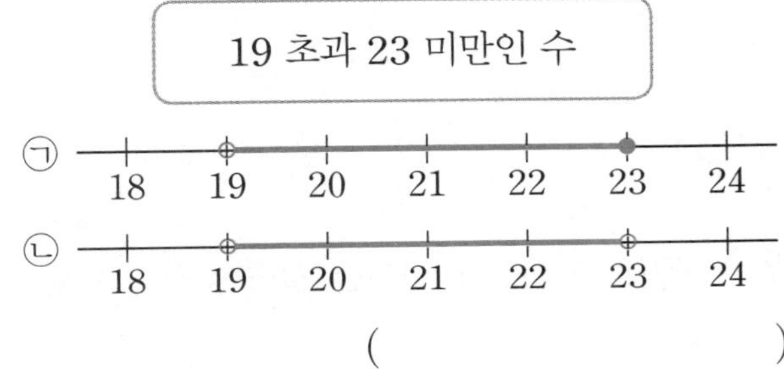

( )

3 바르게 설명한 것을 찾아 기호를 써 보세요. [2점]

㉠ 3 초과인 자연수는 3, 4, 5……입니다.
㉡ 10 미만인 자연수는 9, 8, 7……입니다.

( )

4 우유를 더 마셔야 하는 학생을 모두 찾아 이름을 써 보세요. [2점]

키가 140.2 cm 이하인 학생은 우유를 더 마셔요~

학생들의 키

이름	승민	재석	미진	유라
키(cm)	140.3	140.0	141.5	138.9

( )

5 통과 제한 높이가 3 m 미만인 도로가 있습니다. 통과할 수 있는 차의 높이를 찾아 기호를 써 보세요. [2점]

㉠ 310 cm ㉡ 300 cm ㉢ 295 cm

( )

6 35를 포함하는 수의 범위를 모두 찾아 기호를 써 보세요. [2점]

㉠ 35 이상 36 이하인 수
㉡ 33 이상 35 미만인 수
㉢ 34 초과 36 이하인 수

( )

개념 7 올림

올림: 구하려는 자리의 아래 수를 올려서 나타내는 방법

예 126을 올림하여 나타내기

(1) 올림하여 십의 자리까지 나타내기

십의 자리 아래 수인 6을 10으로 보고 130으로 나타내~

126 ➔ 130

(2) 올림하여 백의 자리까지 나타내기

백의 자리 아래 수인 26을 100으로 보고 200으로 나타내~

126 ➔ 200

유형

1 451을 올림하여 십의 자리까지 나타내려고 합니다. □ 안에 알맞은 수를 써넣으세요.

451 ➔ 4□□

2 주어진 수를 올림하여 백의 자리까지 나타내어 보세요.

840 ➔ (　　　　)

3 올림하여 주어진 자리까지 나타내어 보세요.

수	십의 자리	백의 자리
324		

4 2.74를 올림하여 소수 첫째 자리까지 나타내어 보세요.

(　　　　)

5 올림하여 십의 자리까지 나타내면 980이 되는 수를 찾아 기호를 써 보세요.

㉠ 981　　㉡ 978

(　　　　)

6 올림하여 바르게 나타낸 것을 찾아 기호를 써 보세요.

㉠ 9.754를 올림하여 소수 둘째 자리까지 나타낸 수 ➔ 9.76

㉡ 2030을 올림하여 백의 자리까지 나타낸 수 ➔ 3000

(　　　　)

7 어림한 수를 □ 안에 써넣고, 크기를 비교하여 ○ 안에 >, =, <를 알맞게 써넣으세요.

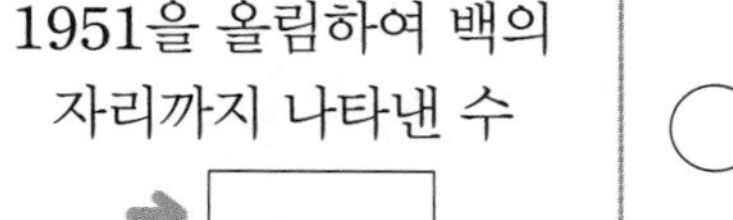

1951을 올림하여 백의 자리까지 나타낸 수 ➔ □　○　2000

정답 및 풀이 3쪽

개념 8 버림

버림: 구하려는 자리의 아래 수를 버려서 나타내는 방법

예 126을 버림하여 나타내기

(1) 버림하여 십의 자리까지 나타내기

십의 자리 아래 수인 6을 0으로 보고 120으로 나타내~

126 ➜ 120

(2) 버림하여 백의 자리까지 나타내기

백의 자리 아래 수인 26을 0으로 보고 100으로 나타내~

126 ➜ 100

유형

8 235를 버림하여 십의 자리까지 나타낸 수를 찾아 ○표 하세요.

240 230 200

9 보기 를 보고 □ 안에 알맞은 수를 써넣으세요.

보기
2.415를 버림하여 소수 둘째 자리까지 나타내면 2.41입니다.

8.794를 버림하여 소수 둘째 자리까지 나타내면 □ 입니다.

10 버림하여 주어진 자리까지 나타내어 보세요.

수	십의 자리	백의 자리
5368		

11 지수의 50 m 달리기 기록입니다. 달리기 기록을 버림하여 일의 자리까지 나타내면 몇 초인가요?

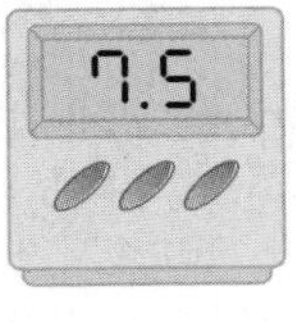

(   )

[12~13] 서아가 저금통에 모은 돈을 보고 물음에 답해 보세요.

서아

나는 저금통에 25820원을 모았어.

12 서아가 저금통에 모은 돈을 1000원짜리 지폐로 바꾼다면 최대 얼마까지 바꿀 수 있나요?

(   )

13 서아가 저금통에 모은 돈을 10000원짜리 지폐로 바꾼다면 최대 얼마까지 바꿀 수 있나요?

(   )

개념 9 반올림

반올림: 구하려는 자리 바로 아래 자리의 숫자가 0, 1, 2, 3, 4이면 버리고, 5, 6, 7, 8, 9이면 올려서 나타내는 방법

예 126을 반올림하여 나타내기

(1) 반올림하여 십의 자리까지 나타내기

126 ➔ 130

(2) 반올림하여 백의 자리까지 나타내기

126 ➔ 100

14 2582를 수직선에 ↓로 나타내고, 반올림하여 십의 자리까지 나타내어 보세요.

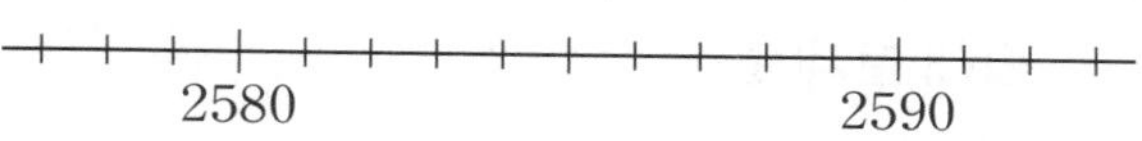

➔ 반올림하여 십의 자리까지 나타내기:

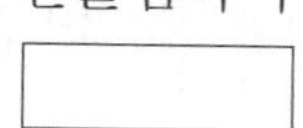

15 주어진 수를 반올림하여 백의 자리까지 나타내어 보세요.

6374 ➔ (　　　　　)

16 반올림하여 주어진 자리까지 나타내어 보세요.

수	십의 자리	백의 자리
306		

17 보기와 같이 소수를 반올림하여 소수 첫째 자리까지 나타내어 보세요.

> 보기
> 7.398 ➔ 7.4

5.643 ➔ (　　　　　)

18 달빛 미술관에 입장한 관람객의 수입니다. 관람객의 수를 반올림하여 천의 자리까지 나타내어 보세요.

1584명 ➔ 명

19 바르게 말한 사람은 누구인지 이름을 써 보세요.

현서: 6150을 반올림하여 천의 자리까지 나타내면 6000이야.

다은: 4704를 반올림하여 십의 자리까지 나타내면 4710이야.

(　　　　　)

20 연필의 길이는 몇 cm인지 반올림하여 일의 자리까지 나타내어 보세요.

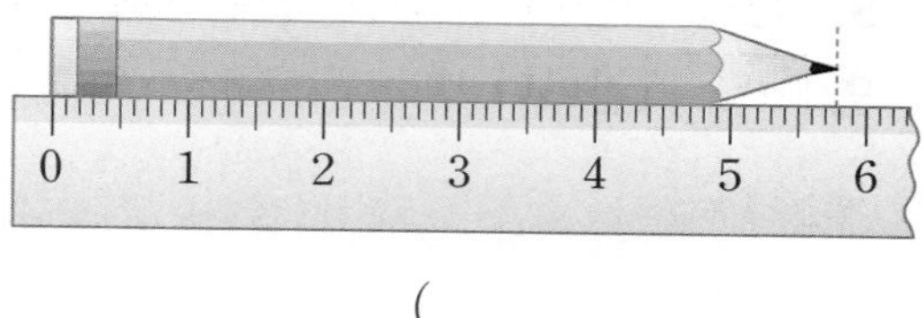

(　　　　　)

정답 및 풀이 3쪽

개념 10 올림, 버림, 반올림을 활용하여 문제 해결하기

1. 올림 활용하기

예 300원짜리 사탕을 살 때 올림하여 1000원짜리 지폐를 내고 거스름돈을 받습니다.

2. 버림 활용하기

예 물건의 수를 버림하여 10개씩, 100개씩 …… 묶음으로 포장합니다.

3. 반올림 활용하기

예 동물원 입장객 수를 말할 때 반올림하여 말할 수 있습니다.

유형

21 사탕이 529개 있습니다. 한 상자에 10개씩 담아서 팔면 최대 몇 상자까지 팔 수 있는지 구해 보세요.

(1) 사탕을 최대 몇 상자까지 팔 수 있는지 구하기 위해 이용해야 하는 방법을 찾아 ◯표 하세요.

올림 버림 반올림

(2) 사탕을 한 상자에 10개씩 담아서 팔면 최대 몇 상자까지 팔 수 있나요?

( )

22 민서는 400원짜리 지우개를 1개 사려고 합니다. 민서가 어림한 방법을 보기 에서 찾아 써 보세요.

보기

올림 버림 반올림

지우개 1개 값을 어림하여 1000원짜리 지폐를 한 장 내고 거스름돈을 받았어.

( )

23 지혜와 윤호가 철봉에 매달린 시간을 나타낸 표입니다. 철봉에 매달린 시간을 각각 반올림하여 일의 자리까지 나타내어 보세요.

철봉에 매달린 시간

이름	지혜	윤호
시간(초)	2.8	8.3
반올림한 시간(초)		

24 토마토 382상자를 트럭에 모두 실으려고 합니다. 트럭 한 대에 100상자씩 실을 수 있을 때 트럭은 최소 몇 대 필요한가요?

( )

25 상자 한 개를 포장하는 데 리본 1 m가 필요합니다. 리본 624 cm로 상자를 최대 몇 개까지 포장할 수 있는지 구해 보세요.

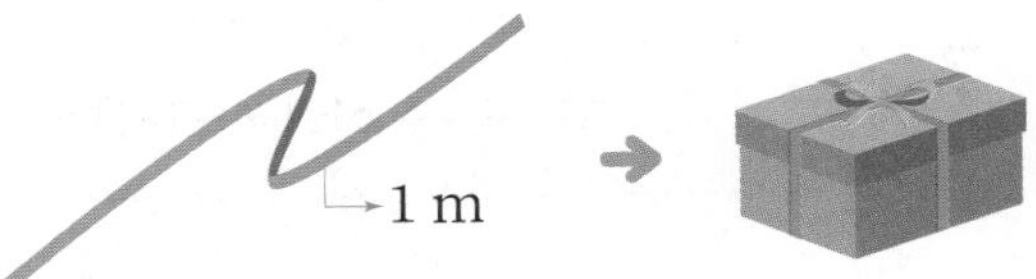

(1) 상자 한 개를 포장하는 데 필요한 리본은 몇 cm인가요?

( )

(2) 리본 624 cm로 상자를 최대 몇 개까지 포장할 수 있나요?

( )

개념 7 ~ 10 기초력 집중 연습

[1~4] 수를 올림하여 주어진 자리까지 나타내어 보세요.

1 314 → 십의 자리까지

(　　　　　　　　　)

2 1695 → 천의 자리까지

(　　　　　　　　　)

3 9590 → 백의 자리까지

(　　　　　　　　　)

4 6.137 → 소수 첫째 자리까지

(　　　　　　　　　)

[5~6] 수를 버림하여 주어진 자리까지 나타내어 보세요.

5

수	십의 자리
953	

6

수	소수 첫째 자리
2.405	

[7~10] 수를 반올림하여 주어진 자리까지 나타내어 보세요.

7 5794 → 십의 자리까지

(　　　　　　　　　)

8 4526 → 천의 자리까지

(　　　　　　　　　)

9 4.387 → 소수 둘째 자리까지

(　　　　　　　　　)

10 8.204 → 소수 첫째 자리까지

(　　　　　　　　　)

유형 진단 TEST

점수 /10점

정답 및 풀이 4쪽

1 버림하여 십의 자리까지 나타내면 2450이 되는 수를 찾아 기호를 써 보세요. [1점]

㉠ 2446　㉡ 2453

(　　　　　　)

2 ㉠과 ㉡에 알맞은 수를 각각 구해 보세요. [1점]

- 2.473을 올림하여 소수 둘째 자리까지 나타낸 수 ➔ ㉠
- 2.473을 반올림하여 소수 첫째 자리까지 나타낸 수 ➔ ㉡

㉠ (　　　　　　)
㉡ (　　　　　　)

3 성아는 서점에서 10600원짜리 동화책을 한 권 샀습니다. 1000원짜리 지폐로만 책값을 낸다면 최소 얼마를 내야 하나요? [2점]

(　　　　　　)

4 어림한 수를 □ 안에 써넣고, 어림한 수의 크기를 비교하여 ○ 안에 >, =, <를 알맞게 써넣으세요. [2점]

153을 버림하여 백의 자리까지 나타낸 수 ➔ □	○	146을 버림하여 십의 자리까지 나타낸 수 ➔ □

서술형

5 생활에서 '올림'과 '버림'을 해야 하는 상황을 각각 찾아 써 보세요. [2점]

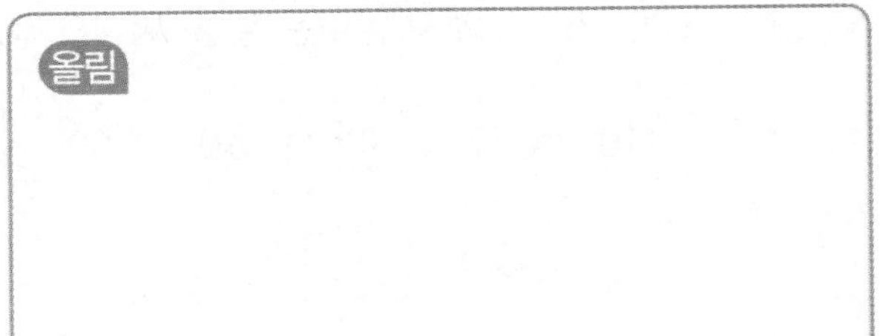

6 수 카드 3장을 한 번씩만 사용하여 만들 수 있는 가장 큰 세 자리 수를 반올림하여 십의 자리까지 나타내어 보세요. [2점]

5　9　7

(　　　　　　)

STEP 2 꼬리를 무는 유형

❶ 이상(이하)인 수

기본 유형

1 48 이상인 수를 모두 찾아 써 보세요.

45	46	47	48	49

(　　　　　　　　　　)

변형 유형

2 주어진 수가 모두 포함되도록 □ 안에 이상, 이하, 초과, 미만 중에서 알맞은 말을 써넣으세요.

46	47	48	49	50

➔ 46 □ 인 수

실생활 유형

3 표지판을 보고 놀이 기구를 탈 수 있는 사람의 키를 모두 찾아 몇 cm인지 써 보세요.

이 놀이 기구는 키가 150 cm 이하인 사람만 탈 수 있습니다.

150.1 cm	150.0 cm	149.2 cm

(　　　　　　　　　　)

❷ 어림한 방법 찾기

기본 유형

4 수를 어림한 방법을 보기 에서 찾아 써 보세요.

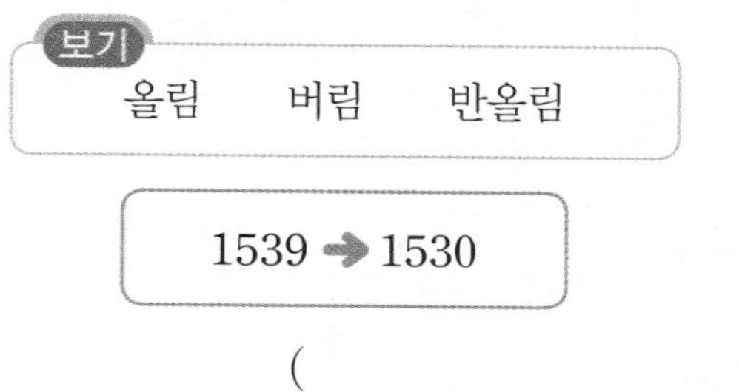

보기: 올림　　버림　　반올림

1539 ➔ 1530

(　　　　　　　　　　)

변형 유형

5 수를 어림한 방법을 보기 에서 모두 찾아 써 보세요.

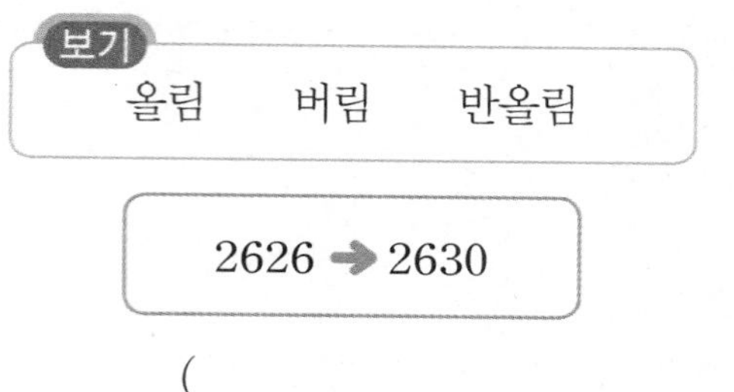

보기: 올림　　버림　　반올림

2626 ➔ 2630

(　　　　　　　　　　)

실생활 유형

6 민서가 곶감의 수를 어림한 방법을 보기 에서 찾아 써 보세요.

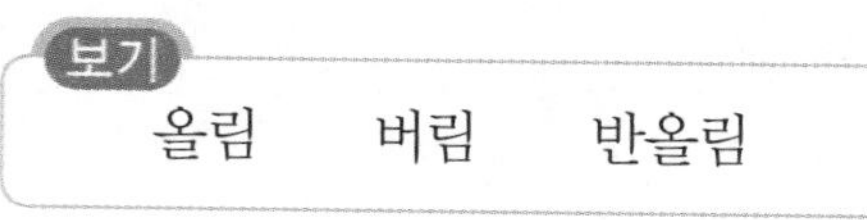

보기: 올림　　버림　　반올림

곶감 58개를 10개씩 묶어서 팔면 최대 50개까지 팔 수 있어~

(　　　　　　　　　　)

③ 수의 범위에 포함되는 자연수 구하기

기본 유형

7 주어진 수의 범위에 포함되는 자연수를 모두 써 보세요.

21 초과 24 이하인 수

( )

변형 유형

8 주어진 수의 범위에 포함되는 자연수는 모두 몇 개인지 써 보세요.

15 이상 18 미만인 수

( )

변형 유형

9 수직선에 나타낸 수의 범위에 포함되는 자연수를 모두 써 보세요.

10 11 12 13 14 15 16

( )

문장제 유형

10 주어진 수의 범위에 포함되는 나이를 모두 써 보세요.

18세 이상 20세 이하인 나이

( )

④ □ 안에 들어갈 수 있는 수 구하기

기본 유형

11 수를 반올림하여 십의 자리까지 나타낸 것입니다. □ 안에 들어갈 수 있는 일의 자리 숫자를 모두 구해 보세요.

718□ ➔ 7190

( )

변형 유형

12 수를 반올림하여 천의 자리까지 나타낸 것입니다. □ 안에 들어갈 수 있는 백의 자리 숫자를 모두 구해 보세요.

4□26 ➔ 4000

( )

변형 유형

13 지안이의 설명을 보고 □ 안에 들어갈 수 있는 일의 자리 숫자는 모두 몇 개인지 구해 보세요.

245□

이 수를 올림하여 십의 자리까지 나타내면 2460이야.

지안

( )

3 STEP 수학 독해력 유형

독해력 유형 1 입장료 구하기

소희는 12세, 언니는 14세입니다. 소희와 언니가 함께 박물관에 입장하려면 내야 하는 입장료는 얼마인지 구해 보세요.

박물관 입장료

구분	어린이	청소년	어른
요금(원)	1000	2000	3000

- 어린이: 8세 이상 13세 이하
- 청소년: 13세 초과 20세 미만
- 어른: 20세 이상

What? 구하려는 것을 찾아 밑줄을 그어 보세요.

How?
❶ 소희의 입장료 구하기
❷ 언니의 입장료 구하기
❸ 소희와 언니의 입장료의 합 구하기

Solve
❶ 소희의 입장료는 얼마인가요?

( )

❷ 언니의 입장료는 얼마인가요?

( )

❸ 소희와 언니가 함께 박물관에 입장하려면 내야 하는 입장료는 얼마인가요?

( )

쌍둥이 유형 1-1

연주는 13세, 이모는 42세입니다. 연주와 이모가 함께 미술관에 입장하려면 내야 하는 입장료는 얼마인지 구해 보세요.

미술관 입장료

구분	어린이	청소년	어른
요금(원)	1500	2000	5000

- 어린이: 8세 이상 13세 이하
- 청소년: 13세 초과 20세 미만
- 어른: 20세 이상

❶

❷

❸

답 ____________

쌍둥이 유형 1-2

규호는 14세, 아버지는 45세입니다. 규호와 아버지가 함께 놀이공원에 입장하려면 내야 하는 입장료는 얼마인지 구해 보세요.

놀이공원 입장료

구분	어린이	청소년	어른
요금(원)	15000	17000	20000

- 어린이: 8세 이상 13세 이하
- 청소년: 13세 초과 20세 미만
- 어른: 20세 이상

❶

❷

❸

 ____________

독해력 유형 2 적절하게 어림한 사람 찾기

캐스터네츠와 트라이앵글을 사는 데 필요한 금액을 어림했습니다. 더 적절한 방법으로 어림한 사람은 누구인지 구해 보세요.

2300원

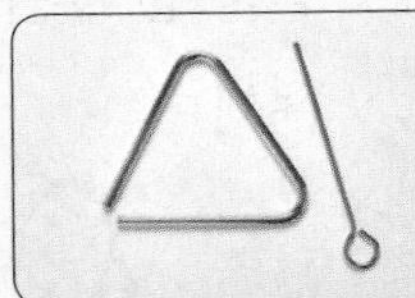
3400원

시우: 나는 각각 2000원, 3000원으로 어림해서 모두 5000원이면 충분할 것 같아.

하윤: 나는 각각 3000원, 4000원으로 어림해서 모두 7000원이면 충분할 것 같아.

What? 구하려는 것을 찾아 밑줄을 그어 보세요.

How?
❶ 시우와 하윤이가 각각 어림한 방법 찾기
❷ 캐스터네츠와 트라이앵글 값의 합 구하기
❸ 더 적절한 방법으로 어림한 사람 찾기

Solve
❶ '버림'과 '올림' 중 두 사람이 각각 어림한 방법을 찾아 ○표 하세요.

시우 ➜ (버림 , 올림)
하윤 ➜ (버림 , 올림)

❷ 캐스터네츠와 트라이앵글 값의 합은 얼마인가요?

( )

❸ 더 적절한 방법으로 어림한 사람은 누구인가요?

( )

쌍둥이 유형 2-1

식빵과 햄버거를 사는 데 필요한 금액을 어림했습니다. 더 적절한 방법으로 어림한 사람은 누구인지 이름을 써 보세요.

식빵: 5400원	햄버거: 4300원

현서: 나는 각각 6000원, 5000원으로 어림해서 모두 11000원이면 충분할 것 같아.

다은: 나는 각각 5000원, 4000원으로 어림해서 모두 9000원이면 충분할 것 같아.

❶

❷

❸

답 ____________

4 STEP 사고력 플러스 유형

플러스 유형 1 수의 범위에 포함되는 수 구하기

1-1 18 이상인 수를 모두 찾아 ○표, 18 이하인 수를 모두 찾아 △표 하세요.

16	17	18	19	20	21

1-2 15 초과인 수를 모두 찾아 ○표, 15 미만인 수를 모두 찾아 △표 하세요.

12	13	14	15	16	17

1-3 19 이상 22 이하인 수를 모두 찾아 ○표 하세요.

17.1	23.5	21.2	20.8	15.3

플러스 유형 처방전

● 이상인 수, ■ 이하인 수에는 ●와 ■가 포함되고, ♥ 초과인 수, ★ 미만인 수에는 ♥와 ★이 포함되지 않는다능~

플러스 유형 2 어림하여 나타내기

2-1 밑줄 친 수를 올림하여 백의 자리까지 나타내어 보세요.

상자를 묶는 데 끈이 1637 cm 필요해.

1637 cm ➔ (　　　　　　　) cm

2-2 밑줄 친 수를 버림하여 십의 자리까지 나타내어 보세요.

우리 농장에서 딸기를 5482개 땄어.

5482개 ➔ (　　　　　　　)개

2-3 준환이의 키를 반올림하여 일의 자리까지 나타내어 보세요.

준환이의 키(cm)	반올림한 키(cm)
144.6	

2-4 택현이의 몸무게를 반올림하여 일의 자리까지 나타내어 보세요.

택현이의 몸무게(kg)	반올림한 몸무게(kg)
42.3	

플러스 유형 3 수직선에 나타낸 수의 범위 중 가장 큰(작은) 수 구하기

3-1 수직선에 나타낸 수의 범위에 포함되는 자연수 중에서 가장 큰 수는 얼마인가요?

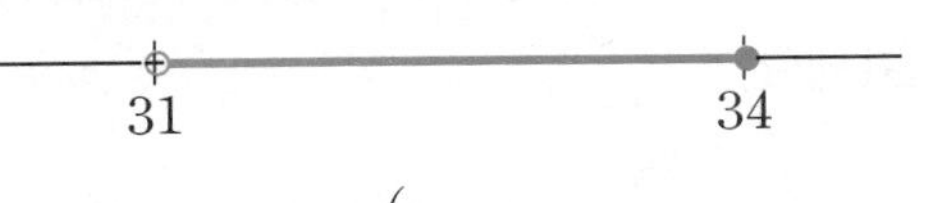

( )

3-2 수직선에 나타낸 수의 범위에 포함되는 자연수 중에서 가장 큰 수는 얼마인가요?

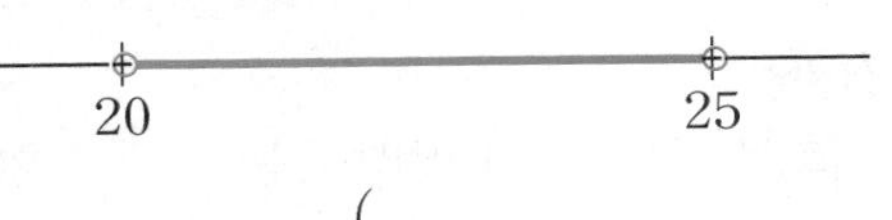

( )

사고력 유형

3-3 수직선에 나타낸 수의 범위에 포함되는 자연수 중에서 가장 작은 수는 얼마인가요?

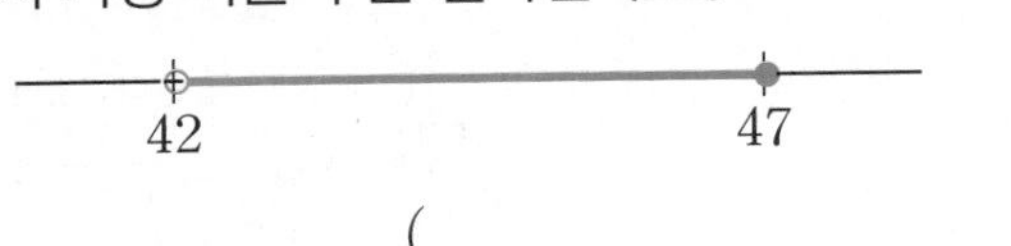

( )

플러스 유형 처방전

수직선에 나타내는 점 ●, ○

(1) ● → 이상, 이하 (2) ○ → 초과, 미만

플러스 유형 4 올림하여 나타낸 수의 차 구하기

4-1 두 수를 각각 올림하여 백의 자리까지 나타냈을 때 나타낸 값의 차는 얼마인가요?

6142 6095

( )

서술형

4-2 두 수를 각각 올림하여 십의 자리까지 나타냈을 때 나타낸 값의 차는 얼마인지 풀이 과정을 쓰고 답을 구해 보세요.

7330 7348

풀이

답

사고력 유형

4-3 주어진 수를 올림하여 백의 자리까지 나타낸 수와 올림하여 십의 자리까지 나타낸 수의 차는 얼마인가요?

3054

( )

플러스 유형 5 어림하기 전의 수 중 가장 큰 수 구하기

5-1 버림하여 백의 자리까지 나타냈을 때 2700이 되는 자연수 중에서 가장 큰 수를 구해 보세요.

( )

서술형

5-2 버림하여 백의 자리까지 나타냈을 때 3200이 되는 자연수 중에서 가장 큰 수는 얼마인지 풀이 과정을 쓰고 답을 구해 보세요.

풀이

답

5-3 버림하여 천의 자리까지 나타냈을 때 4000이 되는 자연수 중에서 가장 큰 수를 구해 보세요.

( )

플러스 유형 처방전

예 버림하여 백의 자리까지 나타냈을 때 6600이 되는 수: 6600, 6601……6699

플러스 유형 6 비밀번호 구하기

6-1 자물쇠의 비밀번호를 올림하여 백의 자리까지 나타내면 2500입니다. 자물쇠의 비밀번호를 구해 보세요.

나의 비밀번호는 □□25야.

1	2	3
4	5	6
7	8	9
*	0	*

□□25

서술형

6-2 경희네 집 현관 비밀번호는 □□26이고 이 수를 올림하여 백의 자리까지 나타내면 8400입니다. 경희네 집 현관 비밀번호를 구하는 풀이 과정을 쓰고 답을 구해 보세요.

풀이

답 □□26

사고력 유형

6-3 소라의 스마트폰 비밀번호는 □□59이고 이 수를 버림하여 백의 자리까지 나타내면 1700입니다. 소라의 스마트폰 비밀번호를 구해 보세요.

□□59

플러스 유형 7 처음에 생각한 자연수 구하기

독해력 유형

7-1 두 사람의 대화를 보고 하윤이가 처음에 생각한 자연수를 구해 보세요.

시우: 네가 생각한 자연수에 8을 곱해서 나온 수를 버림하여 십의 자리까지 나타내면 얼마야?

하윤: 70이야~

단계 1 □ 안에 알맞은 수를 써넣으세요.

버림하기 전의 자연수는 □부터 □까지의 수 중 하나입니다.

단계 2 위 단계 1에서 답한 범위의 수 중 8의 배수는 얼마인가요?

(　　　　　　)

단계 3 하윤이가 처음에 생각한 자연수는 얼마인가요?

(　　　　　　)

7-2 설명을 보고 어떤 자연수를 구해 보세요.

어떤 자연수에 9를 곱해서 나온 수를 버림하여 십의 자리까지 나타내면 50입니다.

(　　　　　　)

플러스 유형 처방전

버림하기 전의 자연수가 될 수 있는 수의 범위를 먼저 찾아보라능~

플러스 유형 8 어떤 수가 될 수 있는 수의 범위를 수직선에 나타내기

독해력 유형

8-1 어떤 수를 반올림하여 십의 자리까지 나타내었더니 460이 되었습니다. 어떤 수가 될 수 있는 수의 범위를 수직선에 나타내어 보세요.

단계 1 어떤 수가 될 수 있는 수의 범위를 구하려고 합니다. □ 안에 알맞은 수를 써넣으세요.

□ 이상 □ 미만인 수

단계 2 위의 수직선에 어떤 수가 될 수 있는 수의 범위를 나타내어 보세요.

8-2 어떤 수를 반올림하여 십의 자리까지 나타내었더니 5380이 되었습니다. 어떤 수가 될 수 있는 수의 범위를 수직선에 나타내어 보세요.

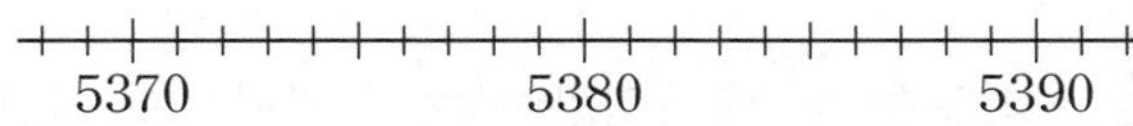

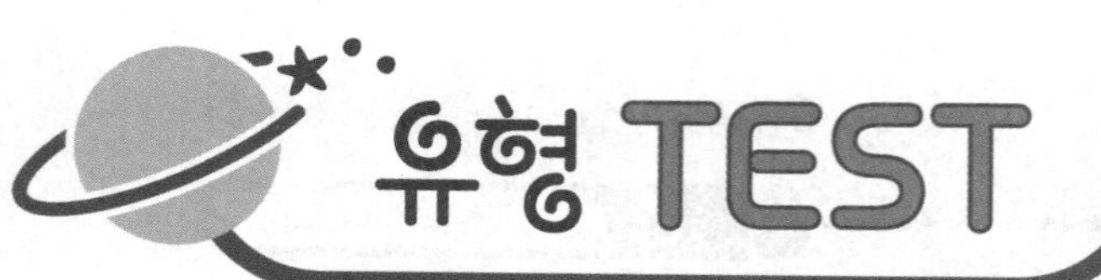

점수

1 □ 안에 알맞은 말을 써넣으세요.

구하려는 자리의 아래 수를 올려서 나타내는 방법을 □이라고 합니다.

2 주어진 수를 반올림하여 백의 자리까지 나타내어 보세요.

2613

( )

3 수직선에 나타내어 보세요.

17 이하인 수

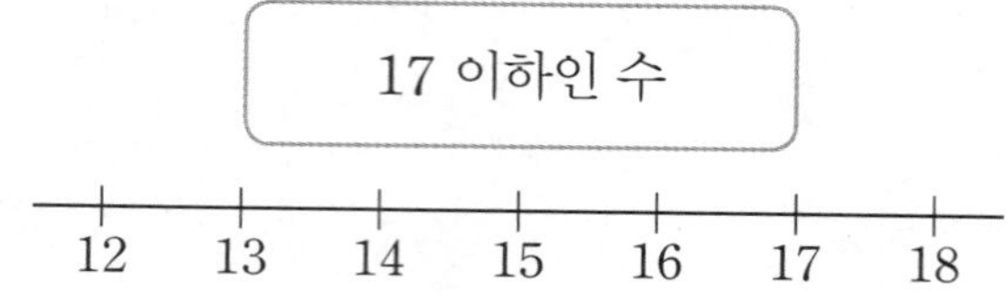

4 16 초과인 수를 모두 찾아 써 보세요.

13.8 16.4 17.1

( )

5 밑줄 친 수를 올림하여 백의 자리까지 나타내어 보세요.

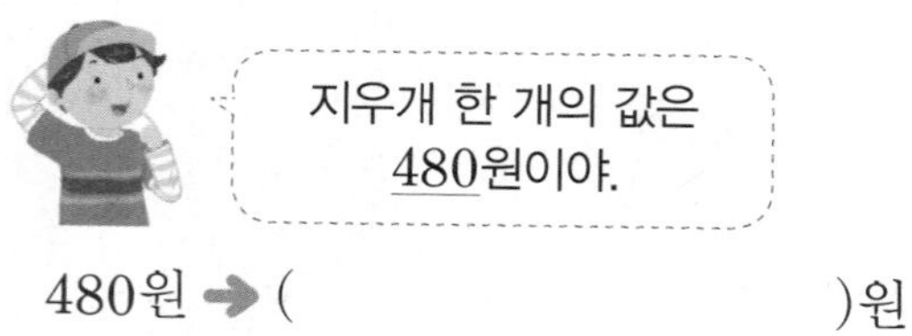

480원 ➔ ( )원

6 버림하여 주어진 자리까지 나타내어 보세요.

수	십의 자리	백의 자리
754		

7 수직선에 나타낸 수의 범위에 포함되지 않는 수는 어느 것인가요? ··························( )

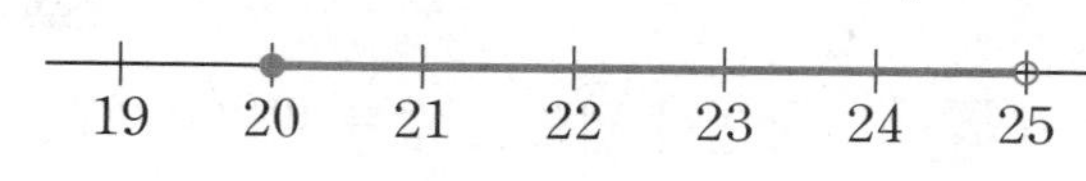

① 20 ② 21 ③ 22
④ 24 ⑤ 25

8 보기 의 수와 단어를 모두 넣어 문장을 만들어 보세요.

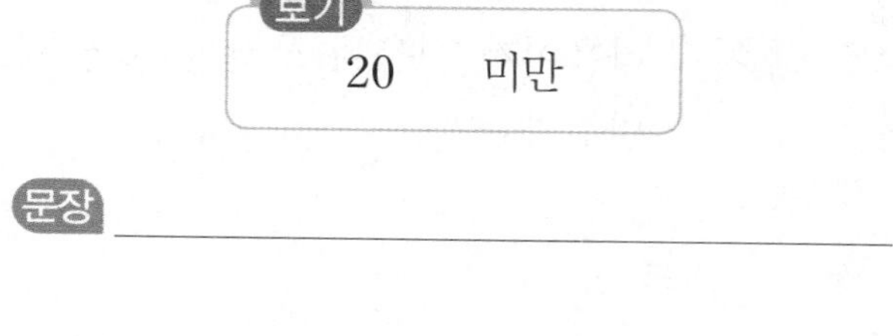

문장 ____________________

____

9 지안이가 어림한 방법을 보기 에서 찾아 써 보세요.

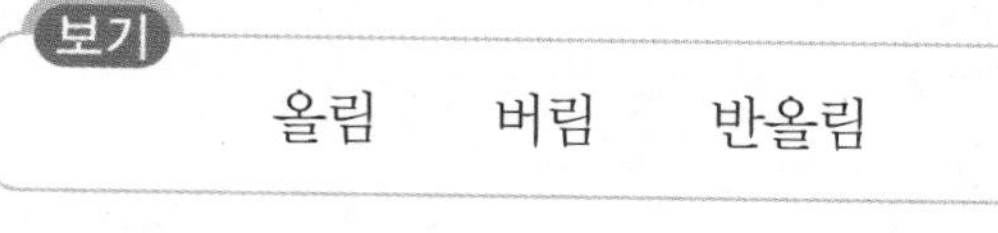

( )

10 바르게 설명한 것을 찾아 기호를 써 보세요.

㉠ 13 이상인 수에는 14.2, 15.3 등이 있습니다.
㉡ 15 미만인 수에는 15.0, 14.6 등이 있습니다.

( )

[11~12] 수명이네 학교 남자 태권도 선수들의 몸무게와 체급별 몸무게를 나타낸 표입니다. 물음에 답해 보세요.

수명이네 학교 남자 태권도 선수들의 몸무게

선수	수명	진석	성호	효준
몸무게(kg)	35.2	37.2	34.8	36.8

체급별 몸무게(초등학교 남학생용)

체급	몸무게(kg)
핀급	32 이하
플라이급	32 초과 34 이하
밴텀급	34 초과 36 이하
페더급	36 초과 39 이하
라이트급	39 초과

11 수명이가 속한 체급은 무엇인가요?

( )

12 수명이와 같은 체급에 속한 학생의 이름을 써 보세요.

( )

13 승미 친척의 나이입니다. 친척 중 19세 미만인 사람은 누구인지 써 보세요.

승미 친척의 나이

친척	이모	삼촌	사촌 언니
나이(세)	21	19	18

( )

14 어느 공장에서 칫솔을 4152개 만들었습니다. 한 상자에 10개씩 담아서 판다면 칫솔을 최대 몇 상자까지 팔 수 있나요?

( )

15 오늘 하루 극장에 입장한 관람객 수는 17642명입니다. 관람객 수를 올림, 버림, 반올림하여 백의 자리까지 나타내어 보세요.

관람객 수(명)	올림(명)	버림(명)	반올림(명)
17642			

16 29를 포함하는 수의 범위를 모두 찾아 기호를 써 보세요.

㉠ 29 이상 31 이하인 수
㉡ 30 이상 33 미만인 수
㉢ 29 초과 32 이하인 수
㉣ 28 초과 31 미만인 수

( )

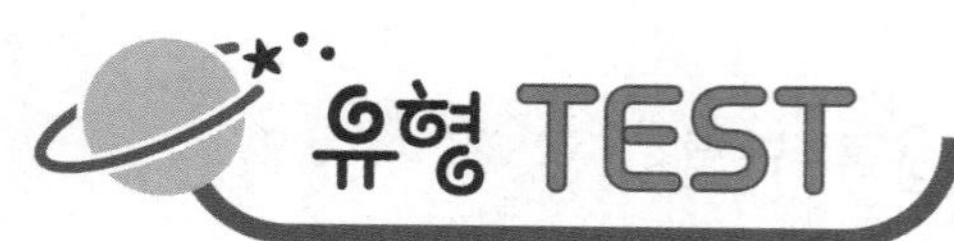

정답 및 풀이 7쪽

서술형 » 25쪽 4-2 유사 문제

17 두 수를 각각 올림하여 십의 자리까지 나타냈을 때 나타낸 값의 차는 얼마인지 풀이 과정을 쓰고 답을 구해 보세요.

4628　　4569

풀이

답

서술형 » 26쪽 5-3 유사 문제

18 버림하여 천의 자리까지 나타냈을 때 8000이 되는 자연수 중에서 가장 큰 수는 얼마인지 풀이 과정을 쓰고 답을 구해 보세요.

풀이

답

서술형 » 26쪽 6-2 유사 문제

19 준하의 여행용 가방의 비밀번호는 □□94이고 이 수를 올림하여 백의 자리까지 나타내면 3600입니다. 여행용 가방의 비밀번호를 구하는 풀이 과정을 쓰고 답을 구해 보세요.

풀이

답 □□94

독해력 유형 서술형 » 27쪽 7-2 유사 문제

20 설명을 보고 어떤 자연수를 구하는 풀이 과정을 쓰고 답을 구해 보세요.

> 어떤 자연수에 7을 곱해서 나온 수를 버림하여 십의 자리까지 나타내면 60입니다.

풀이

답

앞 단원 유형 다시 보기

정다각형의 둘레

1 정다각형의 둘레는 몇 cm인지 구해 보세요.

(1)

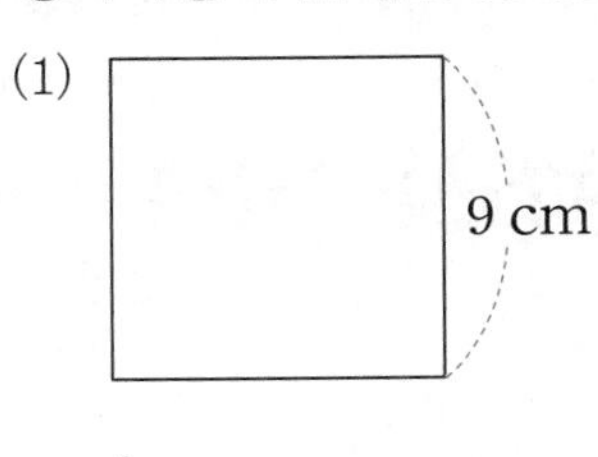

(   )

(2)

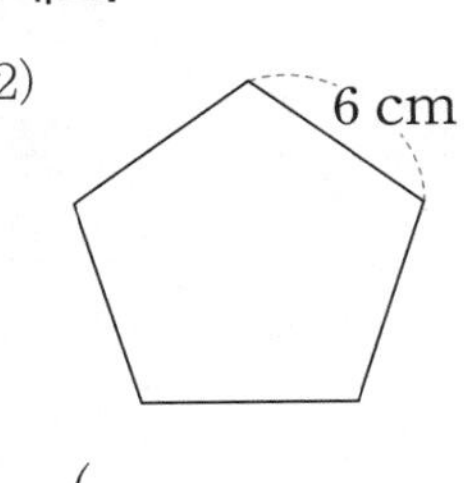

(   )

삼각형의 넓이, 사다리꼴의 넓이

2 도형의 넓이는 몇 cm^2인지 구해 보세요.

(1)

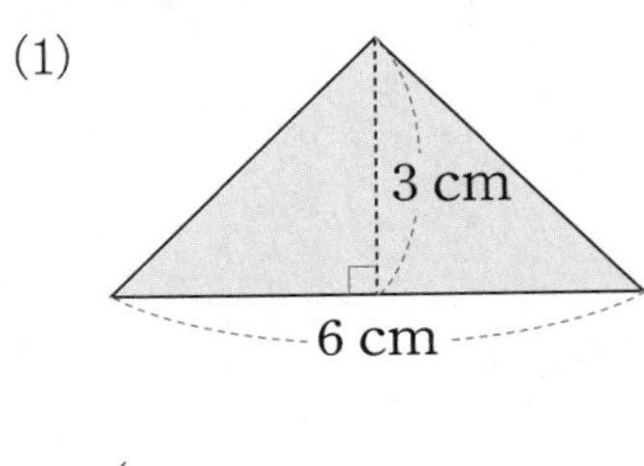

(   )

(2)

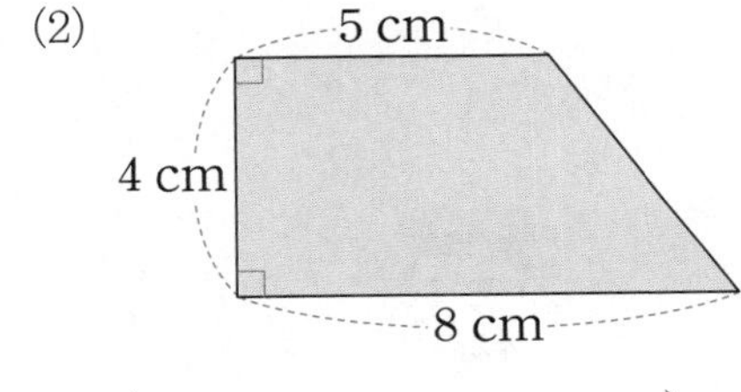

(   )

평행사변형의 넓이

3 성희는 밑변의 길이가 9 cm, 높이가 11 cm인 평행사변형 모양의 생일 카드를 만들었습니다. 성희가 만든 생일 카드의 넓이는 몇 cm^2인가요?

(   )

순서도 따라 가기 ~

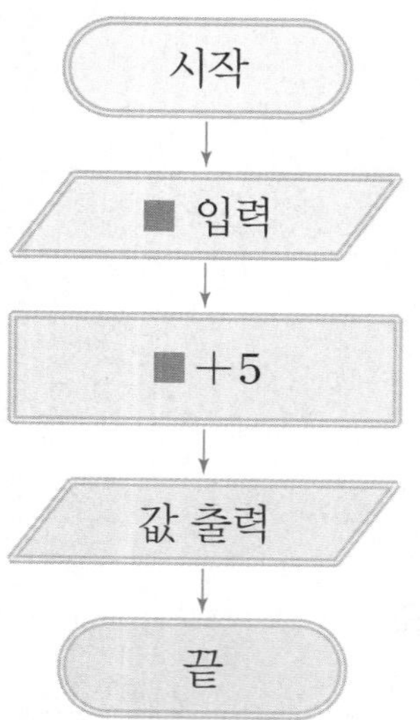

왼쪽은 덧셈 과정을 순서도로 나타낸 거야~

10 이상 13 미만인 자연수를 차례로 각각 ■ 안에 넣어 출력되는 값을 구해 봐~

10 이상 13 미만인 자연수는 □, □, □(이)야.

이제 순서도의 □ 안에 알맞은 수를 써넣어 출력되는 값을 구해 봐~

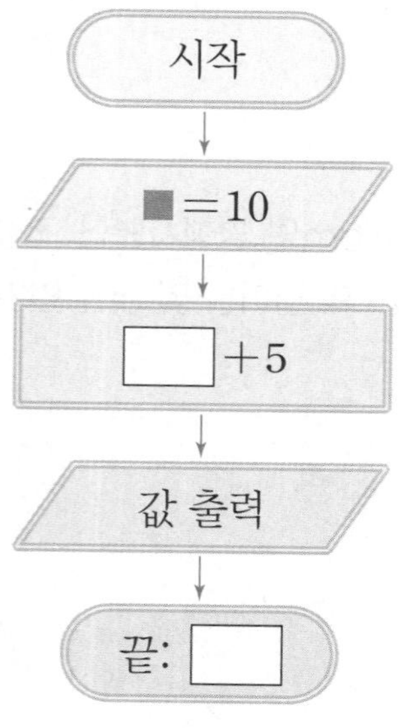

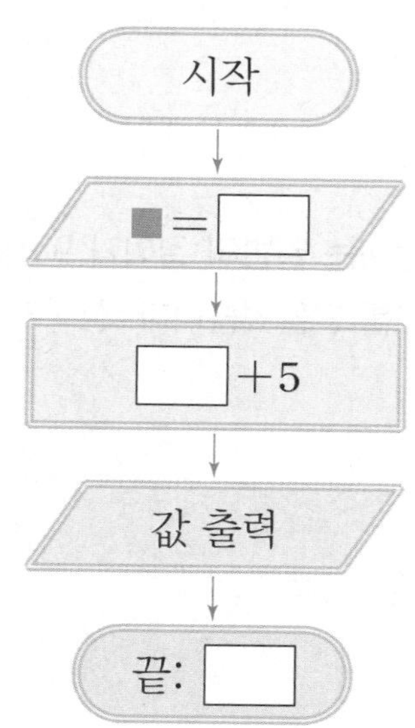

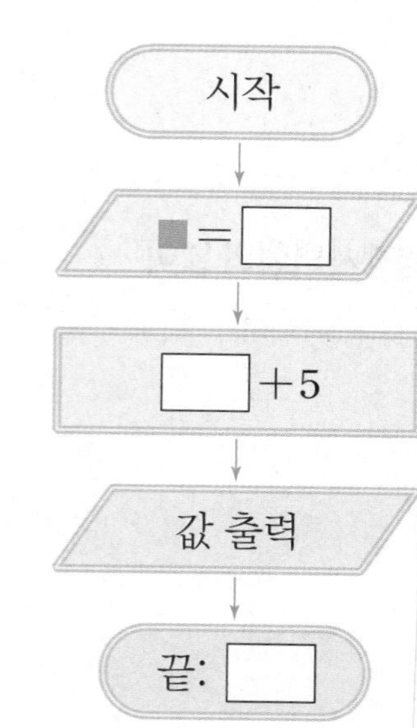

인구를 한눈에 쉽게!

인구가 가장 많은 나라는 어느 나라일까?

67886011명

영국

60461826명

이탈리아

65273511명

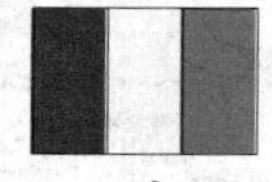

프랑스

(2020년 1월 통계청 기준)

수가 너무 커서 비교하기 힘들어.

그럼, 각 나라의 인구 수를 반올림하여 백만의 자리까지 나타내어 봐.

영국 67886011명 → ☐만 명

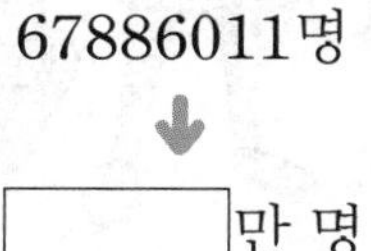

이탈리아 60461826명 → ☐만 명

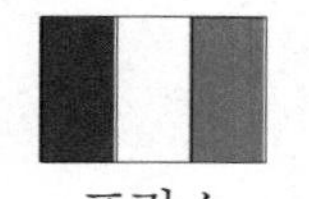

프랑스 65273511명 → ☐만 명

이제 반올림한 인구 수를 막대그래프로 나타내면 한눈에 쉽게 비교할 수 있을 것 같아~

나라별 인구 수

나라	
영국	
이탈리아	
프랑스	
나라 / 인구 수	0 1000 2000 3000 4000 5000 6000 7000 (만 명)

인구가 가장 많은 나라는 ☐(이)구나!

2 분수의 곱셈

자, 이쯤에
자리를 잡아 볼깡?
넵! 얼음 낚시
엄청 재밌을 것
같아요!
Dr. 탐정

이 크기로 뚫어서
구멍을 만들장~
엥? 너무 크게
뚫는 거 아니에요?
$\frac{1}{2}$m
$\frac{1}{2} \times \frac{1}{2} = \frac{1}{4}(\mathrm{m}^2)$
Dr. 탐정

하하!
나는 낚시의 신! 큰 물고기만
잡을 거니까 크게 뚫어야 한다능~

자, 다 뚫었으니 낚시를 시작해 볼깡?

화이팅!!

4시간 후

탐정님, 4시간 동안 손가락만한 피라미만 3마리 잡으셨네요. 큰 물고기는 어디 갔죠?

흠~~ 그럴 리가 없는뎅…….

개념 1 (진분수)×(자연수)

1. (단위분수)×(자연수)

예 $\frac{1}{3}\times 2$의 계산

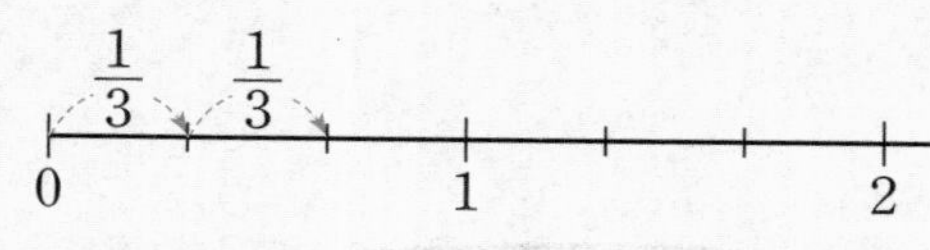

$$\frac{1}{3}\times 2=\frac{1}{3}+\frac{1}{3}=\frac{1\times 2}{3}=\frac{2}{3}$$

2. (진분수)×(자연수)

예 $\frac{5}{6}\times 4$의 계산

방법 1 $\frac{5}{6}\times 4=\frac{5\times 4}{6}=\frac{\overset{10}{\cancel{20}}}{\underset{3}{\cancel{6}}}=\frac{10}{3}=3\frac{1}{3}$

방법 2 $\frac{5}{6}\times 4=\frac{5\times \overset{2}{\cancel{4}}}{\underset{3}{\cancel{6}}}=\frac{10}{3}=3\frac{1}{3}$

방법 3 $\frac{5}{\underset{3}{\cancel{6}}}\times \overset{2}{\cancel{4}}=\frac{5\times 2}{3}=\frac{10}{3}=3\frac{1}{3}$

유형

1 □ 안에 알맞은 수를 써넣으세요.

$$\frac{1}{5}\times 3=\frac{1\times \square}{5}=\frac{\square}{5}$$

2 그림을 보고 □ 안에 알맞은 수를 써넣으세요.

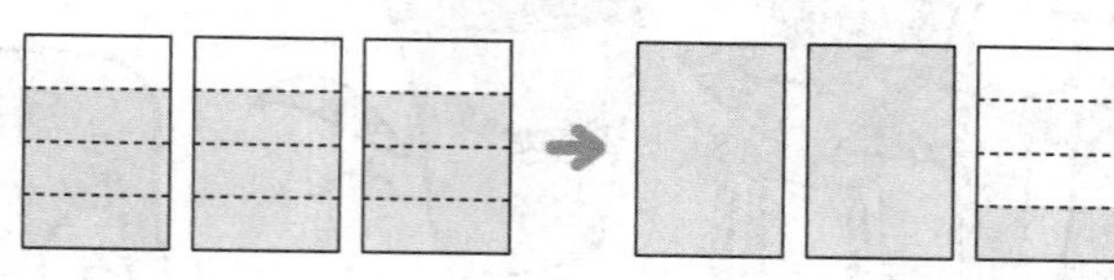

$$\frac{3}{4}\times 3=\frac{3}{4}+\frac{3}{4}+\frac{3}{4}=\frac{3\times \square}{4}$$
$$=\frac{\square}{4}=\square$$

3 빈칸에 알맞은 수를 써넣으세요.

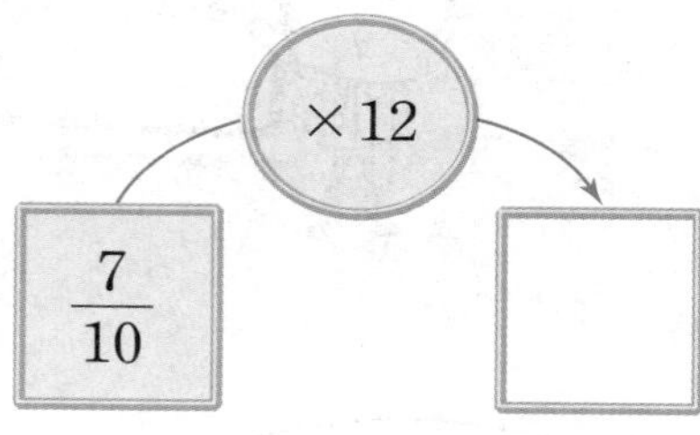

4 바르게 계산한 사람은 누구인지 이름을 써 보세요.

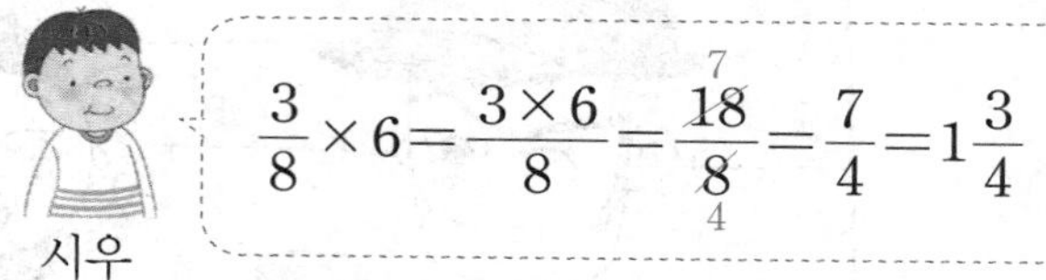

$\frac{3}{8}\times 6=\frac{3\times 6}{8}=\frac{\overset{7}{\cancel{18}}}{\underset{4}{\cancel{8}}}=\frac{7}{4}=1\frac{3}{4}$

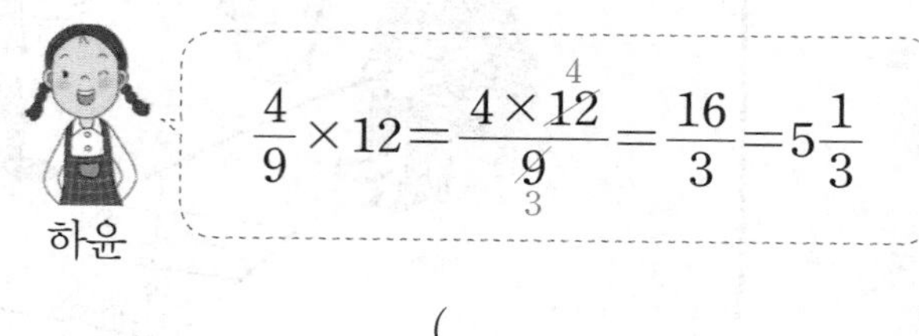

$\frac{4}{9}\times 12=\frac{4\times \overset{4}{\cancel{12}}}{\underset{3}{\cancel{9}}}=\frac{16}{3}=5\frac{1}{3}$

(　　　　　　)

5 계산 결과가 자연수인 것을 찾아 기호를 써 보세요.

㉠ $\frac{5}{6}\times 8$　　㉡ $\frac{4}{5}\times 10$

(　　　　　　)

6 한 덩어리에 $\frac{1}{7}$ kg인 찰흙이 있습니다. 찰흙 4덩어리는 모두 몇 kg인가요?

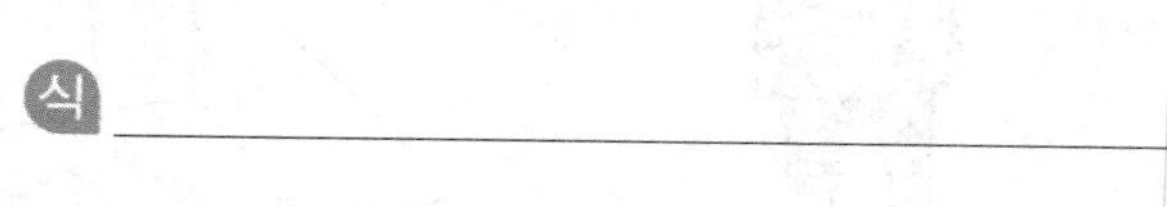

식 ______________________

답 ______________

2 단원
분수의 곱셈

개념 2 (대분수)×(자연수)

예 $1\frac{1}{3}\times 2$의 계산

방법 1 대분수를 가분수로 나타내어 계산하기

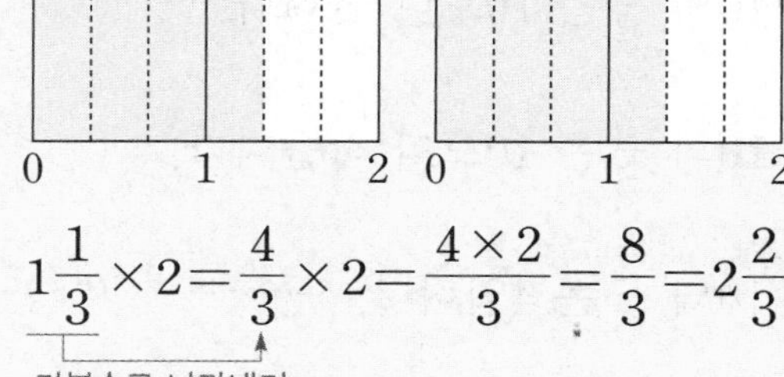

$1\frac{1}{3}\times 2=\frac{4}{3}\times 2=\frac{4\times 2}{3}=\frac{8}{3}=2\frac{2}{3}$

가분수로 나타내기

방법 2 자연수 부분과 분수 부분으로 구분하여 계산하기

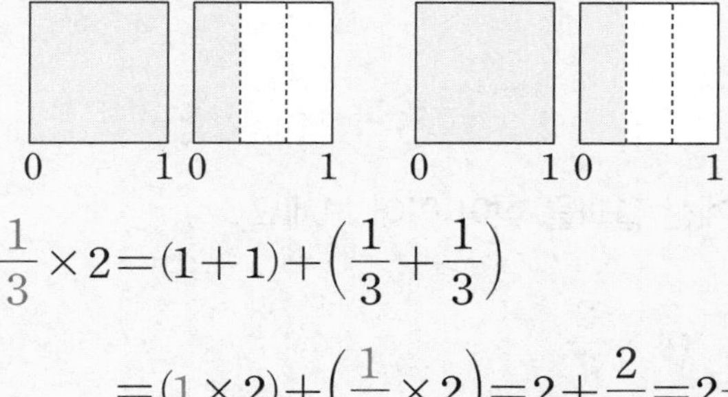

$1\frac{1}{3}\times 2=(1+1)+\left(\frac{1}{3}+\frac{1}{3}\right)$

$=(1\times 2)+\left(\frac{1}{3}\times 2\right)=2+\frac{2}{3}=2\frac{2}{3}$

유형

7 $1\frac{1}{5}\times 2$를 계산하는 방법입니다. 그림을 보고 □ 안에 알맞은 수를 써넣으세요.

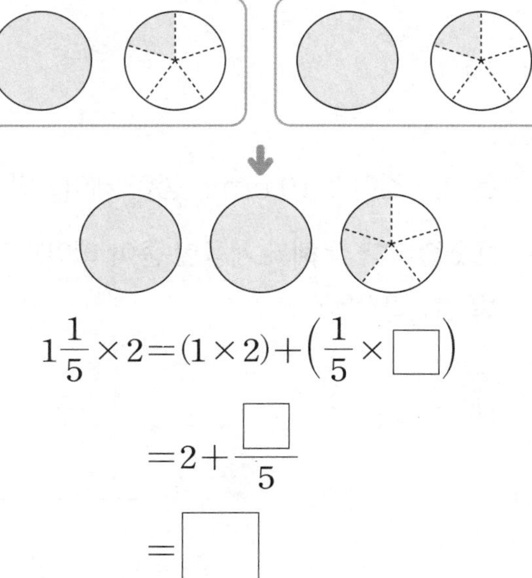

$1\frac{1}{5}\times 2=(1\times 2)+\left(\frac{1}{5}\times \square\right)$

$=2+\frac{\square}{5}$

$=\square$

8 두 수의 곱을 구해 보세요.

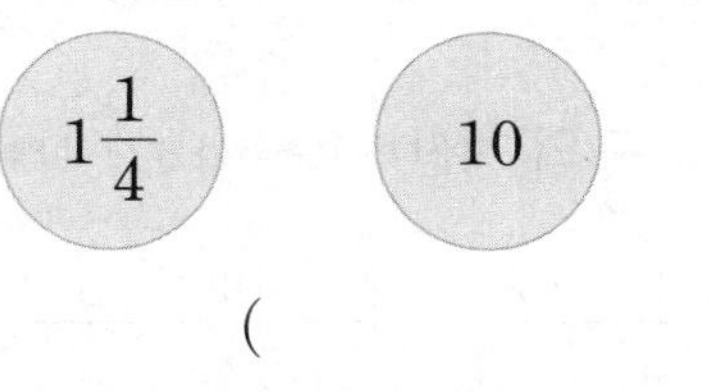

(　　　　　　　　)

9 보기 와 같이 계산해 보세요.

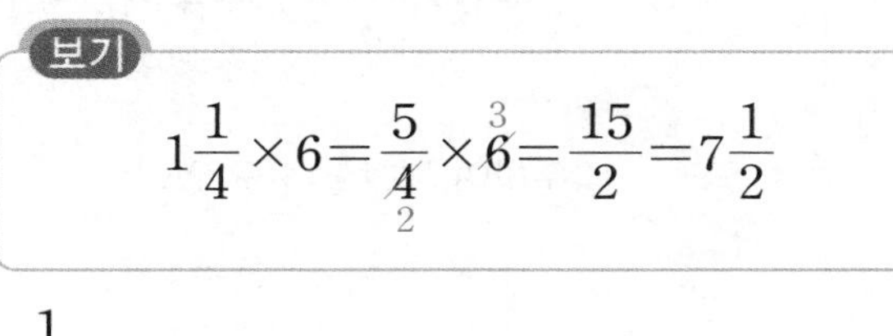

보기

$1\frac{1}{4}\times 6=\frac{5}{\cancel{4}_2}\times \cancel{6}^3=\frac{15}{2}=7\frac{1}{2}$

$2\frac{1}{8}\times 2=$ ____________

10 계산 결과가 $14\frac{1}{4}$인 것을 찾아 기호를 써 보세요.

㉠ $1\frac{1}{8}\times 6$　　㉡ $2\frac{3}{8}\times 6$

(　　　　　　　　)

11 한 변의 길이가 $3\frac{1}{2}$ cm인 정사각형의 둘레는 몇 cm인가요?

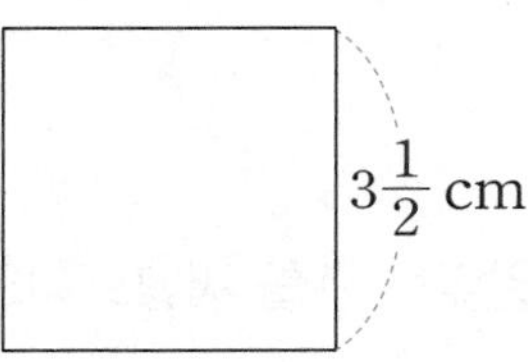

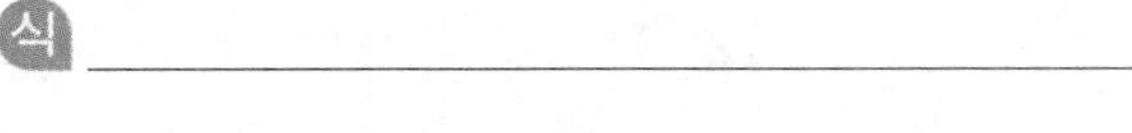

식 ____________

답 ____________

개념 3 (자연수)×(진분수)

예 $6\times\frac{2}{3}$의 계산—자연수가 분모의 배수인 경우

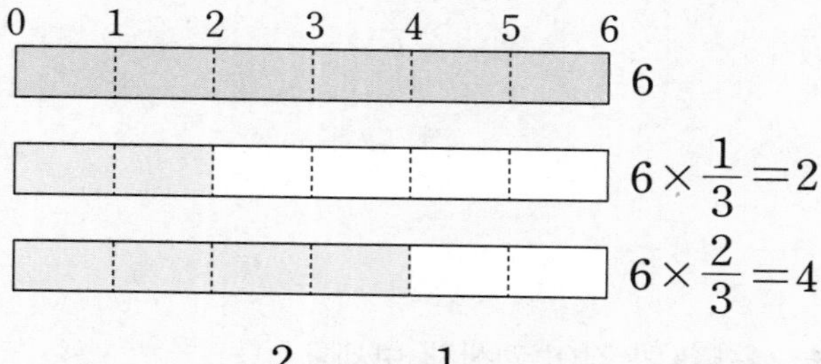

$$6\times\frac{2}{3}=6\times\frac{1}{3}\times2=4$$

└ $6\times\frac{1}{3}$이 2개

참고 약분하여 계산할 수도 있어~

$$\overset{2}{\cancel{6}}\times\frac{2}{\underset{1}{\cancel{3}}}=2\times2=4$$

예 $4\times\frac{5}{6}$의 계산—자연수가 분모의 배수가 아닌 경우

방법 1 $4\times\frac{5}{6}=\frac{4\times5}{6}=\frac{\overset{10}{\cancel{20}}}{\underset{3}{\cancel{6}}}=\frac{10}{3}=3\frac{1}{3}$

방법 2 $4\times\frac{5}{6}=\frac{\overset{2}{\cancel{4}}\times5}{\underset{3}{\cancel{6}}}=\frac{10}{3}=3\frac{1}{3}$

방법 3 $\overset{2}{\cancel{4}}\times\frac{5}{\underset{3}{\cancel{6}}}=\frac{10}{3}=3\frac{1}{3}$

유형

12 □ 안에 알맞은 수를 써넣으세요.

$$8\times\frac{7}{10}=\frac{\overset{4}{\cancel{8}}\times7}{\underset{\square}{\cancel{10}}}=\frac{\square}{5}=\square$$

13 빈 곳에 알맞은 수를 써넣으세요.

12	$\times\frac{3}{8}$	

14 그림을 보고 설명한 것이 옳으면 ○표, 틀리면 ×표 하세요.

0 1 2 3 4 5 6 7 8 9 10

• 10의 $\frac{4}{5}$는 10보다 큽니다. ········· (　　　)

• 10의 $\frac{3}{5}$은 10보다 작습니다. ····· (　　　)

• 10의 $\frac{2}{5}$는 4입니다. ······················ (　　　)

15 계산 결과를 찾아 이어 보세요.

$14\times\frac{2}{7}$ •　　　　• 4

　　　　　　　　• 6

$15\times\frac{3}{5}$ •　　　　• 9

16 은혜는 길이가 10 cm인 종이 테이프의 $\frac{3}{4}$을 사용했습니다. 은혜가 사용한 종이 테이프의 길이는 몇 cm인가요?

식 ______________________

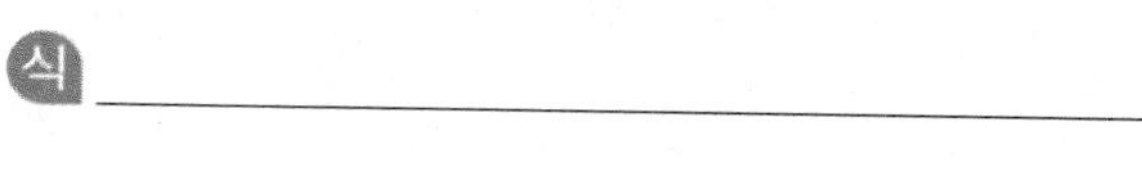

답 ______________________

개념 4 (자연수) × (대분수)

예 $3\times1\frac{1}{2}$의 계산

방법 1 대분수를 가분수로 나타내어 계산하기

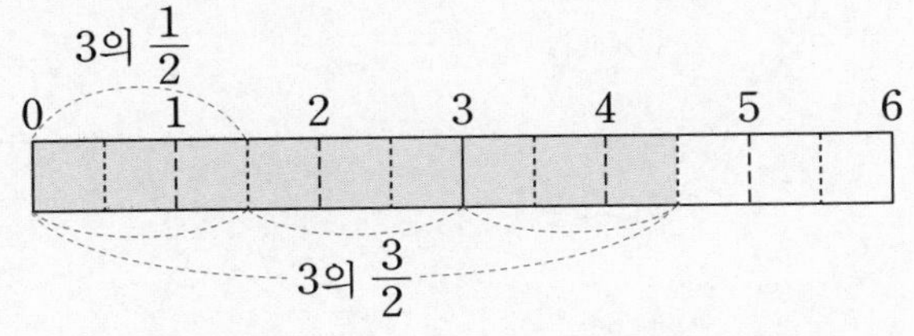

$$3\times1\frac{1}{2}=3\times\frac{3}{2}=\frac{9}{2}=4\frac{1}{2}$$

가분수로 나타내기

방법 2 자연수 부분과 분수 부분으로 구분하여 계산하기

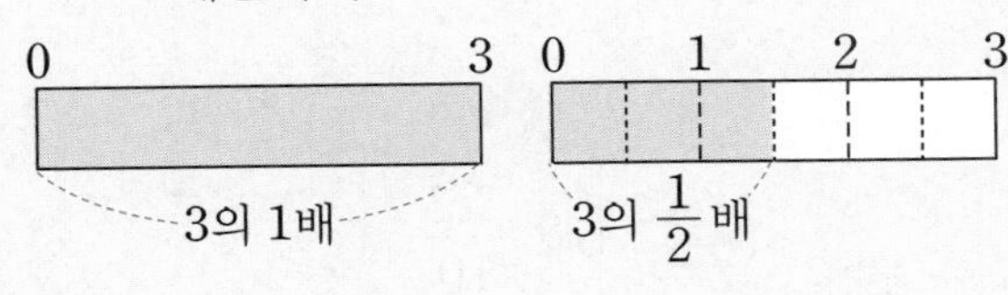

$$3\times1\frac{1}{2}=(3\times1)+\left(3\times\frac{1}{2}\right)=3+\frac{3}{2}$$
$$=3+1\frac{1}{2}=4\frac{1}{2}$$

유형

17 □ 안에 알맞은 수를 써넣으세요.

$$4\times1\frac{3}{8}=\overset{1}{\cancel{4}}\times\frac{\square}{\underset{2}{\cancel{8}}}=\frac{\square}{2}=\square$$

18 ㉠, ㉡에 각각 알맞은 수를 구해 보세요.

$$8\times1\frac{1}{9}=(8\times1)+\left(8\times\frac{1}{9}\right)$$
$$=8+\frac{㉠}{9}=㉡$$

㉠ (　　　　　), ㉡ (　　　　　)

19 빈 곳에 두 수의 곱을 써넣으세요.

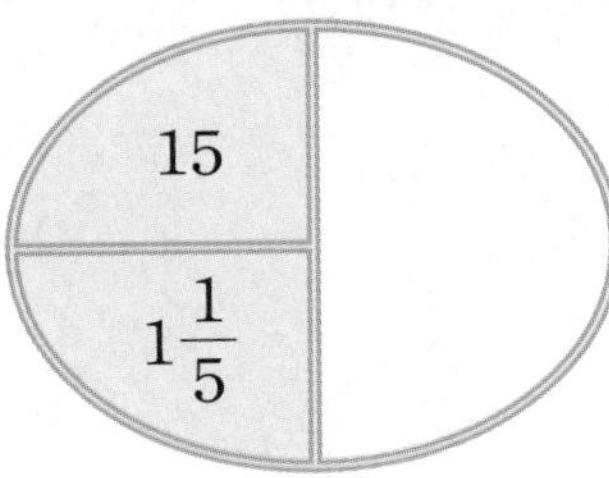

20 바르게 계산한 사람을 찾아 ○표 하세요.

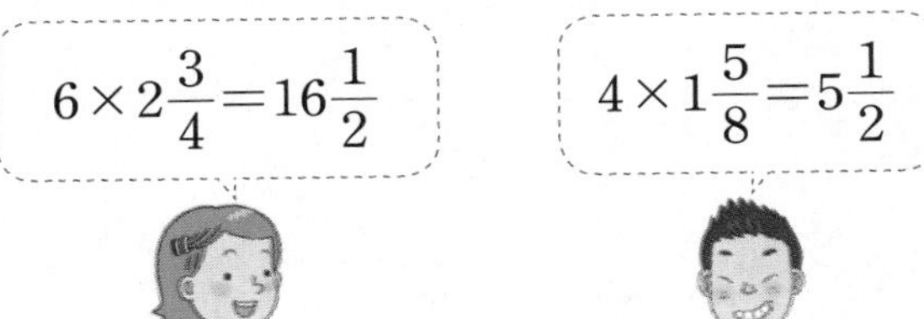

(　　　) (　　　)

21 가장 큰 수와 가장 작은 수의 곱을 구해 보세요.

$2\frac{1}{8}$　12　$1\frac{7}{8}$

(　　　　　)

22 직사각형입니다. 직사각형의 넓이는 몇 cm^2인가요?

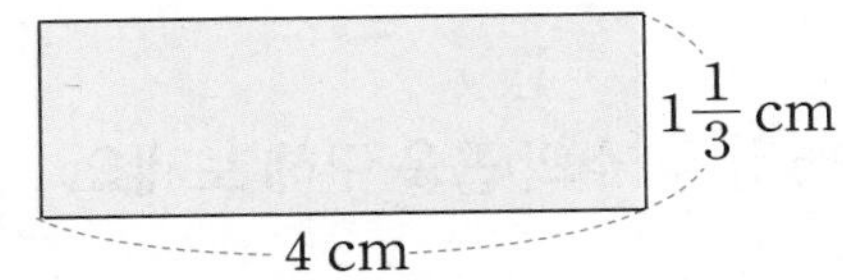

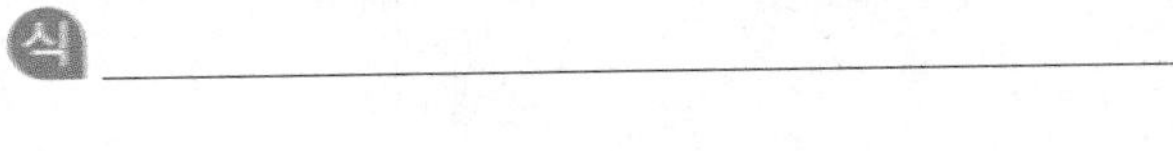
식 ______________

답 ______________

개념 1 ~ 4 기초력 집중 연습

[1~9] 계산해 보세요.

1 $\frac{1}{7}\times 6$

2 $\frac{3}{4}\times 10$

3 $1\frac{1}{6}\times 2$

4 $7\times 1\frac{1}{14}$

5 $\frac{5}{6}\times 10$

6 $6\times \frac{7}{8}$

7 $2\frac{2}{3}\times 3$

8 $8\times 1\frac{3}{10}$

9 $5\times \frac{7}{10}$

[10~11] 빈칸에 알맞은 수를 써넣으세요.

10 $\frac{9}{10}$ → $\times 15$ → ☐

11 12 → $\times 1\frac{3}{8}$ → ☐

[12~13] 두 수의 곱을 구해 보세요.

12 $2\frac{1}{2}$

(　　　　　　　　)

13

(　　　　　　　　)

유형 진단 TEST

점수 /10점

정답 및 풀이 10쪽

1 자연수와 대분수를 찾아 두 수의 곱을 구해 보세요. [2점]

$10 \quad \frac{3}{5} \quad 1\frac{2}{5}$

( )

2 잘못 계산한 것을 찾아 기호를 쓰고, 바르게 계산한 값을 구해 보세요. [2점]

㉠ $4\times\frac{5}{6}=3\frac{1}{3}$ ㉡ $6\times\frac{2}{3}=1\frac{1}{3}$

잘못 계산한 것 ( )
바르게 계산한 값 ( )

3 컵 한 개에 주스가 $\frac{2}{7}$ L씩 들어 있습니다. 컵 3개에 들어 있는 주스는 모두 몇 L인가요? [2점]

식 ______

답 ______

4 $1\frac{2}{7}\times2$를 두 가지 방법으로 계산해 보세요. [2점]

방법 1 대분수를 가분수로 나타내어 계산하기

방법 2 자연수 부분과 분수 부분으로 구분하여 계산하기

5 분수의 곱셈식에 알맞은 문제를 만들고, 답을 구해 보세요. [2점]

$2\frac{2}{5}\times3$

문제 ______

답 ______

개념 5 (진분수) × (단위분수)

1. (단위분수) × (단위분수)

예) $\frac{1}{3}\times\frac{1}{2}$의 계산

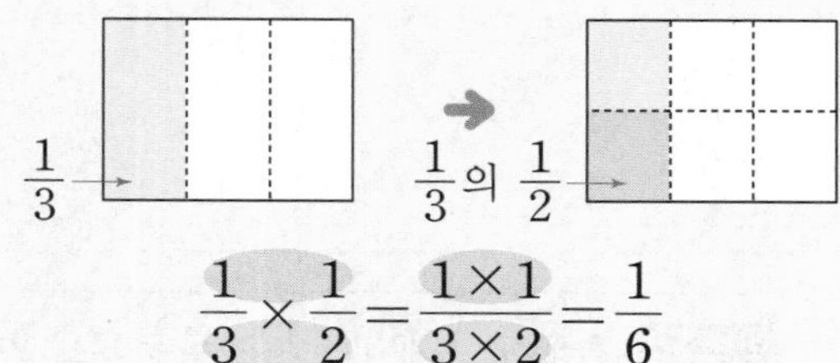

$$\frac{1}{3}\times\frac{1}{2}=\frac{1\times1}{3\times2}=\frac{1}{6}$$

2. (진분수) × (단위분수)

예) $\frac{2}{3}\times\frac{1}{3}$의 계산

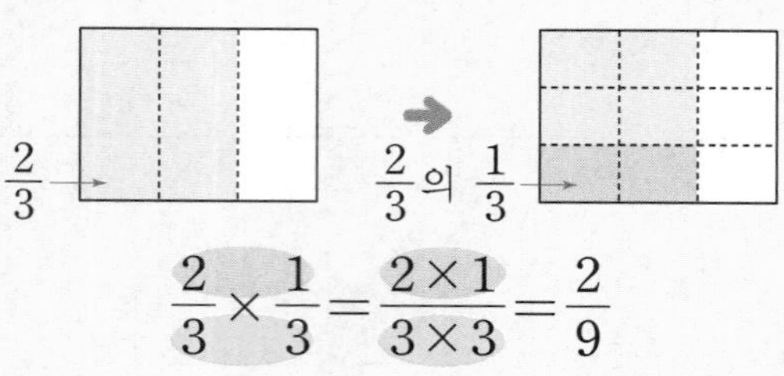

$$\frac{2}{3}\times\frac{1}{3}=\frac{2\times1}{3\times3}=\frac{2}{9}$$

분자는 분자끼리, 분모는 분모끼리 곱합니다.

유형

1 □ 안에 알맞은 수를 써넣으세요.

$$\frac{1}{4}\times\frac{1}{3}=\frac{1\times\square}{\square\times3}=\frac{1}{\square}$$

2 빈 곳에 알맞은 수를 써넣으세요.

$\frac{5}{8}$	$\times\frac{1}{6}$	

3 ㉠과 ㉡의 곱을 구해 보세요.

㉠ $\frac{7}{8}$ ㉡ $\frac{1}{3}$

( )

4 계산 결과가 다른 하나의 식을 찾아 ○표 하세요.

$\frac{1}{2}\times\frac{1}{6}$	$\frac{1}{4}\times\frac{1}{2}$	$\frac{1}{3}\times\frac{1}{4}$
( )	( )	( )

5 크기를 비교하여 ○ 안에 >, =, <를 알맞게 써넣으세요.

$$\frac{1}{7} \bigcirc \frac{1}{7}\times\frac{1}{4}$$

6 승주는 피자 $\frac{3}{4}$판의 $\frac{1}{2}$을 먹었습니다. 승주가 먹은 피자의 양은 전체의 몇 분의 몇인가요?

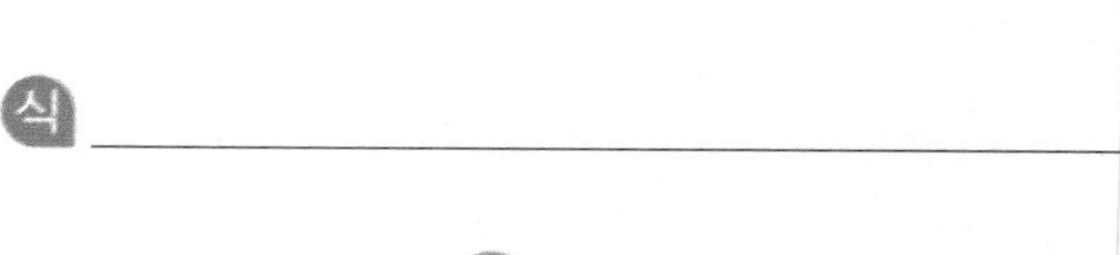

식 ____________________

답 ____________________

개념 6 (진분수) × (진분수)

예 $\frac{2}{3}\times\frac{4}{5}$의 계산

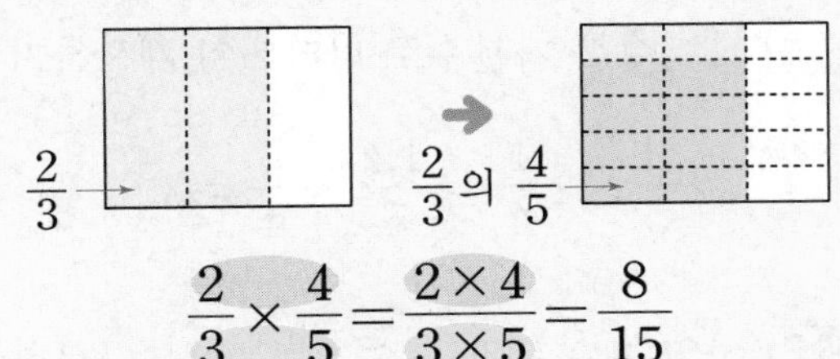

$$\frac{2}{3}\times\frac{4}{5}=\frac{2\times4}{3\times5}=\frac{8}{15}$$

분자는 분자끼리, 분모는 분모끼리 곱합니다.

약분이 되면 약분을 해~

예 $\frac{\overset{1}{\cancel{3}}}{5}\times\frac{2}{\underset{3}{\cancel{9}}}=\frac{1\times2}{5\times3}=\frac{2}{15}$

7 그림을 보고 □ 안에 알맞은 수를 써넣으세요.

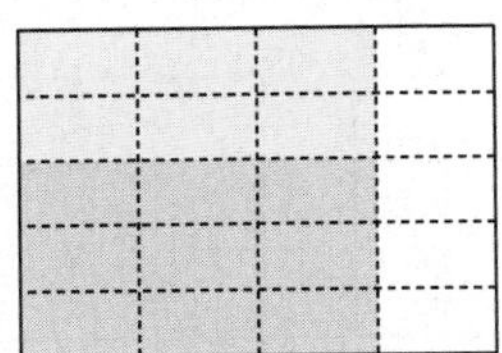

$$\frac{3}{4}\times\frac{3}{5}=\frac{3\times\square}{4\times\square}=\square$$

8 □ 안에 알맞은 수를 써넣으세요.

$$\frac{5}{6}\times\frac{3}{7}=\frac{\overset{\square}{5\times\cancel{3}}}{\underset{\square}{\cancel{6}\times7}}=\frac{\square}{\square}$$

9 두 수의 곱을 구해 보세요.

$\frac{3}{4}$, $\frac{6}{7}$ ➔ (　　　　　　)

10 잘못 계산한 것을 찾아 기호를 써 보세요.

㉠ $\frac{4}{5}\times\frac{5}{6}=\frac{2}{3}$　　㉡ $\frac{4}{7}\times\frac{3}{8}=\frac{3}{7}$

(　　　　　　)

11 더 큰 쪽에 색칠해 보세요.

$\frac{5}{8}$	$\frac{5}{8}\times\frac{4}{7}$

12 빈칸에 알맞은 수를 써넣으세요.

⊗ →

$\frac{5}{9}$	$\frac{3}{4}$	
$\frac{2}{3}$	$\frac{5}{8}$	

13 리본 $\frac{7}{9}$ m의 $\frac{3}{5}$을 사용하여 선물을 포장했습니다. 선물을 포장하는 데 사용한 리본의 길이는 몇 m인가요?

식 ____________________

답 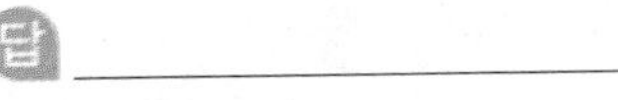

개념 7 세 진분수의 곱셈

예 $\frac{2}{5}\times\frac{3}{4}\times\frac{1}{6}$의 계산

$$\frac{\overset{1}{\cancel{2}}}{5}\times\frac{\overset{1}{\cancel{3}}}{\underset{2}{\cancel{4}}}\times\frac{1}{\underset{2}{\cancel{6}}}=\frac{1\times1\times1}{5\times2\times2}=\frac{1}{20}$$

유형

14 그림을 보고 □ 안에 알맞은 수를 써넣으세요.

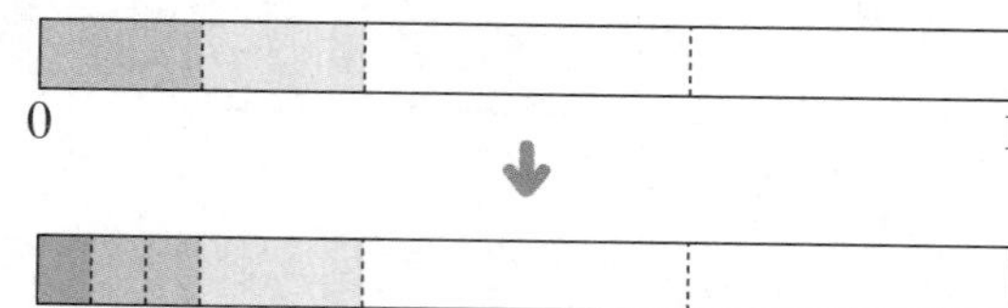

$$\frac{1}{3}\times\frac{1}{2}\times\frac{1}{3}=\frac{1}{\square}\times\frac{1}{3}=\frac{1}{\square}$$

15 지안이와 같은 방법으로 계산해 보세요.

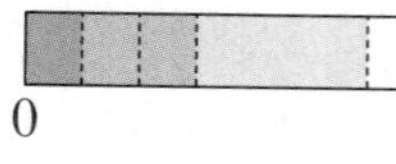

$$\frac{\overset{1}{\cancel{2}}}{\underset{1}{\cancel{5}}}\times\frac{\overset{1}{\cancel{5}}}{\underset{4}{\cancel{8}}}\times\frac{1}{6}=\frac{1}{24}$$

$$\frac{3}{4}\times\frac{6}{7}\times\frac{7}{10}$$

16 빈칸에 알맞은 수를 써넣으세요.

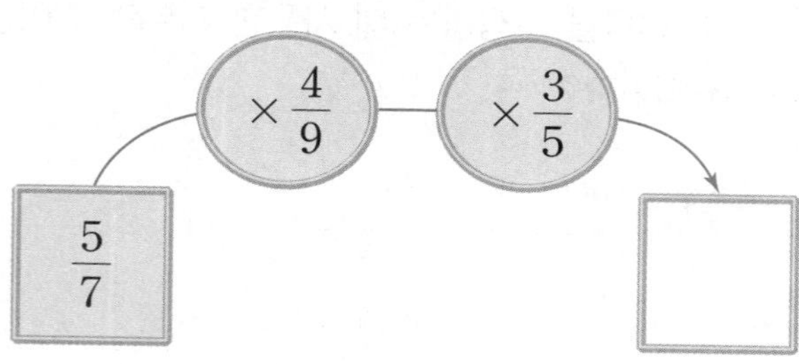

개념 8 (대분수)×(대분수)

예 $2\frac{2}{5}\times1\frac{1}{4}$의 계산

방법 1 대분수를 가분수로 나타내어 계산하기

$$2\frac{2}{5}\times1\frac{1}{4}=\frac{\overset{3}{\cancel{12}}}{\underset{1}{\cancel{5}}}\times\frac{\overset{1}{\cancel{5}}}{\underset{1}{\cancel{4}}}=3$$

방법 2 자연수 부분과 분수 부분으로 구분하여 계산하기

$$2\frac{2}{5}\times1\frac{1}{4}=\left(2\frac{2}{5}\times1\right)+\left(2\frac{2}{5}\times\frac{1}{4}\right)$$
$$=2\frac{2}{5}+\left(\frac{\overset{3}{\cancel{12}}}{5}\times\frac{1}{\underset{1}{\cancel{4}}}\right)=2\frac{2}{5}+\frac{3}{5}$$
$$=3$$

유형

17 그림을 보고 □ 안에 알맞은 수를 써넣으세요.

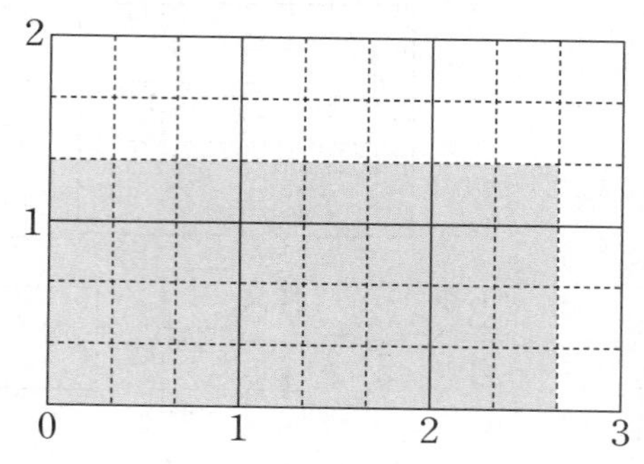

$$2\frac{2}{3}\times1\frac{1}{3}=\frac{8}{3}\times\frac{\square}{3}=\frac{\square}{9}=\square$$

18 처음으로 잘못 계산한 곳을 찾아 기호를 써 보세요.

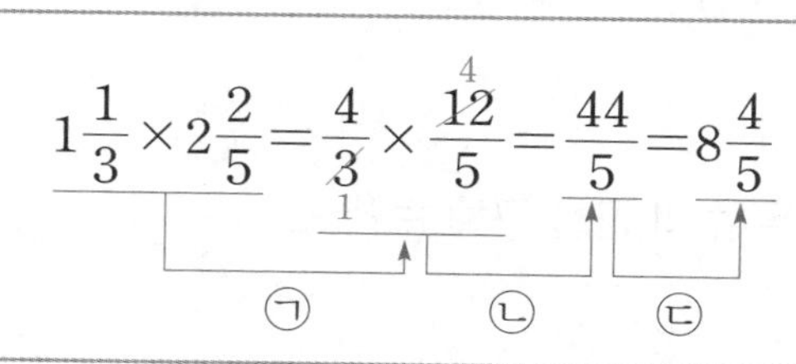

(　　　　　　)

19 계산해 보세요.

$1\frac{1}{6}\times2\frac{2}{3}$

20 빈칸에 알맞은 수를 써넣으세요.

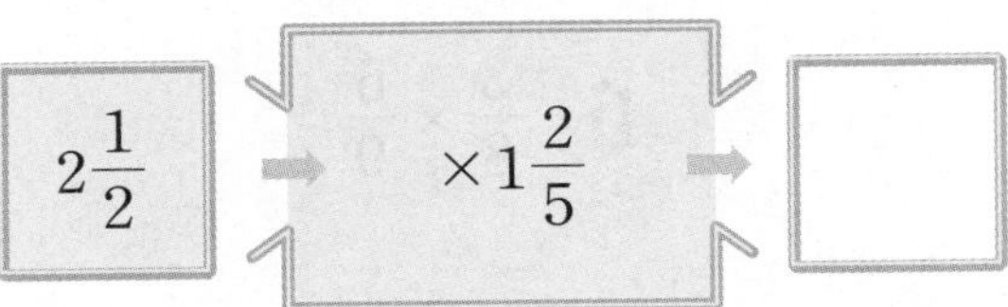

21 계산 결과를 찾아 이어 보세요.

$3\frac{1}{3}\times2\frac{1}{2}$ · $1\frac{1}{7}\times2\frac{1}{4}$

$2\frac{4}{7}$ · $4\frac{1}{6}$ · $8\frac{1}{3}$

22 고양이의 무게는 $2\frac{2}{5}$ kg이고 강아지의 무게는 고양이의 무게의 $1\frac{2}{3}$배입니다. 강아지의 무게는 몇 kg인가요?

답

플러스 개념 9 자연수를 가분수로 나타내어 계산하기

자연수를 가분수로 나타내어 계산할 수 있어.

예 $2\times\frac{4}{5}=\frac{2}{1}\times\frac{4}{5}=\frac{8}{5}=1\frac{3}{5}$

가분수로 나타내기

유형

23 자연수를 가분수로 나타내어 계산하려고 합니다. □ 안에 알맞은 수를 써넣으세요.

$4\times\frac{3}{5}=\frac{4}{\square}\times\frac{3}{5}=\frac{4\times3}{\square\times5}$

$=\frac{12}{\square}=\square$

24 보기 와 같이 계산해 보세요.

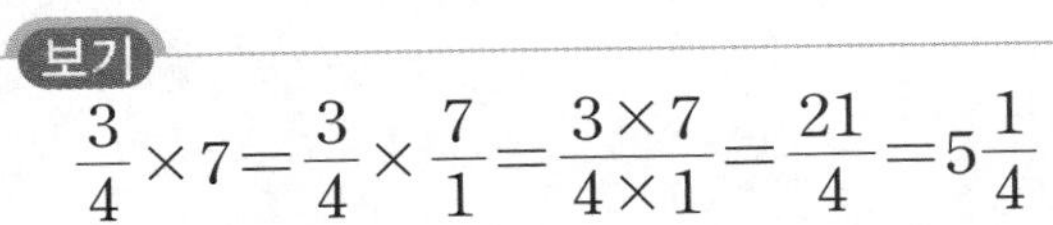

$\frac{5}{9}\times2=$

서술형

25 지호가 잘못 계산한 이유를 쓰고, 바르게 계산한 값을 구해 보세요.

$5\times\frac{1}{2}=\frac{5}{2}\times\frac{1}{2}=\frac{5}{4}=1\frac{1}{4}$

이유

( )

개념 5 ~ 9 기초력 집중 연습

[1~9] 계산해 보세요.

1 $\frac{1}{4}\times\frac{2}{5}$

2 $\frac{5}{9}\times\frac{1}{5}$

3 $\frac{4}{9}\times\frac{5}{6}$

4 $\frac{7}{9}\times\frac{1}{7}$

5 $\frac{2}{7}\times\frac{5}{6}$

6 $\frac{3}{8}\times\frac{5}{9}$

7 $1\frac{1}{4}\times1\frac{1}{5}$

8 $2\frac{2}{5}\times1\frac{1}{3}$

9 $\frac{4}{5}\times\frac{5}{8}\times\frac{3}{7}$

[10~13] 빈 곳에 알맞은 수를 써넣으세요.

10 | $\frac{2}{3}$ | $\times\frac{7}{10}$ | |

11 | $\frac{6}{7}$ | $\times\frac{1}{2}$ | |

12 | $1\frac{1}{2}$ | $\times3\frac{3}{4}$ | |

13 | $1\frac{2}{7}$ | $\times1\frac{8}{9}$ | |

유형 진단 TEST

점수 /10점

정답 및 풀이 11쪽

1 잘못 계산한 부분을 바르게 고쳐 보세요. [2점]

$$\frac{3}{4}\times\frac{9}{10}=\frac{3\times10}{4\times9}=\frac{\overset{5}{\cancel{30}}}{\underset{6}{\cancel{36}}}=\frac{5}{6}$$

$\frac{3}{4}\times\frac{9}{10}=$ ________

2 계산 결과가 자연수인 것을 찾아 기호를 써 보세요. [2점]

㉠ $1\frac{3}{4}\times1\frac{5}{7}$ ㉡ $\frac{1}{4}\times\frac{2}{5}$

( )

서술형

3 지안이가 계산한 방법을 써 보세요. [2점]

지안

$$\frac{3}{4}\times\frac{1}{5}=\frac{3\times1}{4\times5}=\frac{3}{20}$$

방법 ________

4 재성이가 사용한 종이의 넓이를 그림에 색칠하여 나타내고, 몇 m^2인지 구해 보세요. [2점]

재성이가 사용한 종이의 넓이: 전체 $2\frac{1}{4}$ m^2의 $\frac{1}{2}$

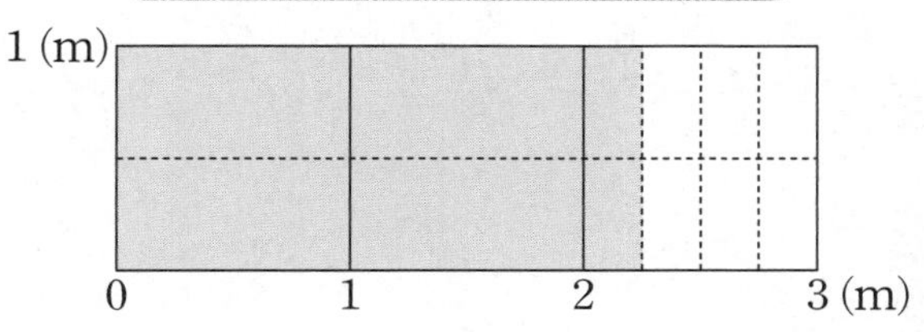

식 ________

답 ________

5 현서네 학교 5학년 학생 수는 전체 학생 수의 $\frac{1}{6}$입니다. 5학년 학생 수의 $\frac{1}{2}$은 남학생이고, 그중 $\frac{4}{5}$는 모자를 썼습니다. 모자를 쓴 5학년 남학생은 현서네 학교 전체 학생의 몇 분의 몇인가요? [2점]

하나의 식으로 나타내어 계산해 봐.

식 ________

답 ________

STEP 2 꼬리를 무는 유형

❶ 어떤 수의 분수만큼 구하기

기본 유형

1 설명하는 수를 구해 보세요.

8의 $\frac{5}{6}$ → (　　　　　　　　)

변형 유형

2 ㉠에 알맞은 수를 구해 보세요.

㉠은 6의 $1\frac{2}{9}$입니다.

(　　　　　　　　)

문장제 유형

3 길이가 $\frac{1}{3}$ m인 철사가 있습니다. 이 철사의 $\frac{6}{7}$은 몇 m인가요?

(　　　　　　　　)

실생활 유형

4 서준이의 몸무게는 몇 kg인가요?

하윤: 내 몸무게는 $36\frac{1}{2}$ kg이야.

서준: 내 몸무게는 하윤이 몸무게의 $1\frac{1}{5}$배야.

(　　　　　　　　)

❷ 계산 결과가 ■보다 큰(작은) 식 알아보기

기본 유형

5 계산 결과가 $\frac{5}{7}$보다 큰 식을 찾아 기호를 써 보세요.

㉠ $\frac{5}{7}\times\frac{2}{3}$　㉡ $\frac{5}{7}\times1\frac{1}{2}$　㉢ $\frac{5}{7}\times\frac{4}{7}$

(　　　　　　　　)

변형 유형

6 계산 결과가 5보다 작은 식을 찾아 기호를 써 보세요.

㉠ $5\times1\frac{1}{9}$　㉡ 5×1　㉢ $5\times\frac{7}{9}$

(　　　　　　　　)

문장제 유형

7 우유를 민지는 200 mL 마셨고, 유라는 민지가 마신 양의 $\frac{4}{5}$를 마셨습니다. 유라가 마신 우유의 양은 민지가 마신 우유의 양보다 적은지, 많은지 써 보세요.

(　　　　　　　　)

❸ 도형의 넓이 구하기

기본 유형

8 직사각형입니다. 이 직사각형의 넓이는 몇 m^2인가요?

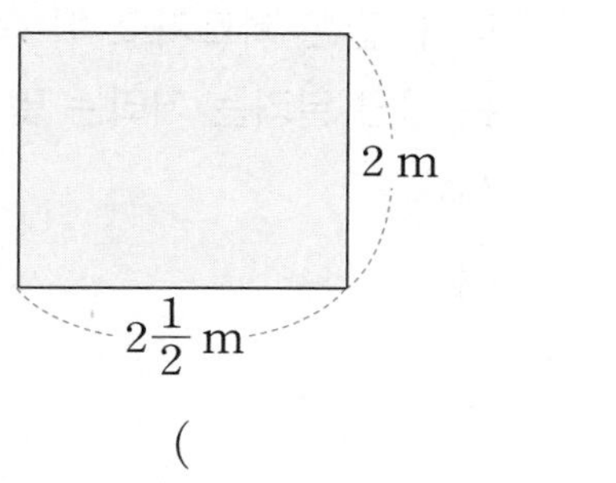

( )

변형 유형

9 평행사변형입니다. 이 평행사변형의 넓이는 몇 m^2인가요?

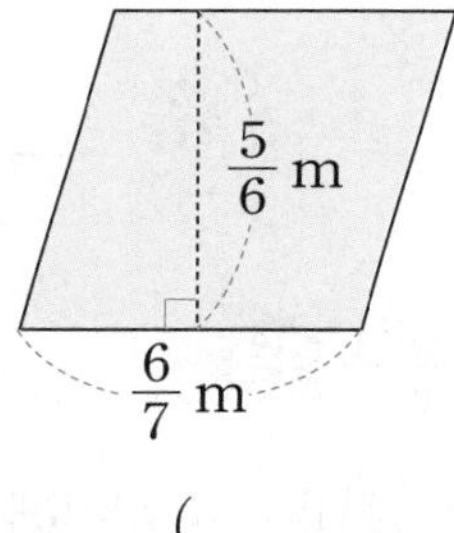

( )

실생활 유형

10 성희네 텃밭은 가로가 6 m, 세로가 $5\frac{1}{4}$ m인 직사각형 모양입니다. 성희네 텃밭의 넓이는 몇 m^2인가요?

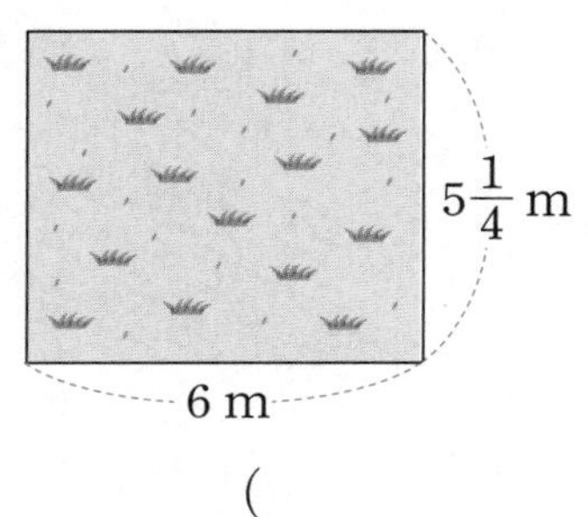

( )

❹ □ 안에 들어갈 수 있는 수 구하기

기본 유형

11 □ 안에 들어갈 수 있는 수를 모두 찾아 ○표 하세요.

$$\frac{3}{5}\times 10 < \square$$

5 6 7 8 9

변형 유형

12 □ 안에 들어갈 수 있는 수를 모두 찾아 ○표 하세요.

$$1\frac{1}{3}\times 6 > \square$$

5 6 7 8 9

변형 유형

13 0부터 9까지의 자연수 중 □ 안에 들어갈 수 있는 가장 작은 수를 구해 보세요.

$$3\times 1\frac{2}{3} < \square$$

( )

3 STEP 수학 독해력 유형

독해력 유형 1 이동한 거리 구하기

현호는 자전거를 타고 한 시간에 $12\frac{1}{2}$ km를 달립니다. 같은 빠르기로 현호가 1시간 20분 동안 달리는 거리는 몇 km인지 구해 보세요.

What? 구하려는 것을 찾아 밑줄을 그어 보세요.

How?
❶ 1시간은 몇 분인지 알기
❷ 1시간 20분은 몇 시간인지 분수로 나타내기
❸ 현호가 1시간 20분 동안 달리는 거리 구하기

Solve
❶ 1시간은 몇 분인가요?

( )

❷ 1시간 20분은 몇 시간인지 분수로 나타내어 보세요.

$$1\text{시간 }20\text{분}=\square\frac{\square}{60}\text{시간}$$
$$=\square\frac{\square}{3}\text{시간}$$

❸ 현호가 1시간 20분 동안 달리는 거리는 몇 km인가요?

식 ____________________

답 ____________________

구하려는 것을 찾아 밑줄을 그은 후 세운 계획에 따라 문제를 풀어 봐~

쌍둥이 유형 1-1

한 시간에 60 km를 달리는 승용차가 있습니다. 같은 빠르기로 이 승용차가 1시간 30분 동안 달리는 거리는 몇 km인지 구해 보세요.

❶

❷

❸

답 ____________________

쌍둥이 유형 1-2

아버지께서는 한 시간에 $4\frac{1}{5}$ km를 걷습니다. 같은 빠르기로 아버지께서 1시간 10분 동안 걷는 거리는 몇 km인지 구해 보세요.

❶

❷

❸

답 ____________________

정답 및 풀이 12쪽

독해력 유형 2 어떤 수의 분수만큼 구하기

어떤 수는 $\frac{5}{8}$의 $\frac{2}{3}$입니다. 어떤 수의 $\frac{1}{10}$은 얼마인지 구해 보세요.

What? 구하려는 것을 찾아 밑줄을 그어 보세요.

How?
1. 어떤 수 구하는 식 세우기
2. 어떤 수 구하기
3. 어떤 수의 $\frac{1}{10}$ 구하기

Solve

1. 어떤 수를 구하는 식을 써 보세요.

$\frac{5}{8}$의 $\frac{2}{3}$ → $\frac{5}{8} \times \square$

2. 어떤 수는 얼마인가요?

( )

3. 어떤 수의 $\frac{1}{10}$은 얼마인가요?

( )

구하려는 것을 찾아 밑줄을 그은 후 세운 계획에 따라 문제를 풀어 봐~

쌍둥이 유형 2-1

어떤 수는 $\frac{1}{6}$의 $\frac{1}{2}$입니다. 어떤 수의 $3\frac{3}{5}$은 얼마인지 구해 보세요.

1.

2.

3.

답 ______

쌍둥이 유형 2-2

어떤 수는 $\frac{2}{5}$의 $\frac{3}{4}$입니다. 어떤 수의 $\frac{15}{4}$는 얼마인지 구해 보세요.

1.

2.

3.

답 ______

4 STEP 사고력 플러스 유형

플러스 유형 1 잘못된 곳을 찾아 바르게 계산하기

1-1 잘못된 곳을 찾아 바르게 계산해 보세요.

$$\frac{\overset{1}{\cancel{2}}}{3}\times\underset{6}{\cancel{12}}=\frac{1}{3\times6}=\frac{1}{18}$$

$\frac{2}{3}\times12=$ ______________________

1-2 잘못된 곳을 찾아 바르게 계산해 보세요.

$$\underset{3}{\cancel{21}}\times\frac{\overset{1}{\cancel{3}}}{7}=\frac{1}{3\times7}=\frac{1}{21}$$

$21\times\frac{3}{7}=$ ______________________

1-3 잘못 계산한 것을 찾아 기호를 쓰고, 바르게 계산한 값을 구해 보세요.

㉠ $2\times1\frac{1}{4}=\overset{1}{\cancel{2}}\times\frac{1}{\underset{2}{\cancel{4}}}=\frac{1}{2}$

㉡ $\frac{5}{\underset{3}{\cancel{6}}}\times\frac{\overset{4}{\cancel{8}}}{9}=\frac{5\times4}{3\times9}=\frac{20}{27}$

잘못 계산한 것 (　　　　　　　)
바르게 계산한 값 (　　　　　　　)

플러스 유형 2 단위의 분수만큼 알아보기

2-1 1 m의 $\frac{1}{2}$은 몇 cm인가요?

(　　　　　　　)

2-2 1 L의 $\frac{1}{5}$은 몇 mL인가요?

(　　　　　　　)

2-3 바르게 설명한 것을 찾아 기호를 써 보세요.

㉠ 1 m의 $\frac{1}{5}$은 30 cm입니다.

㉡ 1시간의 $\frac{4}{5}$는 48분입니다.

(　　　　　　　)

플러스 유형 처방전

1 m=100 cm, 1 L=1000 mL,
1시간=60분

플러스 유형 3 분수의 곱셈의 활용

3-1 굵기가 일정한 막대 1 m의 무게는 $1\frac{2}{7}$ kg입니다. 이 막대 $1\frac{1}{6}$ m의 무게는 몇 kg인가요?

( )

3-2 굵기가 일정한 철근 1 m의 무게는 $5\frac{1}{3}$ kg입니다. 이 철근 $1\frac{1}{4}$ m의 무게는 몇 kg인가요?

( )

3-3 1 L의 휘발유로 $9\frac{3}{4}$ km를 가는 자동차가 있습니다. 이 자동차가 8 L의 휘발유로 갈 수 있는 거리는 몇 km인가요?

식 ____________________

답 ____________________

플러스 유형 처방전

예 막대 1 m의 무게가 2 kg일 때

↓

막대 $1\frac{1}{2}$ m의 무게는 $\left(2\times1\frac{1}{2}\right)$ kg

플러스 유형 4 단위분수의 곱셈에서 모르는 값 구하기

4-1 ㉠에 알맞은 수를 구해 보세요.

$$\frac{1}{㉠}\times\frac{1}{9}=\frac{1}{72}$$

( )

서술형

4-2 ㉠에 알맞은 수를 구하는 풀이 과정을 쓰고 답을 구해 보세요.

$$\frac{1}{3}\times\frac{1}{㉠}=\frac{1}{27}$$

풀이 ____________________

____

____

____

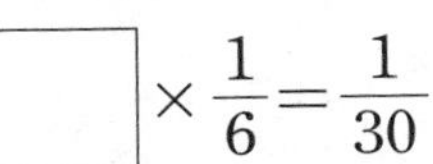

답 ____________________

사고력 유형

4-3 □ 안에 알맞은 단위분수를 써넣으세요.

$$\square\times\frac{1}{6}=\frac{1}{30}$$

플러스 유형 처방전

(단위분수)×(단위분수)는 분자는 1이고 분모끼리 곱해용~

예 $\frac{1}{3}\times\frac{1}{2}=\frac{1\times1}{3\times2}=\frac{1}{6}$

플러스 유형 5 수 카드로 단위분수의 곱셈식 만들기

5-1 다음 수 카드 중 두 장을 사용하여 계산 결과가 가장 작은 분수의 곱셈식을 만들려고 합니다. □ 안에 알맞은 수를 써넣으세요.

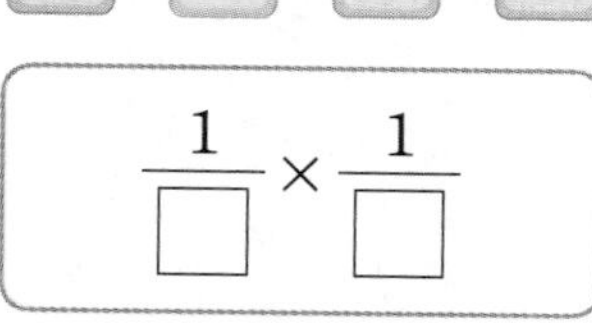

$\frac{1}{\square} \times \frac{1}{\square}$

서술형

5-2 다음 수 카드 중 두 장을 사용하여 계산 결과가 가장 작은 분수의 곱셈식을 만들려고 합니다. □ 안에 알맞은 두 수를 구하는 풀이 과정을 쓰고 답을 구해 보세요.

3 7 5 4

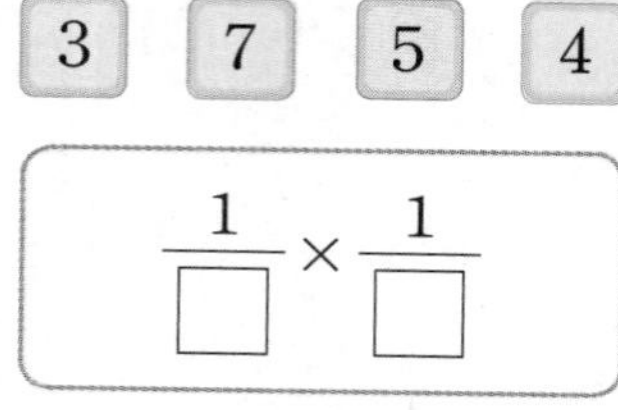

$\frac{1}{\square} \times \frac{1}{\square}$

풀이

답 ________, ________

플러스 유형 6 사각형의 넓이 비교하기

6-1 정사각형 가와 직사각형 나가 있습니다. 가와 나 중 더 넓은 것의 기호를 써 보세요.

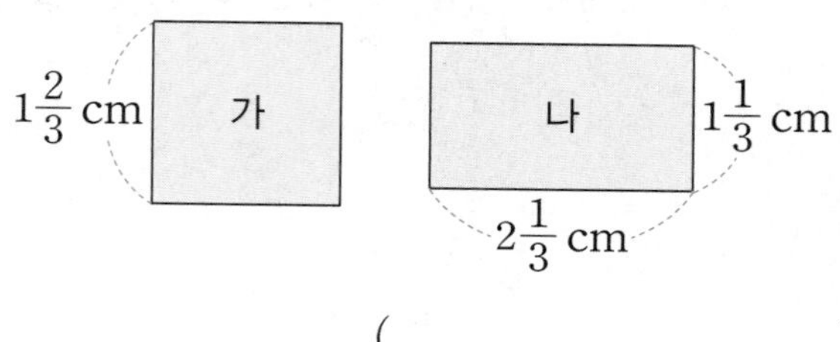

(　　　　　　　)

서술형

6-2 직사각형 가와 정사각형 나가 있습니다. 가와 나 중 더 넓은 것은 어느 것인지 풀이 과정을 쓰고 답을 기호로 써 보세요.

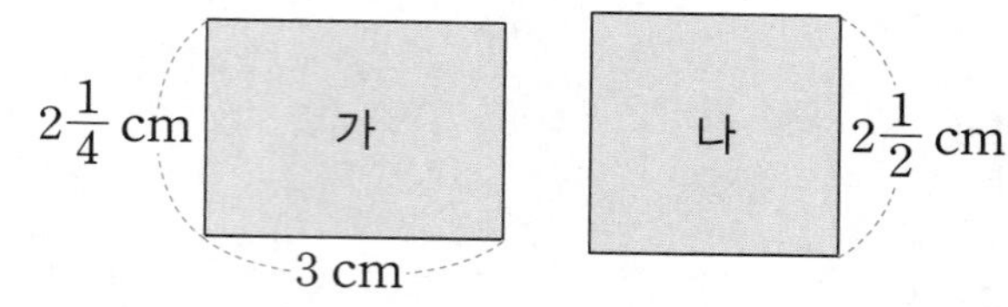

풀이

답

사고력 유형

6-3 정사각형 가와 직사각형 나가 있습니다. 가의 넓이는 나의 넓이보다 몇 cm^2 더 넓은지 구해 보세요.

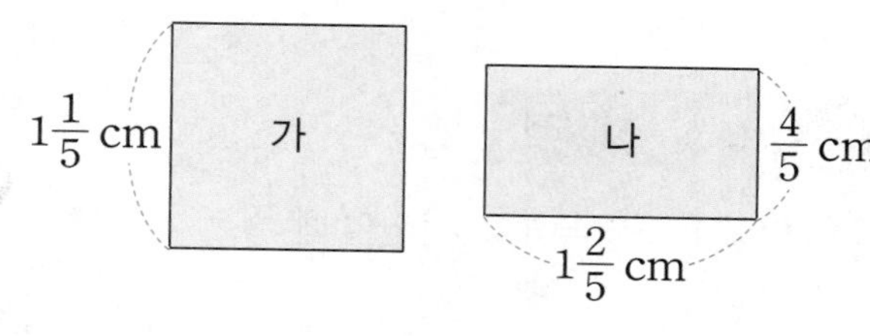

(　　　　　　　)

플러스 유형 7 남은 양을 구하여 문제 해결하기

독해력 유형

7-1 경수는 어제 동화책 한 권의 $\frac{3}{5}$을 읽었습니다. 오늘은 어제 읽고 난 나머지의 $\frac{3}{8}$을 읽었습니다. 동화책 한 권이 120쪽일 때 경수가 오늘 읽은 동화책은 몇 쪽인지 구해 보세요.

단계 1 경수가 어제 읽고 남은 동화책은 전체의 몇 분의 몇인가요?

( )

단계 2 오늘 읽은 동화책은 전체의 몇 분의 몇인가요?

( )

단계 3 경수가 오늘 읽은 동화책은 몇 쪽인가요?

( )

7-2 지아네 가족은 어제 송편 전체의 $\frac{2}{7}$를 먹었습니다. 오늘은 어제 먹고 난 나머지의 $\frac{3}{5}$을 먹었습니다. 처음에 송편이 210개 있었을 때 지아네 가족이 오늘 먹은 송편은 몇 개인지 구해 보세요.

( )

플러스 유형 8 색 테이프의 전체 길이 구하기

독해력 유형

8-1 다음과 같이 길이가 $\frac{3}{8}$ m인 색 테이프 4장을 $\frac{1}{12}$ m씩 겹치게 이어 붙였습니다. 이어 붙인 색 테이프의 전체 길이는 몇 m인지 구해 보세요.

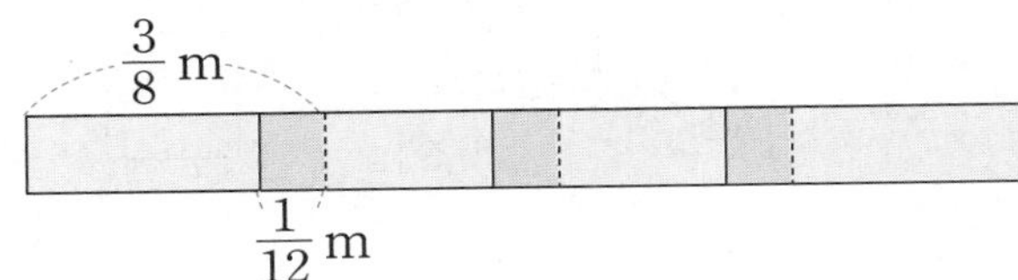

단계 1 길이가 $\frac{3}{8}$ m인 색 테이프 4장의 길이의 합은 몇 m인가요?

( )

단계 2 겹친 부분의 길이의 합은 몇 m인가요?

( )

단계 3 이어 붙인 색 테이프의 전체 길이는 몇 m인가요?

( )

8-2 다음과 같이 길이가 $1\frac{3}{10}$ m인 색 테이프 3장을 $\frac{1}{8}$ m씩 겹치게 이어 붙였습니다. 이어 붙인 색 테이프의 전체 길이는 몇 m인지 구해 보세요.

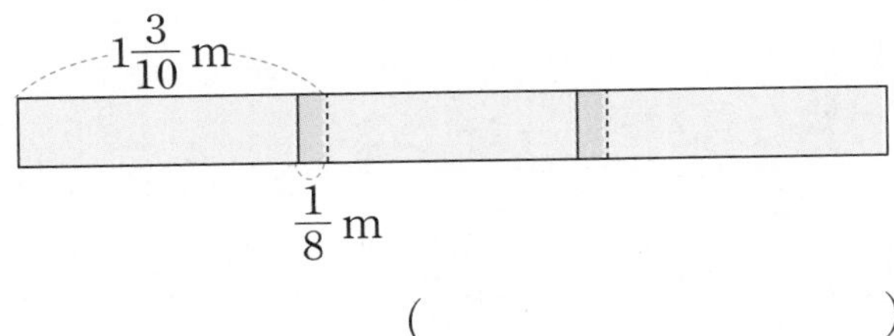

( )

플러스 유형 처방전

전체를 1이라고 할 때 전체의 $\frac{1}{■}$을 했다면!

➔ 일을 하고 남은 양: 전체의 $\left(1-\frac{1}{■}\right)$

플러스 유형 처방전

색 테이프를 ●장 이어 붙이면 겹친 부분은 (● − 1)군데라능~

1 그림을 보고 □ 안에 알맞은 수를 써넣으세요.

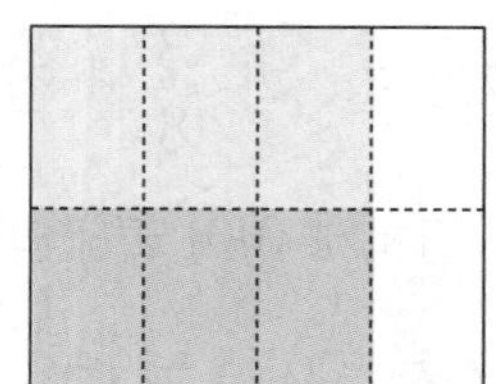

$$\frac{3}{4}\times\frac{1}{2}=\frac{3\times\square}{4\times\square}=\square$$

2 계산해 보세요.

$$\frac{7}{8}\times\frac{1}{4}$$

3 빈칸에 알맞은 수를 써넣으세요.

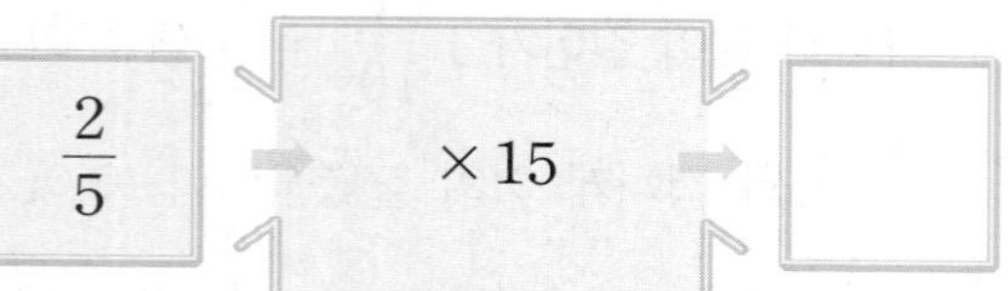

4 두 수의 곱을 구해 보세요.

$1\frac{5}{6}$	9

(　　　　　　　　)

5 계산한 것이 옳으면 ○표, 틀리면 ×표 하세요.

$\overset{3}{\cancel{6}}\times\frac{3}{\underset{2}{\cancel{4}}}=\frac{3+3}{2}=\frac{\overset{3}{\cancel{6}}}{\underset{1}{\cancel{2}}}=3$	
$\frac{1}{3}\times\frac{1}{7}=\frac{1\times1}{3\times7}=\frac{1}{21}$	

6 우진이의 방법과 같이 계산해 보세요.

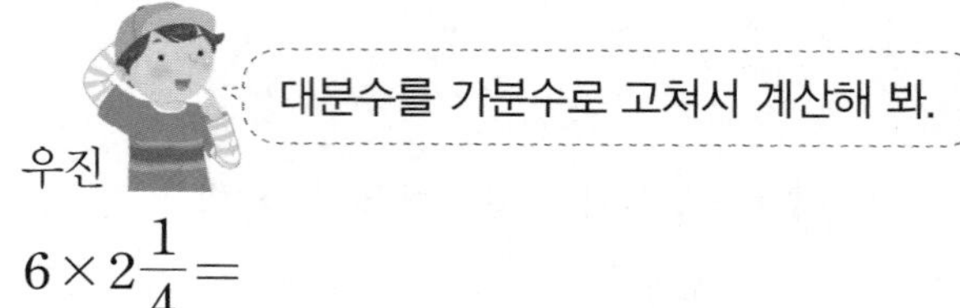

$6\times2\frac{1}{4}=$ ________________

7 계산 결과가 자연수인 것을 찾아 기호를 써 보세요.

㉠ $1\frac{5}{6}\times3$	㉡ $14\times1\frac{2}{7}$

(　　　　　　　　)

8 끈 $\frac{7}{8}$ m의 $\frac{4}{5}$를 사용하여 매듭을 만들었습니다. 매듭을 만드는 데 사용한 끈의 길이는 몇 m인가요?

(　　　　　　　　)

9 계산 결과가 5보다 큰 식에 ○표, 5보다 작은 식에 △표 하세요.

$5\times\frac{8}{9}$ 5×1 $5\times1\frac{1}{2}$

10 가장 큰 수와 가장 작은 수의 곱을 구해 보세요.

$4\frac{7}{9}$ $5\frac{1}{8}$ 4

( )

11 크기를 비교하여 ○ 안에 >, =, <를 알맞게 써넣으세요.

5 ○ $2\frac{2}{5}\times1\frac{3}{4}$

12 한 봉지에 소금이 $\frac{4}{7}$ kg씩 들어 있습니다. 8봉지에 들어 있는 소금은 모두 몇 kg인가요?

( )

13 ㉠과 ㉡에 알맞은 수를 각각 구해 보세요.

- 1 m의 $\frac{1}{10}$은 ㉠ cm입니다.
- 1 L의 $\frac{1}{5}$은 ㉡ mL입니다.

㉠ ( )
㉡ ( )

14 떨어뜨린 높이의 $\frac{3}{7}$만큼 튀어 오르는 공이 있습니다. 이 공을 84 m 높이에서 떨어뜨렸다면 처음 튀어 오른 높이는 몇 cm인가요?

( )

15 0부터 9까지의 자연수 중 □ 안에 들어갈 수 있는 가장 작은 자연수를 구해 보세요.

$1\frac{1}{8}\times4\frac{2}{3}<\square$

( )

16 ㉠과 ㉡의 곱을 구해 보세요.

㉠ $\frac{1}{4}\times\frac{4}{5}$ ㉡ $\frac{2}{3}\times7$

( )

정답 및 풀이 15쪽

서술형 » 53쪽 4-2 유사 문제

17 ㉠에 알맞은 수를 구하는 풀이 과정을 쓰고 답을 구해 보세요.

$$\frac{1}{7}\times\frac{1}{㉠}=\frac{1}{56}$$

풀이

답

서술형 » 54쪽 5-2 유사 문제

18 다음 수 카드 중 두 장을 사용하여 계산 결과가 가장 작은 분수의 곱셈식을 만들려고 합니다. □ 안에 알맞은 두 수를 구하는 풀이 과정을 쓰고 답을 구해 보세요.

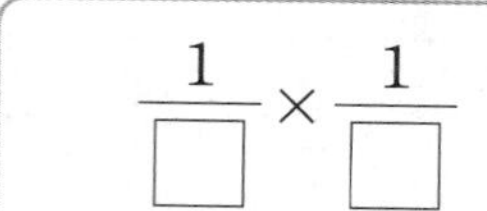

풀이

답 ______, ______

서술형 » 54쪽 6-2 유사 문제

19 직사각형 가와 나가 있습니다. 가와 나 중 더 넓은 것은 어느 것인지 풀이 과정을 쓰고 답을 기호로 써 보세요.

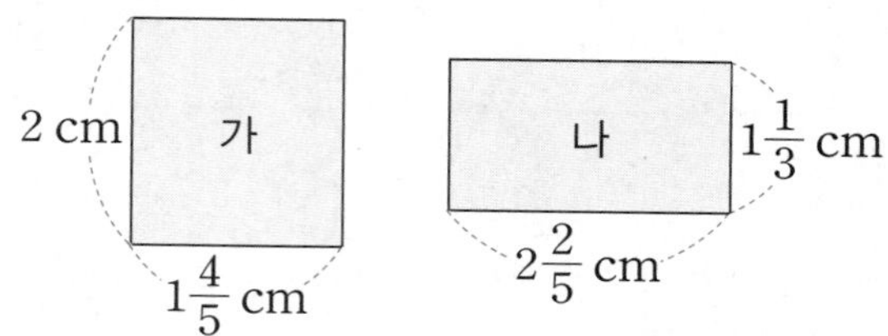

풀이

답

독해력 유형 서술형 » 55쪽 7-1 유사 문제

20 주하네 학교 5학년 학생 전체의 $\frac{4}{9}$는 여학생입니다. 5학년 학생 중 남학생의 $\frac{3}{5}$은 안경을 쓰고 있습니다. 주하네 학교 5학년 학생은 180명일 때 5학년 남학생 중 안경을 쓴 학생은 몇 명인지 풀이 과정을 쓰고 답을 구해 보세요.

풀이

답

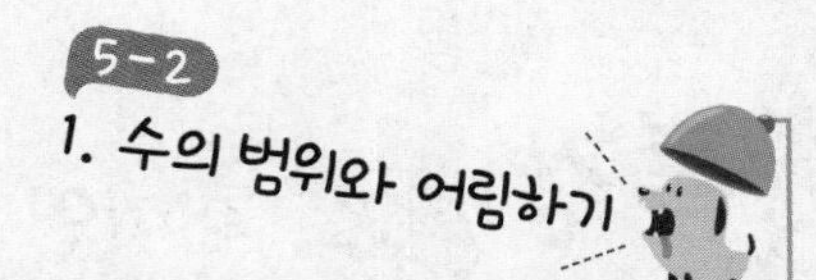

이상과 이하

1 13 이상인 수에 ○표, 13 이하인 수에 △표 하세요.

11	12	13	14

초과와 미만

■ 미만인 수는 ■보다 작은 수야~

2 윤주네 모둠 학생들이 가지고 있는 구슬 수를 조사하여 나타낸 표입니다. 가지고 있는 구슬이 32개 미만인 학생의 이름을 모두 써 보세요.

윤주네 모둠 학생들이 가지고 있는 구슬 수

이름	윤주	민석	수민	주리
구슬 수(개)	35	32	30	28

( )

올림, 버림, 반올림을 활용하여 문제 해결하기

3 콩 752상자를 트럭에 모두 실으려고 합니다. 트럭 한 대에 100상자씩 실을 수 있을 때 트럭은 최소 몇 대가 필요한가요?

( )

버림

4 버림하여 백의 자리까지 나타냈을 때 4200이 되는 자연수 중에서 가장 큰 수를 구해 보세요.

( )

별별 코딩 학습

순서에 따라 움직일 때 ★에 알맞은 수는 얼마인지 구해 봐~

순서

- → 방향으로 1칸 움직일 때에는 있던 수의 $1\frac{1}{2}$이 됩니다.
- ← 방향으로 1칸 움직일 때에는 있던 수의 $\frac{1}{3}$이 됩니다.
- ↓ 방향으로 1칸 움직일 때에는 있던 수보다 5만큼 더 커집니다.

❶ $\frac{4}{5}$ → , ↓ ★

★=(　　　　　　　　)

❷ $\frac{5}{6}$ ↓ , ← ★

★=(　　　　　　　　)

각 모양은 각각 다음과 같은 수와 기호를 나타내기로 약속해~

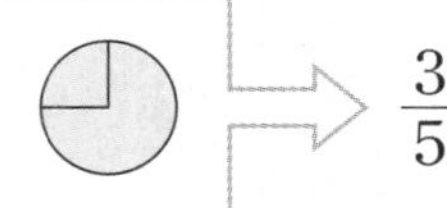 $\frac{3}{5}$

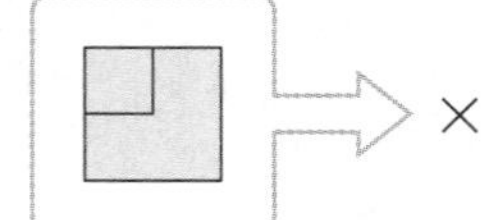 ×

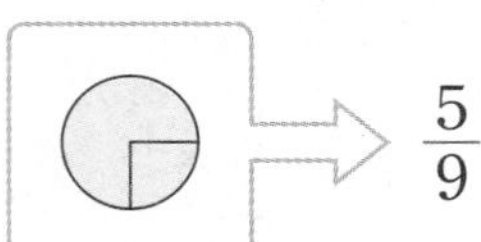 $\frac{5}{9}$

다음과 같은 모양을 그렸어. 약속에 따라 계산해 봐.

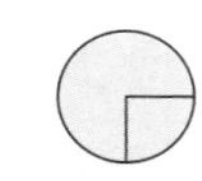
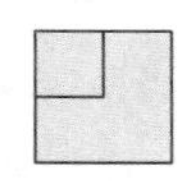
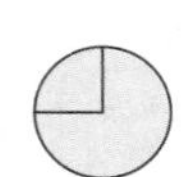
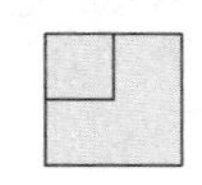
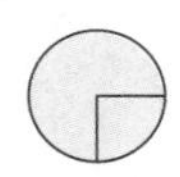

 $\frac{5}{9}$

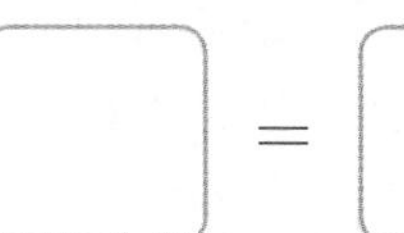

몬드리안처럼 그림을 그려 봐!

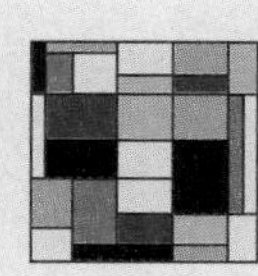

왼쪽 작품은 피에트 몬드리안의 <검정, 빨강, 회색, 노랑, 파랑의 구성> 이라는 작품이야. 몬드리안은 추상 그림을 그린 화가로 유명해.

저도 몬드리안처럼 멋진 그림을 그려 볼래요~!!

창의 3 넓이가 300 cm^2인 직사각형 모양의 종이를 이용하여 몬드리안처럼 그림을 그려 보세요.

직사각형 전체 넓이의 $\frac{1}{2}$을 파란색으로 색칠해 봐~

직사각형 전체 넓이의 $\frac{1}{6}$을 초록색으로 색칠해 봐~

직사각형 전체 넓이의 $\frac{1}{10}$을 빨간색으로 색칠해 봐~

3 합동과 대칭

어쩌다 목이 아프거닝?

그게요.

지잉

자! 따라해봐. 기역, 니은, 디귿~

기역, 니은……

글자를 거꾸로 보니까 헷갈리네.

아하! 동생 한글공부 시켜주는구낭!

네

근데 신기하게 거꾸로 봐도 ㄹ, ㅁ, ㅇ, ㅍ은 평상시처럼 읽기 편하더라고요.

그 글자들은 점대칭도형이어서 그런 거라능~.

점대칭도형이란 어떤 점을 중심으로 180° 돌렸을 때 처음 도형과 완전히 겹치는 도형이라능~

아~

ㄹㅁㅇㅍ

근데 아까보니 디귿을 잘못 발음하던뎅……

앗! 디귿

DR. 유형

안되겠다능~ 너부터 한글공부 하자능~

아이~ 창피해!

ㄹ ㄷ ㄱ ㄴ

개념 1 도형의 합동

1. 도형의 합동

모양과 크기가 같아서 포개었을 때 완전히 겹치는 두 도형을 서로 **합동**이라고 합니다.

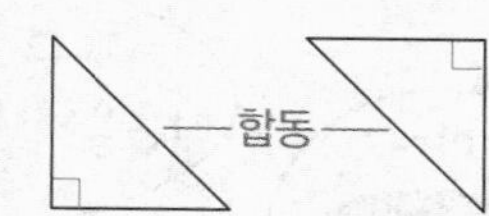

도형을 겹쳤을 때 남거나 모자라는 부분이 없어야 해~

2. 서로 합동인 도형 만들기

예 직사각형 모양의 색종이를 잘라서 서로 합동인 도형 만들기

(1) 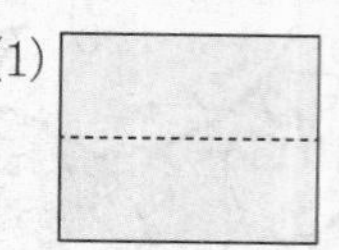 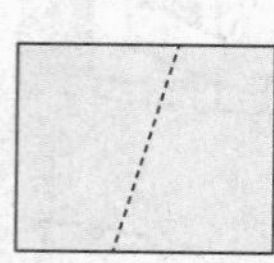 서로 합동인 사각형 2개

(2) 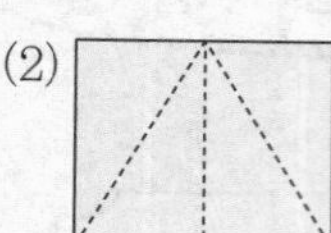 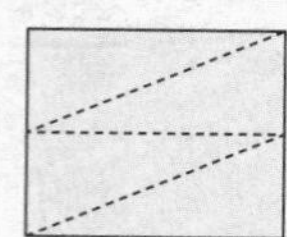 서로 합동인 사각형 4개

유형

1 그림을 보고 □ 안에 알맞은 말을 써넣으세요.

그림과 같이 모양과 크기가 같아서 포개었을 때 완전히 겹치는 두 도형을 서로 □(이)라고 합니다.

2 모양과 크기가 같아서 포개었을 때 완전히 겹치는 두 도형을 찾아 기호를 써 보세요.

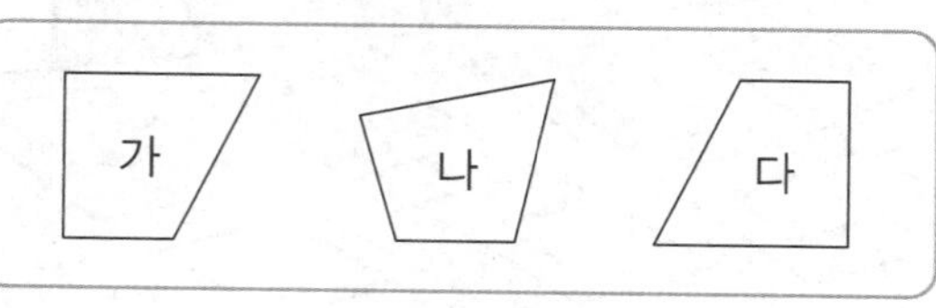

가와 □

3 도형 가와 포개었을 때 완전히 겹치는 도형을 찾아 기호를 써 보세요.

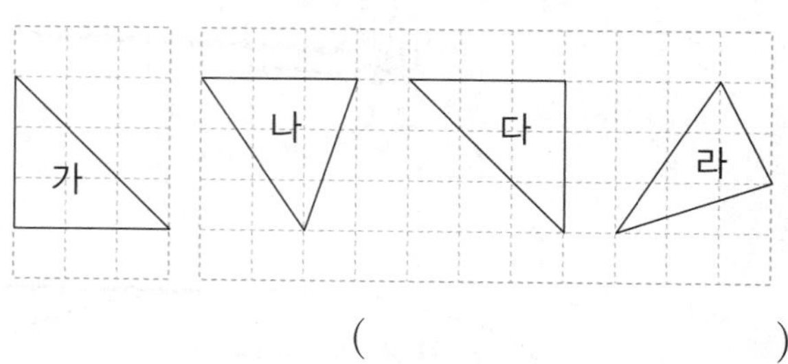

(　　　　　)

4 왼쪽 도형과 서로 합동인 도형을 찾아 기호를 써 보세요.

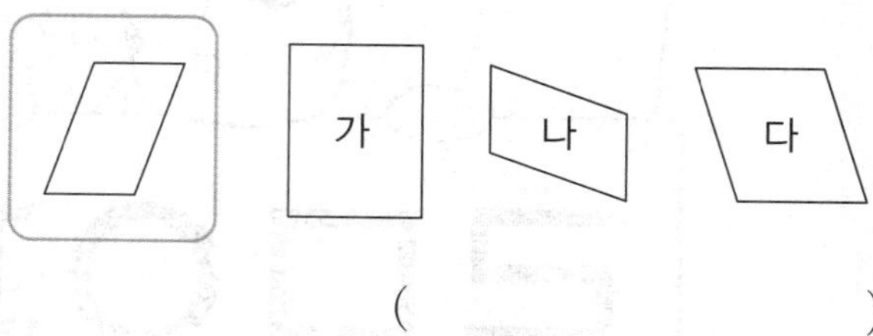

(　　　　　)

5 직사각형 모양의 색종이를 점선을 따라 잘랐을 때 만들어지는 모든 도형이 서로 합동인 것을 찾아 ○표 하세요.

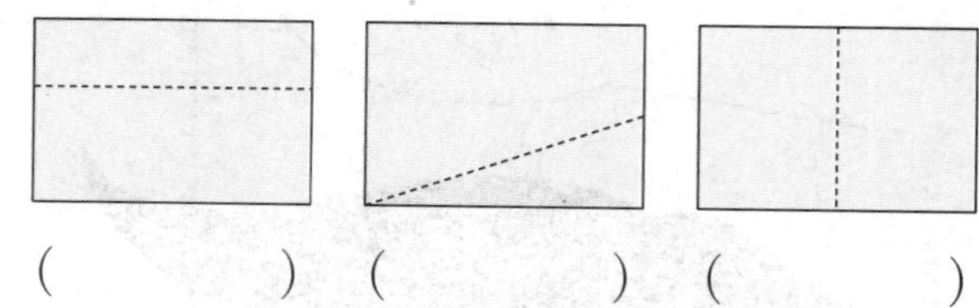

(　　) (　　) (　　)

6 모양이 서로 합동인 표지판을 찾아 기호를 써 보세요. (단, 표지판의 색깔과 표지판 안의 그림은 생각하지 않습니다.)

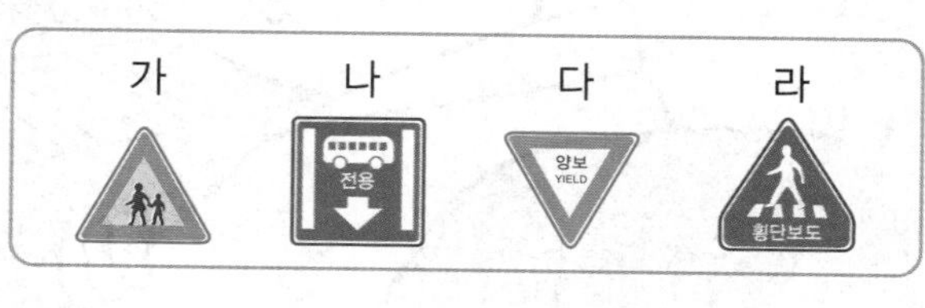

(　　　　　)

플러스 개념 2 합동인 도형 그리기

① 모눈의 칸 수를 세어 주어진 도형의 꼭짓점과 같은 위치에 점을 찍습니다.
② 찍은 점들을 선으로 잇습니다.

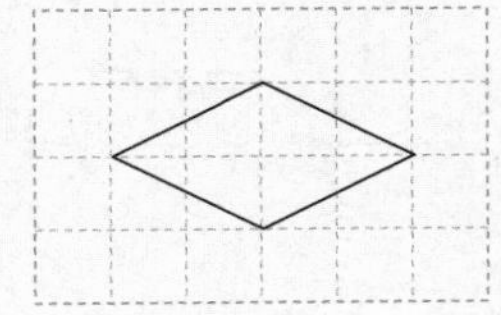
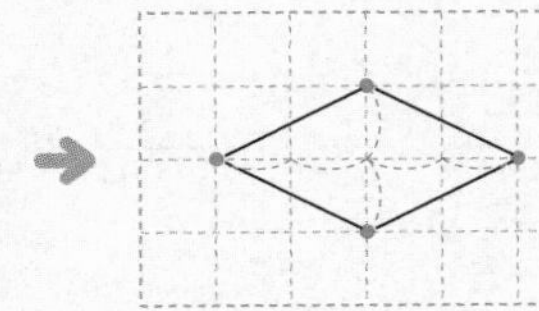

유형

7 주어진 도형과 서로 합동인 도형이 되도록 완성해 보세요.

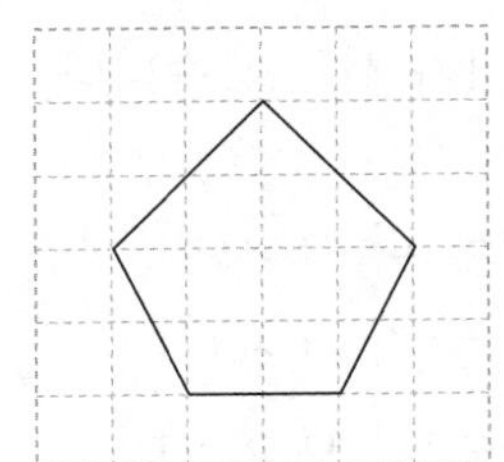
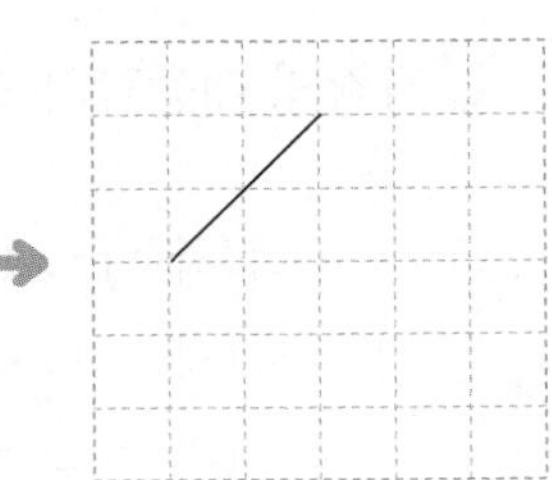

[8~9] 주어진 도형과 서로 합동인 도형을 그려 보세요.

8

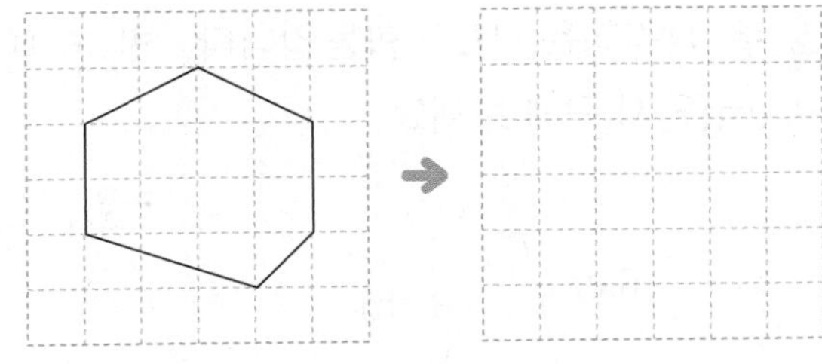

9

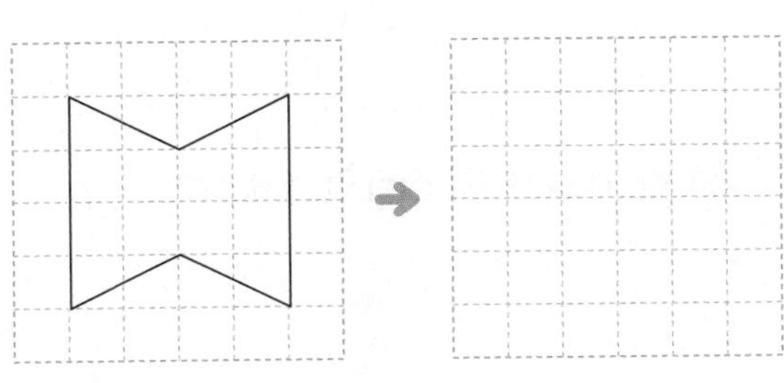

개념 3 합동인 두 도형에서 대응점, 대응변, 대응각 알아보기

서로 합동인 두 도형을 포개었을 때 완전히 겹치는 점을 **대응점**, 겹치는 변을 **대응변**, 겹치는 각을 **대응각**이라고 합니다.

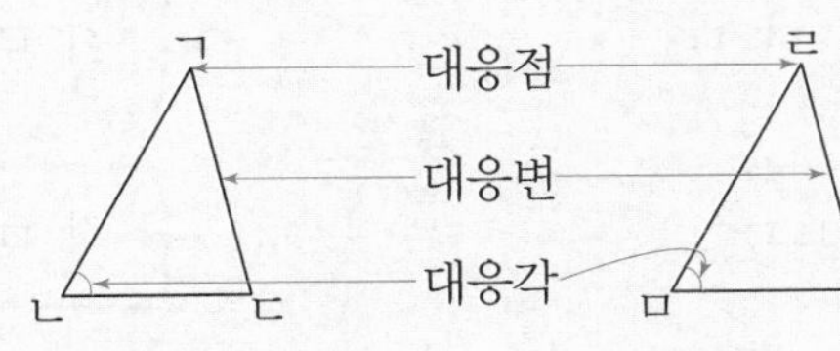

대응점	점 ㄱ과 점 ㄹ	점 ㄴ과 점 ㅁ	점 ㄷ과 점 ㅂ
대응변	변 ㄱㄴ과 변 ㄹㅁ	변 ㄴㄷ과 변 ㅁㅂ	변 ㄱㄷ과 변 ㄹㅂ
대응각	각 ㄱㄴㄷ과 각 ㄹㅁㅂ	각 ㄴㄷㄱ과 각 ㅁㅂㄹ	각 ㄴㄱㄷ과 각 ㅁㄹㅂ

서로 합동인 두 삼각형에서 대응점, 대응변, 대응각은 각각 3쌍 있어.

유형

10 두 사각형은 서로 합동입니다. 물음에 답해 보세요.

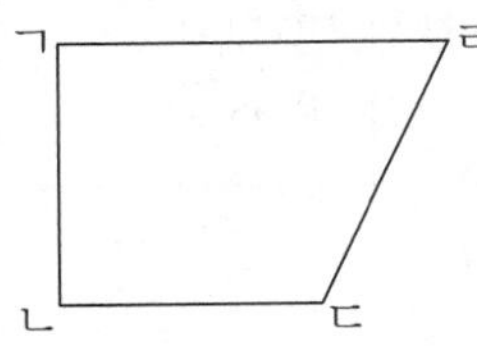

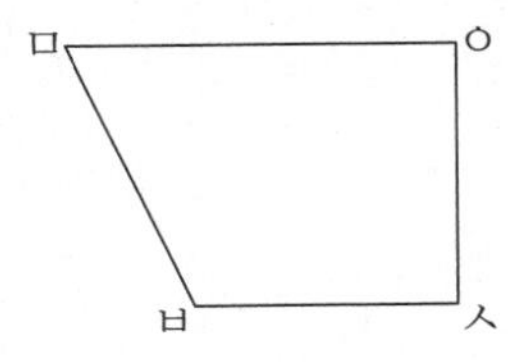

(1) 점 ㄱ의 대응점을 써 보세요.
( )

(2) 변 ㄴㄷ의 대응변을 써 보세요.
( )

(3) 각 ㄷㄹㄱ의 대응각을 써 보세요.
( )

11 두 삼각형은 서로 합동입니다. 대응각끼리 이어 보세요.

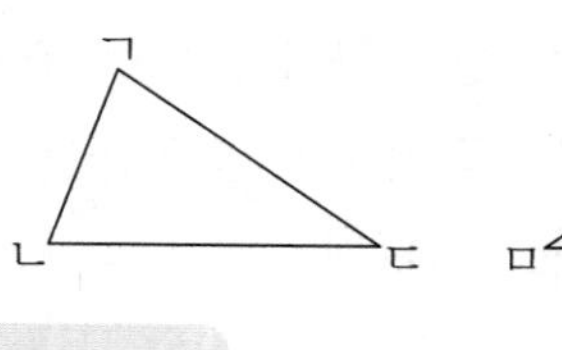

각 ㄱㄴㄷ •		• 각 ㄹㅂㅁ
각 ㄴㄷㄱ •		• 각 ㅁㄹㅂ
각 ㄷㄱㄴ •		• 각 ㅂㅁㄹ

12 두 사각형은 서로 합동입니다. 대응변끼리 바르게 짝 지은 것을 찾아 기호를 써 보세요.

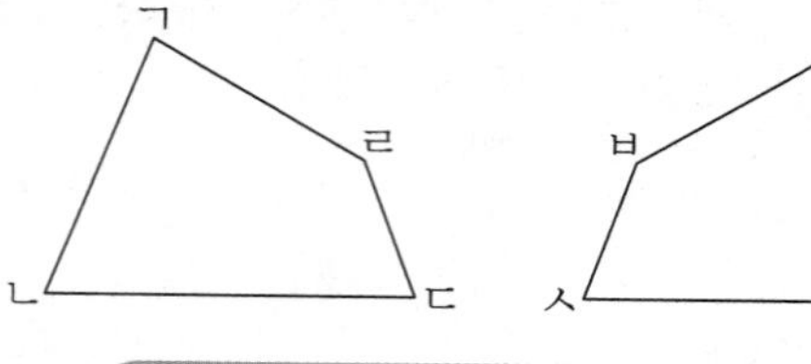

㉠ 변 ㄱㄴ과 변 ㅂㅅ
㉡ 변 ㄱㄹ과 변 ㅁㅇ
㉢ 변 ㄴㄷ과 변 ㅇㅅ

( )

13 두 도형은 서로 합동입니다. 대응점, 대응변, 대응각은 각각 몇 쌍 있나요?

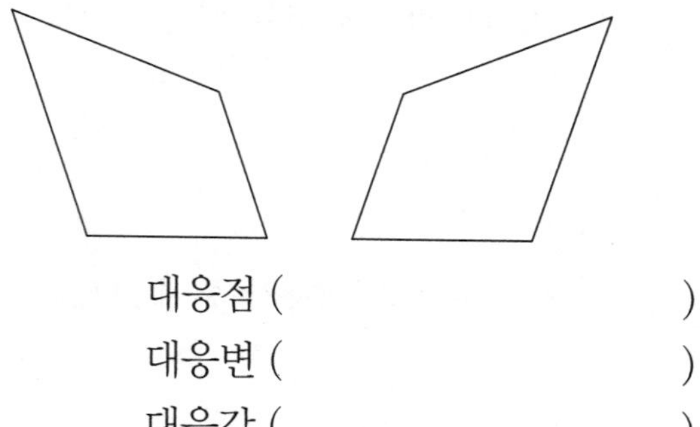

대응점 ( )
대응변 ( )
대응각 ( )

개념 4 합동인 도형의 성질

• 서로 합동인 두 사각형에서

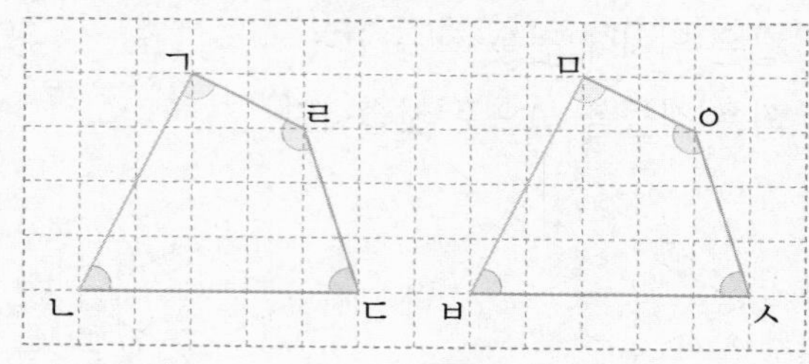

1. 각각의 대응변의 길이가 서로 같습니다.

(변 ㄱㄴ)=(변 ㅁㅂ), (변 ㄴㄷ)=(변 ㅂㅅ),
(변 ㄹㄷ)=(변 ㅇㅅ), (변 ㄱㄹ)=(변 ㅁㅇ)

2. 각각의 대응각의 크기가 서로 같습니다.

(각 ㄱㄴㄷ)=(각 ㅁㅂㅅ),
(각 ㄴㄷㄹ)=(각 ㅂㅅㅇ),
(각 ㄱㄹㄷ)=(각 ㅁㅇㅅ),
(각 ㄹㄱㄴ)=(각 ㅇㅁㅂ)

변 ㄱㄴ의 대응변을 찾을 때에는 점 ㄱ과 점 ㄴ의 대응점을 찾아 기호를 차례로 나타내면 돼~

유형

14 두 삼각형은 서로 합동입니다. 변 ㄹㅁ은 몇 cm인지 구해 보세요.

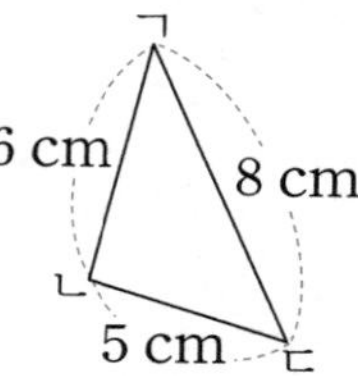

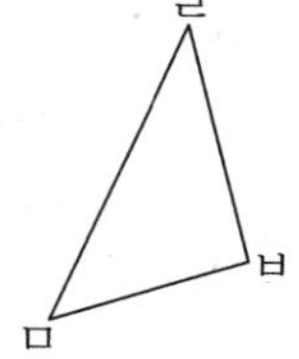

(1) 변 ㄹㅁ의 대응변을 써 보세요.

( )

(2) 변 ㄹㅁ은 몇 cm인가요?

( )

15 두 사각형은 서로 합동입니다. 각 ㄷㄹㄱ은 몇 도인지 구해 보세요.

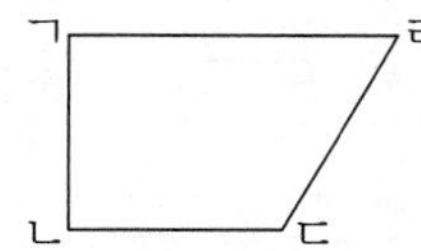

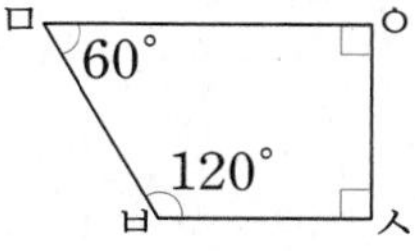

(1) 각 ㄷㄹㄱ의 대응각을 써 보세요.

( )

(2) 각 ㄷㄹㄱ은 몇 도인가요?

( )

16 두 삼각형은 서로 합동입니다. 변 ㄴㄷ은 몇 cm인가요?

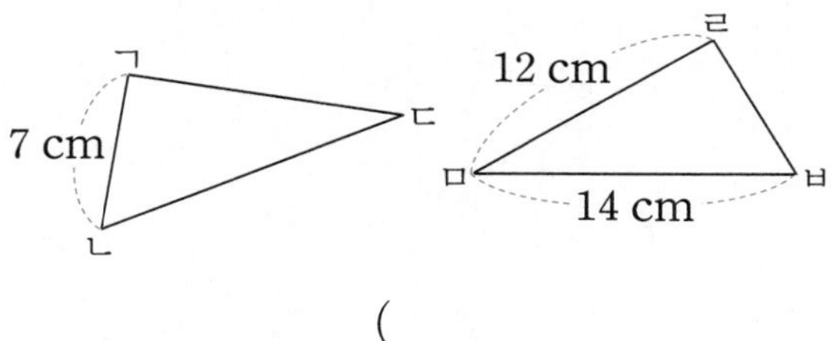

( )

17 두 삼각형은 서로 합동입니다. 각 ㅂㄹㅁ과 크기가 같은 각을 찾아 써 보세요.

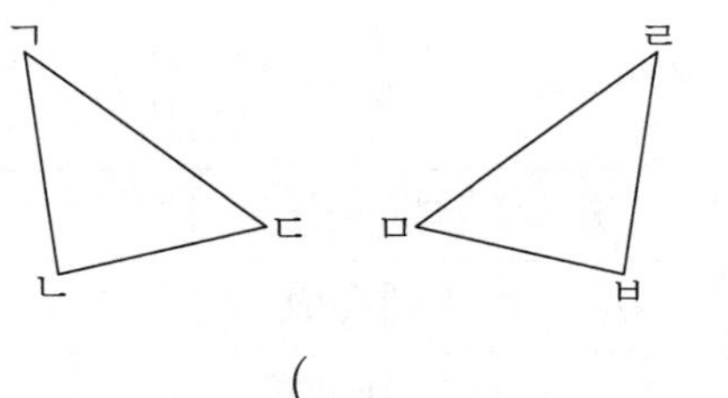

( )

18 두 사각형은 서로 합동입니다. 각 ㅂㅅㅇ은 몇 도인가요?

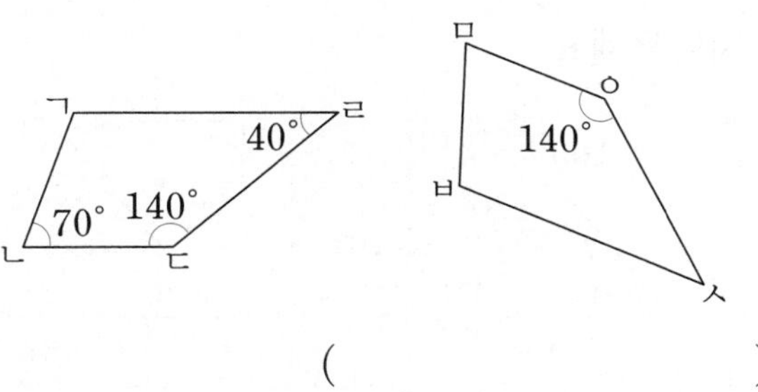

( )

19 두 사각형은 서로 합동입니다. □ 안에 알맞은 수를 써넣으세요.

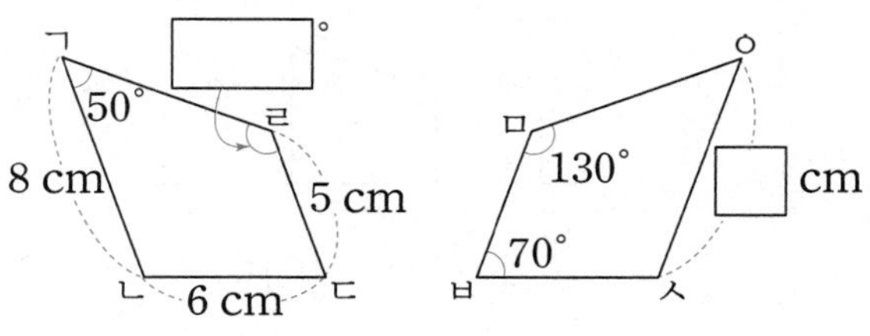

20 두 삼각형은 서로 합동입니다. 잘못 말한 사람은 누구인가요?

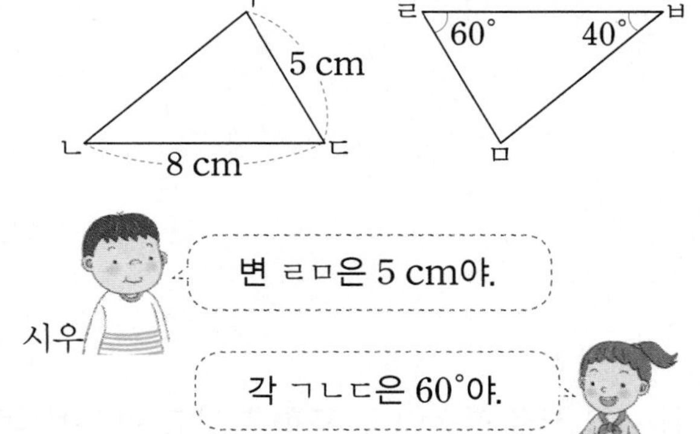

( )

21 두 삼각형은 서로 합동입니다. 삼각형 ㄱㄴㄷ의 둘레는 몇 cm인지 구해 보세요.

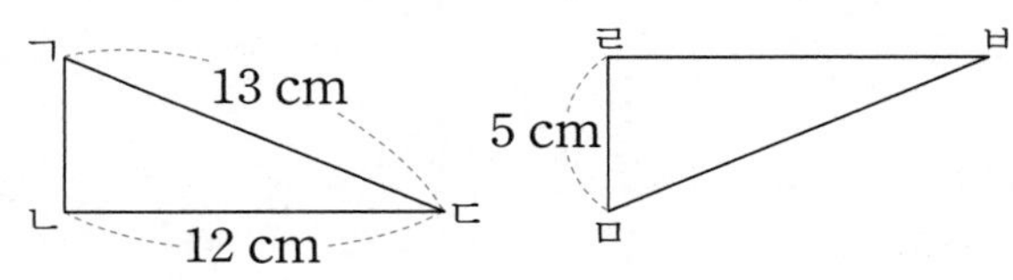

(1) 변 ㄱㄴ은 몇 cm인가요?

( )

(2) 삼각형 ㄱㄴㄷ의 둘레는 몇 cm인가요?

( )

개념 1 ~ 4 기초력 집중 연습

[1~2] 왼쪽 도형과 서로 합동인 도형을 찾아 ○표 하세요.

1

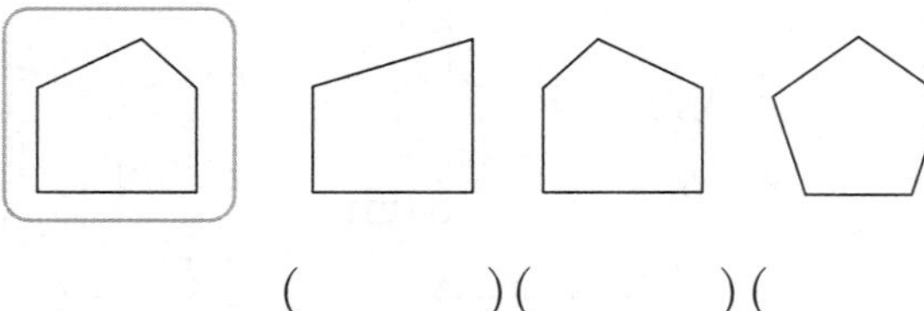

(　　　)(　　　)(　　　)

2

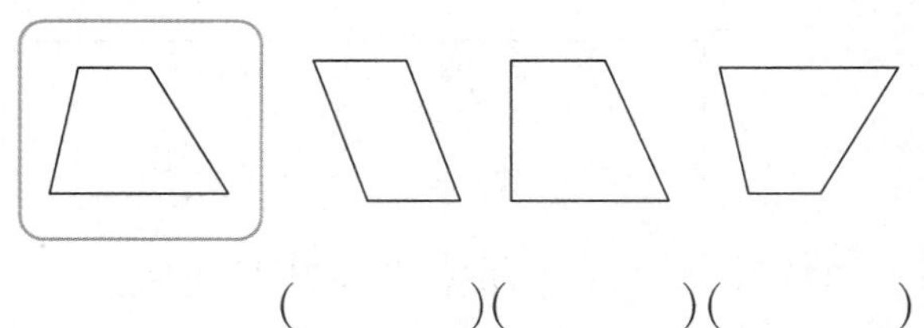

(　　　)(　　　)(　　　)

[3~4] 주어진 도형과 서로 합동인 도형을 그려 보세요.

3

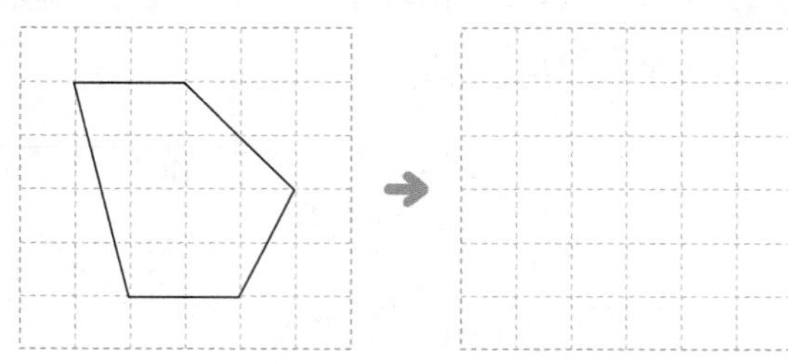

4

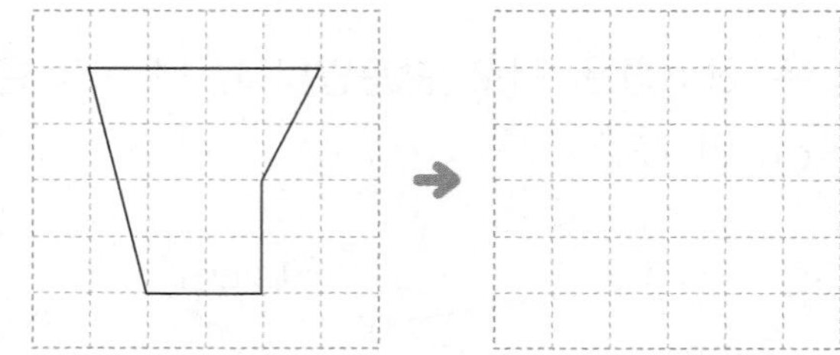

[5~6] 서로 합동인 두 도형을 보고 빈칸에 알맞게 써넣으세요.

5

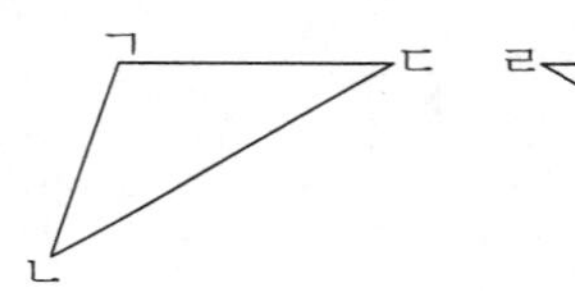

점 ㄴ의 대응점	
변 ㄱㄷ의 대응변	
각 ㄴㄷㄱ의 대응각	

6

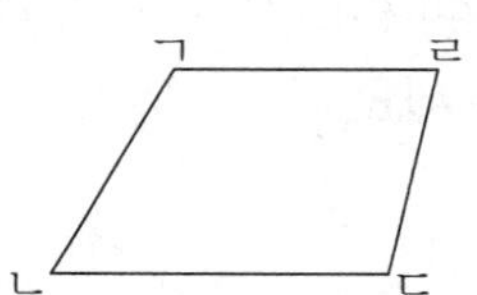

점 ㄷ의 대응점	
변 ㄱㄹ의 대응변	
각 ㄴㄷㄹ의 대응각	

[7~8] 서로 합동인 두 도형을 보고 □ 안에 알맞은 수를 써넣으세요.

7

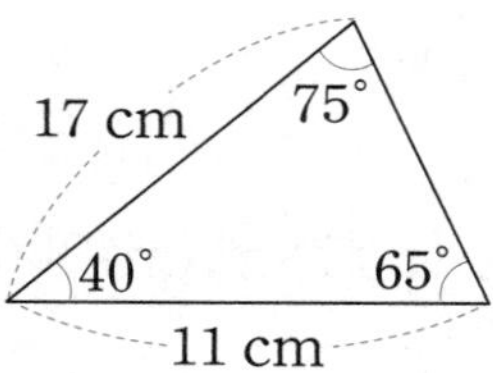

□° 40° □ cm

8

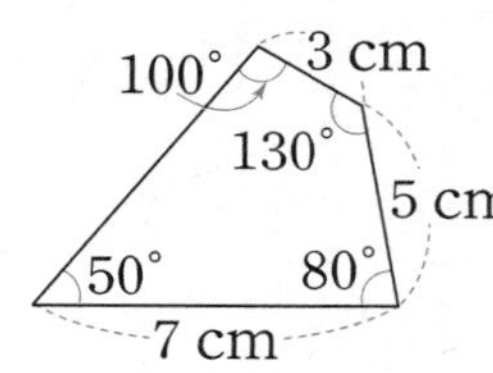

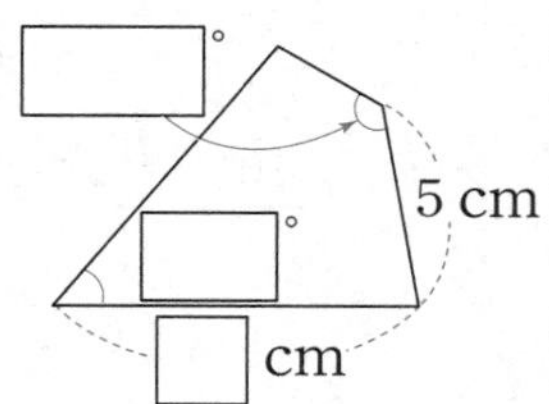

유형 진단 TEST

점수 /10점

정답 및 풀이 17쪽

1 색종이를 잘라서 서로 합동인 사각형을 2개 만들려고 합니다. 자르는 선을 그어 보세요. [1점]

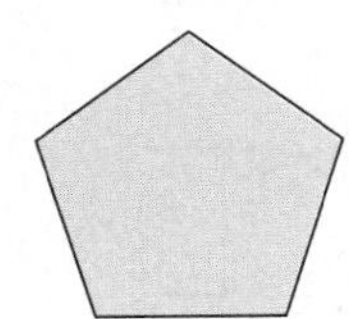

2 ㉠에 들어갈 모양 조각을 찾아 기호를 써 보세요. [1점]

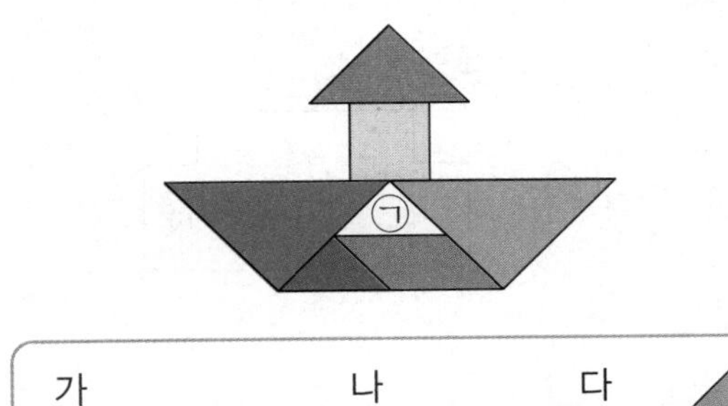

( )

3 나머지 둘과 서로 합동이 아닌 도형을 찾아 기호를 써 보세요. [2점]

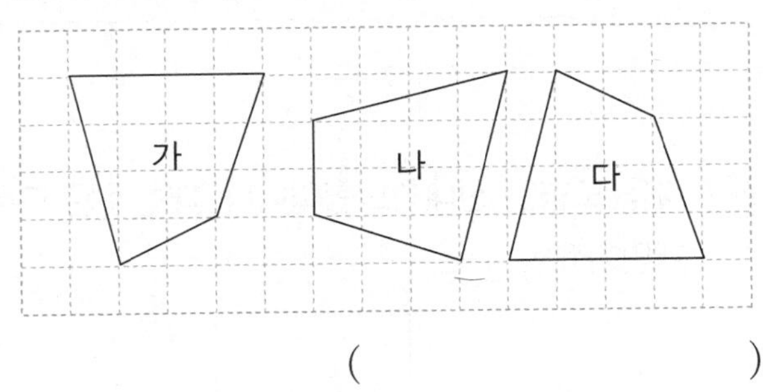

( )

4 두 삼각형은 서로 합동입니다. 각 ㄴㄷㄱ은 몇 도인가요? [2점]

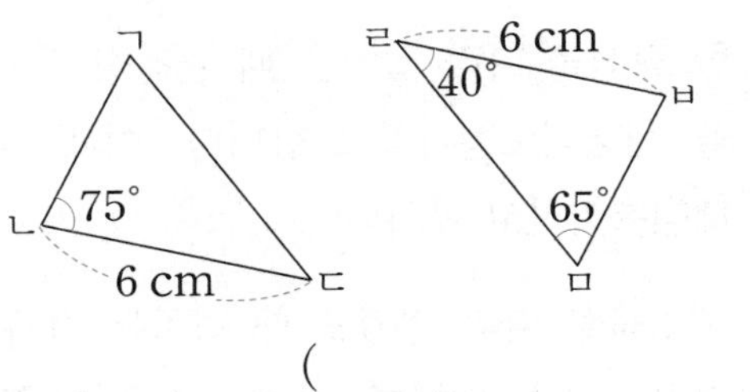

( )

서술형

5 다음과 같이 종이 두 장을 포개어서 그림을 오렸습니다. 오려서 나온 두 모양의 관계를 무엇이라고 하는지 쓰고 그 이유를 써 보세요. [2점]

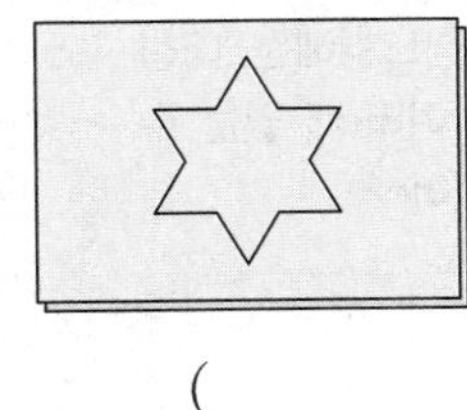

( )

이유 ____________________

____

6 두 사각형은 서로 합동입니다. 사각형 ㄱㄴㄷㄹ의 둘레는 몇 cm인가요? [2점]

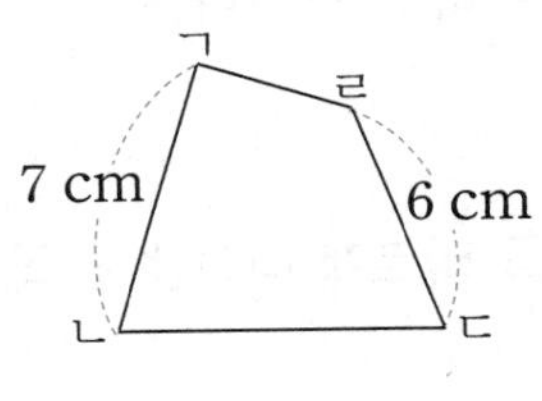

( )

개념 5 선대칭도형

1. 한 직선을 따라 접었을 때 완전히 겹치는 도형을 **선대칭도형**이라고 합니다. 이때 그 직선을 **대칭축**이라고 합니다.
2. 대칭축을 따라 접었을 때 겹치는 점을 **대응점**, 겹치는 변을 **대응변**, 겹치는 각을 **대응각**이라고 합니다.

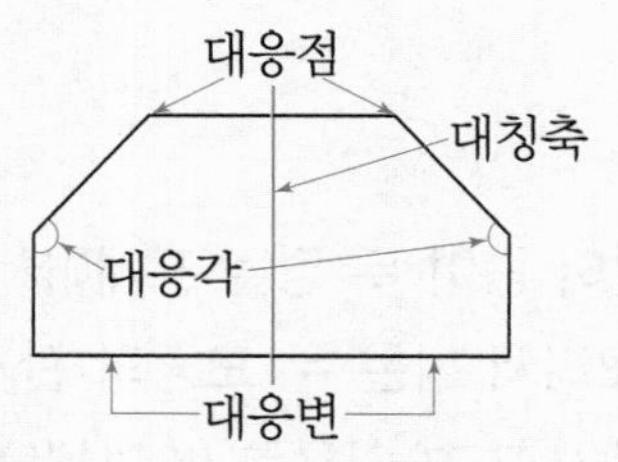

선대칭도형에는 대칭축이 여러 개 있을 수도 있어~

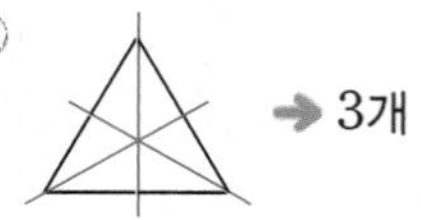

유형

1 도형을 보고 □ 안에 알맞게 써넣으세요.

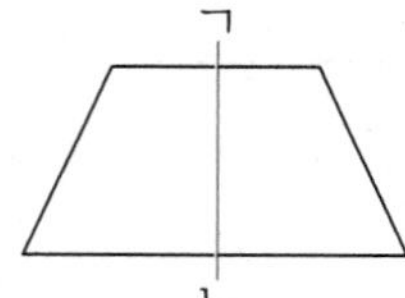

도형을 한 직선을 따라 접으면 완전히 겹칩니다. 이 도형을 [　　　　]이라 하고 직선 [　　]을 대칭축이라고 합니다.

2 선대칭도형의 대칭축을 바르게 나타낸 것의 기호를 써 보세요.

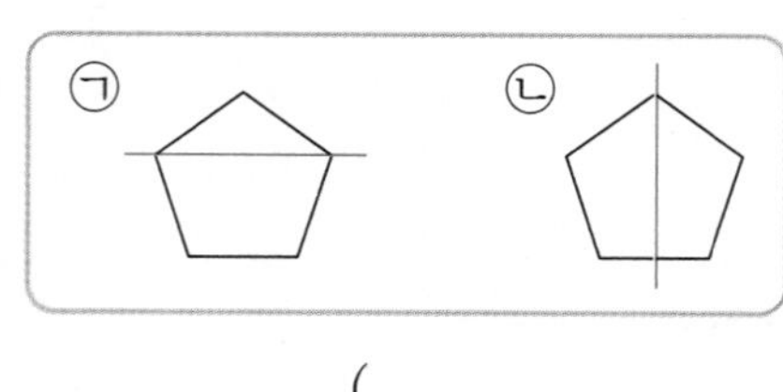

(　　　　　)

3 선대칭도형을 찾아 ○표 하세요.

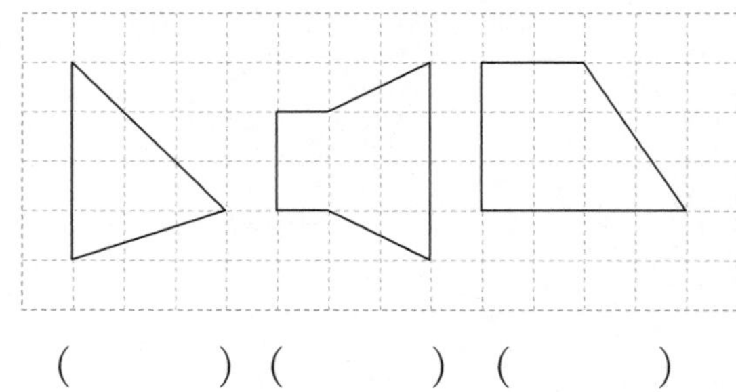

(　　) (　　) (　　)

4 다음 도형은 선대칭도형입니다. 대칭축을 그려 보세요.

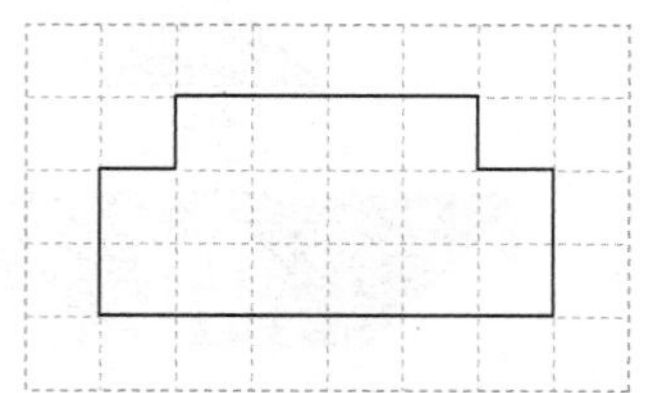

5 선대칭도형을 보고 빈칸에 알맞게 써넣으세요.

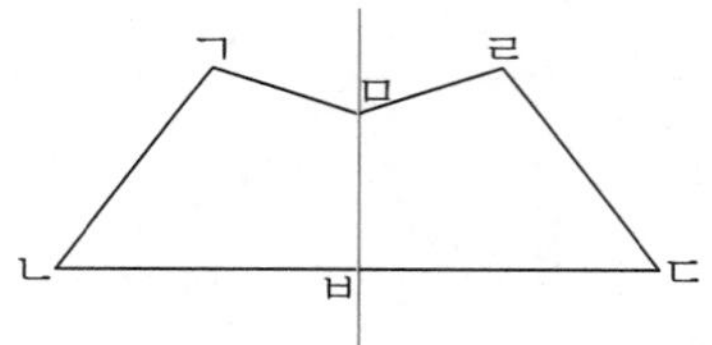

점 ㄱ의 대응점	
변 ㄴㅂ의 대응변	
각 ㅁㄱㄴ의 대응각	

6 다음 도형은 선대칭도형입니다. 대칭축은 모두 몇 개인가요?

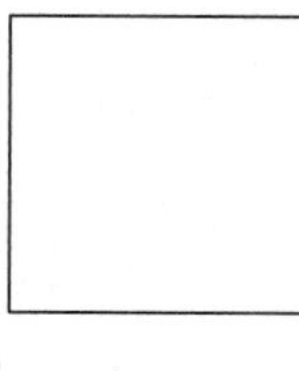

(　　　　　)

개념 6 선대칭도형의 성질

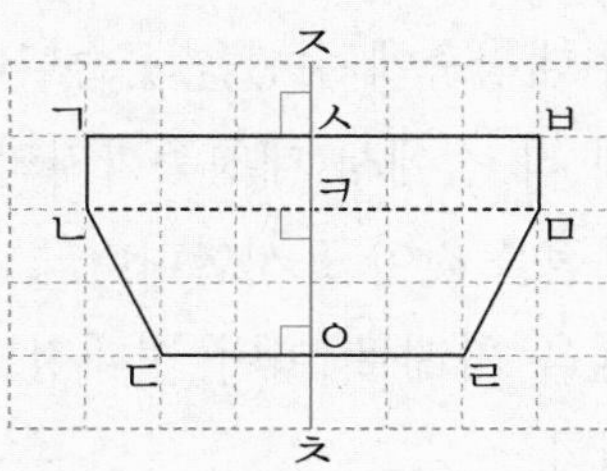

1. 각각의 대응변의 길이가 서로 같습니다.

예 (변 ㄱㄴ)=(변 ㅂㅁ)

2. 각각의 대응각의 크기가 서로 같습니다.

예 (각 ㄴㄷㅇ)=(각 ㅁㄹㅇ)

3. 대칭축은 대응점끼리 이은 선분을 둘로 똑같이 나눕니다. ─ 각각의 대응점에서 대칭축까지의 거리가 서로 같습니다.

예 (선분 ㄴㅋ)=(선분 ㅁㅋ)

4. 대응점끼리 이은 선분은 대칭축과 수직으로 만납니다.

예 선분 ㄴㅁ이 대칭축과 만나서 이루는 각은 90°입니다.

유형

7 선대칭도형을 보고 □ 안에 알맞게 써넣고 알맞은 말에 ○표 하세요.

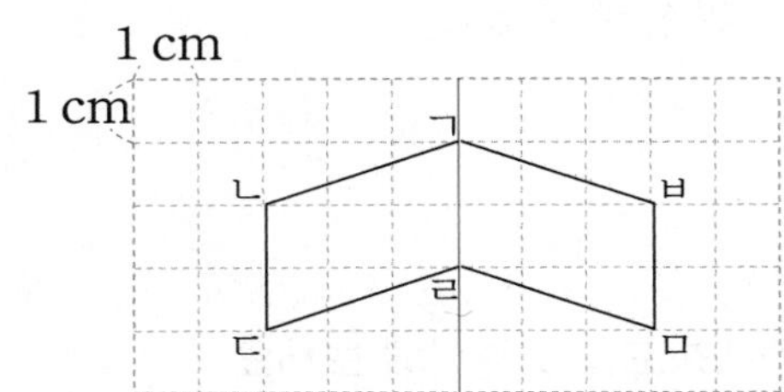

변 ㄴㄷ은 □cm이고 변 ㄴㄷ의 대응변인 변 □은 □cm입니다.

➜ 선대칭도형에서 각각의 대응변의 길이는 서로 (같습니다 , 다릅니다).

8 직선 ㅁㅂ을 대칭축으로 하는 선대칭도형입니다. 각 ㄷㄱㄴ과 크기가 같은 각을 찾아 써 보세요.

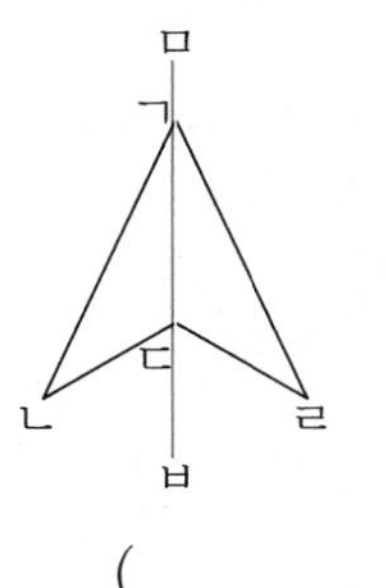

( )

9 직선 ㅅㅇ을 대칭축으로 하는 선대칭도형입니다. 물음에 답해 보세요.

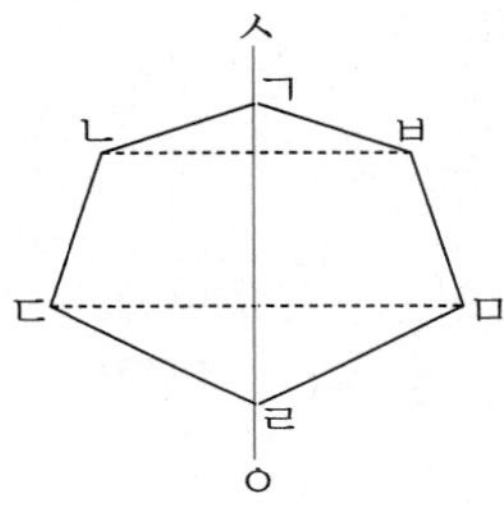

(1) 대칭축에 의해 둘로 똑같이 나누어지는 선분을 모두 찾아 써 보세요.

( )

(2) 선분 ㄷㅁ이 대칭축과 만나서 이루는 각은 몇 도인가요?

( )

10 선대칭도형에 대한 설명으로 옳으면 ○표, 틀리면 ×표 하세요.

각각의 대응각의 크기는 서로 같습니다.	
각각의 대응점에서 대칭축까지의 거리는 서로 다릅니다.	

[11~12] 직선 ㄱㄴ을 대칭축으로 하는 선대칭도형입니다. □ 안에 알맞은 수를 써넣으세요.

11

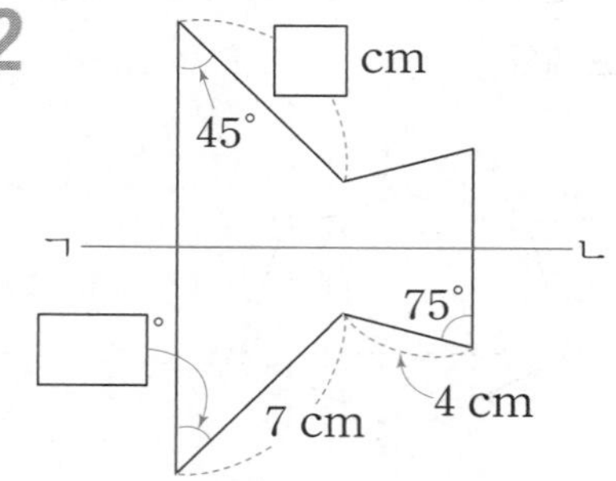

12

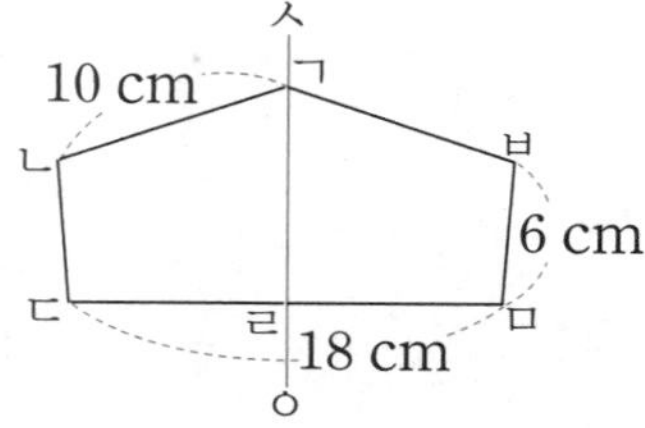

13 직선 ㅅㅇ을 대칭축으로 하는 선대칭도형입니다. 선분 ㄹㅁ은 몇 cm인지 구해 보세요.

ㅅ
10 cm ㄱ
ㄴ ㅂ
6 cm
ㄷ ㄹ ㅁ
18 cm
ㅇ

(1) 선분 ㄹㅁ과 길이가 같은 선분을 찾아 써 보세요.

( )

(2) 선분 ㄹㅁ은 몇 cm인가요?

( )

개념 7 선대칭도형 그리기

① 각 점에서 대칭축에 수선을 긋습니다.
② 이 수선에 각 점에서 대칭축까지의 길이가 같도록 대응점을 찾아 표시합니다.
③ 각 대응점을 차례로 이어 선대칭도형이 되도록 그립니다.

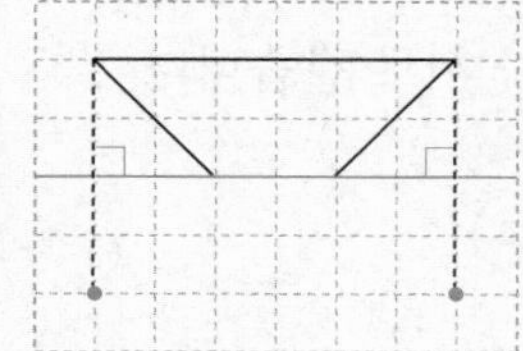

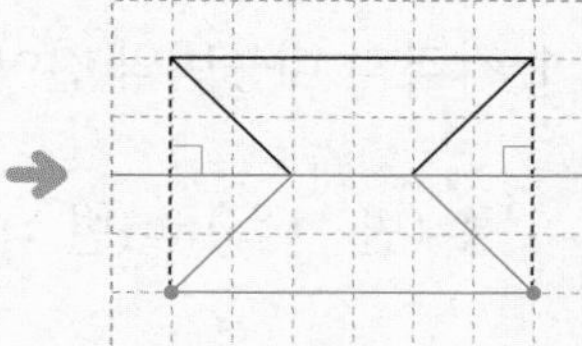

대응점끼리 이은 선분이 대칭축과 수직으로 만나고 각각의 대응점에서 대칭축까지의 거리가 서로 같다는 것을 이용해서 그려~

유형

14 선대칭도형을 완성해 보세요.

(1) 점 ㄱ과 점 ㄴ의 대응점을 각각 찾아 표시해 보세요.

(2) 표시한 대응점을 차례로 이어 선대칭도형을 완성해 보세요.

15 선대칭도형을 완성해 보세요.

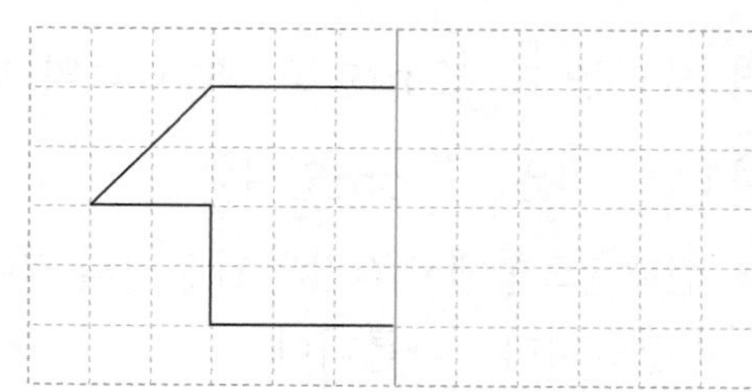

개념 8 점대칭도형

1. 한 도형을 어떤 점을 중심으로 180° 돌렸을 때 처음 도형과 완전히 겹치면 이 도형을 **점대칭도형**이라고 합니다. 이때 그 점을 **대칭의 중심**이라고 합니다.

2. 대칭의 중심을 중심으로 180° 돌렸을 때 겹치는 점을 **대응점**, 겹치는 변을 **대응변**, 겹치는 각을 **대응각**이라고 합니다.

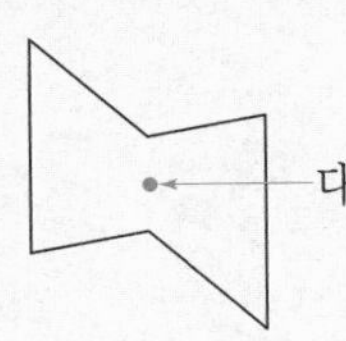

점대칭도형에서 대칭의 중심은 항상 1개야~

유형

16 도형을 보고 □ 안에 알맞게 써넣으세요.

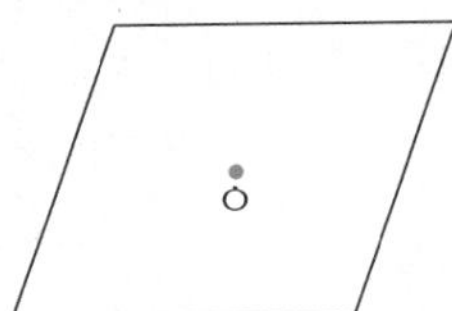

도형을 점 □을 중심으로 180° 돌리면 처음 도형과 완전히 겹칩니다. 따라서 이 도형은 □입니다.

17 다음 도형은 점대칭도형입니다. 대칭의 중심을 찾아 써 보세요.

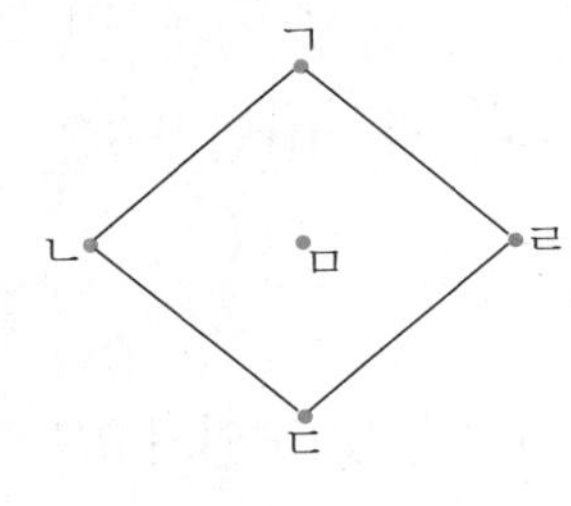

(　　　　　　　　)

18 점대칭도형을 찾아 ○표 하세요.

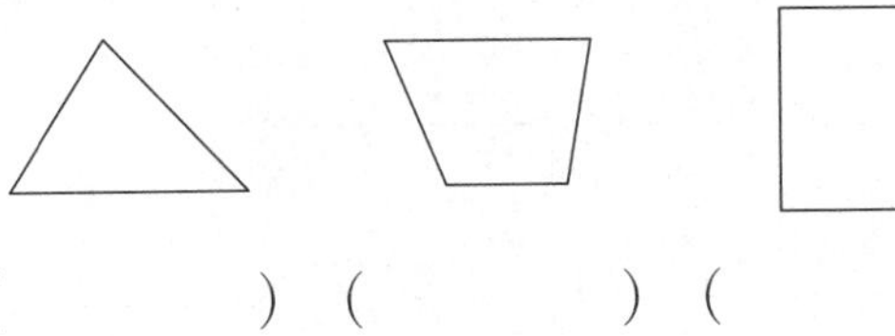

(　　　　) (　　　　) (　　　　)

19 대칭의 중심을 찾아 표시해 보세요.

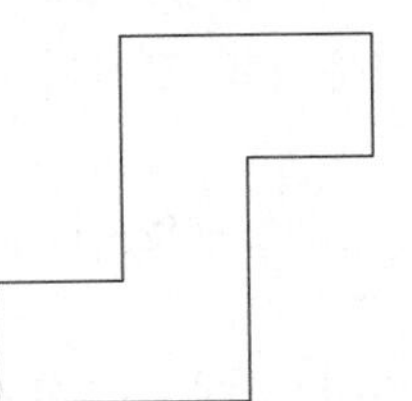

20 점대칭도형을 보고 물음에 답해 보세요.

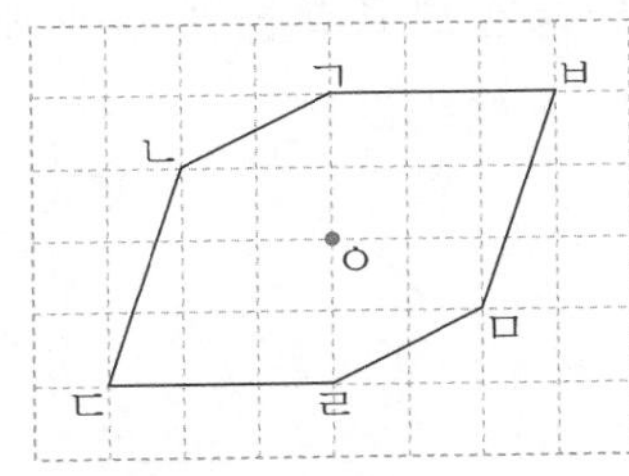

(1) 점 ㄱ의 대응점을 써 보세요.

(　　　　　　　　)

(2) 변 ㄷㄹ의 대응변을 써 보세요.

(　　　　　　　　)

(3) 각 ㄹㅁㅂ의 대응각을 써 보세요.

(　　　　　　　　)

개념 9 점대칭도형의 성질

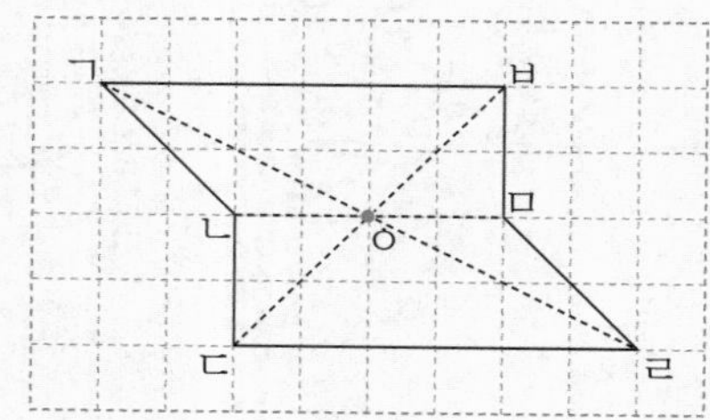

1. 각각의 대응변의 길이가 서로 같습니다.

예 (변 ㄱㄴ)=(변 ㄹㅁ)

2. 각각의 대응각의 크기가 서로 같습니다.

예 (각 ㄴㄷㄹ)=(각 ㅁㅂㄱ)

3. 대칭의 중심은 대응점끼리 이은 선분을 둘로 똑같이 나눕니다. ─ 각각의 대응점에서 대칭의 중심까지의 거리가 서로 같습니다.

예 (선분 ㅁㅇ)=(선분 ㄴㅇ)

유형

21 점대칭도형을 보고 물음에 답해 보세요.

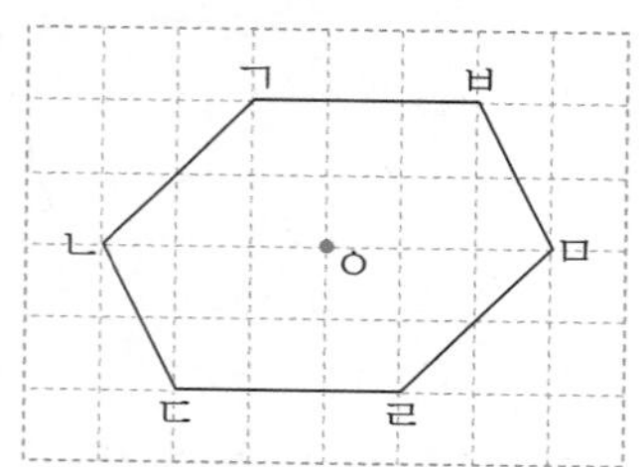

(1) 대응각을 각각 써 보세요.

각 ㄴㄷㄹ의 대응각 ➔ (　　　　　)

각 ㄱㅂㅁ의 대응각 ➔ (　　　　　)

(2) 알맞은 말에 ○표 하세요.

점대칭도형에서 각각의 대응각의 크기는 서로 (같습니다 , 다릅니다).

22 점 ㅇ을 대칭의 중심으로 하는 점대칭도형입니다. 변 ㄴㄷ과 길이가 같은 변을 찾아 써 보세요.

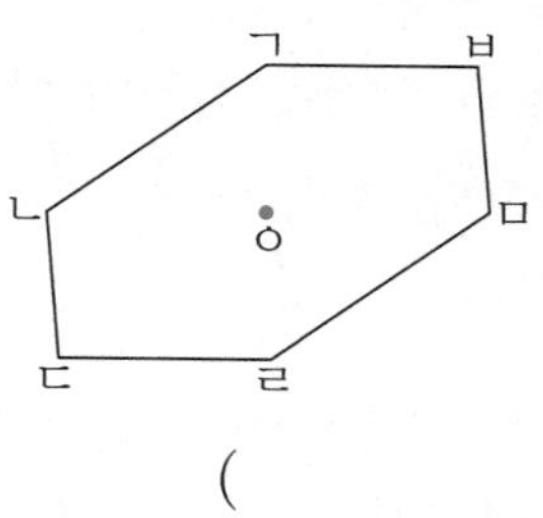

(　　　　　)

23 점 ㅇ을 대칭의 중심으로 하는 점대칭도형입니다. 선분 ㄴㅇ은 몇 cm인가요?

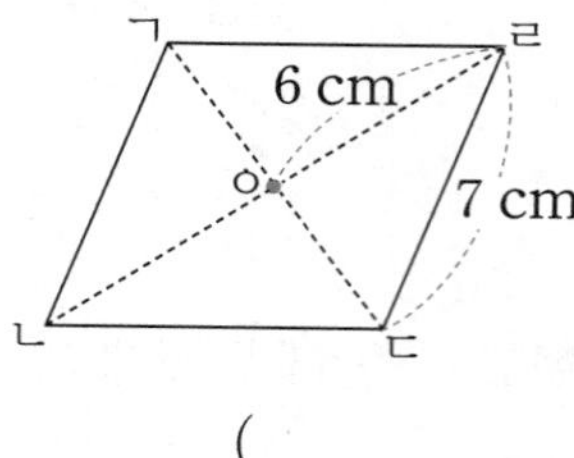

(　　　　　)

24 점 ㅇ을 대칭의 중심으로 하는 점대칭도형입니다. 물음에 답해 보세요.

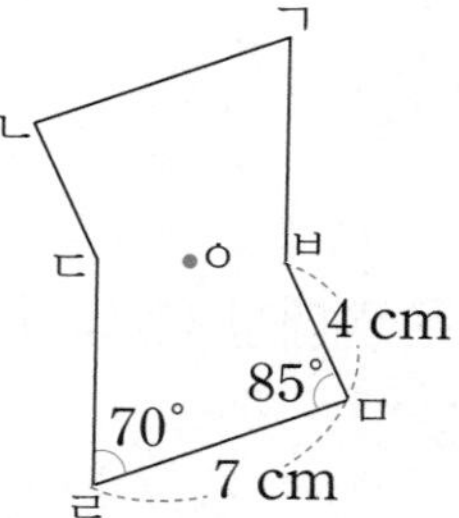

(1) 변 ㄴㄷ은 몇 cm인가요?

(　　　　　)

(2) 각 ㄴㄱㅂ은 몇 도인가요?

(　　　　　)

25 점대칭도형에 대해 잘못 말한 사람의 이름을 써 보세요.

다은: 대칭의 중심은 대응점끼리 이은 선분을 둘로 똑같이 나눠.

우진: 도형에 따라 대칭의 중심이 여러 개인 경우도 있어.

(　　　　　　　　)

26 점 ㅇ을 대칭의 중심으로 하는 점대칭도형입니다. □ 안에 알맞은 수를 써넣으세요.

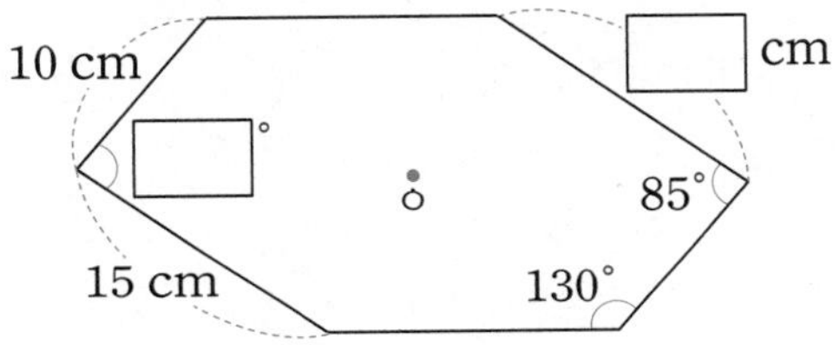

27 점 ㅇ을 대칭의 중심으로 하는 점대칭도형입니다. 선분 ㄷㅇ은 몇 cm인지 구해 보세요.

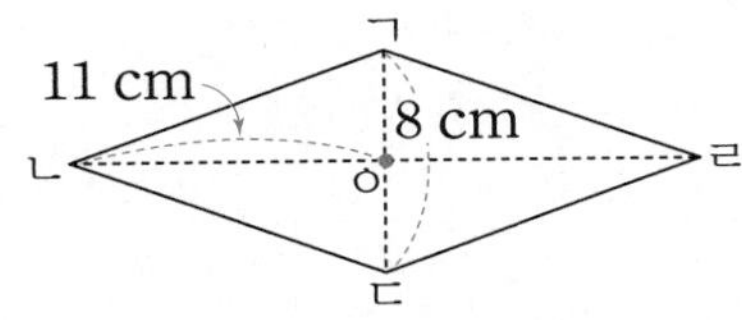

(1) 선분 ㄷㅇ과 길이가 같은 선분을 찾아 써 보세요.

(　　　　　　　　)

(2) 선분 ㄷㅇ은 몇 cm인가요?

(　　　　　　　　)

개념 10 점대칭도형 그리기

① 각 점에서 대칭의 중심을 지나는 직선을 긋습니다.

② 이 직선에 각 점에서 대칭의 중심까지의 길이가 같도록 대응점을 찾아 표시합니다.

③ 각 대응점을 차례로 이어 점대칭도형이 되도록 그립니다.

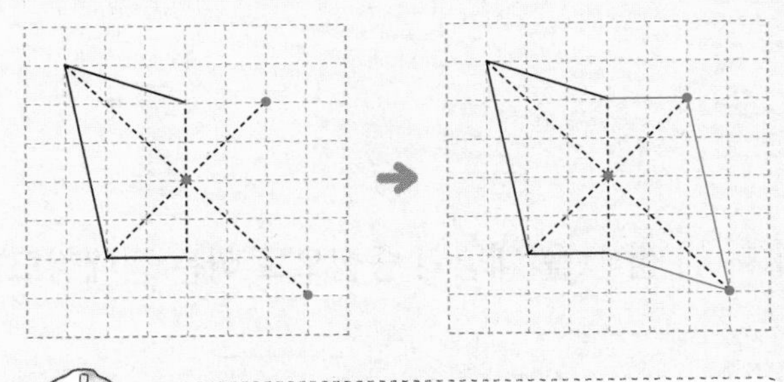

대응점은 대칭의 중심에서 반대쪽으로 같은 거리에 있다는 것을 이용해서 그려~

유형

28 점 ㅇ을 대칭의 중심으로 하는 점대칭도형을 완성해 보세요.

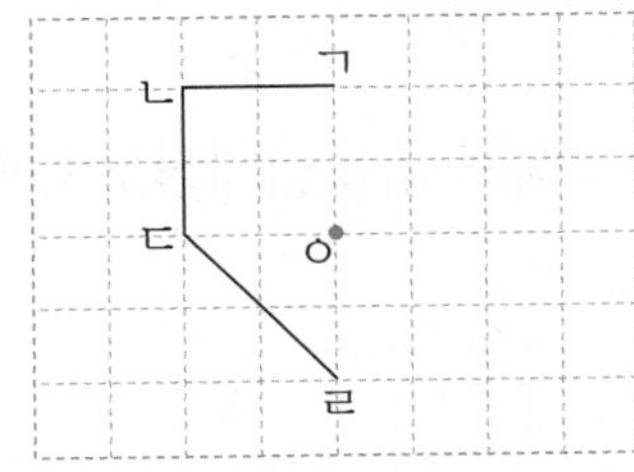

(1) 점 ㄴ과 점 ㄷ의 대응점을 각각 찾아 점 ㅁ과 점 ㅂ으로 표시해 보세요.

(2) 표시한 대응점을 차례로 이어 점대칭도형을 완성해 보세요.

29 점대칭도형을 완성해 보세요.

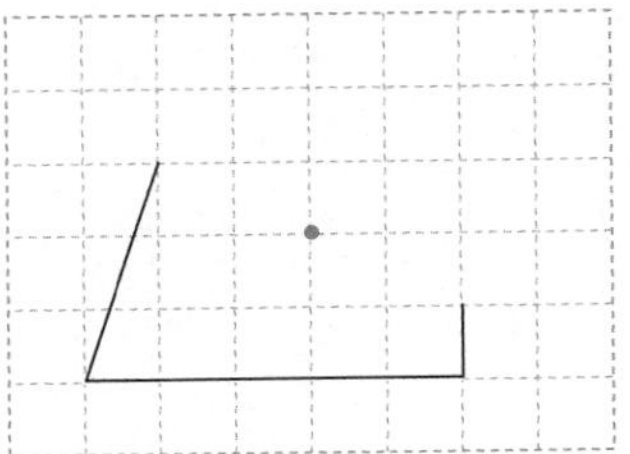

개념 5 ~ 10 기초력 집중 연습

[1~2] 직선 ㄱㄴ을 대칭축으로 하는 선대칭도형입니다. □ 안에 알맞은 수를 써넣으세요.

1

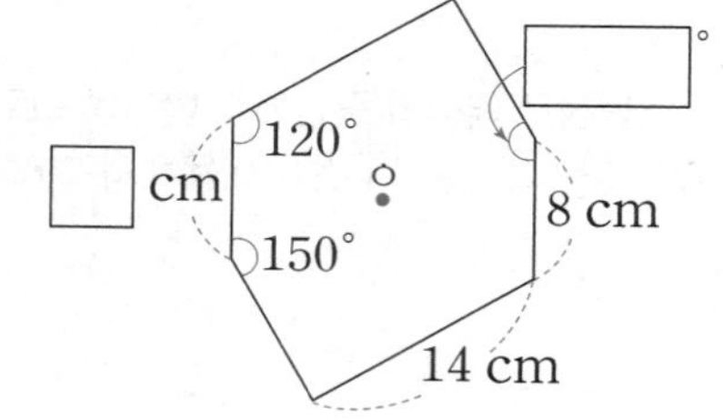

2

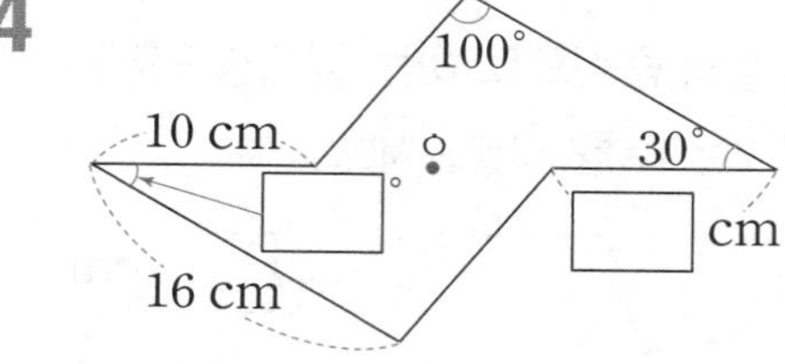

[3~4] 점 ㅇ을 대칭의 중심으로 하는 점대칭도형입니다. □ 안에 알맞은 수를 써넣으세요.

3

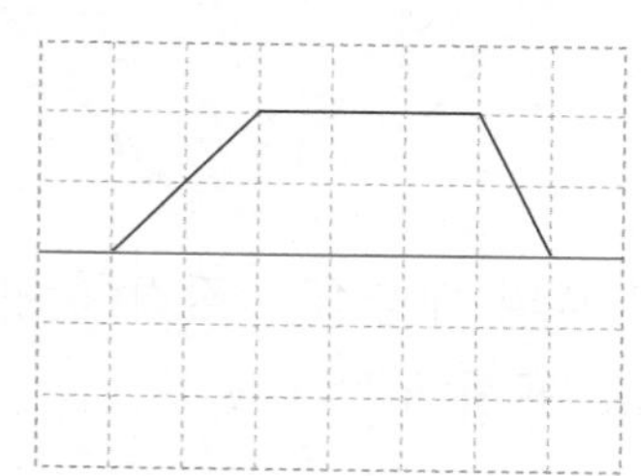

4

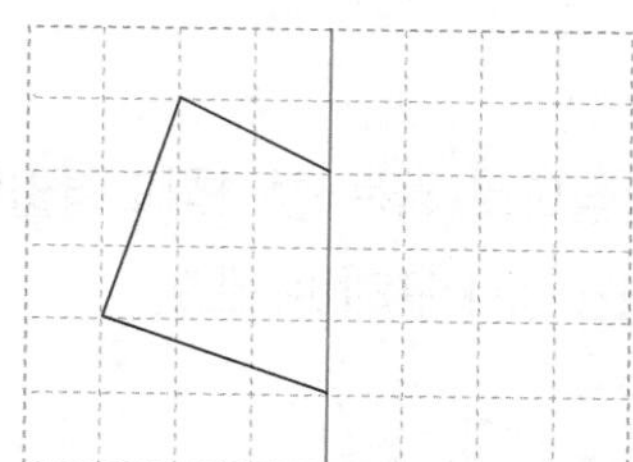

[5~8] 선대칭도형과 점대칭도형을 각각 완성해 보세요.

5

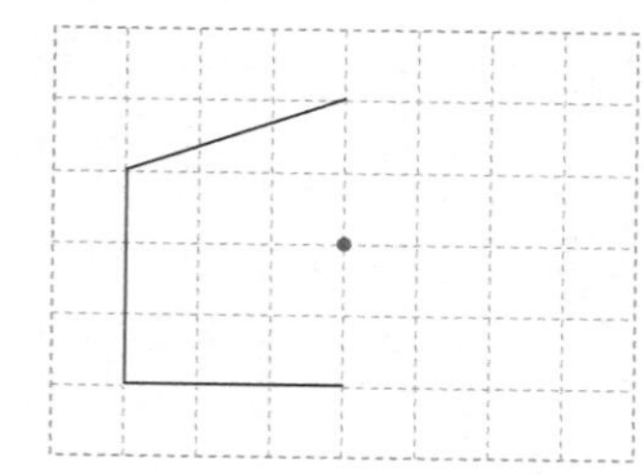

6

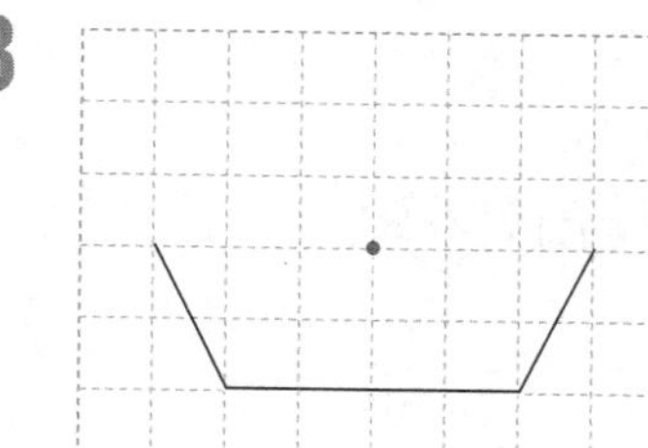

7

8

유형 진단 TEST

점수 /10점

정답 및 풀이 19쪽

1 선대칭도형의 대칭축을 모두 그리고, 몇 개인지 써 보세요. [1점]

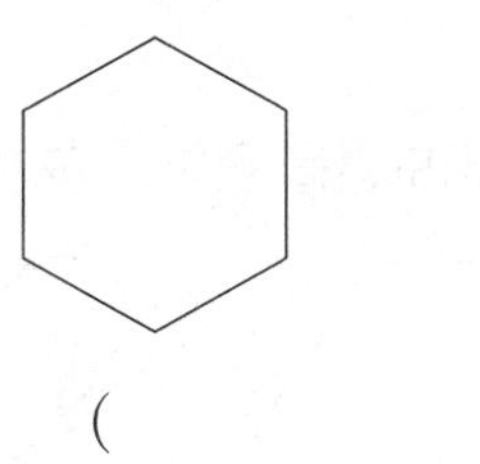

( )

2 직선 ㄱㄴ을 대칭축으로 하는 선대칭도형입니다. ㉠은 몇 도인가요? [1점]

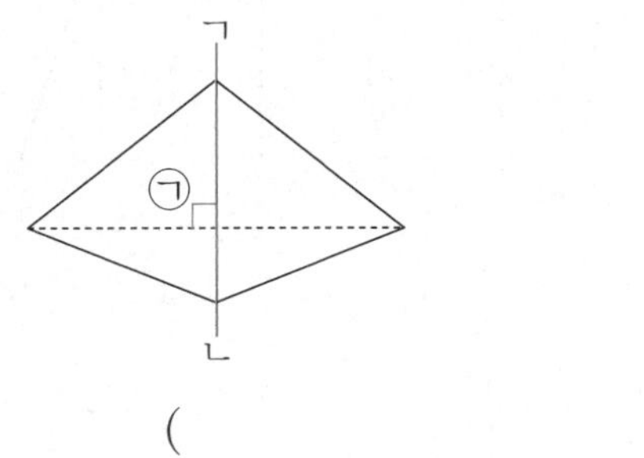

( )

3 점 ㅇ을 대칭의 중심으로 하는 점대칭도형입니다. 길이가 같은 선분을 찾아 이어 보세요. [2점]

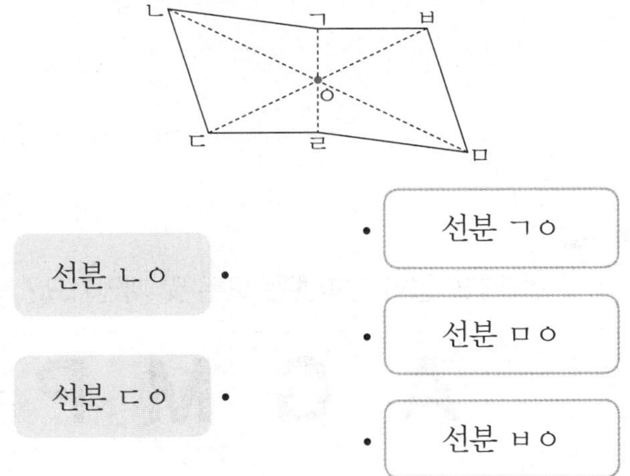

4 선분 ㄱㄹ을 대칭축으로 하는 선대칭도형입니다. 변 ㄴㄷ은 몇 cm인가요? [2점]

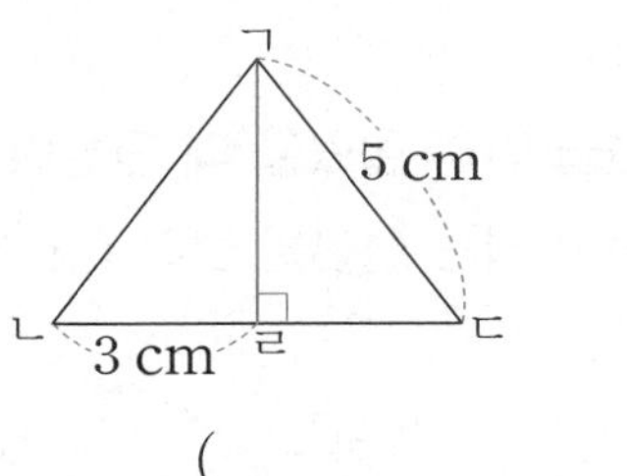

( )

5 점대칭도형인 알파벳을 말한 사람을 찾아 이름을 써 보세요. [2점]

( )

6 선대칭도형도 되고 점대칭도형도 되는 도형을 찾아 기호를 써 보세요. [2점]

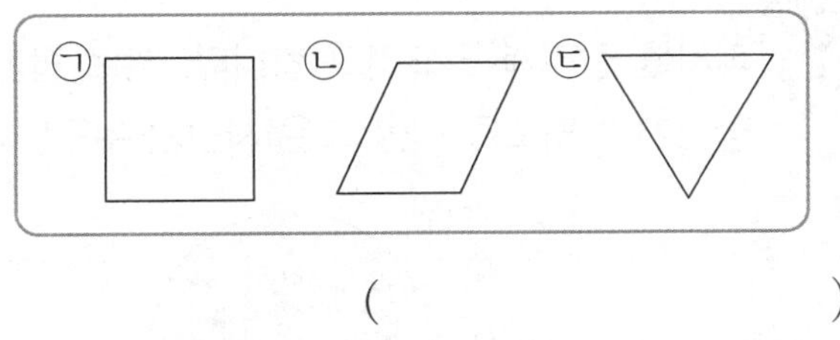

( )

STEP 2 꼬리를 무는 유형

❶ 잘라서 만들어지는 서로 합동인 도형

기본 유형

1 점선을 따라 잘랐을 때 만들어진 두 도형이 서로 합동이 되는 점선을 찾아 기호를 써 보세요.

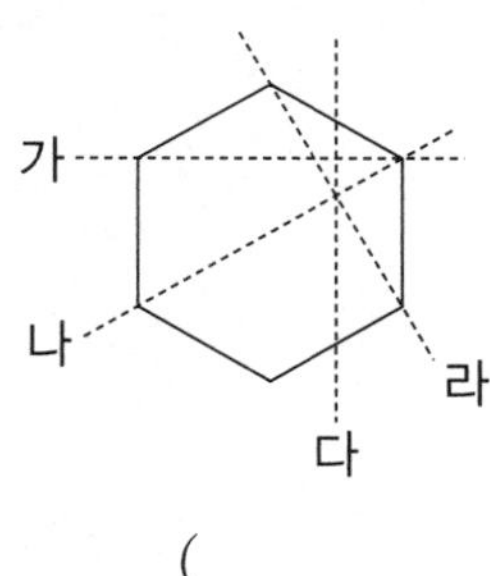

(　　　　　　　)

변형 유형

2 점선을 따라 잘랐을 때 만들어진 두 도형이 서로 합동인 것을 찾아 ○표 하세요.

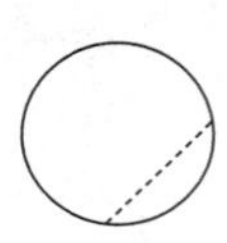 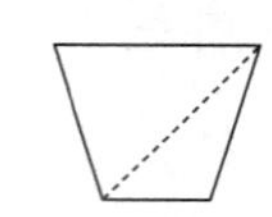 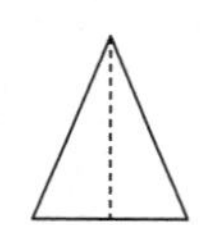 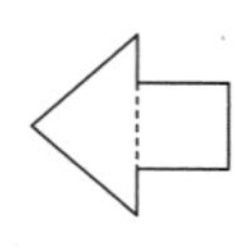

(　　) (　　) (　　) (　　)

실생활 유형

3 피자를 잘라서 먹으려고 합니다. 서로 합동인 모양 2개가 되도록 선을 그은 사람은 누구인가요?

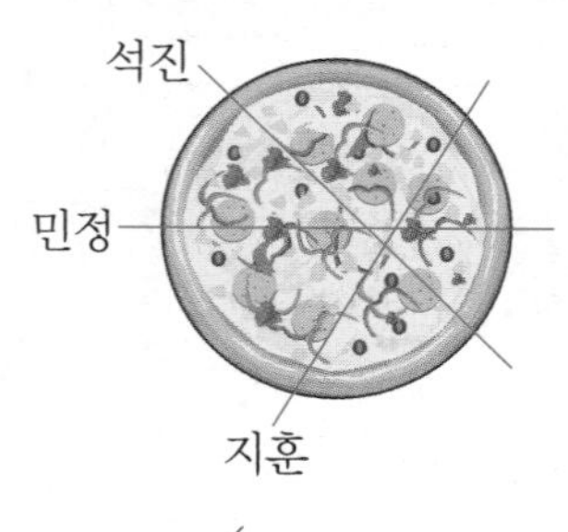

(　　　　　　　)

❷ 선대칭도형 찾기

기본 유형

4 선대칭도형을 찾아 ○표 하세요.

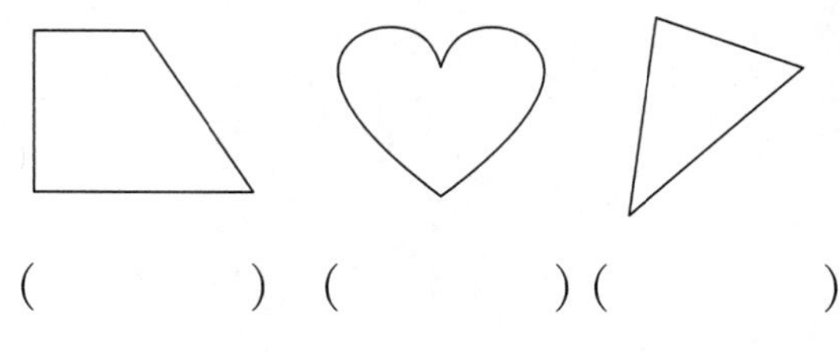

(　　　　) (　　　　) (　　　　)

변형 유형

5 선대칭도형이 아닌 것을 찾아 기호를 써 보세요.

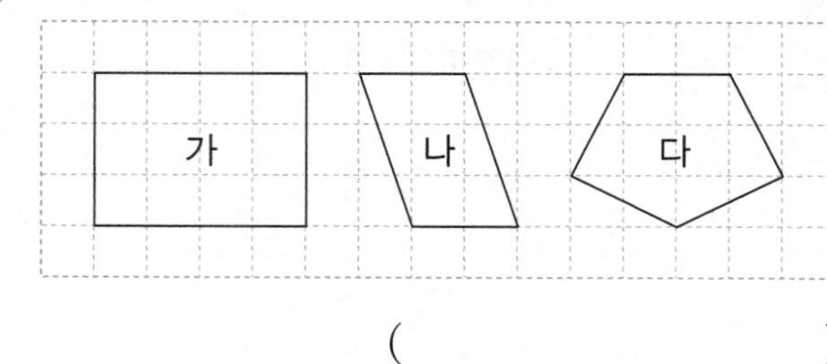

(　　　　　　　)

변형 유형

6 선대칭도형은 모두 몇 개인가요?

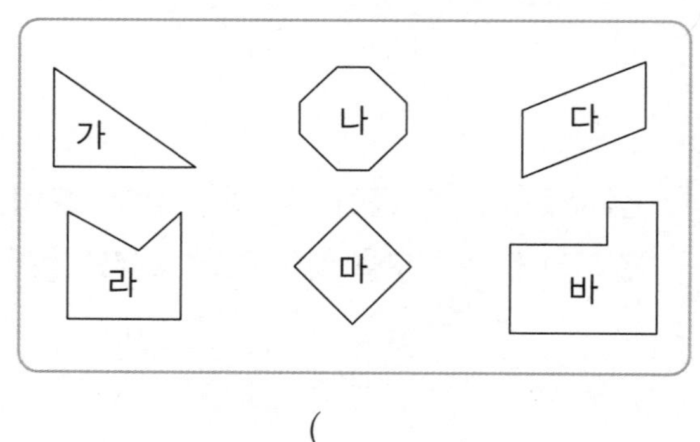

(　　　　　　　)

변형 유형

7 선대칭도형인 알파벳은 모두 몇 개인가요?

A G M P

(　　　　　　　)

❸ 점대칭도형 찾기

기본 유형

8 점대칭도형을 모두 찾아 기호를 써 보세요.

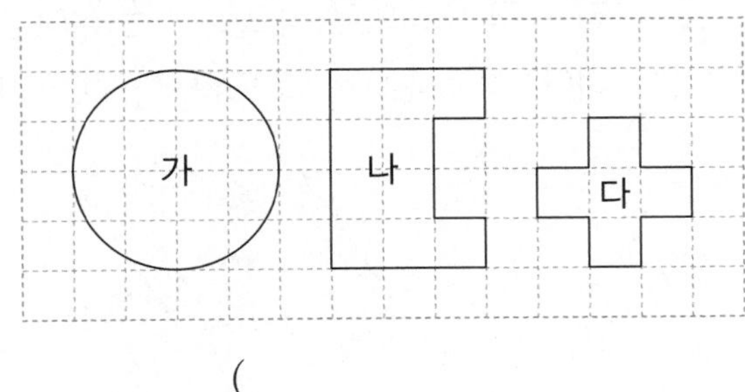

( )

변형 유형

9 점대칭도형은 모두 몇 개인가요?

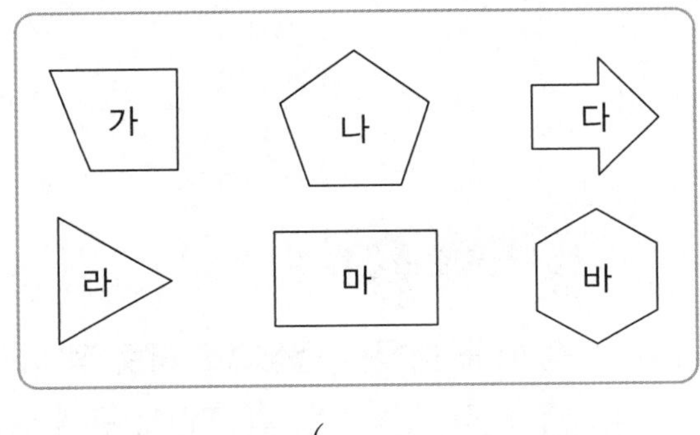

( )

변형 유형

10 점대칭도형인 글자는 모두 몇 개인가요?

( )

❹ 대칭축 찾기

기본 유형

11 선대칭도형에서 대칭축은 모두 몇 개인가요?

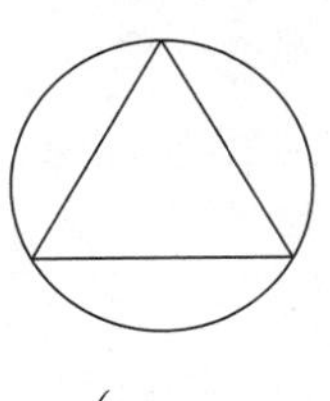

( )

변형 유형

12 선대칭도형에 대칭축을 모두 그려 보세요.

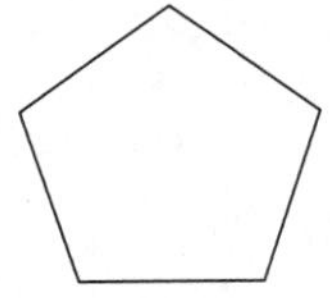

변형 유형

13 선대칭도형에서 대칭축이 더 많은 것에 ○표 하세요.

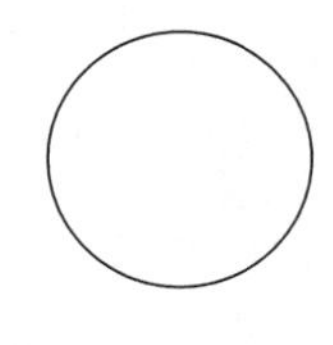

( ) ( )

실생활 유형

14 스위스 국기입니다. 스위스 국기의 대칭축은 모두 몇 개인가요?

( )

3 STEP 수학 독해력 유형

독해력 유형 1 **점대칭도형에서 각의 크기 구하기**

점 ㅇ을 대칭의 중심으로 하는 점대칭도형입니다. 각 ㅂㄱㄹ은 몇 도인지 구해 보세요.

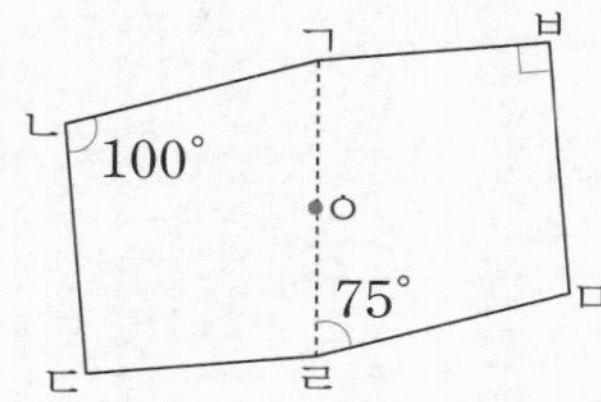

What? 구하려는 것을 찾아 밑줄을 그어 보세요.

How?
❶ 각 ㄹㅁㅂ의 대응각을 찾아 각 ㄹㅁㅂ의 크기 구하기
❷ 사각형의 네 각의 크기의 합 알아보기
❸ 사각형 ㄱㄹㅁㅂ에서 각 ㅂㄱㄹ의 크기 구하기

Solve
❶ 각 ㄹㅁㅂ은 몇 도인가요?

( )

❷ 사각형의 네 각의 크기의 합은 몇 도인가요?

( )

❸ 각 ㅂㄱㄹ은 몇 도인가요?

( )

쌍둥이 유형 1-1

점 ㅇ을 대칭의 중심으로 하는 점대칭도형입니다. 각 ㄷㅂㅁ은 몇 도인지 구해 보세요.

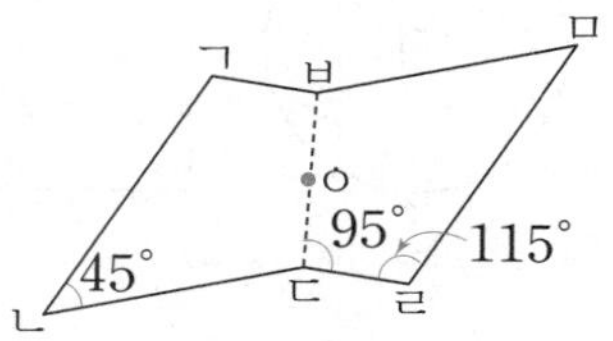

❶

❷

❸

답 ____________

쌍둥이 유형 1-2

점 ㅇ을 대칭의 중심으로 하는 점대칭도형입니다. 각 ㄴㄹㄷ은 몇 도인지 구해 보세요.

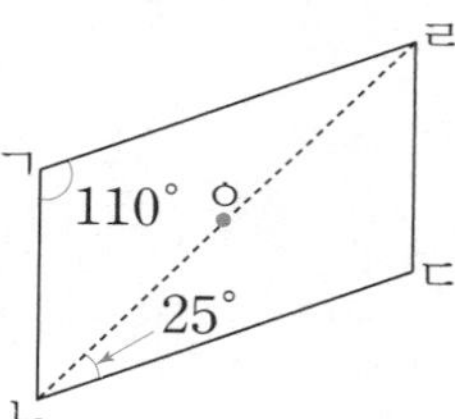

❶

❷

❸

답 ____________

정답 및 풀이 20쪽

독해력 유형 2 울타리를 쳐야 하는 길이 구하기

사각형 ㄱㄴㄷㄹ의 둘레에 울타리를 치려고 합니다. 울타리를 몇 m 쳐야 하는지 구해 보세요. (단, 삼각형 ㄱㄴㅁ과 삼각형 ㄹㅁㄷ은 서로 합동입니다.)

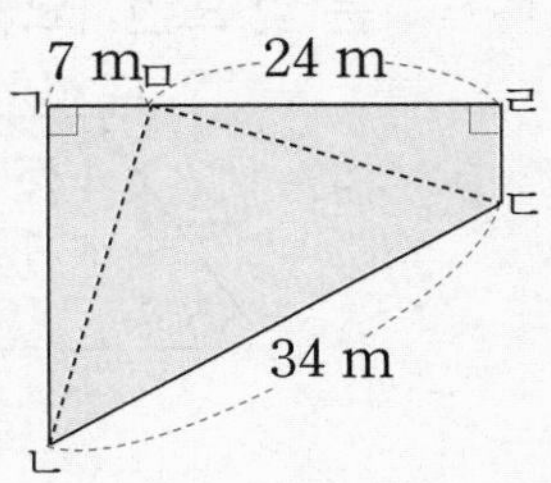

What? 구하려는 것을 찾아 밑줄을 그어 보세요.

How?
1. 삼각형 ㄹㅁㄷ에서 변 ㄱㄴ의 대응변을 찾아 변 ㄱㄴ의 길이 구하기
2. 삼각형 ㄱㄴㅁ에서 변 ㄷㄹ의 대응변을 찾아 변 ㄷㄹ의 길이 구하기
3. 사각형 ㄱㄴㄷㄹ의 둘레를 구하여 쳐야 하는 울타리의 길이 구하기

Solve
1. 변 ㄱㄴ은 몇 m인가요?

( )

2. 변 ㄷㄹ은 몇 m인가요?

( )

3. 울타리를 몇 m 쳐야 하나요?

( )

쌍둥이 유형 2-1

사각형 ㄱㄴㄷㄹ의 둘레에 울타리를 치려고 합니다. 울타리를 몇 m 쳐야 하는지 구해 보세요. (단, 삼각형 ㄱㄴㅁ과 삼각형 ㄹㅁㄷ은 서로 합동입니다.)

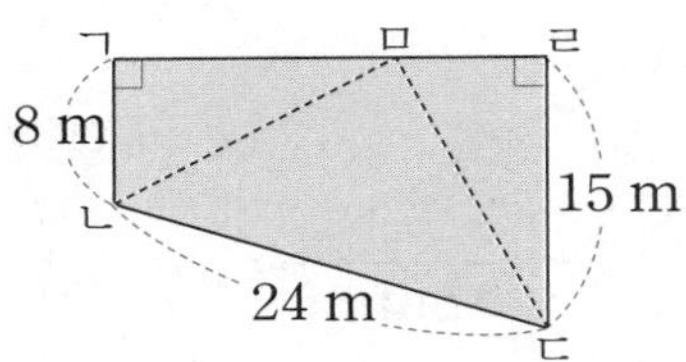

1.
2.
3.

답 ____________

쌍둥이 유형 2-2

사각형 ㄱㄴㄷㄹ의 둘레에 울타리를 치려고 합니다. 울타리를 몇 m 쳐야 하는지 구해 보세요. (단, 삼각형 ㄱㄴㅁ과 삼각형 ㅁㄷㄹ은 서로 합동입니다.)

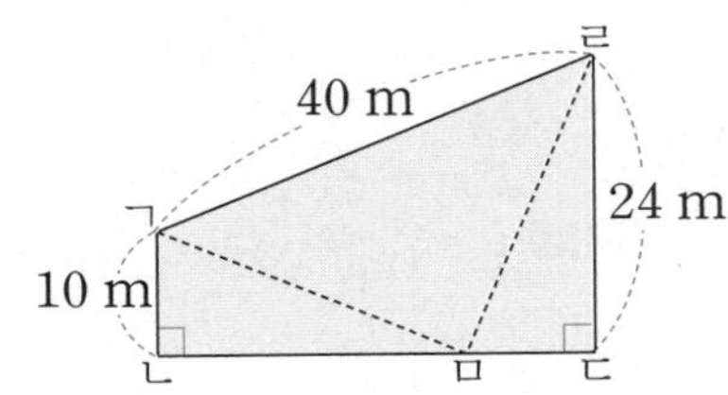

1.
2.
3.

답 ____________

4 STEP 사고력 플러스 유형

플러스 유형 1 합동인 도형에서 대응변의 길이 구하기

1-1 두 삼각형은 서로 합동입니다. 변 ㄱㄷ은 몇 cm인가요?

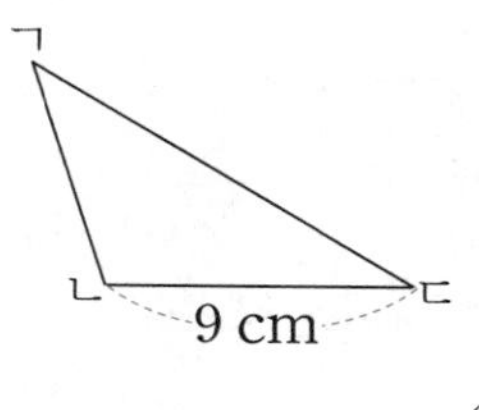

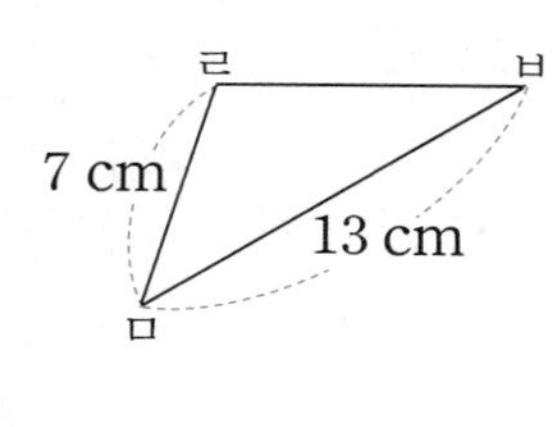

( )

1-2 두 사각형은 서로 합동입니다. 변 ㄴㄷ은 몇 cm인가요?

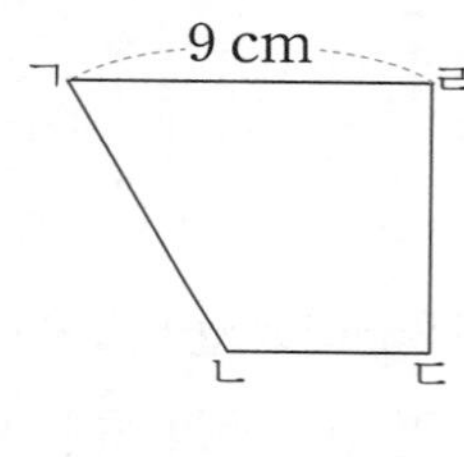

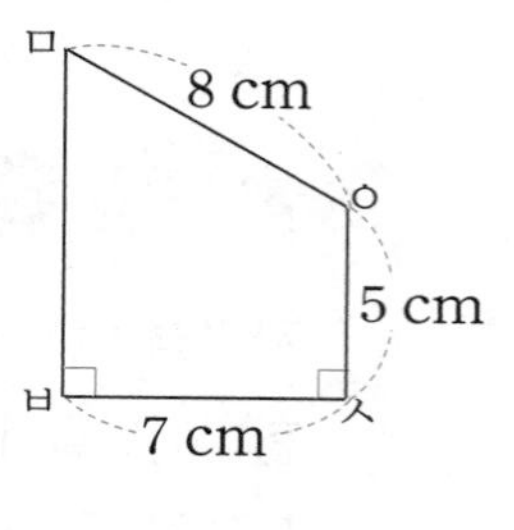

( )

1-3 두 이등변삼각형은 서로 합동입니다. 변 ㄱㄷ은 몇 cm인가요?

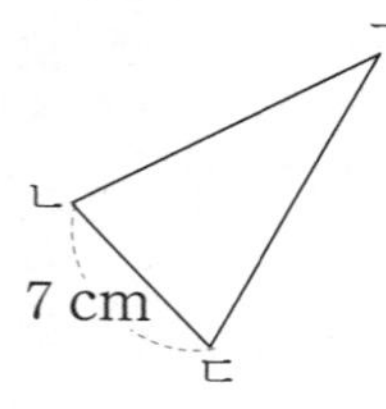

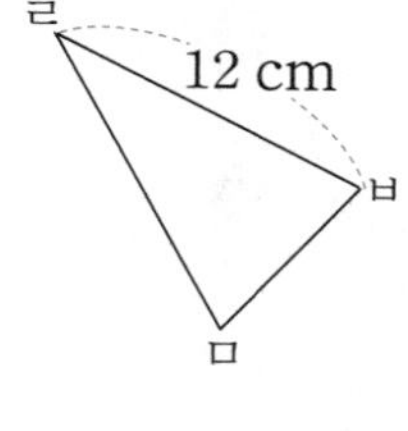

( )

플러스 유형 2 대응각의 크기 구하기

2-1 점 ㅇ을 대칭의 중심으로 하는 점대칭도형입니다. 각 ㄷㄹㄱ은 몇 도인가요?

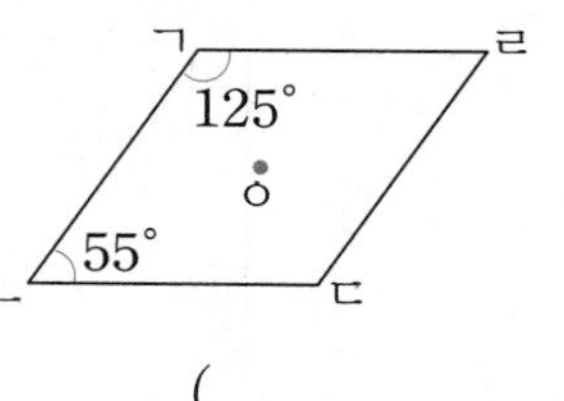

( )

2-2 점 ㅇ을 대칭의 중심으로 하는 점대칭도형입니다. 각 ㄹㅁㅂ은 몇 도인가요?

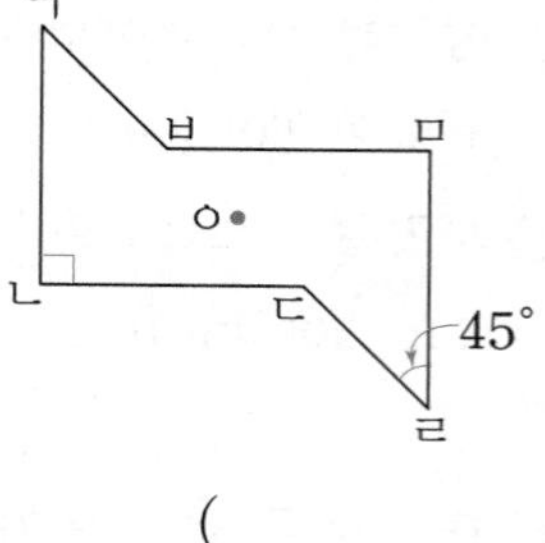

( )

2-3 우진이가 만든 도형에서 각 ㄴㄱㅂ은 몇 도인가요?

색종이를 반으로 접어서 도형을 그리고 자른 다음 펼쳐서 각도를 재었어.

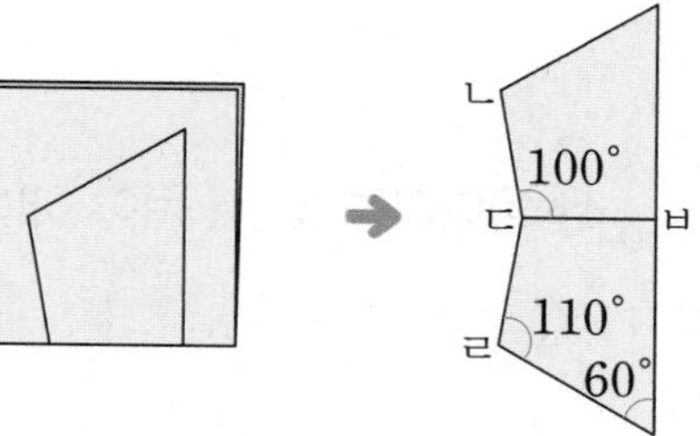

( )

3 단원 합동과 대칭

플러스 유형 ❸ 대응점끼리 이은 선분의 길이 구하기

3-1 직선 ㅅㅇ을 대칭축으로 하는 선대칭도형입니다. 선분 ㄱㅈ은 몇 cm인가요?

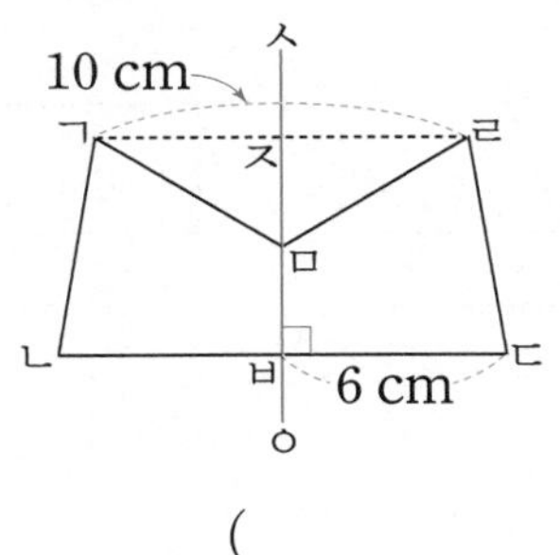

( )

3-2 선분 ㄱㅅ을 대칭축으로 하는 선대칭도형입니다. 선분 ㄹㅅ은 몇 cm인가요?

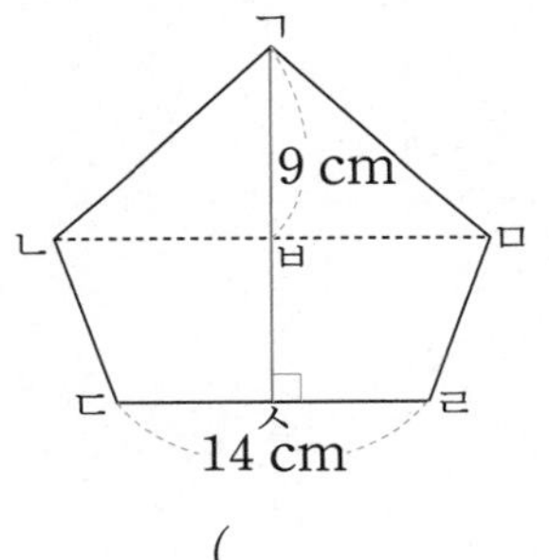

( )

3-3 점 ㅇ을 대칭의 중심으로 하는 점대칭도형입니다. 선분 ㄷㅇ은 몇 cm인가요?

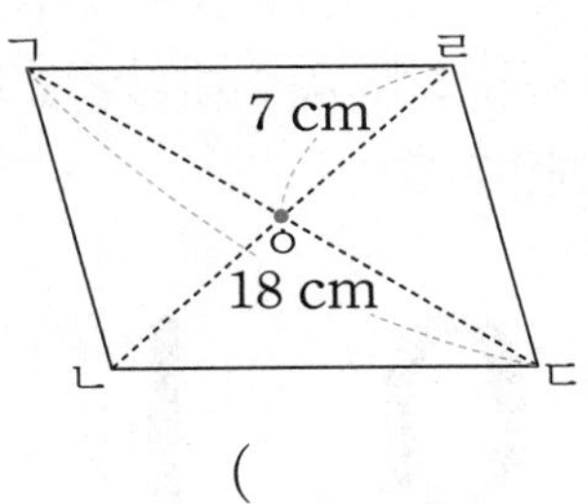

( )

플러스 유형 ❹ 선대칭도형의 둘레 구하기

4-1 직선 ㅅㅇ을 대칭축으로 하는 선대칭도형입니다. 이 선대칭도형의 둘레는 몇 cm인가요?

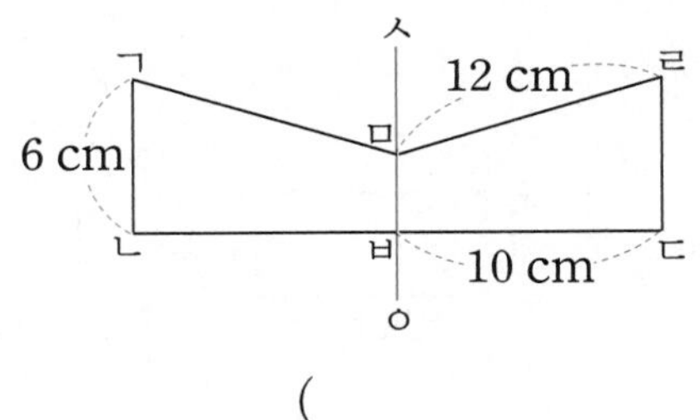

( )

서술형

4-2 선분 ㅁㅂ을 대칭축으로 하는 선대칭도형입니다. 이 선대칭도형의 둘레는 몇 cm인지 풀이 과정을 쓰고 답을 구해 보세요.

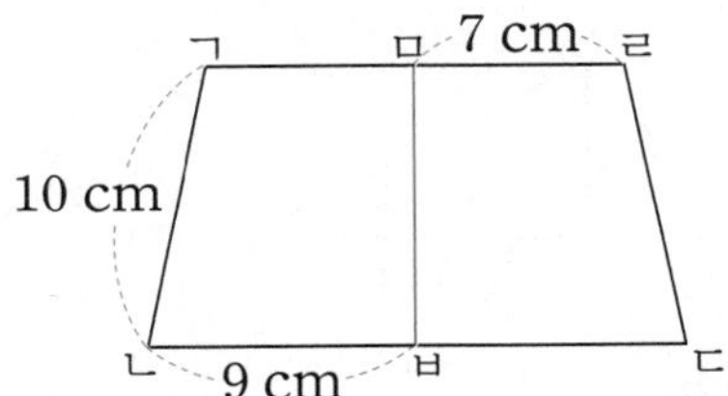

풀이

답 

플러스 유형 처방전

각각의 대응변의 길이가 서로 같다는 성질을 이용하여 대응변의 길이를 알아본 다음 선대칭도형의 둘레를 구한다능~

플러스 유형 5 합동인 도형의 넓이 구하기

5-1 두 직사각형은 서로 합동입니다. 직사각형 ㄱㄴㄷㄹ의 넓이는 몇 cm^2인지 구해 보세요.

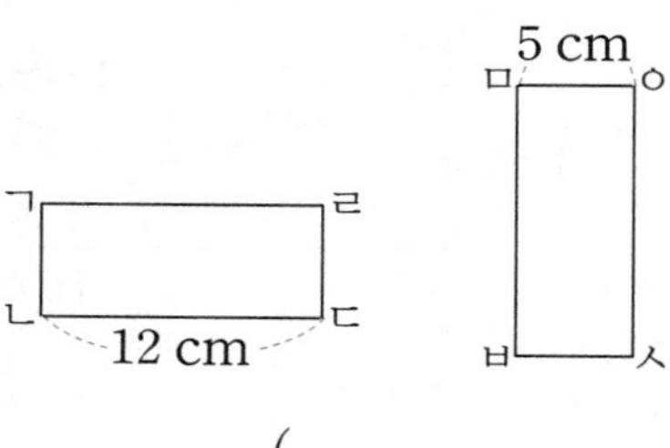

(　　　　　　　　)

서술형

5-2 두 삼각형은 서로 합동입니다. 삼각형 ㄱㄴㄷ의 넓이는 몇 cm^2인지 풀이 과정을 쓰고 답을 구해 보세요.

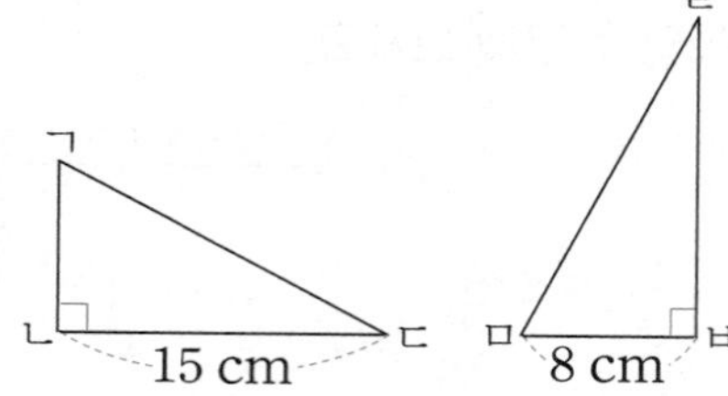

풀이

답

5-3 두 사다리꼴은 서로 합동입니다. 사다리꼴 ㅁㅂㅅㅇ의 넓이는 몇 cm^2인지 구해 보세요.

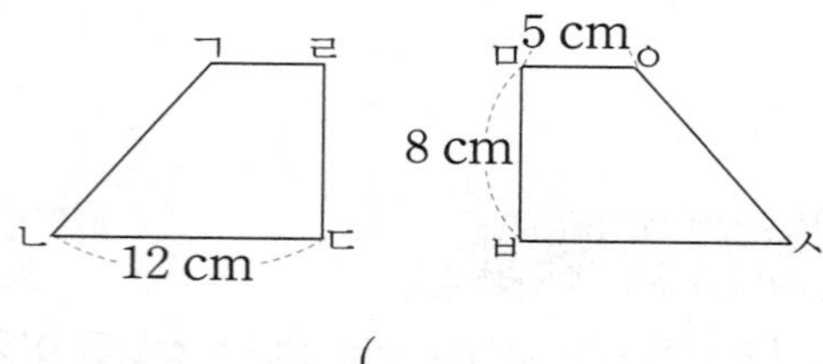

(　　　　　　　　)

플러스 유형 6 선대칭도형도 되고 점대칭도형도 되는 도형 찾기

6-1 선대칭도형도 되고 점대칭도형도 되는 도형을 찾아 기호를 써 보세요.

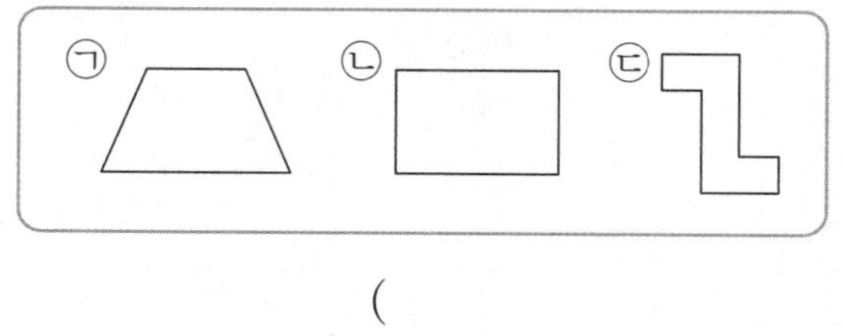

(　　　　　　　　)

서술형

6-2 선대칭도형도 되고 점대칭도형도 되는 도형을 찾아 기호를 쓰려고 합니다. 풀이 과정을 쓰고 답을 구해 보세요.

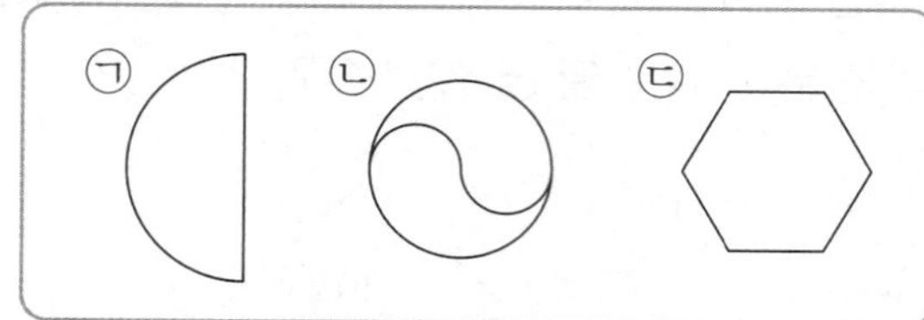

풀이

답

6-3 선대칭도형도 되고 점대칭도형도 되는 숫자는 모두 몇 개인가요?

(　　　　　　　　)

플러스 유형 7 선대칭도형을 완성하여 넓이 구하기

7-1 선분 ㄱㄷ을 대칭축으로 하는 선대칭도형을 완성했을 때 완성된 선대칭도형의 넓이는 몇 cm^2인지 구해 보세요.

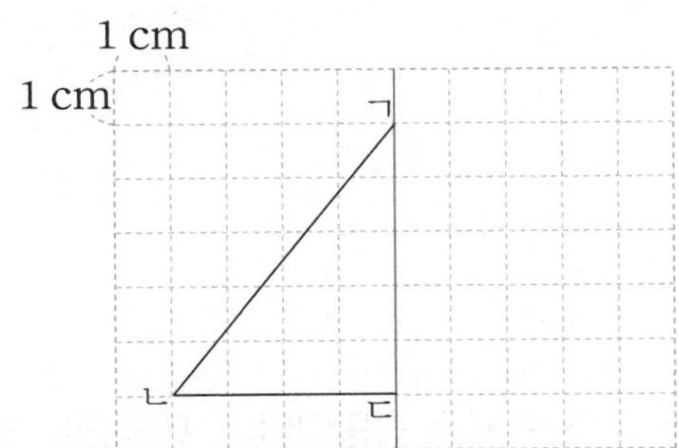

단계 1 선대칭도형을 완성해 보세요.

단계 2 삼각형 ㄱㄴㄷ의 넓이는 몇 cm^2인가요?

( )

단계 3 완성된 선대칭도형의 넓이는 몇 cm^2인가요?

( )

7-2 직선 ㄱㄴ을 대칭축으로 하는 선대칭도형을 완성했을 때 완성된 선대칭도형의 넓이는 몇 cm^2인지 구해 보세요.

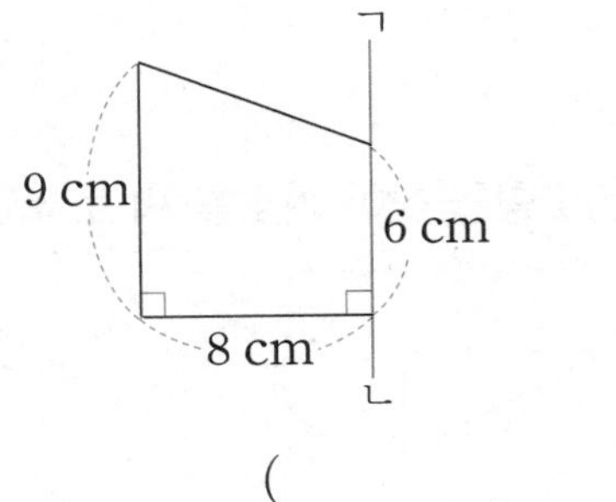

( )

플러스 유형 8 점대칭도형의 둘레를 알 때 한 변의 길이 구하기

8-1 점 ㅇ을 대칭의 중심으로 하는 점대칭도형입니다. 이 도형의 둘레가 40 cm일 때 변 ㄴㄷ은 몇 cm인지 구해 보세요.

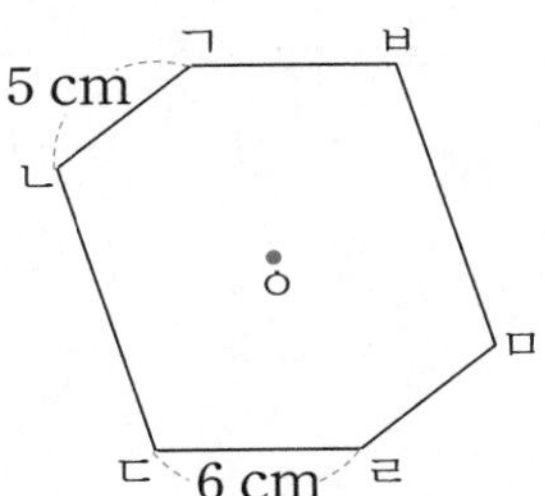

단계 1 변 ㄹㅁ과 변 ㄱㅂ은 각각 몇 cm인지 구해 보세요.

변 ㄹㅁ ( )
변 ㄱㅂ ( )

단계 2 변 ㄴㄷ과 변 ㅁㅂ의 길이의 합은 몇 cm인가요?

( )

단계 3 변 ㄴㄷ은 몇 cm인가요?

( )

플러스 유형 처방전

점대칭도형의 둘레가 주어진 경우 각각의 대응변의 길이가 서로 같다는 것을 이용하여 모르는 변의 길이를 구한다능~

1 점 ㅇ을 중심으로 180° 돌렸을 때 처음 도형과 완전히 겹치는 도형을 찾아 ○표 하세요.

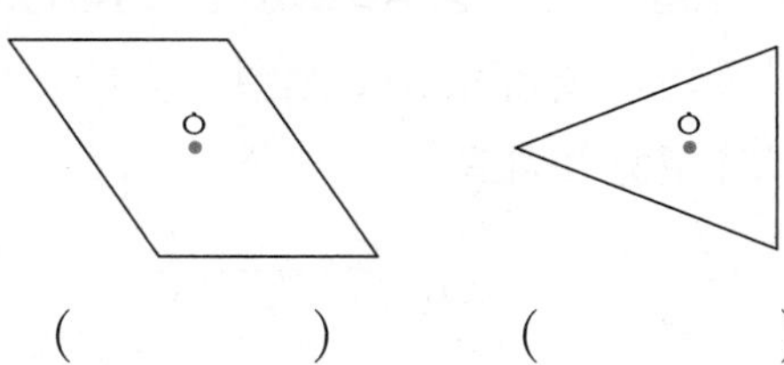

( ) ( )

2 두 삼각형은 서로 합동입니다. □ 안에 알맞은 말을 써넣으세요.

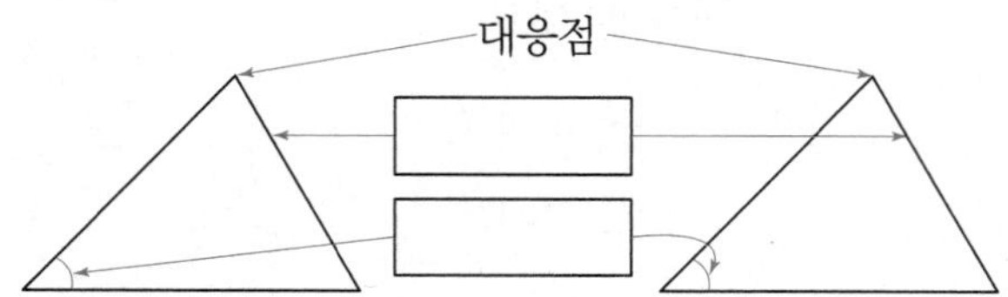

3 다음 도형은 선대칭도형입니다. 대칭축을 찾아 기호를 써 보세요.

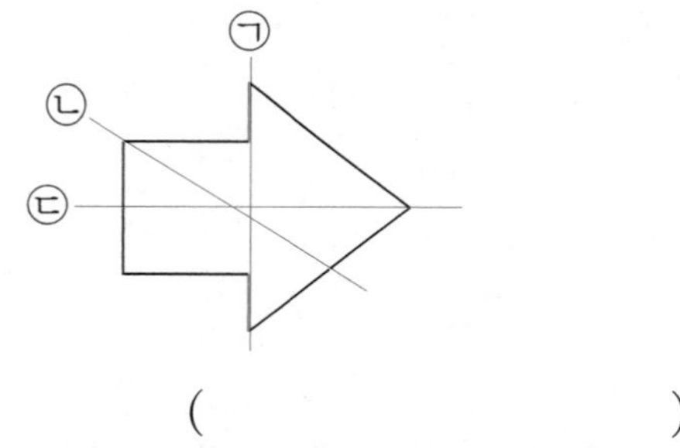

( )

4 도형 가와 서로 합동인 도형을 찾아 기호를 써 보세요.

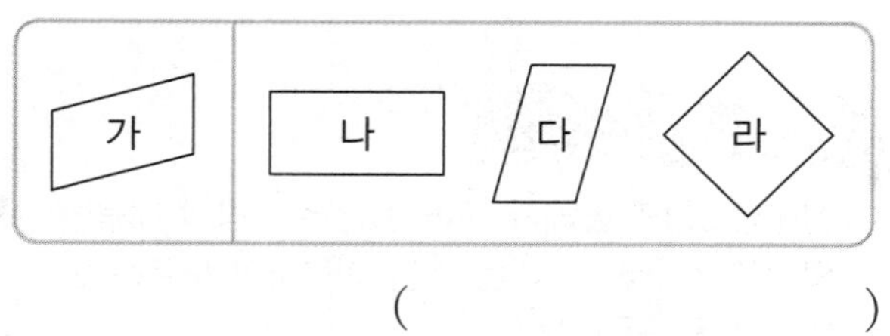

( )

5 다음 도형은 점대칭도형입니다. 대칭의 중심을 찾아 표시해 보세요.

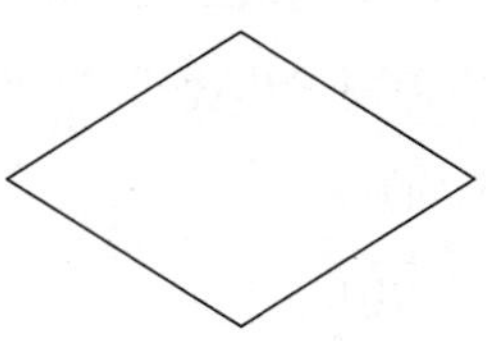

6 두 도형은 서로 합동입니다. 대응변은 몇 쌍 있는지 써 보세요.

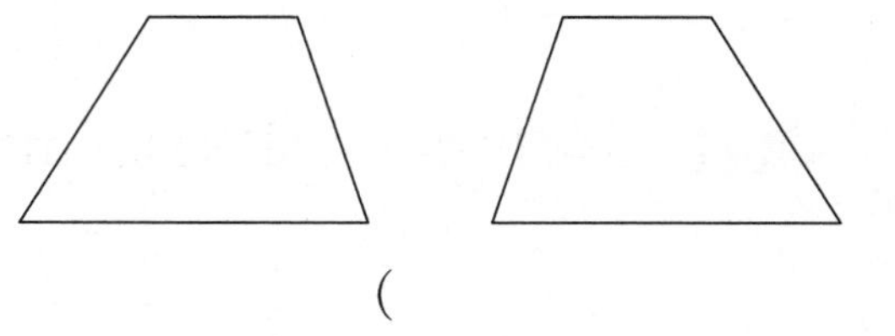

( )

7 선대칭도형에서 대칭축은 모두 몇 개인가요?

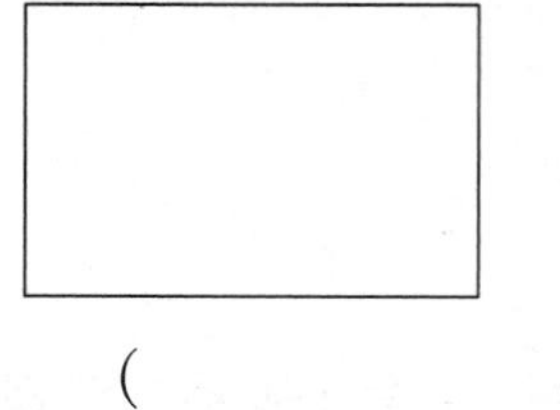

( )

8 선대칭도형을 찾아 기호를 써 보세요.

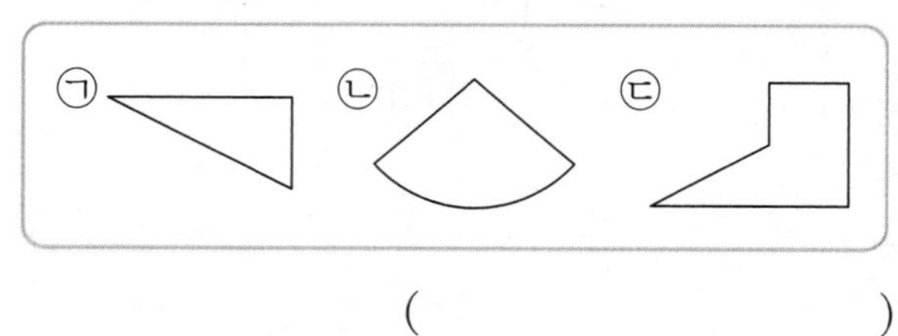

( )

9 직선 ㅅㅇ을 대칭축으로 하는 선대칭도형입니다. 각 ㄹㄷㅂ의 대응각을 써 보세요.

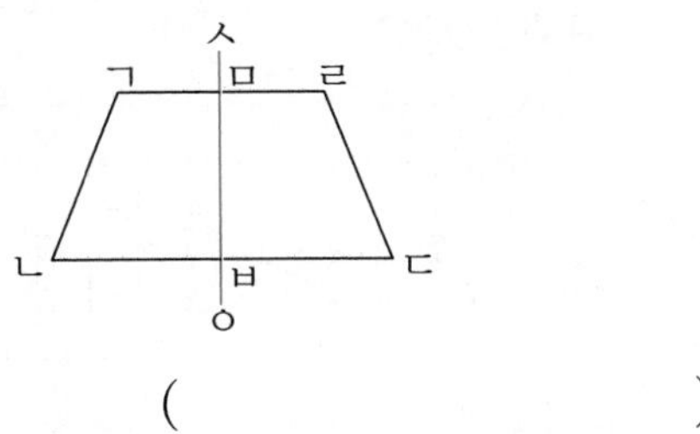

( )

10 점 ㅇ을 대칭의 중심으로 하는 점대칭도형을 완성해 보세요.

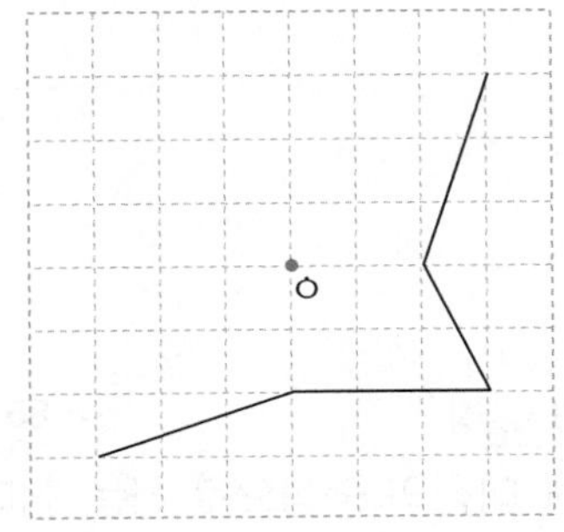

[11~12] 두 삼각형은 서로 합동입니다. 물음에 답해 보세요.

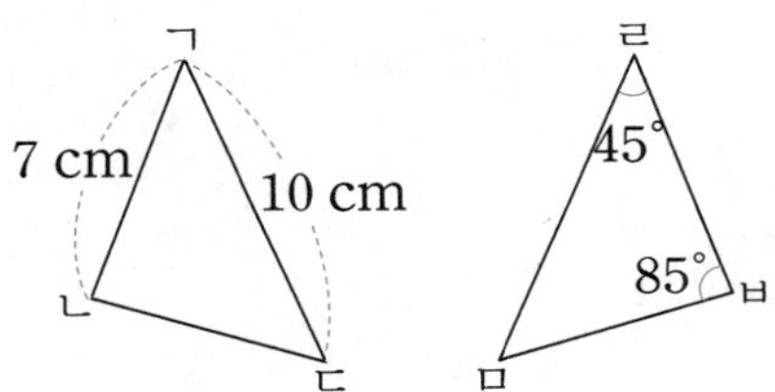

11 변 ㄹㅂ은 몇 cm인가요?

( )

12 각 ㄴㄱㄷ은 몇 도인가요?

( )

13 점 ㅇ을 대칭의 중심으로 하는 점대칭도형입니다. □ 안에 알맞은 수를 써넣으세요.

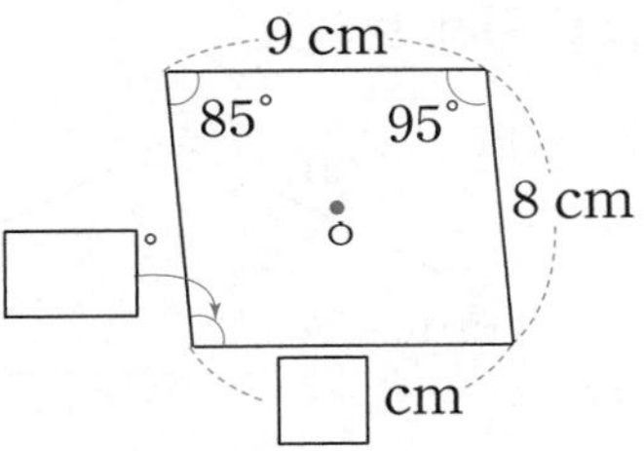

14 오른쪽은 선분 ㄱㄹ을 대칭축으로 하는 선대칭도형입니다. 선분 ㄷㄹ은 몇 cm인가요?

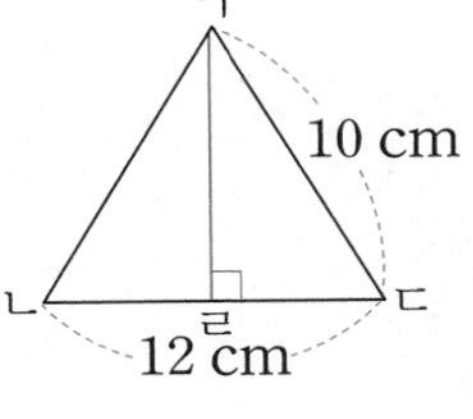

( )

15 점 ㅇ을 대칭의 중심으로 하는 점대칭도형입니다. 점대칭도형의 둘레는 몇 cm인가요?

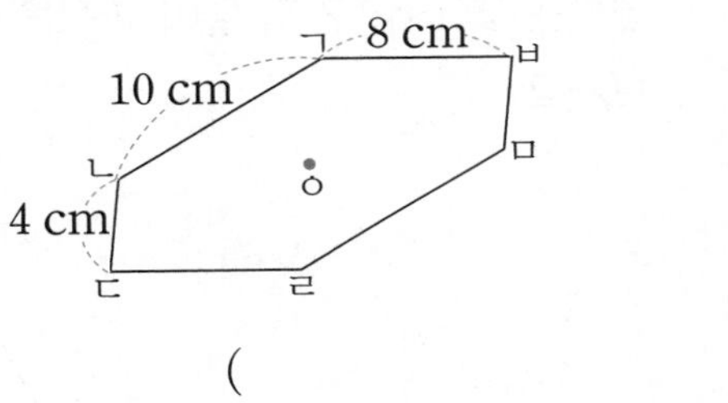

( )

16 점 ㅇ을 대칭의 중심으로 하는 점대칭도형입니다. 각 ㄴㄷㅂ은 몇 도인가요?

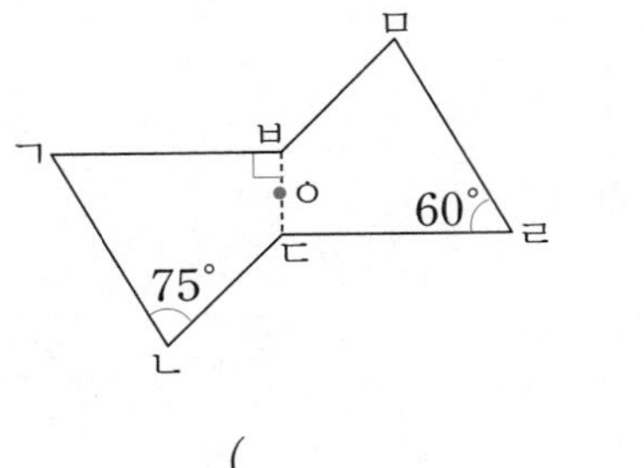

( )

정답 및 풀이 22쪽

서술형 » 83쪽 4-2 유사 문제

17 선분 ㄱㅂ을 대칭축으로 하는 선대칭도형입니다. 이 선대칭도형의 둘레는 몇 cm인지 풀이 과정을 쓰고 답을 구해 보세요.

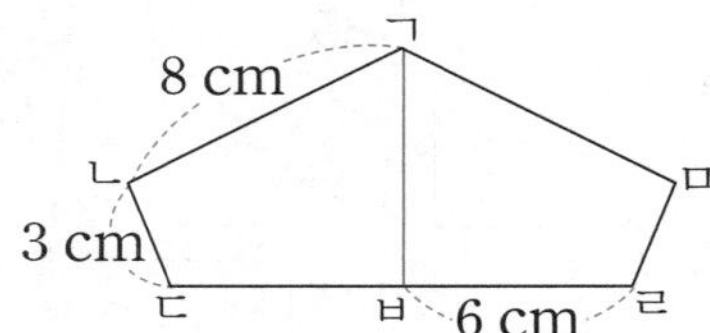

풀이

답

서술형 » 84쪽 5-2 유사 문제

18 두 삼각형은 서로 합동입니다. 삼각형 ㄱㄴㄷ의 넓이는 몇 cm^2인지 풀이 과정을 쓰고 답을 구해 보세요.

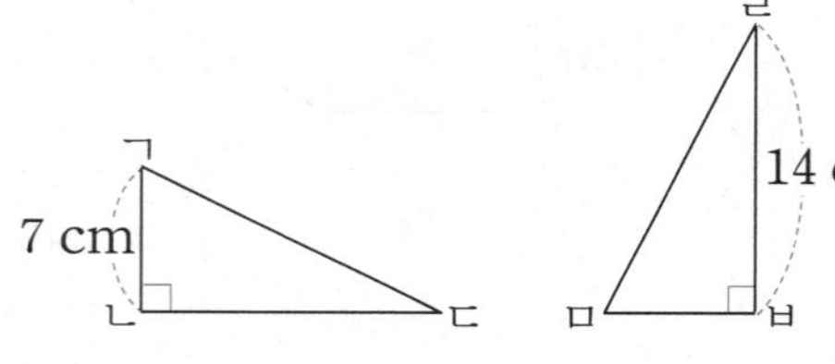

풀이

답

서술형 » 84쪽 6-2 유사 문제

19 선대칭도형도 되고 점대칭도형도 되는 도형을 찾아 기호를 쓰려고 합니다. 풀이 과정을 쓰고 답을 구해 보세요.

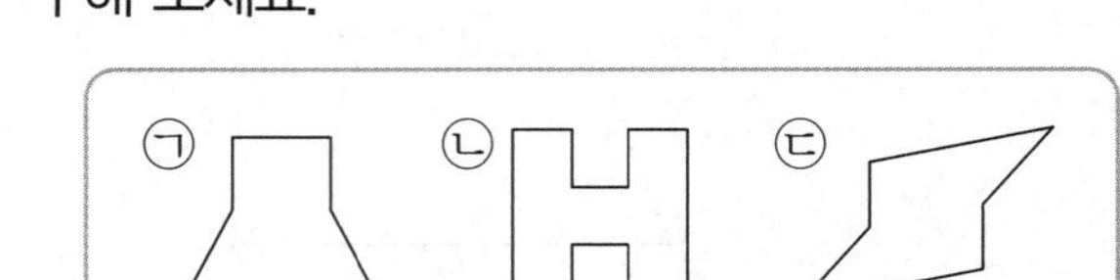

풀이

답

독해력 유형 서술형 » 85쪽 8-1 유사 문제

20 점 ㅇ을 대칭의 중심으로 하는 점대칭도형입니다. 이 도형의 둘레가 70 cm일 때 변 ㄷㄹ은 몇 cm인지 풀이 과정을 쓰고 답을 구해 보세요.

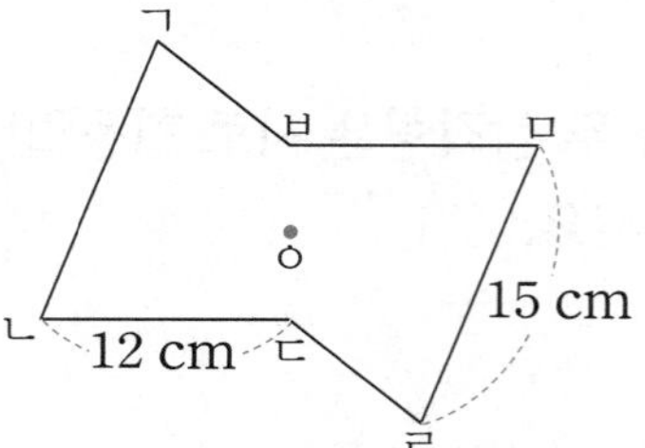

풀이

답

앞 단원 유형 다시 보기

5-2 2. 분수의 곱셈

(자연수) × (진분수)

빈칸에 알맞은 수를 써넣으세요.

7	→	$\times \frac{9}{14}$	→	

(대분수) × (자연수)

대분수를 가분수로 바꾸어 계산해~

보기 와 같은 방법으로 계산해 보세요.

보기

$$1\frac{5}{6}\times 4=\frac{11}{\cancel{6}_{3}}\times \cancel{4}^{2}=\frac{22}{3}=7\frac{1}{3}$$

$1\frac{3}{10}\times 6=$ ______________________

(진분수) × (진분수)

길이가 $\frac{7}{9}$ m인 리본의 $\frac{1}{5}$을 선물을 포장하는 데 사용하였습니다. 사용한 리본은 몇 m인가요?

 식 ______________________

 답 ______________________

별별 코딩 학습

코딩 1 보기 와 같이 명령어를 보고 문제를 그림으로 표현하려고 합니다. 표현한 그림을 직선 ㄱㄴ을 대칭축으로 하여 선대칭도형을 완성하면 어떤 글자가 되는지 알아보세요.

보기

명령어	문제	
←♥: 왼쪽으로 한 칸 이동한 다음 색칠하기 ↓♥: 아래쪽으로 한 칸 이동한 다음 색칠하기	(←♥)×3↓♥	ㄱ ㄴ 출발

←♥: 왼쪽으로 한 칸 이동한 다음 색칠해.
×3: 3번 반복해~
↓♥: 아래쪽으로 한 칸 이동한 다음 색칠해.

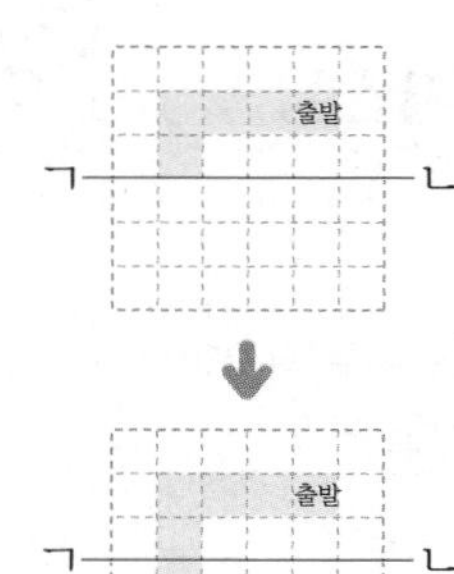

표현한 그림을 직선 ㄱㄴ을 대칭축으로 하여 선대칭도형을 완성하면 글자 'ㄷ'이 돼~

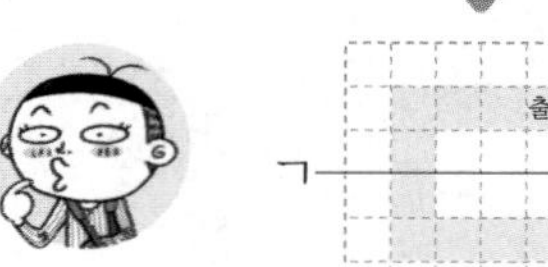

명령어	문제	
←♥: 왼쪽으로 한 칸 이동한 다음 색칠하기 →♥: 오른쪽으로 한 칸 이동한 다음 색칠하기 ↓♥: 아래쪽으로 한 칸 이동한 다음 색칠하기	←♥(↓♥)×3→♥	ㄱ ㄴ 출발

←♥: ☐쪽으로 한 칸 이동한 다음 색칠해.
(↓♥)×3: 아래쪽으로 한 칸 이동한 다음 색칠하는 것을 ☐번 반복해~
→♥: ☐쪽으로 한 칸 이동한 다음 색칠해.

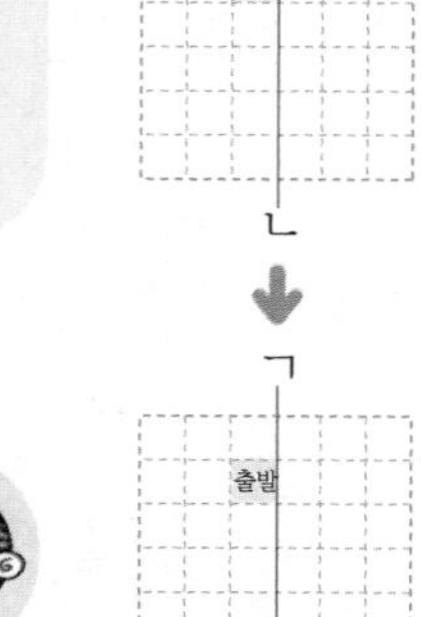

표현한 그림을 직선 ㄱㄴ을 대칭축으로 하여 선대칭도형을 완성하면 글자 ☐이 돼~

가로 세로 개념 낱말 퀴즈

창의 2

가로 낱말 퀴즈

❶ 한 직선을 따라 접었을 때 완전히 겹치는 도형

❷ 모양과 크기가 같아서 포개었을 때 완전히 겹치는 두 도형을 서로 ○○이라고 합니다.

❸ 난센스! 과자가 자기 소개를 하면?

세로 낱말 퀴즈

① 어떤 점을 중심으로 180° 돌렸을 때 처음 도형과 완전히 겹치는 도형

② 각의 크기는?

③ 난센스! 붉은 길에 동전이 하나 떨어져 있으면?

④ 난센스! 세상에서 가장 빨리 자는 사람은?

4 소수의 곱셈

동물 병원

오~ 지난달 무게 15 kg의 0.9만큼이 되었구낭.

줄어든 거죠? 한 달 동안 산책도 많이 하고 간식도 줄였어요.

근데 15 kg의 0.9만큼이면 몇 kg이라는 거죠?

오늘 잰 무게는 13.5 kg이라능~

척

$$15 \times 0.9 = 15 \times \frac{9}{10} = \frac{135}{10} = 13.5$$

그래도 아직은 적정 체중이 아니니까 좀 더 관리해야 한다능~

네! 걱정하지 마세요.

우리 댕댕이는 체중을 줄여야 하는 목표가 있거든요~

뚱뚱해서 옆 집 댕댕이한테 차였거든요.

흥! 난 날씬한게 좋아.

멍?!

그랬구낭~

Dr. 유형

기필코 날씬해 질테다!!

개념 1 (1보다 작은 소수) × (자연수)

㉠ 0.3×4의 계산

방법 1 덧셈식으로 계산하기

$0.3\times4=0.3+0.3+0.3+0.3$ (0.3을 4번 더합니다.)
$=1.2$

방법 2 0.1의 개수로 계산하기

$0.3\times4=0.1\times3\times4=0.1\times12$ (0.1이 3개씩 4묶음)
➔ 0.1이 모두 12개이므로
$0.3\times4=1.2$입니다.

방법 3 분수의 곱셈으로 계산하기

$0.3\times4=\frac{3}{10}\times4=\frac{3\times4}{10}$ (소수를 분수로 나타내기)
$=\frac{12}{10}=1.2$ (분수를 소수로 나타내기)

소수 한 자리 수는 분모가 10인 분수로 나타내~

유형

1 0.9×5를 서로 다른 방법으로 계산하려고 합니다. □ 안에 알맞은 수를 써넣으세요.

(1) 덧셈식으로 계산해 보세요.

0.9×5
$=0.9+0.9+$□$+$□$+$□
$=$□

(2) 0.1의 개수로 계산해 보세요.

0.9는 0.1이 □개입니다.
0.9×5는 0.1이 □개씩 5묶음입니다.
0.1이 모두 □개이므로 $0.9\times5=$□ 입니다.

2 계산해 보세요.

(1) 0.8×4

(2) 0.52×8

3 보기 와 같이 분수의 곱셈으로 계산해 보세요.

보기

$0.64\times2=\frac{64}{100}\times2=\frac{64\times2}{100}$
$=\frac{128}{100}=1.28$

0.54×6 ____________

____

4 계산 결과를 찾아 이어 보세요.

0.4×7 •	• 2.16
	• 2.55
0.27×8 •	• 2.8

5 사과 한 개의 무게가 0.34 kg입니다. 사과 6개의 무게는 모두 몇 kg인가요?

식 ____________

개념 2 (1보다 큰 소수) × (자연수)

예 1.3×5의 계산

방법 1 덧셈식으로 계산하기

$1.3\times5=1.3+1.3+1.3+1.3+1.3$ (1.3을 5번 더합니다.)
$=6.5$

방법 2 0.1의 개수로 계산하기

1.3은 0.1이 13개이고
1.3×5는 0.1이 $13\times5=65$(개)입니다. (0.1이 13개씩 5묶음)
→ $1.3\times5=6.5$

방법 3 분수의 곱셈으로 계산하기

$1.3\times5=\frac{13}{10}\times5=\frac{13\times5}{10}$ (소수를 분수로 나타내기)
$=\frac{65}{10}=6.5$ (분수를 소수로 나타내기)

유형

6 2.1×8을 0.1의 개수로 계산하려고 합니다. □ 안에 알맞은 수를 써넣으세요.

$2.1\times8=0.1\times21\times8=0.1\times168$

2.1×8은 0.1이 모두 □개이므로
$2.1\times8=$□입니다.

7 분수의 곱셈으로 계산하려고 합니다. □ 안에 알맞은 수를 써넣으세요.

$3.3\times6=\frac{\square}{10}\times6=\frac{\square\times6}{10}$
$=\frac{\square}{10}=\square$

8 계산해 보세요.

(1) 2.4×3

(2) 3.18×4

9 빈칸에 알맞은 수를 써넣으세요.

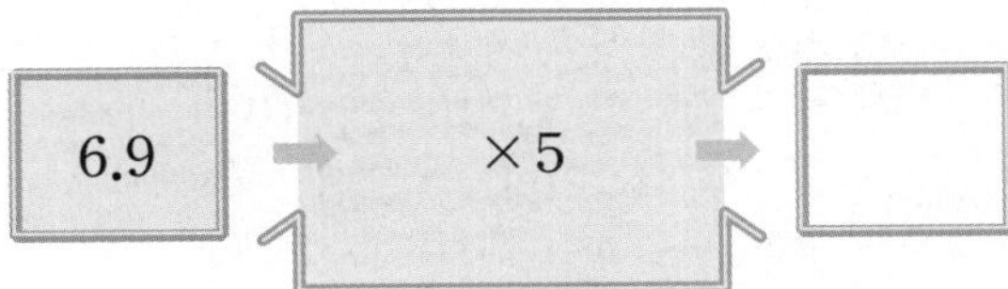

10 계산을 잘못한 사람의 이름을 써 보세요.

$8.16\times4=33.54$ — 시우

$6.25\times6=37.5$ — 지호

( )

11 선물 1개를 포장할 때 끈 1.7 m가 필요합니다. 선물 5개를 포장하는 데 필요한 끈은 몇 m인가요?

식 

답 

4 단원 소수의 곱셈

개념 3 (자연수)×(1보다 작은 소수)

예 7×0.4의 계산

방법 1 분수의 곱셈으로 계산하기

$$7\times0.4=7\times\frac{4}{10}=\frac{7\times4}{10}$$

소수를 분수로 나타내기

$$=\frac{28}{10}=2.8$$

분수를 소수로 나타내기

방법 2 자연수의 곱셈으로 계산하기

$7\times4=28$

$\frac{1}{10}$배, $\frac{1}{10}$배

$7\times0.4=2.8$

곱하는 수가 $\frac{1}{10}$배가 되면 계산 결과도 $\frac{1}{10}$배가 됩니다.

참고 자연수의 곱셈을 이용하여 세로로 계산해 보자~

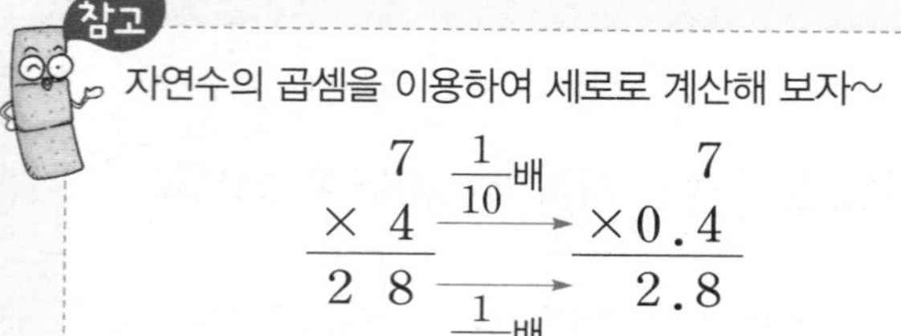

유형

12 그림을 보고 □ 안에 알맞은 수를 써넣으세요.

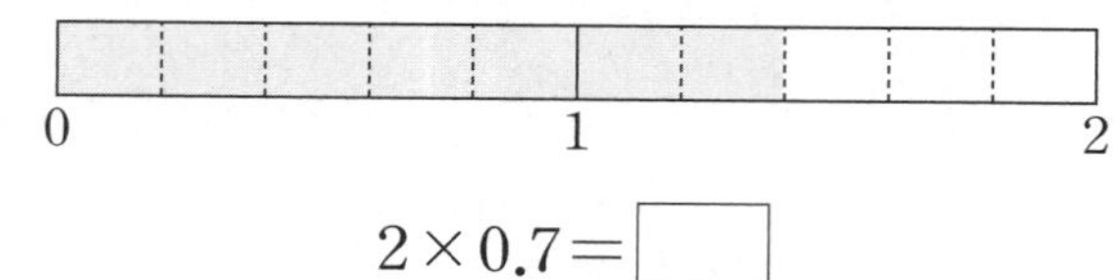

$2\times0.7=$ □

13 분수의 곱셈으로 계산하려고 합니다. □ 안에 알맞은 수를 써넣으세요.

$$8\times0.6=8\times\frac{\square}{10}=\frac{8\times\square}{10}$$

$$=\frac{\square}{10}=\square$$

14 계산해 보세요.

(1) 28×0.9

(2) 2×0.63

(3) 7×0.12 (세로셈)

15 자연수의 곱셈으로 계산하려고 합니다. □ 안에 알맞은 수를 써넣으세요.

$5\times19=95$

$\frac{1}{100}$배, □배

$5\times0.19=$ □

16 두 수의 곱을 구해 보세요.

15 0.8

( )

17 채아는 우유를 3 L의 0.17만큼 마셨습니다. 채아가 마신 우유는 몇 L인가요?

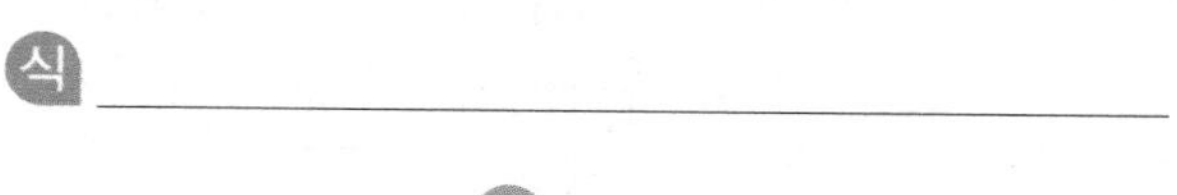

식 ______

답 ______

개념 4 (자연수)×(1보다 큰 소수)

예 6×1.2의 계산

방법 1 분수의 곱셈으로 계산하기

$$6\times1.2=6\times\frac{12}{10}=\frac{6\times12}{10}$$

소수를 분수로 나타내기

$$=\frac{72}{10}=7.2$$

분수를 소수로 나타내기

방법 2 자연수의 곱셈으로 계산하기

6 × 12 = 72

$\frac{1}{10}$배 $\frac{1}{10}$배

6 × 1.2 = 7.2

곱하는 수가 $\frac{1}{10}$배가 되면 계산 결과도 $\frac{1}{10}$배가 됩니다.

참고

자연수의 곱셈을 이용하여 세로로 계산해 보자~

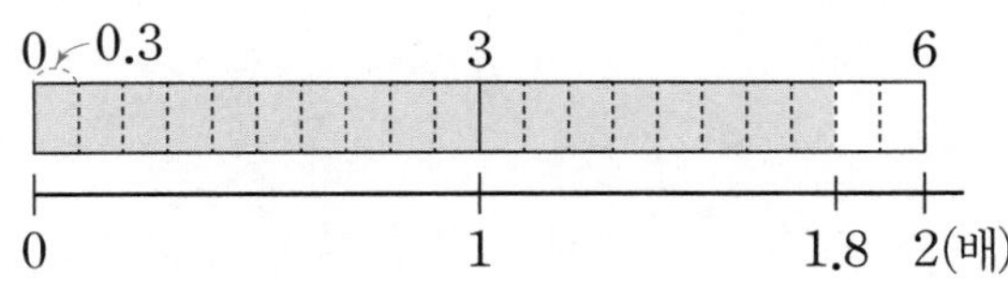

유형

18 그림을 보고 □ 안에 알맞은 수를 써넣으세요.

3×1.8

0, 0.3, 3, 6

0, 1, 1.8, 2(배)

3의 1배는 □이고 3의 0.8배는 □이므로 3의 1.8배는 □입니다.

19 계산해 보세요.

(1) 25×1.7　　(2) 9×2.96

[20~21] 자연수의 곱셈으로 계산하려고 합니다. □ 안에 알맞은 수를 써넣으세요.

20 7× 56 = 392

$\frac{1}{10}$배　□배

7× 5.6 = □

21 8× 123 = 984

$\frac{1}{100}$배　□배

8× 1.23 = □

22 크기를 비교하여 ○ 안에 >, =, <를 알맞게 써넣으세요.

11×5.2  55.8

23 하진이의 몸무게는 38 kg이고 아버지의 몸무게는 하진이 몸무게의 2.04배입니다. 아버지의 몸무게는 몇 kg인가요?

식 ____________________

답 ____________________

개념 1 ~ 4 기초력 집중 연습

[1~12] 계산해 보세요.

1 0.4×8

2 0.75×6

3 0.63×12

4 3.1×7

5 5.9×24

6 2.83×9

7 5×0.4

8 8×0.96

9 16×0.27

10 15×1.3

11 7×8.22

12 9×5.16

[13~16] 빈 곳에 알맞은 수를 써넣으세요.

13

14

15

16

유형 진단 TEST

점수 /10점

정답 및 풀이 25쪽

1 빈칸에 두 수의 곱을 써넣으세요. [1점]

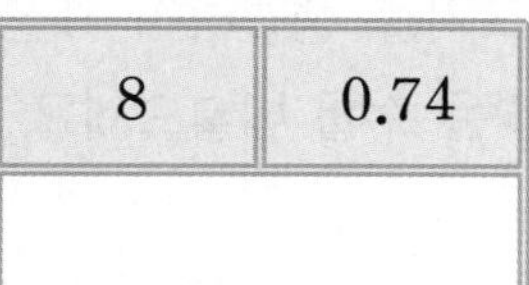

8	0.74

2 6×327=1962입니다. 관계있는 것끼리 이어 보세요. [1점]

6×3.27 •	• 196.2
6×32.7 •	• 19.62
	• 1.962

3 계산 결과를 잘못 말한 사람의 이름을 써 보세요. [2점]

현서: 0.41×8
41과 8의 곱은 약 300이니까 0.41과 8의 곱은 3 정도가 돼.

우진: 0.59×5
0.6과 5의 곱으로 어림할 수 있으니까 계산 결과는 30 정도가 돼.

( )

4 두 가지 방법으로 계산해 보세요. [2점]

4.5×3

분수의 곱셈으로 계산하기

0.1의 개수로 계산하기

5 어림하여 계산 결과가 2보다 작은 것의 기호를 써 보세요. [2점]

㉠ 9의 0.34 ㉡ 5의 0.38배

( )

6 지우는 매일 1시간 30분씩 그림을 그립니다. 지난주 월요일부터 금요일까지 지우가 그림을 그린 시간은 모두 몇 시간인지 소수로 나타내어 보세요. [2점]

( )

개념 5 1보다 작은 소수끼리의 곱셈

예 0.7×0.5의 계산

방법 1 분수의 곱셈으로 계산하기

$$0.7 \times 0.5 = \frac{7}{10} \times \frac{5}{10} = \frac{7 \times 5}{100} = \frac{35}{100} = 0.35$$

방법 2 자연수의 곱셈으로 계산하기

$$7 \times 5 = 35$$

$\frac{1}{10}$배, $\frac{1}{10}$배, $\frac{1}{100}$배

$$0.7 \times 0.5 = 0.35$$

곱하는 두 수가 각각 $\frac{1}{10}$배, $\frac{1}{10}$배가 되면 계산 결과는 $\frac{1}{100}$배가 돼~

방법 3 소수의 크기를 생각하여 계산하기

$7 \times 5 = 35$인데 0.7에 0.5를 곱하면 0.7보다 작은 값이 나와야 하므로 계산 결과는 0.35입니다.

참고 세로로 계산해 봐~

$$\begin{array}{r} 7 \\ \times\ 5 \\ \hline 35 \end{array} \rightarrow \begin{array}{r} 0.7 \\ \times\ 0.5 \\ \hline 0.35 \end{array}$$

자연수처럼 생각하고 계산하기

소수의 크기를 생각하여 소수점 찍기

유형

1 분수의 곱셈으로 계산하려고 합니다. □ 안에 알맞은 수를 써넣으세요.

$$0.9 \times 0.6 = \frac{\square}{10} \times \frac{\square}{10} = \frac{\square}{100} = \square$$

2 소수의 크기를 생각하여 계산하려고 합니다. □ 안에 알맞은 수를 써넣으세요.

$$\begin{array}{r} 35 \\ \times\ 9 \\ \hline 315 \end{array} \rightarrow \begin{array}{r} 0.35 \\ \times\ 0.9 \\ \hline \square \end{array}$$

3 계산해 보세요.

(1) 0.4×0.4

(2) 0.52×0.7

(3) $\begin{array}{r} 0.65 \\ \times\ 0.18 \\ \hline \end{array}$

4 빈 곳에 두 수의 곱을 써넣으세요.

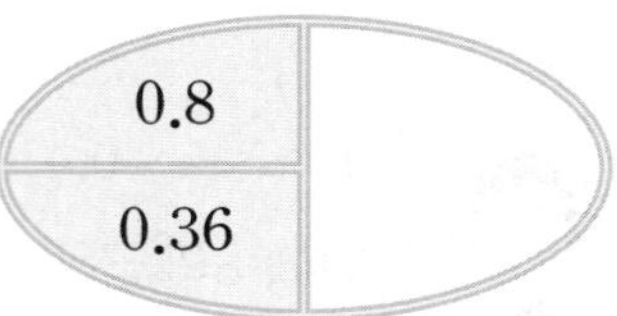

5 어느 과자 한 봉지는 0.25 kg입니다. 그중 0.7만큼이 탄수화물 성분일 때 탄수화물 성분은 몇 kg인가요?

식 ____________

답 

개념 6 1보다 큰 소수끼리의 곱셈

예 2.6×1.8의 계산

방법 1 분수의 곱셈으로 계산하기

$$2.6\times1.8=\frac{26}{10}\times\frac{18}{10}=\frac{26\times18}{100}$$
$$=\frac{468}{100}=4.68$$

방법 2 자연수의 곱셈으로 계산하기

26 × 18 = 468
($\frac{1}{10}$배, $\frac{1}{10}$배, $\frac{1}{100}$배)
2.6 × 1.8 = 4.68

곱하는 두 수가 각각 $\frac{1}{10}$배, $\frac{1}{10}$배가 되면 계산 결과는 $\frac{1}{100}$배가 돼~

방법 3 소수의 크기를 생각하여 계산하기

26×18=468인데 2.6에 1.8을 곱하면 2.6보다 큰 값이 나와야 하므로 계산 결과는 4.68입니다.

참고 세로로 계산해 봐~

```
   2 6          2.6
 × 1 8   ➔   × 1.8
 4 6 8        4.6 8
```

자연수처럼 생각하고 계산하기 / 소수의 크기를 생각하여 소수점 찍기

유형

6 자연수의 곱셈으로 계산하려고 합니다. □ 안에 알맞은 수를 써넣으세요.

14 × 82 = 1148
($\frac{1}{10}$배, $\frac{1}{10}$배, □배)
1.4 × 8.2 = □

7 소수의 크기를 생각하여 계산하려고 합니다. □ 안에 알맞은 수를 써넣으세요.

35×21=□인데 3.5에 2.1을 곱하면 3.5의 2배인 7보다 커야 합니다.
➔ 3.5×2.1=□

8 계산해 보세요.

(1) 6.5×2.9

(2) 6.3×1.17

(3)
```
   5.6 1
 ×   1.3
```

9 보기와 같은 방법으로 계산해 보세요.

보기
$$9.2\times3.4=\frac{92}{10}\times\frac{34}{10}=\frac{3128}{100}=31.28$$

7.5×8.9 ____________

10 노란색 리본의 길이는 4.2 m이고 빨간색 리본의 길이는 노란색 리본의 길이의 8.35배입니다. 빨간색 리본의 길이는 몇 m인가요?

식 ____________

답 ____________

4 단원 소수의 곱셈

개념 7 자연수와 소수의 곱셈에서 곱의 소수점 위치

1. 소수에 1, 10, 100, 1000을 곱하는 경우

곱하는 수의 0이 하나씩 늘어날 때마다 곱의 소수점이 오른쪽으로 한 자리씩 옮겨집니다.

$6.15\times1=6.15$

$6.15\times10=61.5$ (오른쪽으로 한 자리)

$6.15\times100=615$ (오른쪽으로 두 자리)

$6.15\times1000=6150$ (오른쪽으로 세 자리)

2. 자연수에 1, 0.1, 0.01, 0.001을 곱하는 경우

곱하는 소수의 소수점 아래 자리 수가 하나씩 늘어날 때마다 곱의 소수점이 왼쪽으로 한 자리씩 옮겨집니다.

$476\times1=476$

$476\times0.1=47.6$ (왼쪽으로 한 자리)

$476\times0.01=4.76$ (왼쪽으로 두 자리)

$476\times0.001=0.476$ (왼쪽으로 세 자리)

참고
곱의 소수점을 옮길 자리가 없으면 0을 채우면서 옮겨~
예 $5.8\times100=580$, $58\times0.01=0.58$

유형

11 소수점의 위치를 생각하여 □ 안에 알맞은 수를 써넣으세요.

$0.39\times10=3.9$

$0.39\times100=$ □

$0.39\times1000=$ □

12 $580\times4=2320$임을 이용하여 □ 안에 알맞은 수를 써넣으세요.

$580\times0.4=$ □

$580\times0.04=$ □

$580\times0.004=$ □

13 관계있는 것끼리 이어 보세요.

12.64×100 •		• 1264
1264×0.01 •		• 12.64
		• 1.264

14 빈칸에 알맞은 수를 써넣으세요.

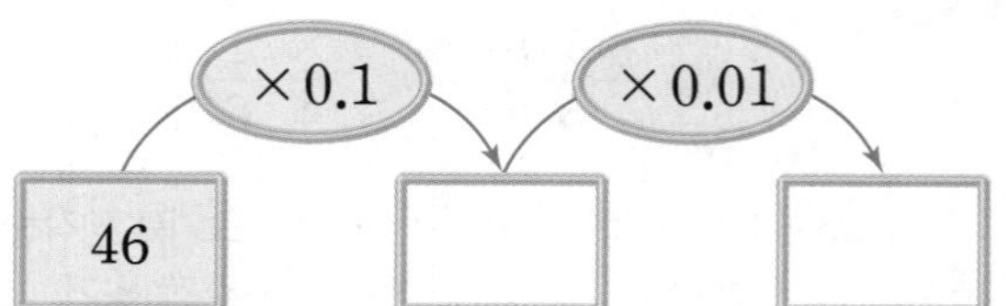

15 다음과 무게가 같은 사탕 100개, 1000개의 무게는 각각 몇 g인가요?

사탕 1개의 무게 : 3.05 g

사탕 100개 (　　　　　)

사탕 1000개 (　　　　　)

정답 및 풀이 25쪽

개념 8 소수끼리의 곱셈에서 곱의 소수점 위치

곱하는 두 수의 소수점 아래 자리 수를 더한 것과 결괏값의 소수점 아래 자리 수가 같습니다.

예 $4\times9=36$ →
- $0.4\times0.9=0.36$ (1 + 1 → 2)
- $0.4\times0.09=0.036$ (1 + 2 → 3)
- $0.04\times0.09=0.0036$ (2 + 2 → 4)

0.04는 소수점 아래 두 자리 수이고 0.09는 소수점 아래 두 자리 수이므로 0.04×0.09는 소수점 아래 네 자리 수야.

플러스 개념 9 소수점의 위치를 이용하여 □의 값 구하기

예 □ 안에 알맞은 수 구하기

$6.39\times\square=63.9$

6.39에서 소수점을 오른쪽으로 한 자리 옮기면 63.9가 되므로 □ 안에 알맞은 수는 10입니다.

곱해지는 수 또는 곱하는 수와 결괏값의 소수점 위치를 보고 □의 값을 구해~

유형

16 □ 안에 알맞은 수를 써넣으세요.

$8\times74=592$

(0.1배) (0.01배) (□배)

$0.8\times0.74=\square$

17 $37\times61=2257$입니다. 곱의 소수점 위치가 잘못된 것에 ×표 하세요.

$3.7\times6.1=22.57$	$3.7\times0.61=225.7$
( )	( )

18 $92\times15=1380$임을 이용하여 계산해 보세요.

(1) 9.2×1.5

(2) 0.92×0.15

유형

19 □ 안에 알맞은 수는 어느 것인가요? ( )

$52\times\square=0.52$

① 10 ② 1 ③ 0.1 ④ 0.01 ⑤ 0.001

20 ㉠에 알맞은 수를 구해 보세요.

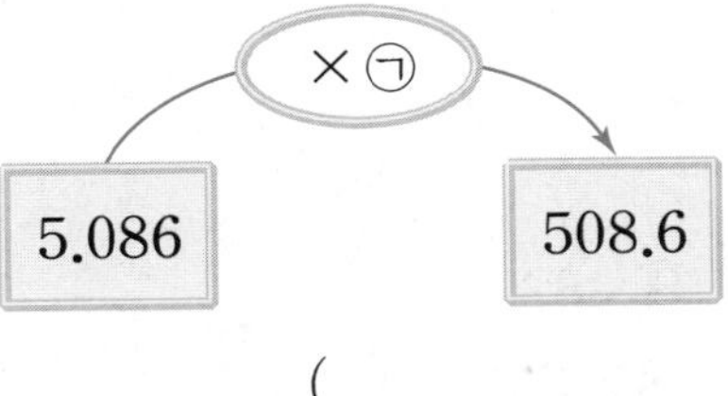

( )

21 보기 를 이용하여 □ 안에 알맞은 수를 써넣으세요.

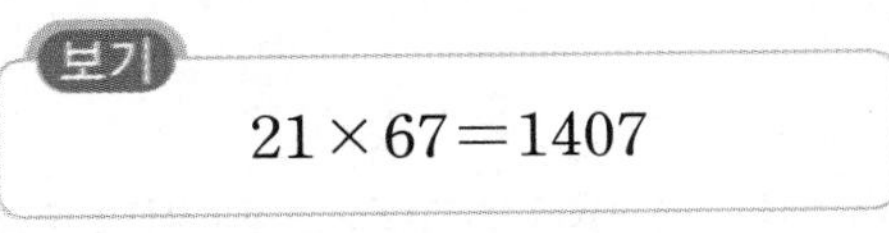

(1) $2.1\times\square=1.407$

(2) $0.021\times\square=0.1407$

기초력 집중 연습

[1~9] 계산해 보세요.

1 0.7×0.5

2 0.5×0.49

3 0.96×0.45

4 1.8×6.4

5 2.2×7.63

6 1.05×4.2

7 $\begin{array}{r} 0.6 \\ \times\ 0.9 \\ \hline \end{array}$

8 $\begin{array}{r} 4.3 \\ \times\ 1.2 \\ \hline \end{array}$

9 $\begin{array}{r} 1.95 \\ \times\ \ 3.9 \\ \hline \end{array}$

[10~13] 소수점의 위치를 생각하여 계산해 보세요.

10
5.03×10
5.03×100
5.03×1000

11
4060×0.1
4060×0.01
4060×0.001

12
18×62
1.8×6.2
18×0.62
0.18×6.2

13
23×65
2.3×65
0.23×6.5
0.023×6.5

[14~15] □ 안에 알맞은 수를 써넣으세요.

14 8.6 → ×□ → 0.86

15 4.25 → ×□ → 425

유형 진단 TEST

정답 및 풀이 26쪽

1 두 수의 곱을 구해 보세요. [1점]

0.3　　0.8

(　　　　　　　)

2 0.28×0.45의 값을 바르게 말한 사람의 이름을 써 보세요. [1점]

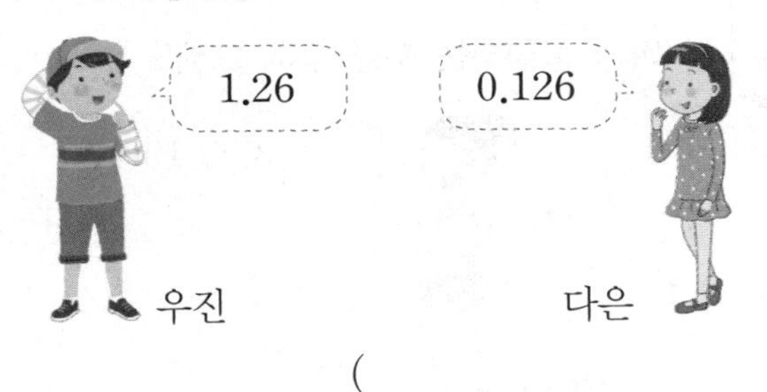

(　　　　　　　)

3 6.2×8.5를 보기 와 다른 방법으로 계산해 보세요. [2점]

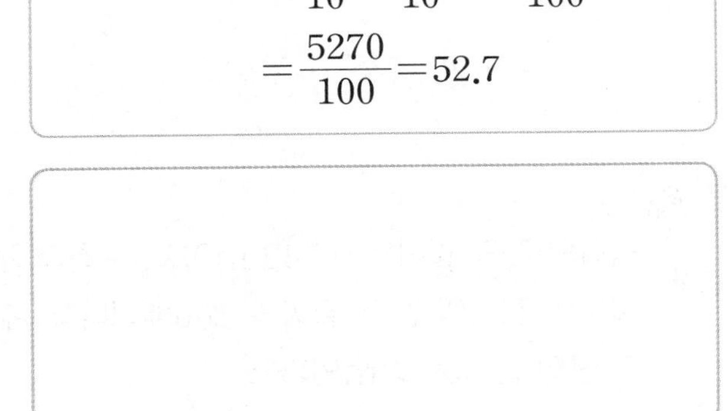

4 계산 결과가 다른 하나를 찾아 기호를 써 보세요. [2점]

㉠ 72의 0.1
㉡ 720의 0.01배
㉢ 0.72×100

(　　　　　　　)

5 어림하여 계산 결과가 6보다 작은 것의 기호를 써 보세요. [2점]

㉠ 8.5의 0.6　　㉡ 3.1의 2.4배

(　　　　　　　)

6 □ 안에 알맞은 수가 가장 큰 것을 찾아 기호를 써 보세요. [2점]

㉠ $95 \times \square = 0.95$
㉡ $0.95 \times \square = 9.5$
㉢ $9.5 \times \square = 0.95$

(　　　　　　　)

STEP 2 꼬리를 무는 유형

❶ 어림하여 소수점 찍기

기본 유형

1 계산 결과를 어림하여 소수점을 찍어야 할 곳을 찾아 기호를 써 보세요.

$19.6 \times 2.4 = 4\ 7\ 0\ 4$ (↑㉠ ↑㉡ ↑㉢ ↑㉣)

(　　　　　　　)

변형 유형

2 $415 \times 63 = 26145$입니다. 4.15×6.3의 값을 어림하여 결괏값에 소수점을 찍어 보세요.

$4.15 \times 6.3 = 2\ 6\ 1\ 4\ 5$

변형 유형 서술형

3 $96 \times 62 = 5952$입니다. 9.6×6.2의 값을 어림하여 결괏값에 소수점을 찍고 그 이유를 써 보세요.

$9.6 \times 6.2 = 5\ 9\ 5\ 2$

이유 ______________________

❷ 나타내는 수 구하기

기본 유형

4 다음이 나타내는 수를 구해 보세요.

0.475의 100배

(　　　　　　　)

변형 유형

5 서아가 설명하는 수를 구해 보세요.

(　　　　　　　)

변형 유형

6 다음이 나타내는 수를 구해 보세요.

540의 0.001배

(　　　　　　　)

문장제 유형

7 정화의 끈의 길이는 0.142 m이고, 수희의 끈의 길이는 정화의 끈의 길이의 100배입니다. 수희의 끈의 길이는 몇 m인가요?

식 ______________________

답 ______________________

③ 크기 비교하기

기본 유형

8 더 큰 것의 기호를 써 보세요.

㉠ 3.03×5 ㉡ 15

( )

변형 유형

9 더 작은 것의 기호를 써 보세요.

㉠ 0.92×7 ㉡ 6

( )

변형 유형

10 더 큰 수를 말한 사람의 이름을 써 보세요.

민서: 1.62×8

서준: 13

( )

④ 단위를 바꾸어 크기 비교하기

기본 유형

11 길이가 더 긴 것의 기호를 써 보세요.

㉠ 69.2 cm ㉡ 0.629 m

( )

변형 유형

12 무게가 더 무거운 것의 기호를 써 보세요.

㉠ 3.519 kg ㉡ 328.4 g

( )

변형 유형

13 길이를 비교하여 ○ 안에 >, =, <를 알맞게 써넣으세요.

0.321 m ○ 31.2 cm

문장제 유형

14 은주가 키우는 식물은 0.268 m까지 자랐고, 민지가 키우는 식물은 20.9 cm까지 자랐습니다. 누가 키우는 식물이 더 큰가요?

( )

3 STEP 수학 독해력 유형

독해력 유형 1 시간을 소수로 나타내어 계산하기

호영이는 매일 24분씩 독서를 합니다. 호영이가 일주일 동안 독서한 시간은 몇 시간인지 소수로 나타내어 보세요.

What? 구하려는 것을 찾아 밑줄을 그어 보세요.

How?
❶ 1시간은 60분임을 이용하여 24분은 몇 시간인지 소수로 나타내기
❷ 일주일은 며칠인지 나타내기
❸ ❶과 ❷를 곱하여 호영이가 일주일 동안 독서한 시간을 소수로 나타내기

Solve
❶ 24분은 몇 시간인지 소수로 나타내어 보세요.
( )

❷ 일주일은 며칠인가요?
( )

❸ 호영이가 일주일 동안 독서한 시간은 몇 시간인지 소수로 나타내어 보세요.
( )

구하려는 것을 찾아 밑줄을 그은 후 세운 계획에 따라 문제를 풀어 봐~

쌍둥이 유형 1-1

준이는 매일 45분씩 운동을 합니다. 준이가 일주일 동안 운동한 시간은 몇 시간인지 소수로 나타내어 보세요.

❶

❷

❸

답 ________

쌍둥이 유형 1-2

우재는 매일 54분씩 숙제를 합니다. 우재가 12월 한 달 동안 숙제를 한 시간은 몇 시간인지 소수로 나타내어 보세요.

❶

❷

❸

답 ________

독해력 유형 2 최소로 사야 하는 물건의 수 구하기

다음은 형주의 간식표입니다. 이번 주에 필요한 간식을 준비하려면 1 L짜리 우유를 최소 몇 개 사야 할지 구해 보세요.

형주의 간식표

월	화	수	목
우유 0.3 L 빵 1개	주스 0.25 L 바나나 1개	우유 0.3 L 귤 2개	우유 0.3 L 바나나 1개

금	토	일
우유 0.3 L 빵 1개	주스 0.25 L 고구마 1개	우유 0.3 L 사과 $\frac{1}{2}$개

What? 구하려는 것을 찾아 밑줄을 그어 보세요.

How?
❶ 우유를 준비해야 하는 요일을 찾아 하루에 필요한 우유의 양과 필요한 날수 구하기
❷ 하루에 필요한 우유의 양과 필요한 날수를 곱하여 이번 주에 필요한 전체 우유의 양 구하기
❸ ❷에서 구한 값을 올림을 이용하여 1 L짜리 우유를 최소 몇 개 사야 할지 구하기

Solve
❶ 우유는 하루에 몇 L씩 며칠 필요한가요?
( ), ( )

❷ 이번 주에 필요한 우유는 모두 몇 L인가요?
( )

❸ 이번 주에 필요한 간식을 준비하려면 1 L짜리 우유를 최소 몇 개 사야 하나요?
( )

쌍둥이 유형 2-1

어느 요리 학원의 이번 주 재료표입니다. 이번 주에 필요한 재료를 준비하려면 1 kg짜리 밀가루를 최소 몇 개 사야 할지 구해 보세요.

재료표

월	화	수	목	금
밀가루 0.84 kg	쌀가루 0.45 kg	빵가루 0.52 kg	밀가루 0.84 kg	밀가루 0.84 kg

❶

❷

❸

답 ____________

쌍둥이 유형 2-2

어느 미술 학원의 이번 주 재료표입니다. 이번 주에 필요한 재료를 준비하려면 1 kg짜리 지점토를 최소 몇 개 사야 할지 구해 보세요.

재료표

월	화	수	목	금
지점토 1.65 kg	찰흙 1.7 kg	지점토 1.65 kg	찰흙 1.7 kg	지점토 1.65 kg

❶

❷

❸

 ____________

4 STEP 사고력 플러스 유형

플러스 유형 ❶ 보기와 같이 계산하기

1-1 7×3.4를 보기와 같은 방법으로 계산해 보세요.

보기

$$8 \times 46 = 368$$

$$\frac{1}{10}\text{배} \qquad \frac{1}{10}\text{배}$$

$$8 \times 4.6 = 36.8$$

1-2 9×0.42를 보기와 같은 방법으로 계산해 보세요.

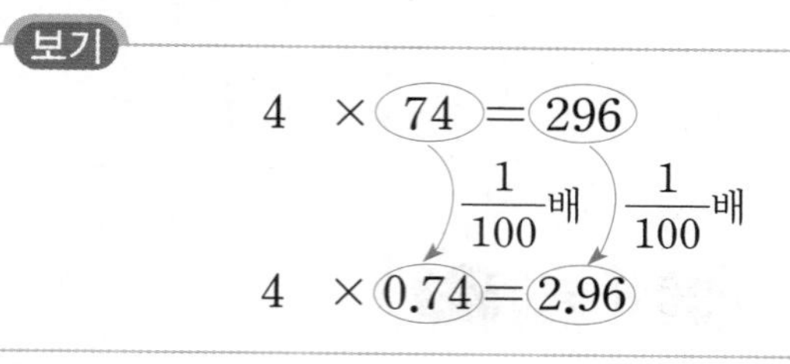

1-3 0.8×0.26을 보기와 같은 방법으로 계산해 보세요.

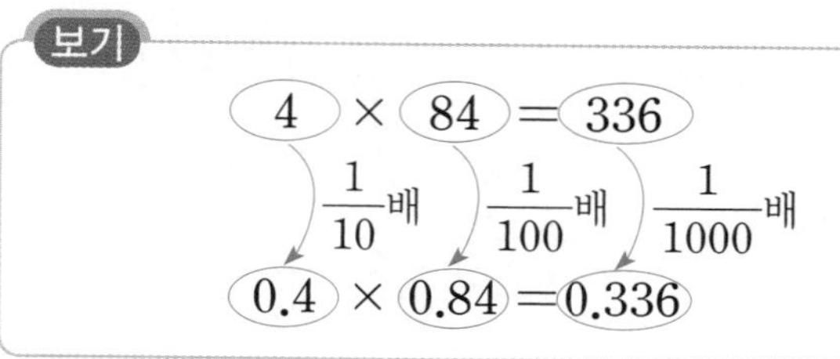

플러스 유형 ❷ 잘못된 부분을 찾아 바르게 계산하기

2-1 계산에서 잘못된 부분을 찾아 바르게 계산해 보세요.

$$4.25\times6=\frac{425}{10}\times6=\frac{425\times6}{10}$$

$$=\frac{2550}{10}=225$$

4.25×6 ________________

2-2 계산에서 잘못된 부분을 찾아 바르게 계산해 보세요.

$$8.4\times12=\frac{84}{100}\times12=\frac{84\times12}{100}$$

$$=\frac{1008}{100}=10.08$$

8.4×12 ________________

2-3 1.5×2.6을 잘못 계산한 것입니다. 잘못된 부분을 찾아 바르게 고쳐 보세요.

자연수의 곱을 이용하여 계산하면
$15\times26=390$이므로 $1.5\times2.6=0.39$입니다.

플러스 유형 3 도형의 넓이 구하기

3-1 직사각형의 넓이는 몇 m^2인가요?

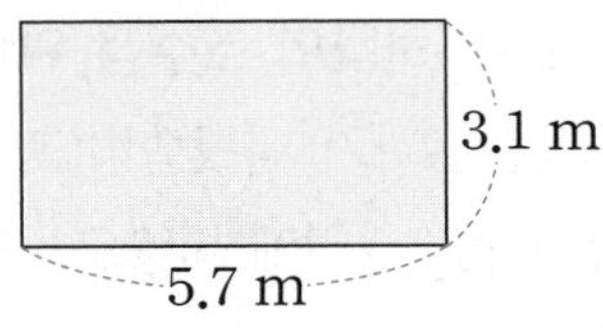

(   )

3-2 직사각형의 넓이는 몇 m^2인가요?

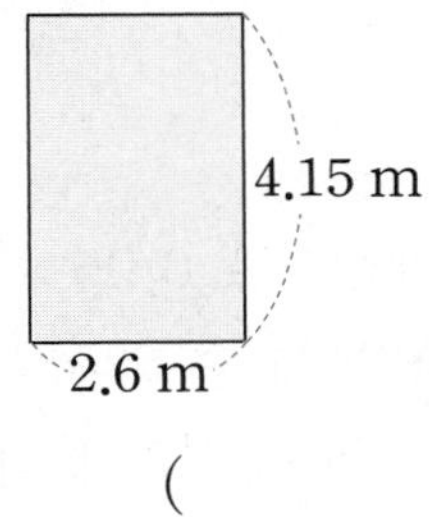

(   )

3-3 평행사변형 모양의 꽃밭이 있습니다. 이 꽃밭의 넓이는 몇 m^2인가요?

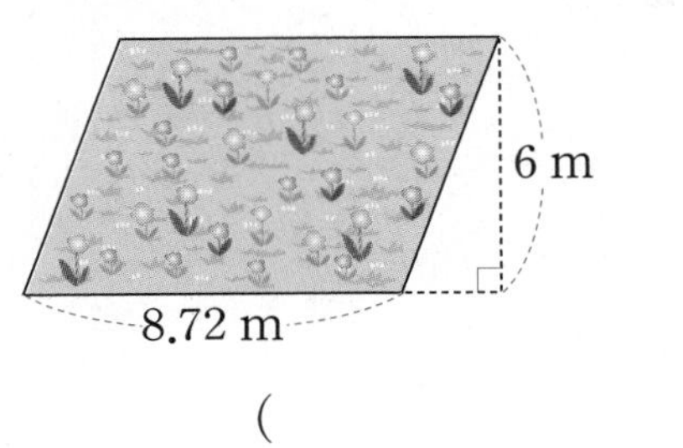

(   )

플러스 유형 4 □ 안에 들어갈 수 있는 자연수 구하기

4-1 □ 안에 들어갈 수 있는 자연수를 모두 구해 보세요.

$4 \times 0.91 > \square$

(   )

서술형

4-2 □ 안에 들어갈 수 있는 자연수를 모두 구하려고 합니다. 풀이 과정을 쓰고 답을 구해 보세요.

$5 \times 0.65 > \square$

풀이

답

4-3 □ 안에 들어갈 수 있는 가장 큰 자연수를 구해 보세요.

$5.1 \times 4.1 > \square$

(   )

플러스 유형 처방전

먼저 주어진 곱셈식을 계산하여 □ 안에 들어갈 수 있는 수의 범위를 구해야 한다능~

플러스 유형 5 바르게 계산한 값 구하기

5-1 어떤 수에 0.7을 곱해야 할 것을 잘못하여 더했더니 9.4가 되었습니다. 바르게 계산한 값을 구해 보세요.

(　　　　　　　　)

서술형

5-2 어떤 수에 8.6을 곱해야 할 것을 잘못하여 더했더니 10.5가 되었습니다. 바르게 계산한 값은 얼마인지 풀이 과정을 쓰고 답을 구해 보세요.

풀이

답

사고력 유형

5-3 어떤 수에 5.5를 곱해야 할 것을 잘못하여 뺐더니 6.3이 되었습니다. 바르게 계산한 값을 구해 보세요.

(　　　　　　　　)

플러스 유형 처방전

어떤 수를 □라 하여 잘못 계산한 식(덧셈식 또는 뺄셈식)을 세워 어떤 수를 구한 다음 바르게 계산한 값을 구해야 한다능~

플러스 유형 6 계산기에 누른 두 수 구하기

사고력 유형

6-1 정수가 계산기로 0.54×0.5를 계산하려고 두 수를 눌렀는데 수 하나의 소수점 위치를 잘못 눌러서 2.7이라는 결과가 나왔습니다. 정수가 계산기에 누른 두 수를 □ 안에 써넣으세요.

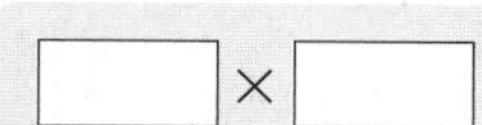

서술형

6-2 효진이가 계산기로 0.95×0.72를 계산하려고 두 수를 눌렀는데 수 하나의 소수점 위치를 잘못 눌러서 6.84라는 결과가 나왔습니다. 효진이가 계산기에 누른 두 수는 얼마인지 풀이 과정을 쓰고 답을 구해 보세요.

풀이

답 　　　　, 　　　　

플러스 유형 7 새로 만들어진 장소의 넓이 구하기

독해력 유형

7-1 어느 직사각형 모양 놀이터의 가로와 세로를 각각 1.2배씩 늘려 새로운 놀이터를 만들려고 합니다. 새로운 놀이터의 넓이는 몇 m^2인지 구해 보세요.

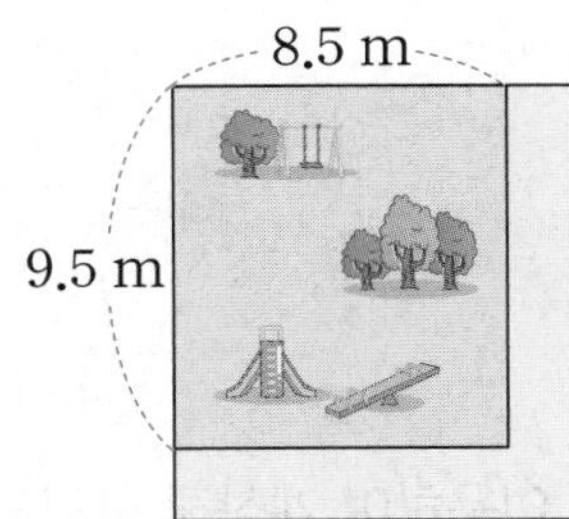

단계 1 새로운 놀이터의 가로는 몇 m인가요?

(　　　　　　　)

단계 2 새로운 놀이터의 세로는 몇 m인가요?

(　　　　　　　)

단계 3 새로운 놀이터의 넓이는 몇 m^2인가요?

(　　　　　　　)

7-2 어느 직사각형 모양 강당의 가로와 세로를 각각 1.5배씩 늘려 새로운 강당을 만들려고 합니다. 새로운 강당의 넓이는 몇 m^2인지 구해 보세요.

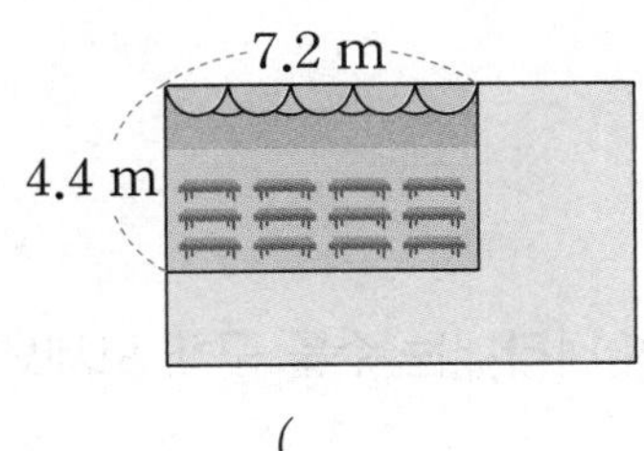

(　　　　　　　)

플러스 유형 8 수 카드를 사용하여 곱이 가장 큰 곱셈식 만들기

독해력 유형

8-1 4장의 수 카드를 한 번씩만 사용하여 곱이 가장 크게 되는 (소수 한 자리 수)×(소수 한 자리 수)의 곱셈식을 만들려고 합니다. 그때의 곱을 구해 보세요.

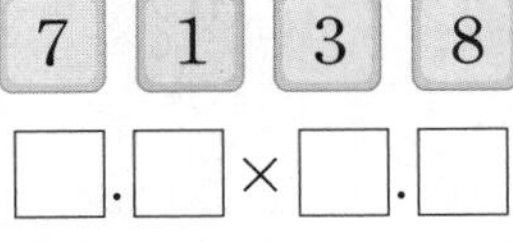

단계 1 곱하는 두 소수의 자연수 부분에 들어갈 수 있는 두 수를 써 보세요.

(　　　　　　　), (　　　　　　　)

단계 2 단계 1에서 구한 두 수를 자연수 부분에 넣어 곱이 다른 곱셈식 2개를 만들어 보세요.

□.□×□.□=□

□.□×□.□=□

단계 3 곱이 가장 크게 되는 곱셈식의 곱을 구해 보세요.

(　　　　　　　)

플러스 유형 처방전

• 곱이 가장 크게 되는 곱셈식

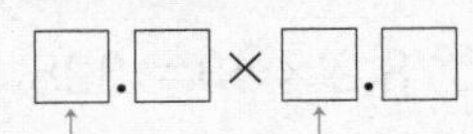

➜ 곱하는 두 소수의 자연수 부분이 클수록 곱이 커진다능~

점수

1 분수의 곱셈으로 계산하려고 합니다. □ 안에 알맞은 수를 써넣으세요.

$$2\times0.6=2\times\frac{\square}{10}=\frac{\square\times\square}{10}$$
$$=\frac{\square}{10}=\square$$

2 자연수의 곱셈으로 계산하려고 합니다. □ 안에 알맞은 수를 써넣으세요.

$85\times17=1445$

$\frac{1}{10}$배, $\frac{1}{10}$배, □배

$8.5\times1.7=\square$

3 빈칸에 알맞은 수를 써넣으세요.

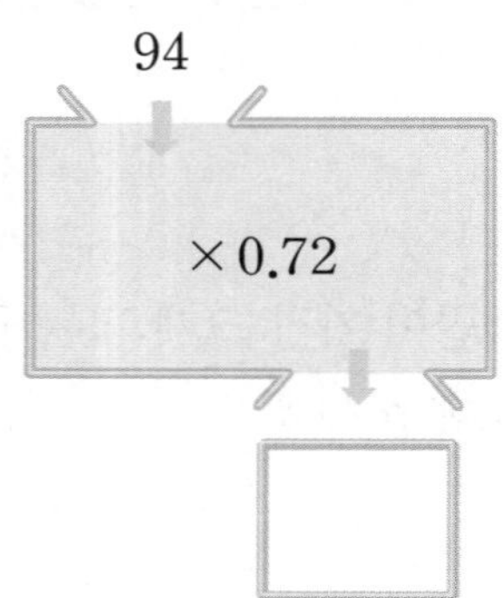

4 바르게 계산한 것의 기호를 써 보세요.

㉠ $8.2\times40=328$
㉡ $6.01\times5=30.5$

(　　　　　　　　)

5 계산 결과를 찾아 이어 보세요.

59×1.4 •　　　• 82.6

42×1.35 •　　　• 63.6

　　　　　　• 56.7

6 보기 를 이용하여 계산해 보세요.

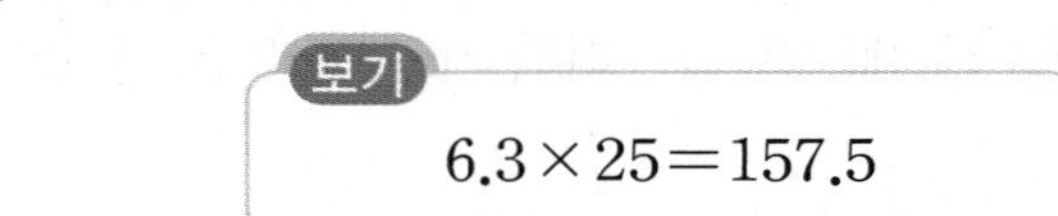

(1) 6.3×0.25

(2) 0.63×25

7 계산에서 잘못된 부분을 찾아 바르게 계산해 보세요.

$$0.6\times0.8=\frac{6}{10}\times\frac{8}{10}=\frac{6\times8}{10}=\frac{48}{10}=4.8$$

0.6×0.8 ____________________

____

8 다음이 나타내는 수를 구해 보세요.

0.365의 100배

(　　　　　　　　)

9 더 큰 수에 ○표 하세요.

3.745×10	374.5
(　　　)	(　　　)

10 $75 \times 83 = 6225$입니다. □ 안에 알맞은 수를 써넣으세요.

$7.5 \times \square = 6.225$

11 성훈이가 3000원으로 사탕을 사려고 합니다. 사려는 사탕의 가격표가 찢어져 있을 때 성훈이가 가진 돈으로 사탕을 살 수 있을지 알맞은 말에 ○표 하세요.

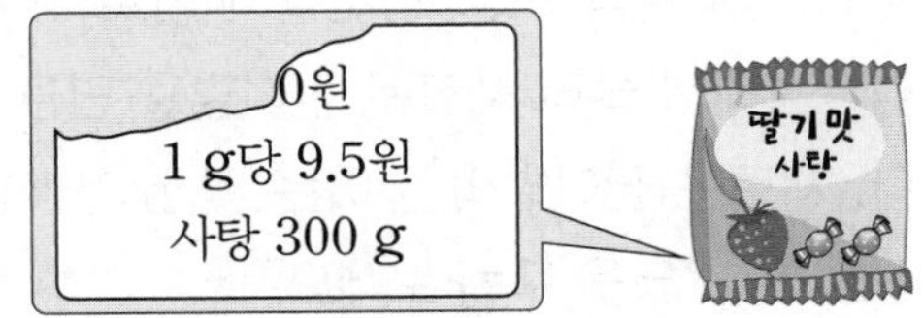

사탕을 살 수 (있습니다, 없습니다).

12 상진이는 매일 1.6 km씩 산책을 합니다. 상진이가 일주일 동안 산책한 거리는 몇 km인가요?

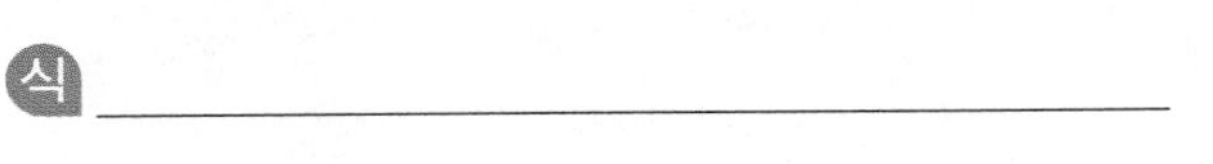

식 ______

답 ______

13 어느 날 우리나라 돈 1000원이 중국 돈 5.47위안입니다. 이날 우리나라 돈 5000원을 중국 돈으로 바꾸면 몇 위안인가요?

(　　　　　)

14 어림하여 계산 결과가 5보다 큰 것의 기호를 써 보세요.

㉠ 9.7의 0.5　　㉡ 2.5×2.1

(　　　　　)

15 가장 큰 수와 가장 작은 수의 곱을 구해 보세요.

0.93　　75　　8.1

(　　　　　)

16 계산 결과가 큰 것부터 차례로 기호를 써 보세요.

㉠ 0.47×0.3
㉡ 0.6×0.14
㉢ 0.12×0.9

(　　　　　)

정답 및 풀이 29쪽

서술형 » 111쪽 4-2 유사 문제

17 □ 안에 들어갈 수 있는 자연수를 모두 구하려고 합니다. 풀이 과정을 쓰고 답을 구해 보세요.

$$6 \times 0.48 > \square$$

풀이

답

서술형 » 112쪽 5-2 유사 문제

18 어떤 수에 4.7을 곱해야 할 것을 잘못하여 더했더니 9.2가 되었습니다. 바르게 계산한 값은 얼마인지 풀이 과정을 쓰고 답을 구해 보세요.

풀이

답

서술형 » 112쪽 6-2 유사 문제

19 영준이가 계산기로 0.6×0.25를 계산하려고 두 수를 눌렀는데 수 하나의 소수점 위치를 잘못 눌러서 1.5라는 결과가 나왔습니다. 영준이가 계산기에 누른 두 수는 얼마인지 풀이 과정을 쓰고 답을 구해 보세요.

풀이

답 ____________, ____________

독해력 유형 서술형 » 113쪽 7-1 유사 문제

20 어느 직사각형 모양 잔디밭의 가로와 세로를 각각 1.4배씩 늘려 새로운 잔디밭을 만들려고 합니다. 새로운 잔디밭의 넓이는 몇 m^2인지 풀이 과정을 쓰고 답을 구해 보세요.

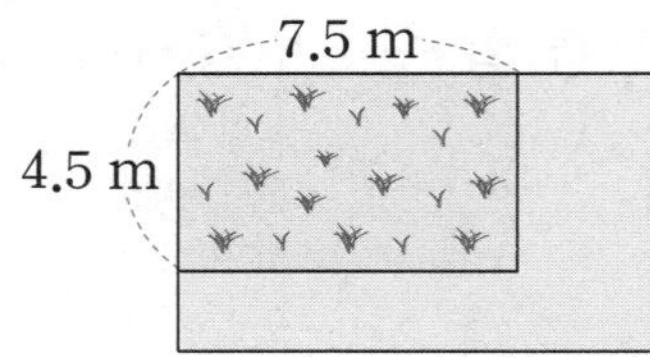

풀이

답

선대칭도형 알아보기

다음 도형은 선대칭도형입니다. 대칭축을 모두 그어 보세요.

(1)

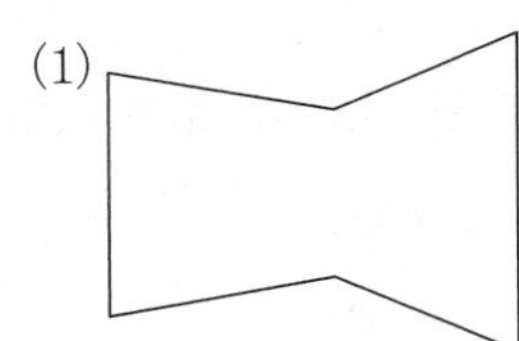

(2)

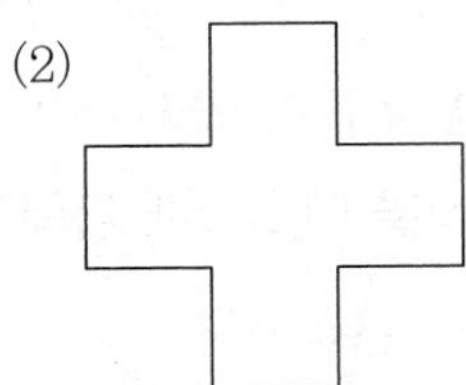

합동인 도형의 성질

두 삼각형은 서로 합동입니다. □ 안에 알맞은 수를 써넣으세요.

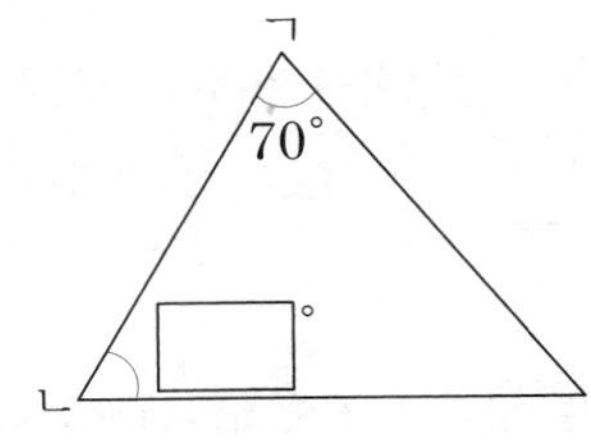

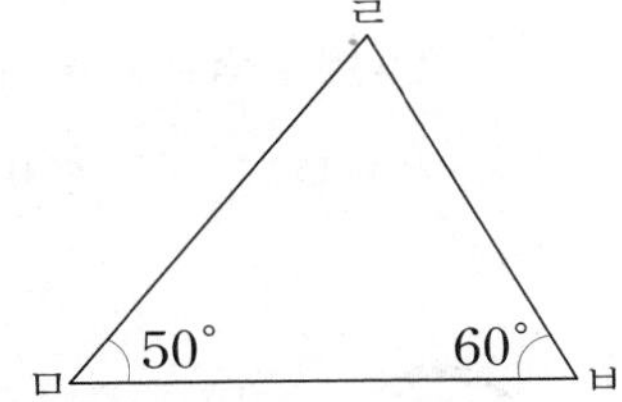

점대칭도형 알아보기

3 점대칭도형이 아닌 것을 찾아 기호를 써 보세요.

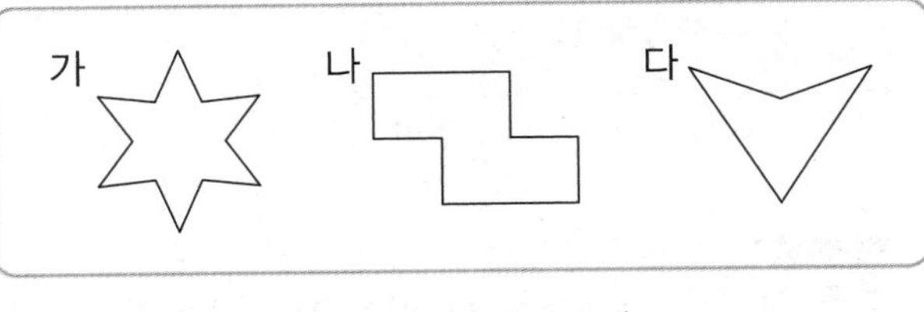

(   )

A★B를 A × B로 약속합니다. 다음 연산 규칙 상자에 A와 B를 넣어 출력된 값을 다시 A로 입력하여 상자에 넣을 때 3회에 출력되는 값을 구해 보세요.

❶ A=76, B=0.1

입력

A★B

출력

A★B=76×0.1=7.6이므로 1회에 출력되는 값은 ☐(이)야.

1회에 출력된 값을 다시 A로 입력하여 상자에 넣으면
A★B=☐×0.1=☐이므로 2회에 출력되는 값은 ☐(이)야.

2회에 출력된 값을 다시 A로 입력하여 상자에 넣으면
A★B=☐×0.1=☐이므로 3회에 출력되는 값은 ☐(이)야.

❷ A=0.089, B=10

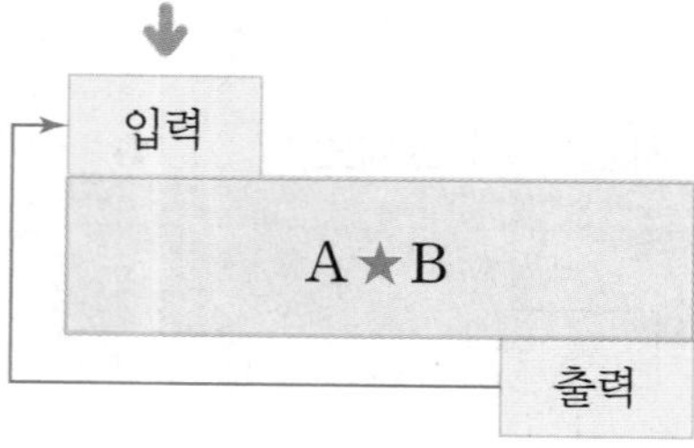

A★B=0.089×10=0.89이므로 1회에 출력되는 값은 ☐(이)야.

1회에 출력된 값을 다시 A로 입력하여 상자에 넣으면
A★B=☐×10=☐이므로 2회에 출력되는 값은 ☐(이)야.

2회에 출력된 값을 다시 A로 입력하여 상자에 넣으면
A★B=☐×10=☐이므로 3회에 출력되는 값은 ☐(이)야.

화면의 대각선의 길이는 약 몇 cm?

우리에게 익숙하지 않은 인치(inch), 피트(feet), 야드(yard), 마일(mile)은 야드파운드법의 길이 단위야.
1인치는 야드파운드법에 의한 길이의 단위로 약 2.54 cm를 나타내지.

TV, 태블릿, 휴대폰의 화면의 크기는 화면의 대각선의 길이를 재어 인치로 나타냅니다. 화면의 대각선의 길이는 약 몇 cm인지 구해 보세요.

❶ 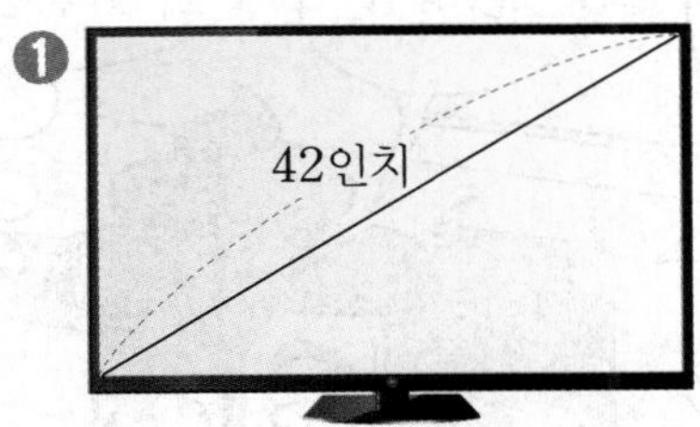

우리집 TV의 화면은 42인치야.
TV 화면의 대각선의 길이는
약 42 × ☐ = ☐ (cm)야.

❷ 10.2인치

내 태블릿의 화면은 10.2인치야.
태블릿 화면의 대각선의 길이는
약 10.2 × ☐ = ☐ (cm)야.

❸ 6.1인치

내 휴대폰의 화면은 6.1인치야.
휴대폰 화면의 대각선의 길이는
약 6.1 × ☐ = ☐ (cm)야.

5 직육면체

펄
펄

선생님, 크리스마스 선물 상자를 만들건데 전개도를 잘못 그린 것 같아요.

어디 보자.

헤헤 주치의인 나에게 선물을 하려는 거구만.

전개도를 접었을 때 겹치는 부분이 없어야 한단다.

아하! 고맙습니다.

Dr. 유형 처방전

✽ 정육면체 전개도로 만든 크리스마스 선물

선생님~
크리스마스
선물이에요.

선물? ^^

메리 크리스마스!

척

너무 잘생기셨어요.
선생님 짱!

고… 고맙당.
주치의도 아닌뎅……

아……
내가 더 잘생겼다고
생각했는데 ㅠㅠ

Dr.
유형

개념 1 직사각형 6개로 둘러싸인 도형

1. 직육면체

직육면체: 직사각형 6개로 둘러싸인 도형

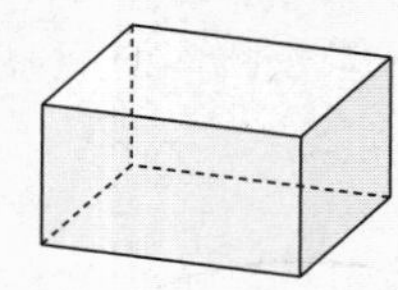

2. 직육면체의 구성 요소

(1) 면: 선분으로 둘러싸인 부분

(2) 모서리: 면과 면이 만나는 선분

(3) 꼭짓점: 모서리와 모서리가 만나는 점

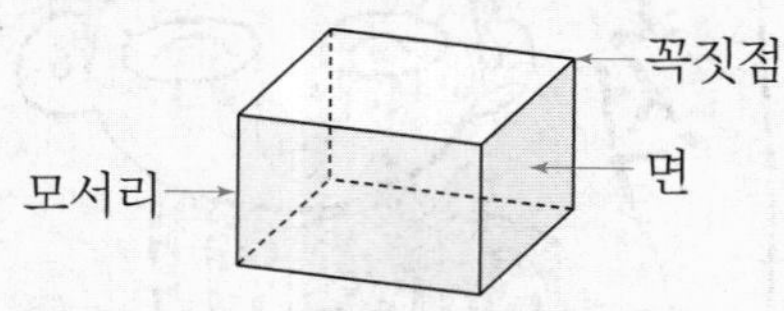

3. 직육면체의 면, 모서리, 꼭짓점의 수

면의 수 (개)	모서리의 수 (개)	꼭짓점의 수 (개)
6	12	8

유형

1 그림과 같이 직사각형 6개로 둘러싸인 도형을 무엇이라고 하나요?

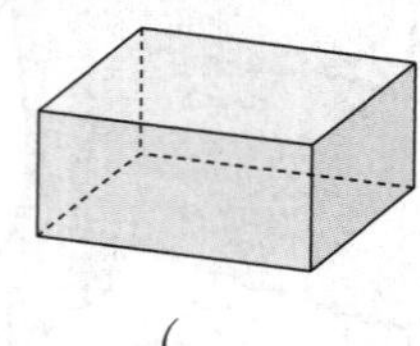

( )

2 직육면체에서 모서리를 나타내는 것을 찾아 기호를 써 보세요.

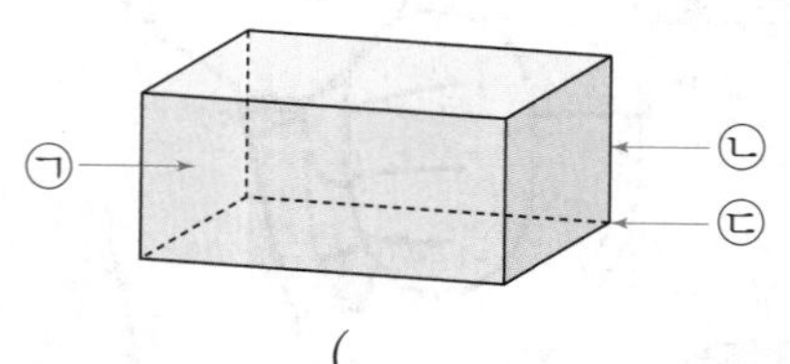

( )

3 직육면체에서 보이는 면을 모두 찾아 ○표 하세요.

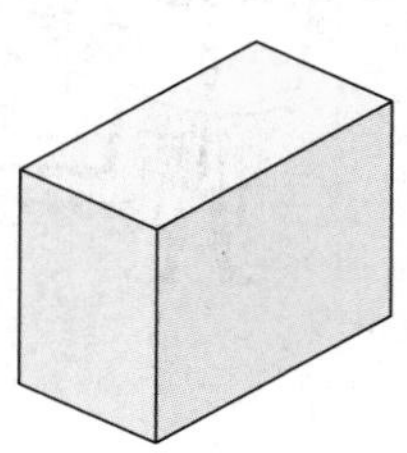

4 직육면체는 모두 몇 개인가요?

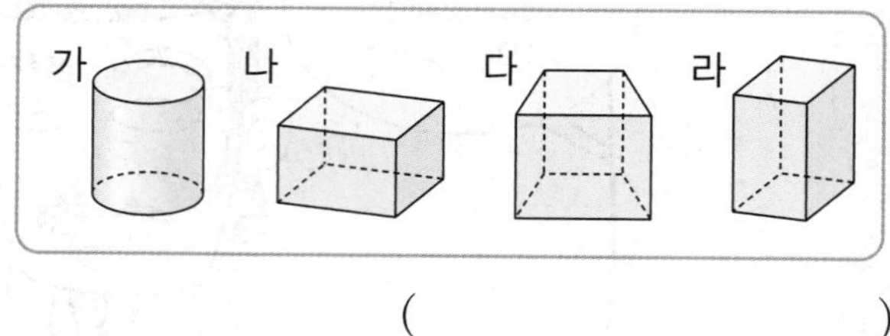

( )

5 직육면체를 설명한 것이 옳으면 ○표, 틀리면 ×표 하세요.

(1) 직사각형 6개로 둘러싸여 있습니다. ………………( )

(2) 모서리와 모서리가 만나는 점을 면이라고 합니다. ………………( )

6 직육면체에서 보이는 모서리, 보이는 꼭짓점의 수는 각각 몇 개인지 써 보세요.

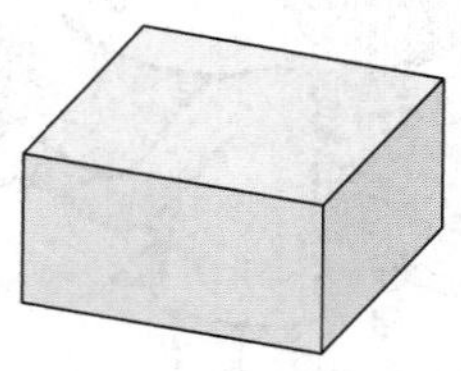

보이는 모서리의 수 ( )

보이는 꼭짓점의 수 ( )

개념 2 정사각형 6개로 둘러싸인 도형

1. 정육면체

정육면체: 정사각형 6개로 둘러싸인 도형

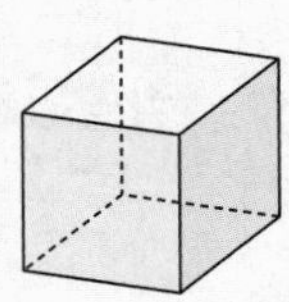

2. 정육면체의 면, 모서리, 꼭짓점의 수

면의 수 (개)	모서리의 수 (개)	꼭짓점의 수 (개)
6	12	8

7 오른쪽 그림을 보고 □ 안에 알맞은 말을 써넣으세요.

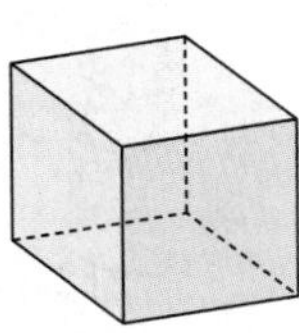

정사각형 6개로 둘러싸인 도형을 □(이)라고 합니다.

8 왼쪽 정육면체를 보고 하윤이가 설명한 말이 옳으면 ○표, 틀리면 ×표 하세요.

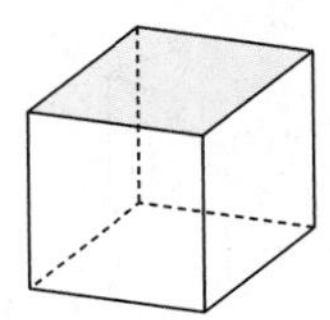

( )

9 정육면체를 보고 □ 안에 알맞은 수를 써넣으세요.

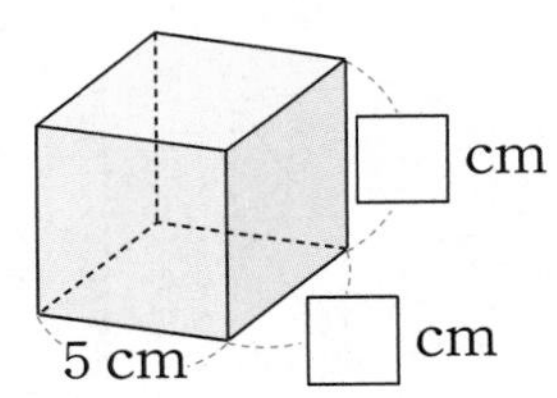

[10~11] 그림을 보고 물음에 답해 보세요.

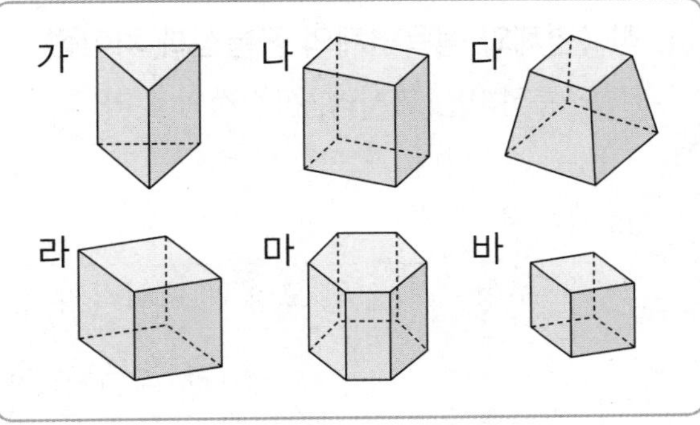

10 정육면체를 모두 찾아 기호를 써 보세요.

( )

11 라에서 면은 모두 몇 개인가요?

( )

12 오른쪽 정육면체에서 보이지 않는 모서리는 몇 개인가요?

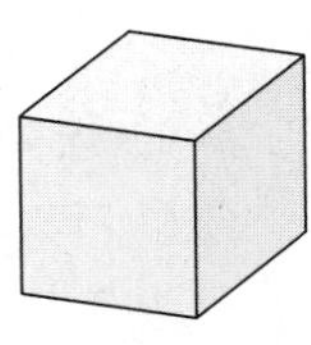

( )

13 정육면체에 대한 설명으로 틀린 것을 찾아 기호를 써 보세요.

㉠ 정사각형 6개로 둘러싸여 있습니다.
㉡ 모서리는 6개입니다.
㉢ 꼭짓점은 8개입니다.

( )

개념 3 직육면체와 정육면체의 특징

1. 직육면체와 정육면체의 공통점과 차이점

(1) 공통점: 면, 모서리, 꼭짓점의 수가 각각 같습니다.

(2) 차이점

도형	면의 모양	모서리의 길이
직육면체	직사각형	같을 수도 있고 다를 수도 있습니다.
정육면체	정사각형	모두 같습니다.

2. 직육면체와 정육면체의 관계

(1) 정육면체는 직육면체라고 할 수 있습니다.

(2) 직육면체는 정육면체라고 할 수 없습니다.

유형

14 직육면체와 정육면체입니다. □ 안에 알맞게 써넣고 알맞은 말에 ○표 하세요.

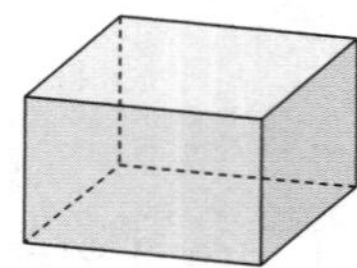
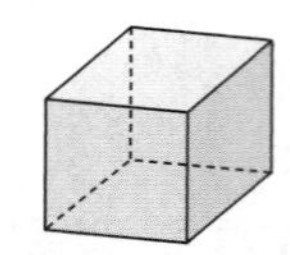

(1) 직육면체와 정육면체는 꼭짓점의 수가 □개로 모두 (같습니다 , 다릅니다).

(2) 직육면체의 면의 모양은 ☐, 정육면체의 면의 모양은 정사각형입니다.

15 직육면체와 정육면체에 대해 잘못 말한 사람은 누구인가요?

> 호진: 직육면체는 정육면체라고 할 수 있어.
> 시영: 정육면체는 직육면체라고 할 수 있어.

(　　　　)

개념 4 직육면체의 성질

1. 서로 마주 보고 있는 면의 관계

> 직육면체의 밑면: 색칠한 두 면처럼 계속 늘여도 만나지 않는 서로 평행한 두 면

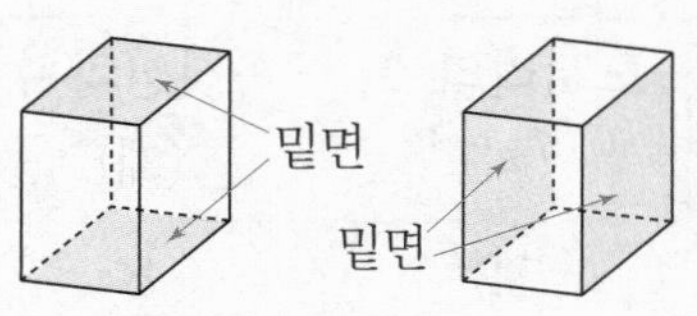

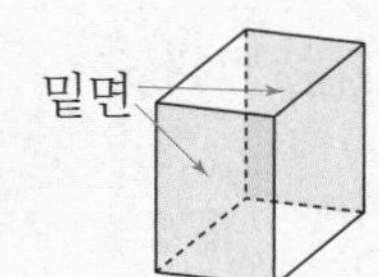

2. 서로 만나는 두 면의 관계

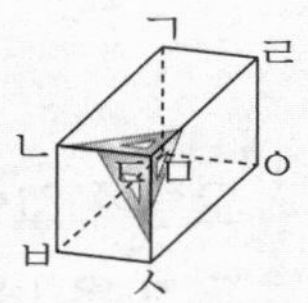

> 직육면체의 옆면: 직육면체에서 밑면과 수직인 면

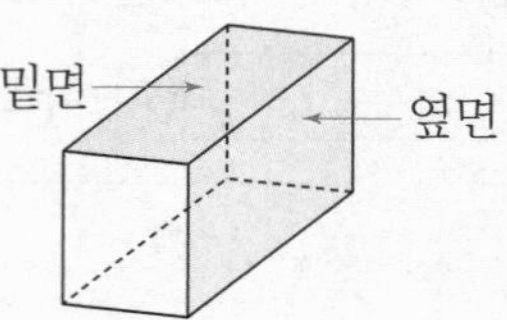

유형

16 색칠한 두 면이 서로 평행한 것에 ○표 하세요.

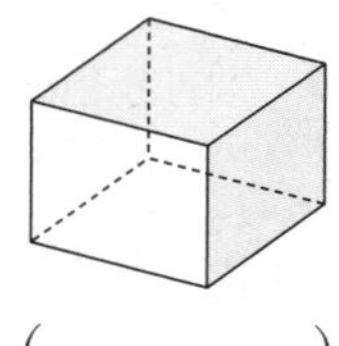
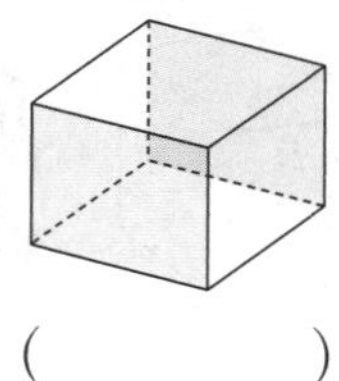

(　　　　)　(　　　　)

17 직육면체에서 색칠한 두 면이 만나 이루는 각의 크기를 찾아 ○표 하세요.

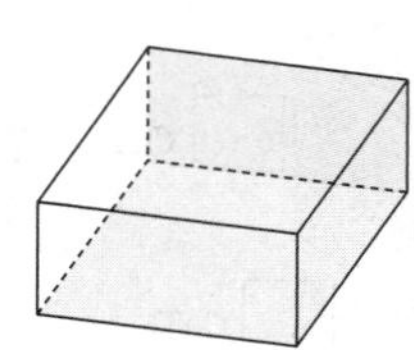
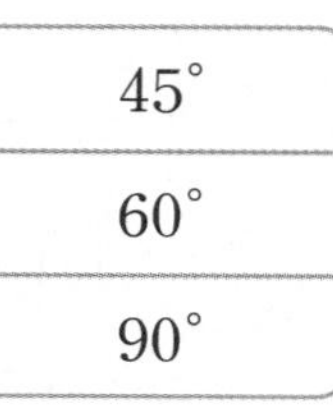

[18~19] 직육면체를 보고 물음에 답해 보세요.

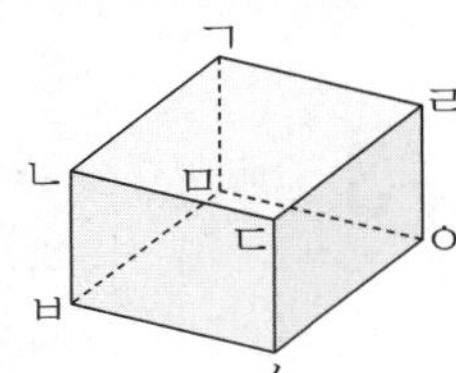

18 직육면체에서 서로 평행한 면을 찾아 써 보세요.

면 ㄱㄴㄷㄹ과 면 ( )
면 ㄱㄴㅂㅁ과 면 ( )
면 ㄴㅂㅅㄷ과 면 ( )

19 직육면체에서 서로 평행한 면은 모두 몇 쌍인가요?

( )

[20~21] 오른쪽 직육면체를 보고 물음에 답해 보세요.

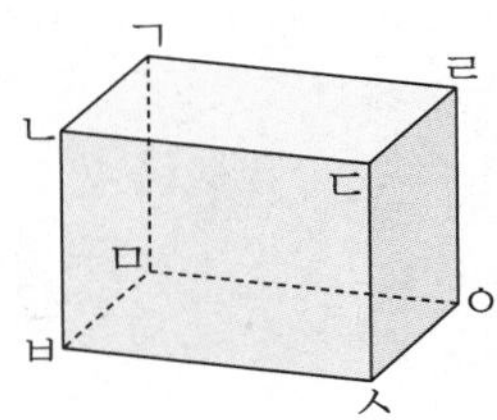

20 꼭짓점 ㄴ에서 만나는 면을 모두 써 보세요.

( )

21 바르게 설명한 것을 찾아 기호를 써 보세요.

㉠ 꼭짓점 ㄴ에서 만나는 면들은 꼭짓점 ㄴ을 중심으로 모두 직각입니다.
㉡ 꼭짓점 ㄷ에서 만나는 면은 모두 2개입니다.

( )

22 오른쪽 직육면체에서 색칠한 면과 수직인 면을 잘못 색칠한 것을 찾아 기호를 써 보세요.

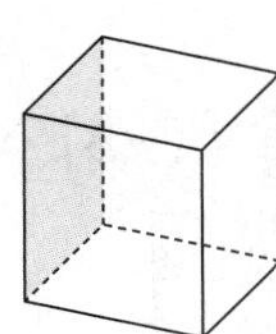

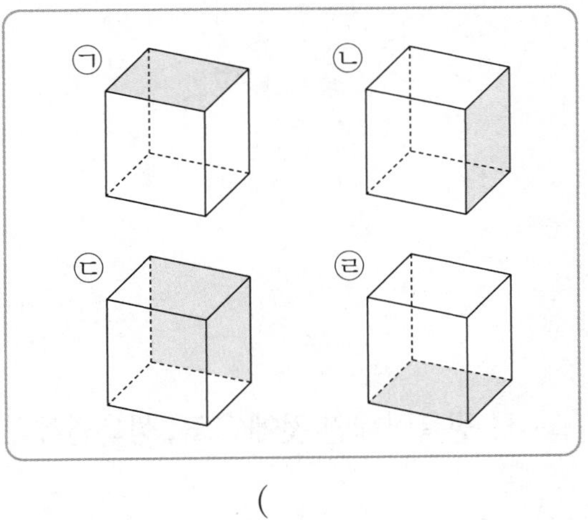

( )

23 오른쪽 직육면체에서 면 ㄴㅂㅅㄷ과 수직인 면을 모두 찾아 써 보세요.

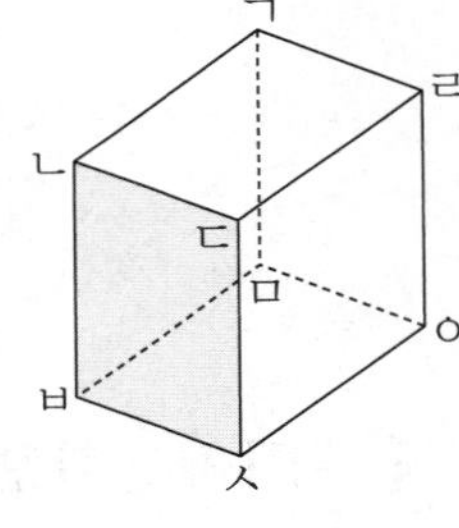

( )

24 직육면체의 성질을 잘못 설명한 사람의 이름을 쓰고, 바르게 고쳐 보세요.

규상: 한 모서리에서 만나는 두 면은 서로 평행해.
현진: 한 면과 수직으로 만나는 면은 4개야.

잘못 설명한 사람 ( )

바르게 고치기

기초력 집중 연습

[1~3] 직육면체인 것에 ○표, 직육면체가 아닌 것에 ×표 하세요.

1
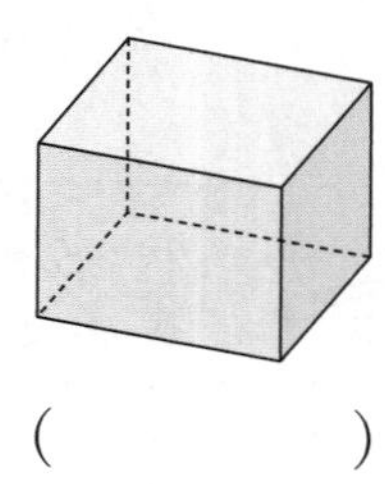
(　　　　)

2
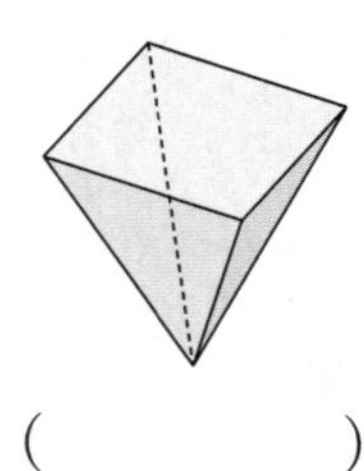
(　　　　)

3
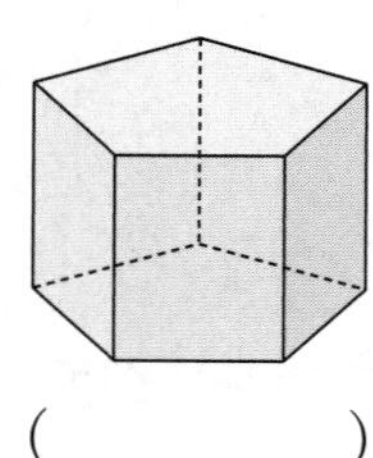
(　　　　)

[4~6] 정육면체인 것에 ○표, 정육면체가 아닌 것에 ×표 하세요.

4
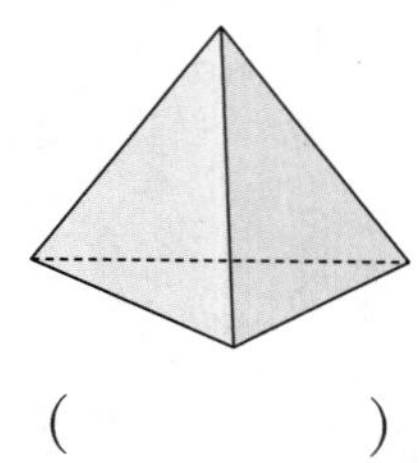
(　　　　)

5
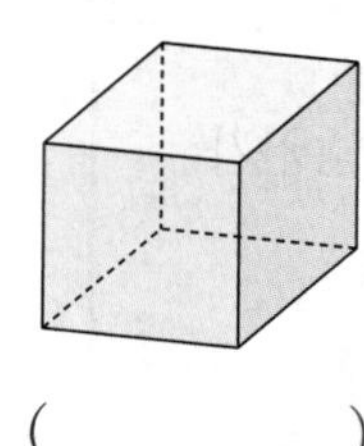
(　　　　)

6
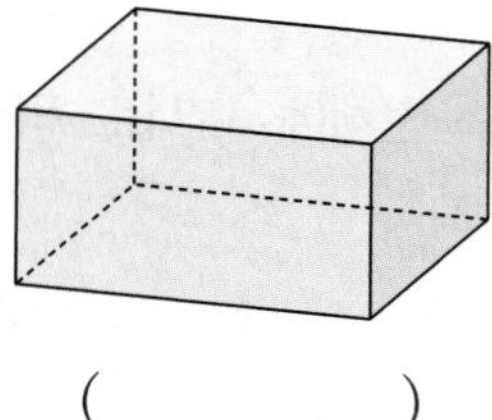
(　　　　)

[7~9] 색칠한 면과 평행한 면을 찾아 색칠해 보세요.

7
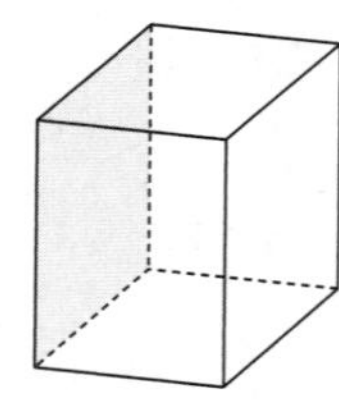

8
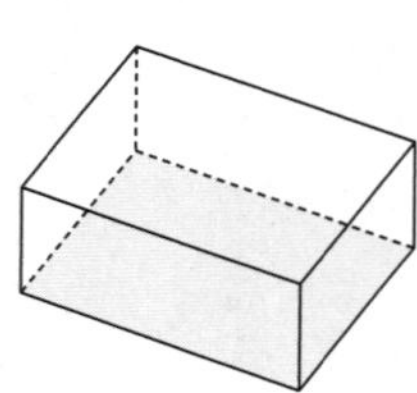

9
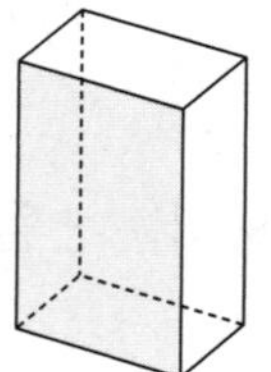

[10~12] 색칠한 면과 수직인 면을 모두 찾아 ○표 하세요.

10
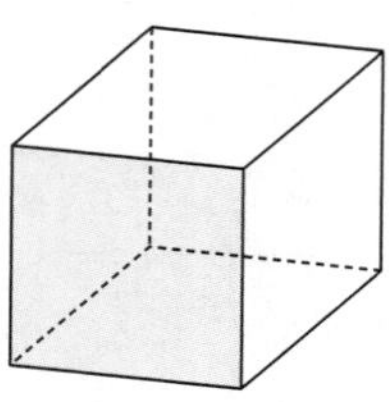

11
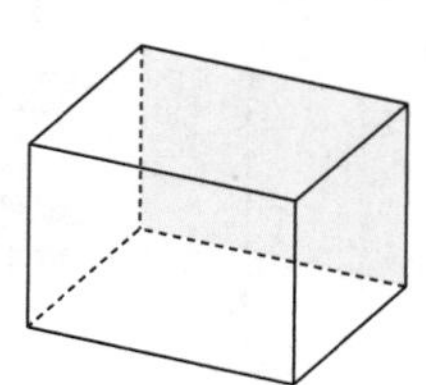

12
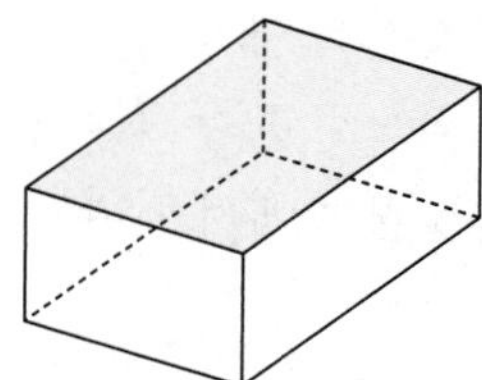

유형 진단 TEST

점수 /10점

정답 및 풀이 31쪽

1 정육면체입니다. 모서리 ㉠과 길이가 같은 모서리는 ㉠을 포함하여 모두 몇 개인가요? [1점]

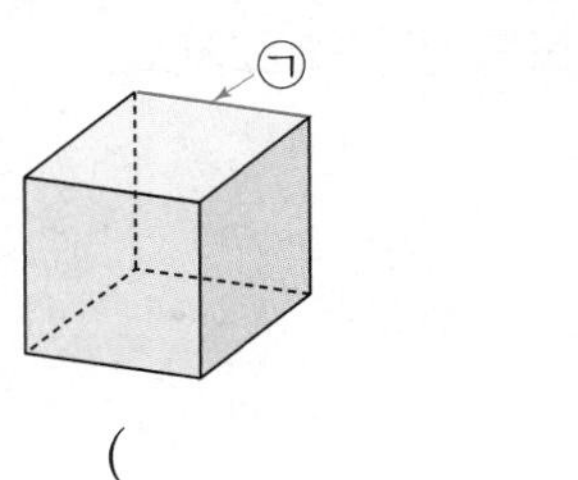

( )

2 직육면체와 정육면체에 대한 설명으로 옳은 것에 ○표 하세요. [1점]

직육면체와 정육면체는 면, 모서리, 꼭짓점의 수가 각각 같습니다. 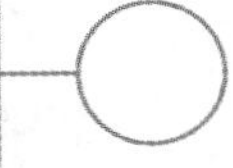

정육면체는 면의 크기가 서로 다릅니다. 

3 직육면체에서 색칠한 면을 본뜬 모양을 모눈종이에 그려 보세요. [2점]

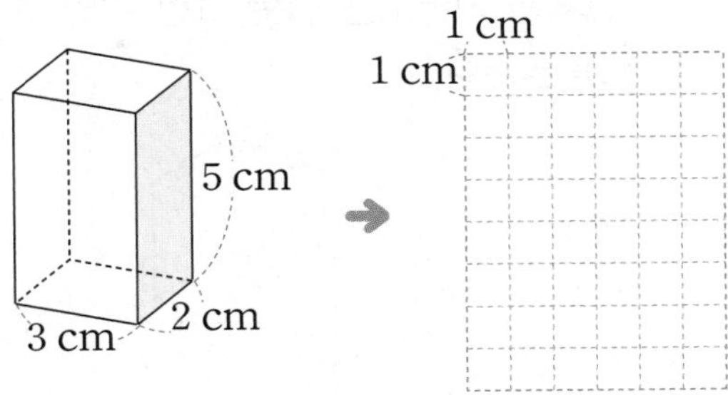

4 직육면체를 보고 두 면 사이의 관계가 다른 하나를 찾아 기호를 써 보세요. [2점]

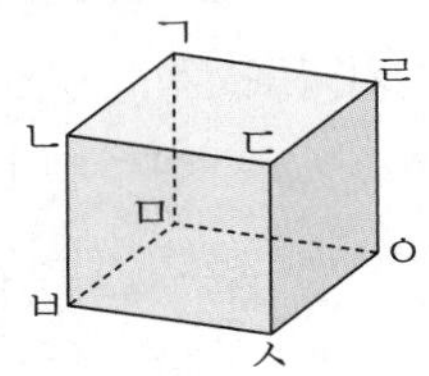

㉠ 면 ㄱㄴㄷㄹ과 면 ㄷㅅㅇㄹ
㉡ 면 ㄱㅁㅇㄹ과 면 ㄴㅂㅅㄷ
㉢ 면 ㄱㄴㅂㅁ과 면 ㅁㅂㅅㅇ

( )

5 직육면체에서 색칠한 두 면에 공통으로 수직인 면을 모두 찾아 써 보세요. [2점]

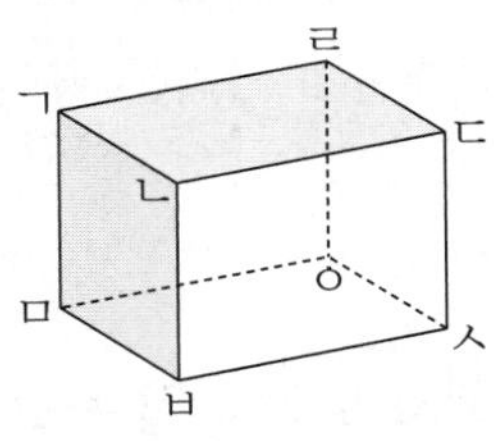

( )

6 오른쪽 주사위의 마주 보는 면의 눈의 수의 합은 7입니다. 2의 눈이 그려진 면과 평행한 면의 눈의 수는 얼마인가요? [2점]

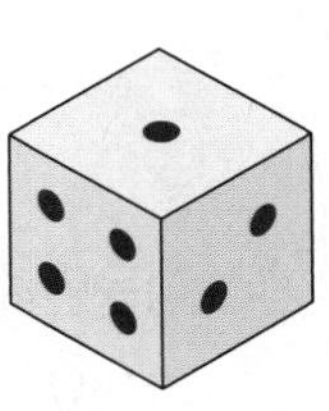

( )

개념 5 직육면체의 겨냥도

1. 직육면체의 겨냥도: 직육면체 모양을 잘 알 수 있도록 나타낸 그림

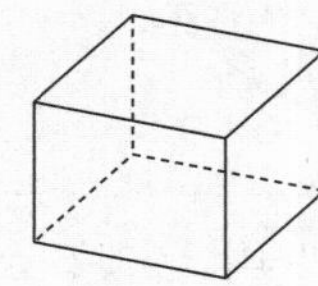
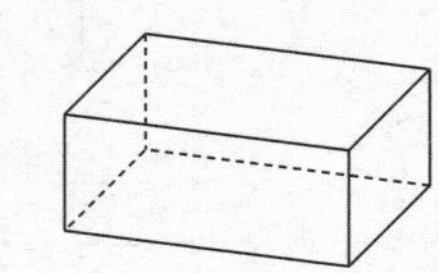

2. 직육면체의 겨냥도에서 면, 모서리, 꼭짓점의 수

	보이는 부분	보이지 않는 부분
면의 수(개)	3	3
모서리의 수(개)	9	3
꼭짓점의 수(개)	7	1

3. 직육면체의 겨냥도 그리기

(1) 보이는 모서리는 실선으로, 보이지 않는 모서리는 점선으로 그립니다.

(2) 서로 평행한 모서리는 평행하게 그립니다.

유형

1 직육면체에서 보이지 않는 모서리를 점선으로 그려 넣어 겨냥도를 완성해 보세요.

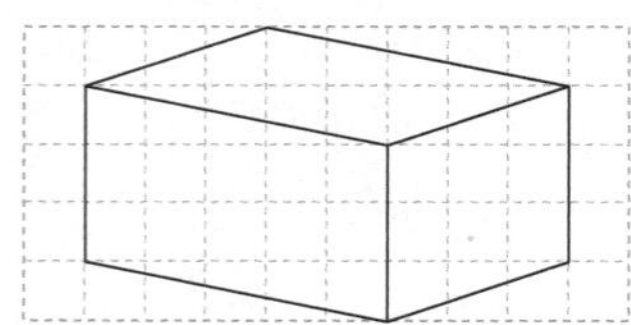

2 직육면체의 겨냥도를 바르게 그린 것을 찾아 ○표 하세요.

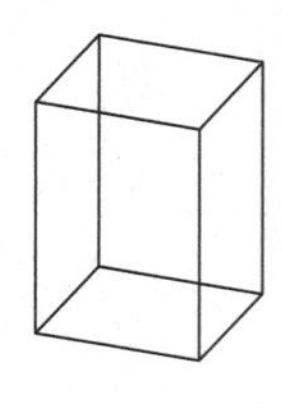
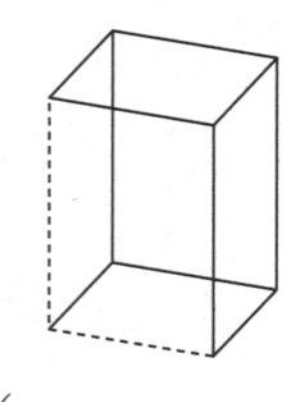
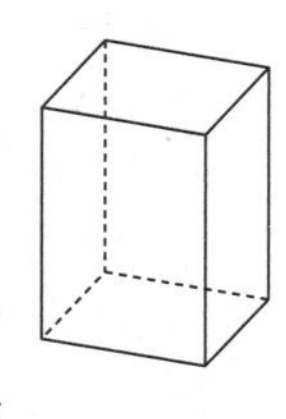

( ) ( ) ( )

3 그림에서 빠진 부분을 그려 넣어 직육면체의 겨냥도를 완성해 보세요.

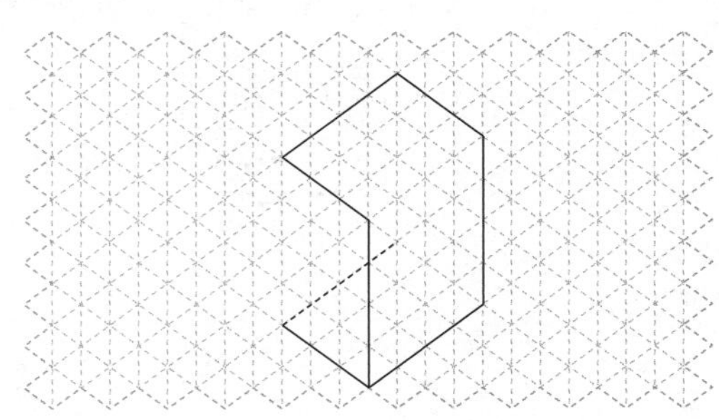

4 오른쪽 직육면체의 겨냥도를 보고 ㉠과 ㉡에 알맞은 수를 각각 써 보세요.

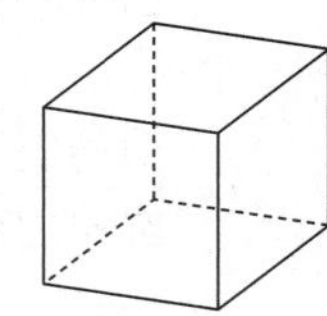

• 보이는 꼭짓점은 ㉠개입니다.
• 보이지 않는 모서리는 ㉡개입니다.

㉠ ( )
㉡ ( )

서술형

5 직육면체의 겨냥도를 잘못 그린 것입니다. 그 이유를 써 보세요.

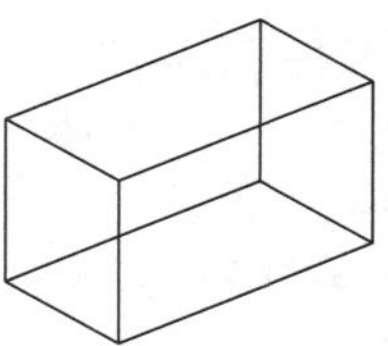

이유 ____________________

개념 6 정육면체의 전개도

1. 정육면체의 전개도: 정육면체의 모서리를 잘라서 펼친 그림

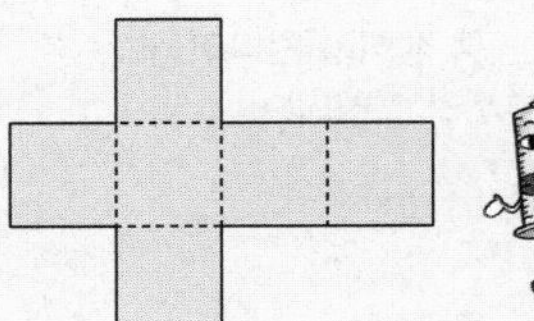

잘린 모서리는 실선, 잘리지 않는 모서리는 점선으로 그려~

2. 정육면체의 전개도 알아보기

전개도를 접었을 때

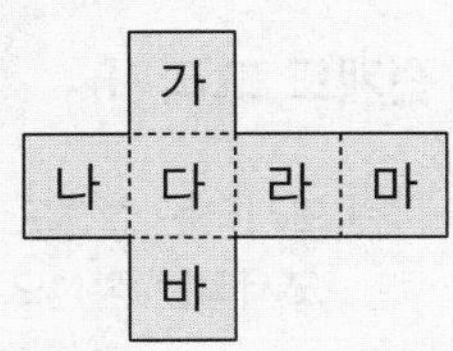

(1) 면 가와 평행한 면: 면 바

(2) 면 나와 수직인 면: 면 가, 면 다, 면 마, 면 바

6 그림을 보고 □ 안에 알맞은 말을 써넣으세요.

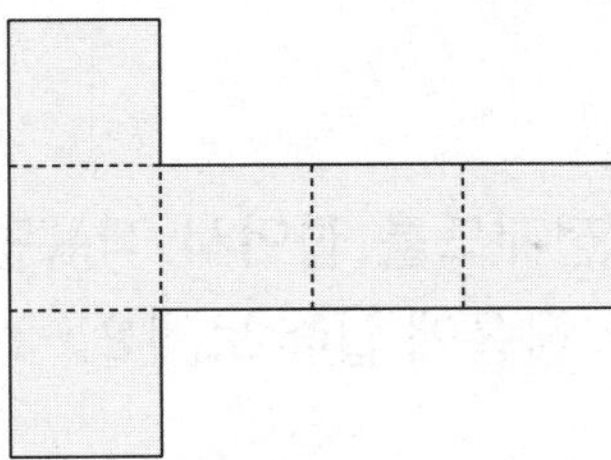

정육면체의 모서리를 잘라서 펼친 그림을 정육면체의 □(이)라고 합니다.

7 정육면체의 전개도를 찾아 ○표 하세요.

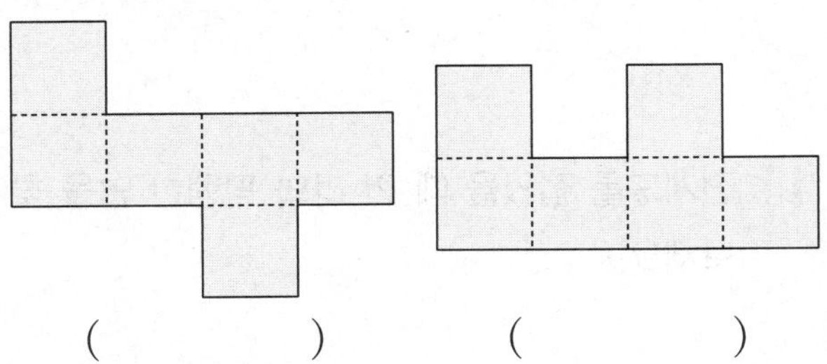

( ) ( )

8 정육면체의 전개도에서 빠진 부분을 그려 넣으세요.

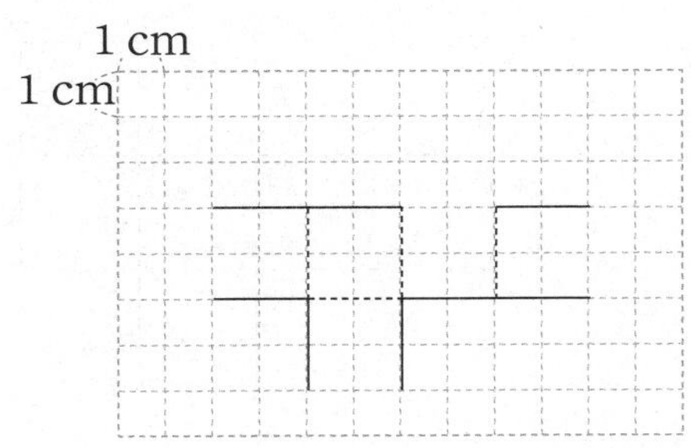

[9~10] 정육면체의 전개도를 보고 물음에 답해 보세요.

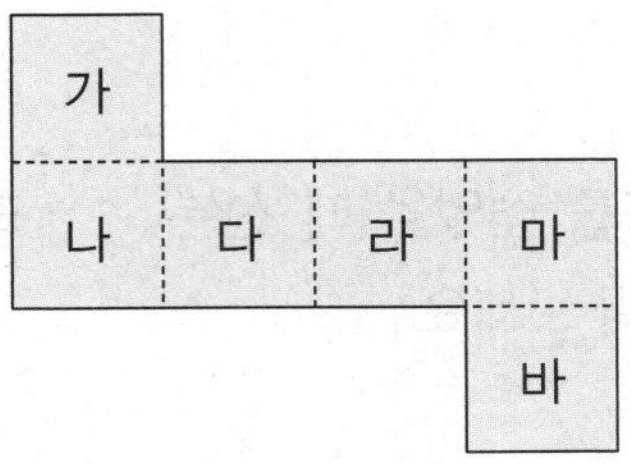

9 전개도를 접었을 때 면 다와 마주 보는 면을 찾아 써 보세요.

( )

10 전개도를 접었을 때 면 다와 수직인 면을 모두 찾아 써 보세요.

( )

11 정육면체의 모서리를 잘라서 정육면체의 전개도를 만들었습니다. □ 안에 알맞은 수를 써넣으세요.

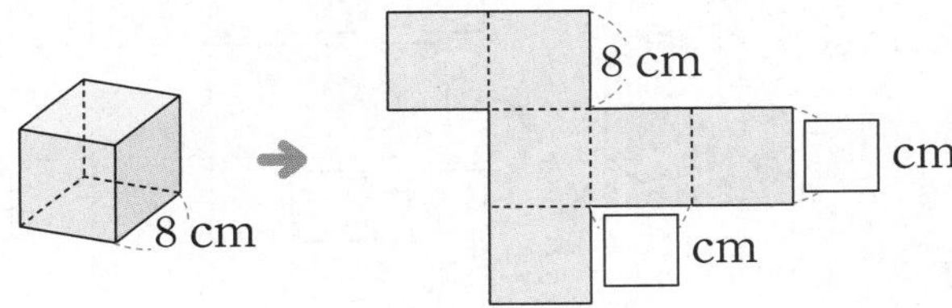

[12~14] 정육면체의 전개도를 보고 물음에 답해 보세요.

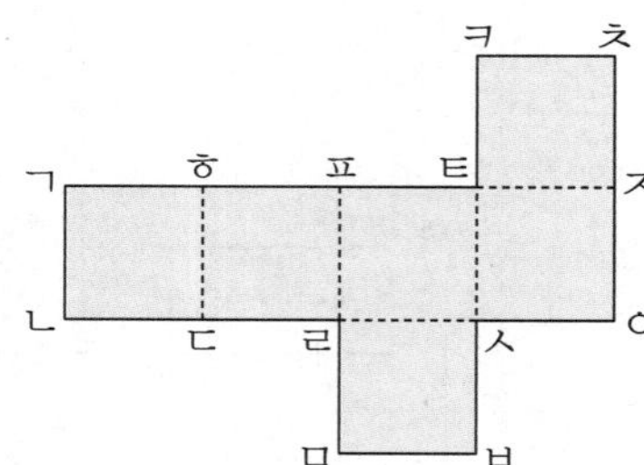

12 전개도를 접었을 때 점 ㄴ과 만나는 점을 모두 찾아 써 보세요.

( )

13 전개도를 접었을 때 선분 ㅋㅊ과 겹치는 선분을 찾아 써 보세요.

( )

14 전개도를 접었을 때 면 ㄹㅁㅂㅅ과 평행한 면을 찾아 써 보세요.

( )

15 정육면체의 모서리를 잘라서 정육면체의 전개도를 만들었습니다. □ 안에 알맞은 기호를 써넣으세요.

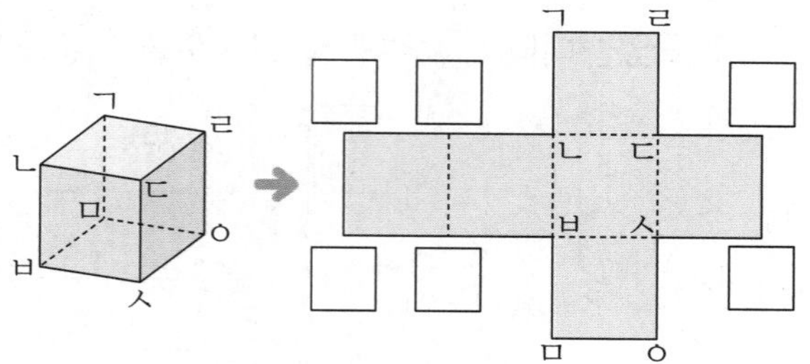

개념 7 직육면체의 전개도

1. 직육면체의 전개도 알아보기

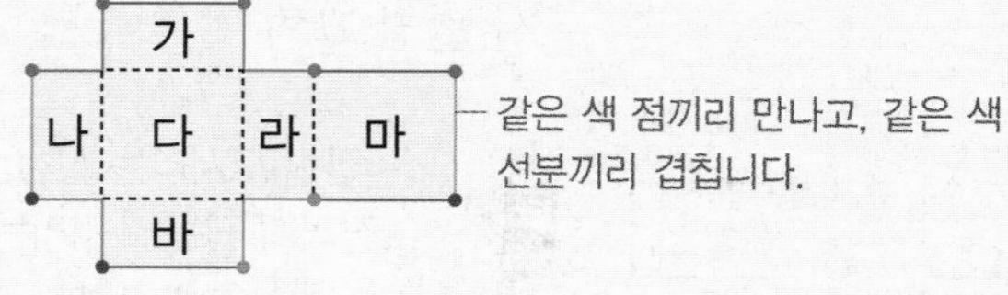

전개도를 접었을 때

(1) 면 다와 평행한 면: 면 마

(2) 면 가와 수직인 면: 면 나, 면 다, 면 라, 면 마

2. 직육면체의 전개도 그리기

잘린 모서리는 실선으로, 잘리지 않는 모서리는 점선으로 그려~

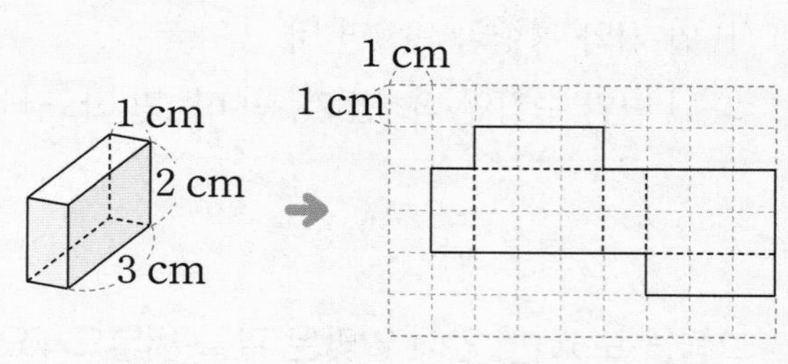

유형

[16~17] 전개도를 접어서 직육면체를 만들려고 합니다. 물음에 답해 보세요.

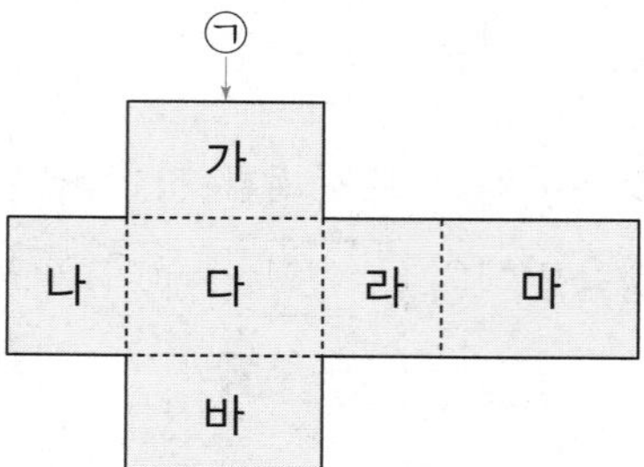

16 전개도를 접었을 때 선분 ㉠과 겹치는 선분을 찾아 선을 그어 보세요.

17 전개도를 접었을 때 면 라와 평행한 면을 찾아 써 보세요.

( )

18 직육면체의 전개도가 아닌 것을 찾아 기호를 써 보세요.

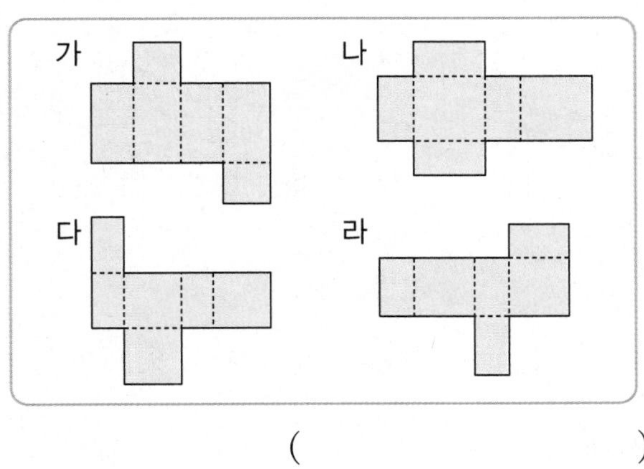

( )

19 직육면체의 전개도를 그린 것입니다. □ 안에 알맞은 수를 써넣으세요.

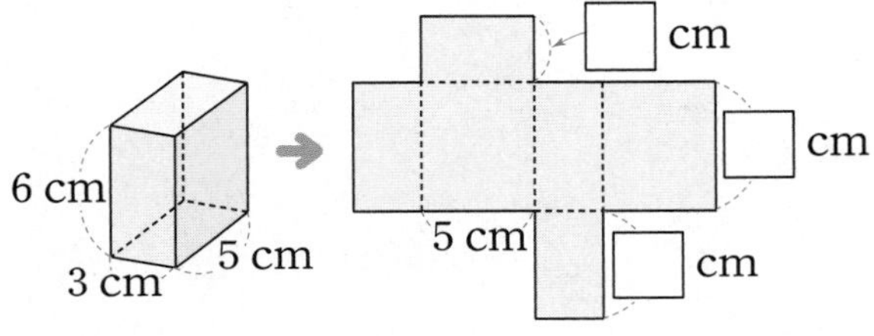

20 오른쪽 직육면체를 보고 전개도를 완성해 보세요.

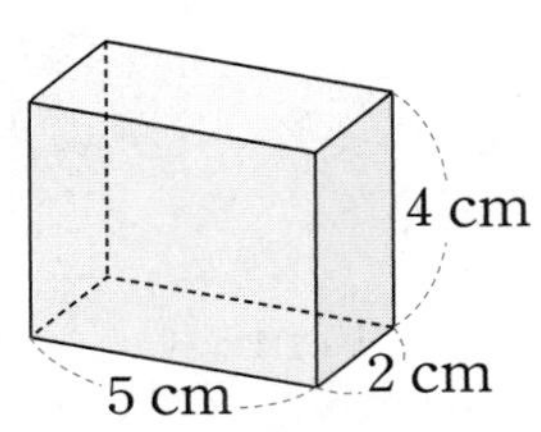

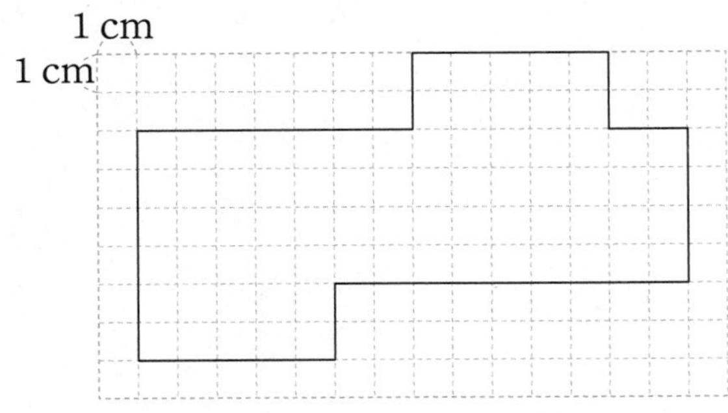

21 직육면체의 모서리를 잘라서 직육면체의 전개도를 만들었습니다. □ 안에 알맞은 기호를 써넣으세요.

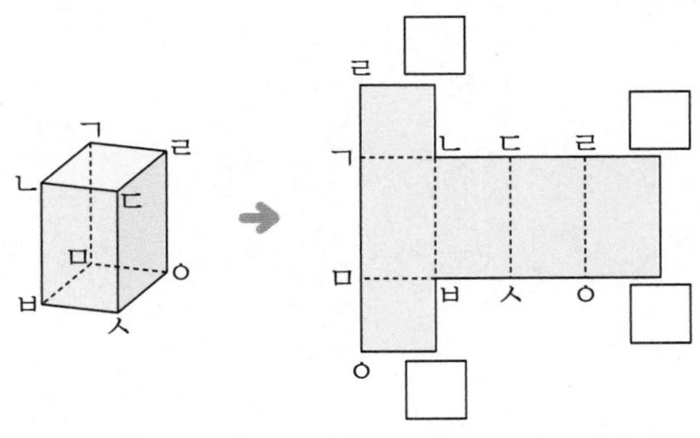

22 전개도를 접어서 직육면체를 만들었을 때 점 ㅂ과 만나는 점을 모두 찾아 써 보세요.

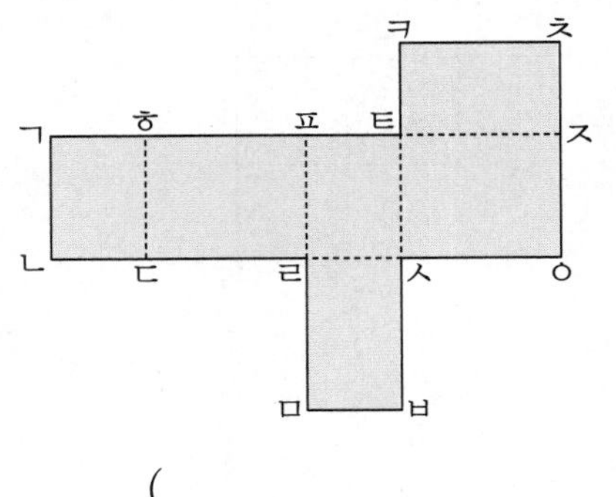

( )

23 오른쪽 직육면체의 겨냥도를 보고 전개도를 그려 보세요.

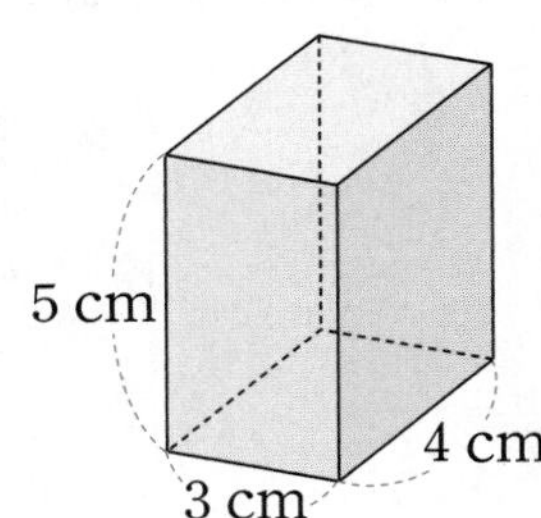

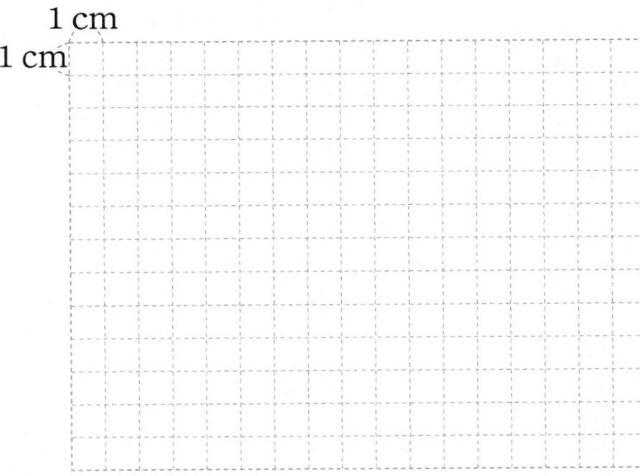

개념 5 ~ 7 기초력 집중 연습

[1~3] 그림에서 빠진 부분을 그려 넣어 겨냥도를 완성해 보세요.

1
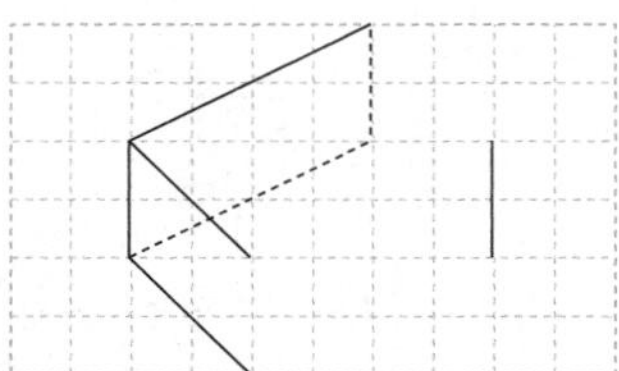

2
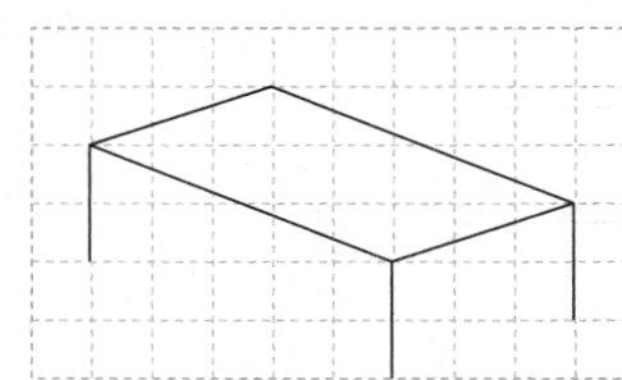

3
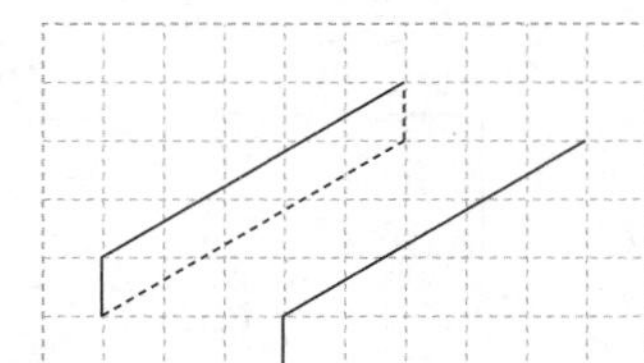

[4~6] 정육면체의 전개도가 맞으면 ○표, 틀리면 ×표 하세요.

4
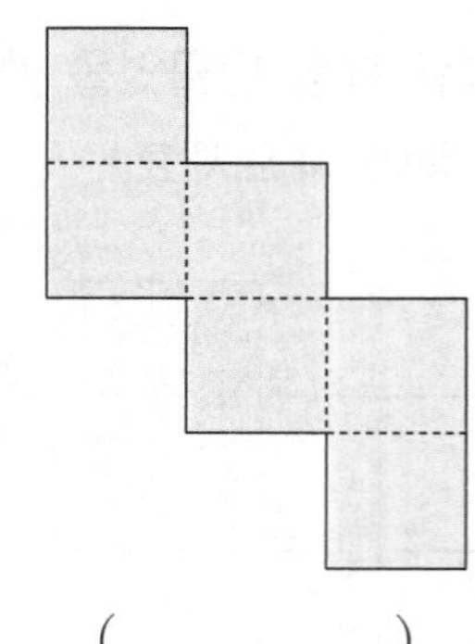
(　　　　)

5
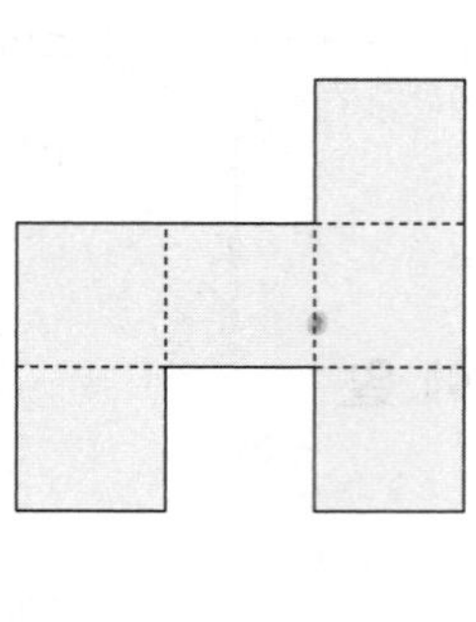
(　　　　)

6
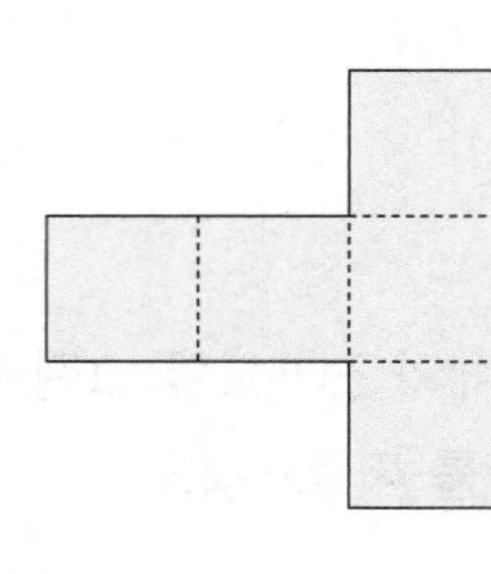
(　　　　)

[7~8] 직육면체의 전개도를 그려 보세요.

7
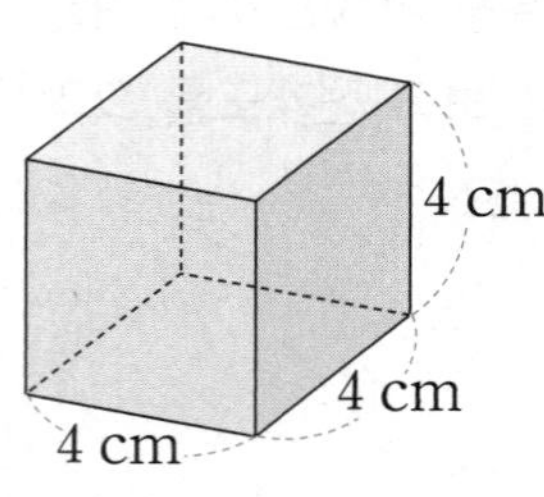

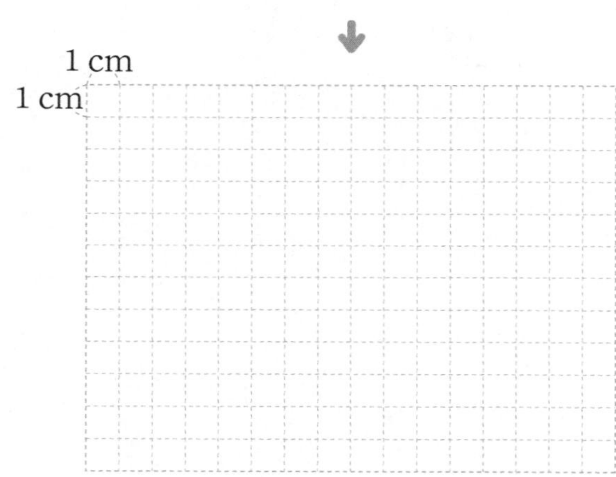

8
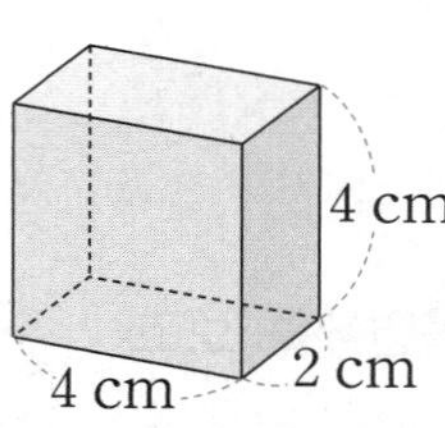

유형 진단 TEST

점수 /10점

1 직육면체의 전개도입니다. □ 안에 알맞은 수를 써넣으세요. [1점]

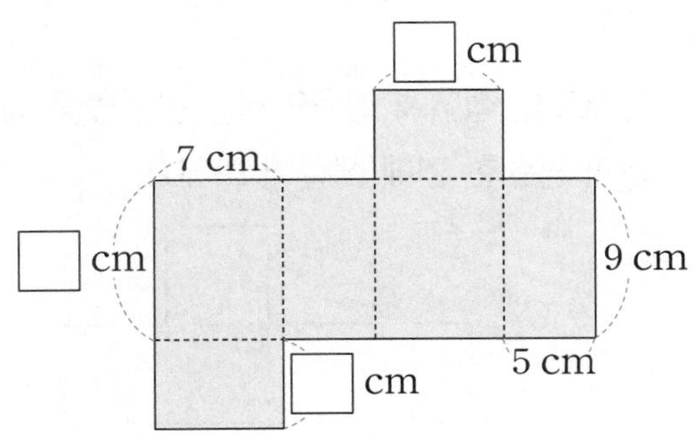

2 직육면체를 보고 겨냥도를 그려 보세요. [1점]

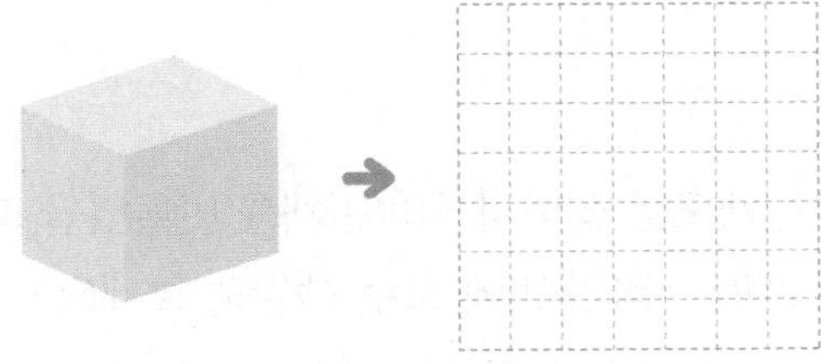

3 전개도를 접어서 정육면체를 만들었을 때 면 나와 만나지 않는 면을 찾아 써 보세요. [2점]

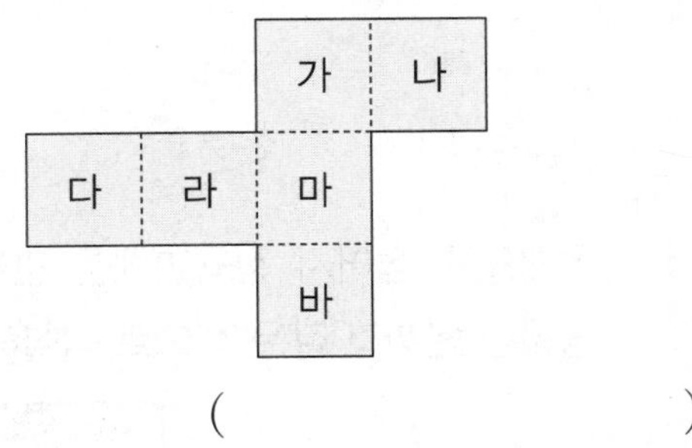

(　　　　　　　　)

4 전개도를 접어서 직육면체를 만들었을 때 주어진 선분과 겹치는 선분을 각각 찾아 써 보세요. [2점]

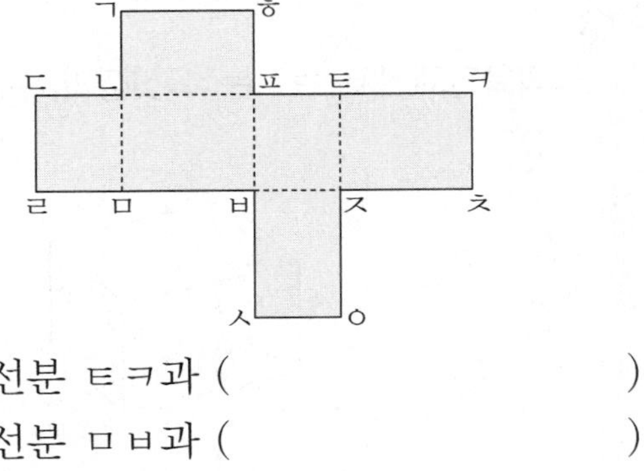

선분 ㅌㅋ과 (　　　　　　　　)

선분 ㅁㅂ과 (　　　　　　　　)

5 오른쪽 직육면체의 겨냥도에 대해 잘못 설명한 것을 찾아 기호를 쓰고, 바르게 고쳐 보세요. [2점]

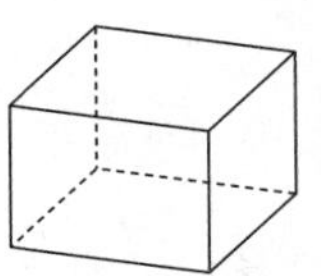

㉠ 보이지 않는 면은 3개입니다.
㉡ 보이는 꼭짓점은 1개입니다.
㉢ 보이지 않는 모서리는 3개입니다.

잘못 설명한 것 (　　　　　　　　)

바르게 고치기 ____________________

6 보기 와 같이 무늬(◉) 3개가 그려져 있는 정육면체를 만들 수 있도록 전개도에 무늬(◉) 1개를 그려 넣으세요. [2점]

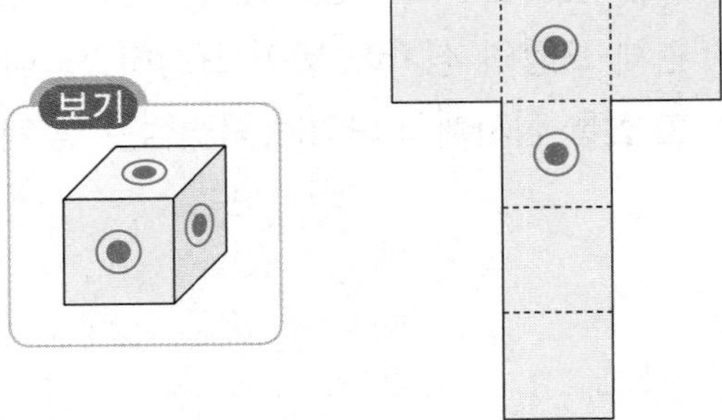

2 STEP 꼬리를 무는 유형

❶ 꼭짓점의 수

기본 유형

1 직육면체에서 보이는 꼭짓점의 수는 몇 개인가요?

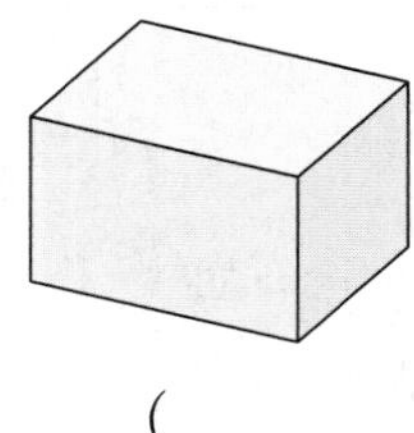

(   )

변형 유형

2 직육면체에서 보이지 않는 꼭짓점의 수는 몇 개인가요?

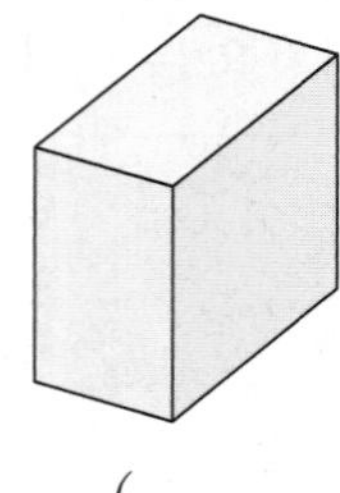

(   )

실생활 유형

3 호진이는 친구에게 줄 선물을 다음과 같이 직육면체 모양의 상자에 넣어 포장하였습니다. 포장한 선물 상자에서 보이는 꼭짓점은 몇 개인가요?

(   )

❷ 전개도를 접었을 때 평행한(수직인) 면에 색칠하기

기본 유형

4 전개도를 접어서 정육면체를 만들었을 때 색칠한 면과 평행한 면에 색칠해 보세요.

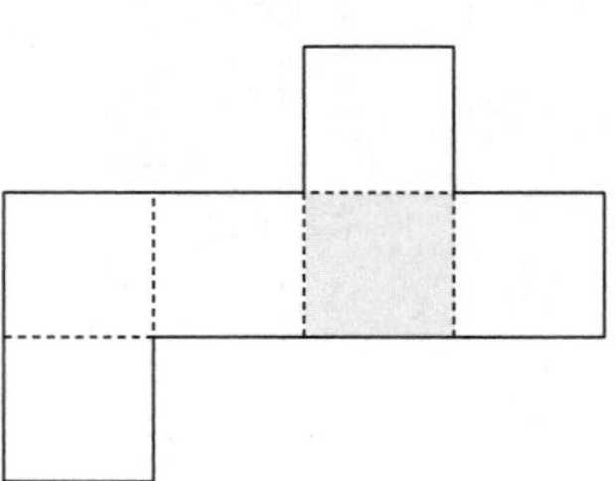

변형 유형

5 전개도를 접어서 정육면체를 만들었을 때 색칠한 면과 수직인 면에 모두 색칠해 보세요.

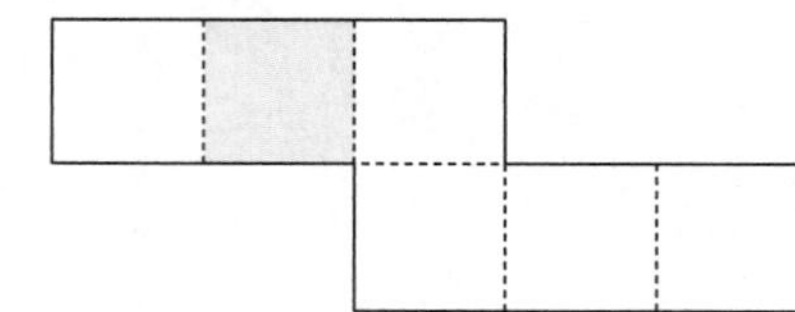

변형 유형

6 전개도를 접어서 정육면체를 만들었을 때 서로 평행한 면끼리 같은 색으로 색칠해 보세요.

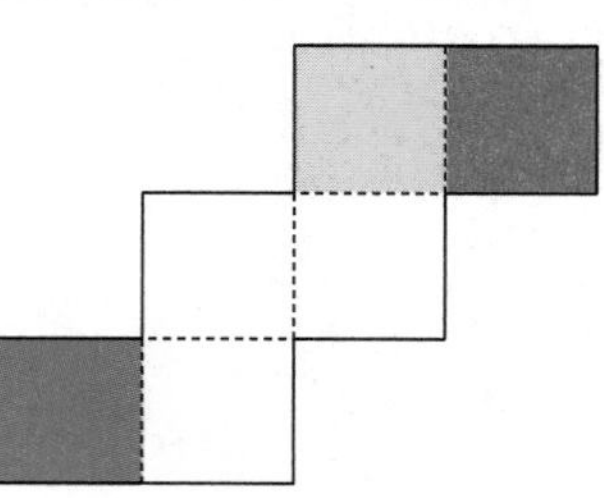

❸ 전개도에서 잘못 그린 면 찾기

기본 유형

7 다음은 잘못 그린 정육면체의 전개도입니다. 잘못 그린 면 1개를 찾아 ×표 하세요.

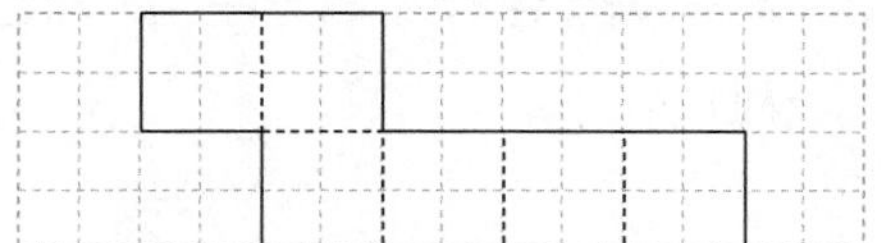

변형 유형 서술형

8 다음은 잘못 그린 직육면체의 전개도입니다. 잘못 그린 면 1개를 찾아 ×표 하고, 그 이유를 써 보세요.

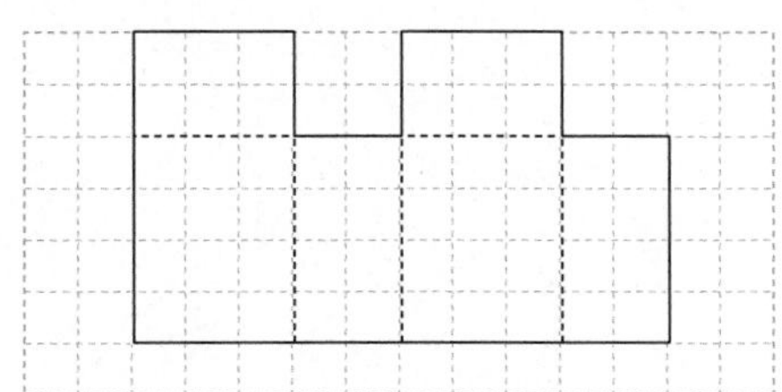

이유 ______________________

____

변형 유형

9 다음은 잘못 그린 정육면체의 전개도입니다. 면 1개를 옮겨서 정육면체의 전개도가 될 수 있도록 그려 보세요.

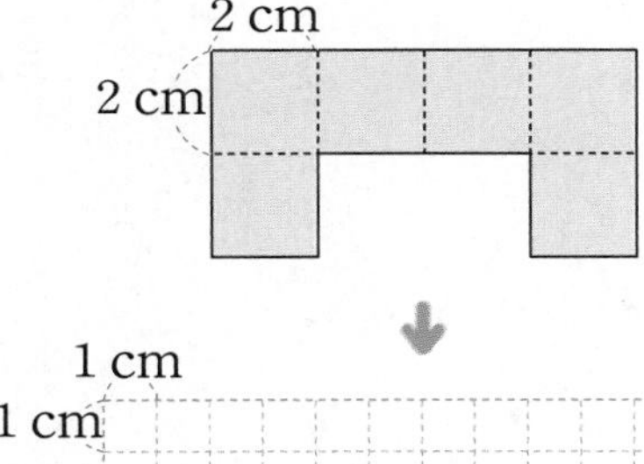

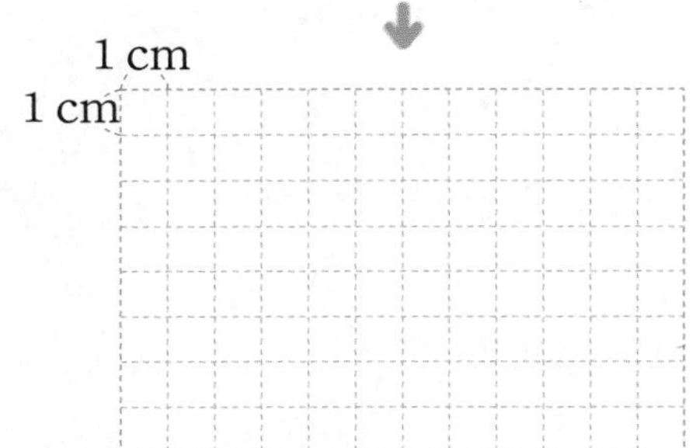

❹ 정육면체의 모서리의 길이

기본 유형

10 한 모서리의 길이가 5 cm인 정육면체입니다. 이 정육면체의 모든 모서리의 길이의 합은 몇 cm인가요?

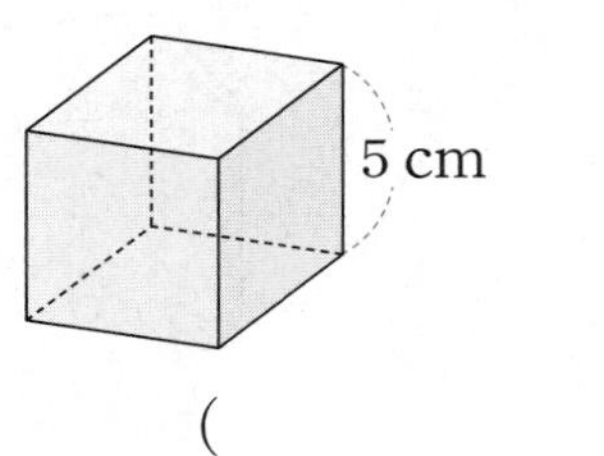

( )

변형 유형

11 정육면체의 모든 모서리의 길이의 합은 96 cm입니다. 한 모서리의 길이는 몇 cm인가요?

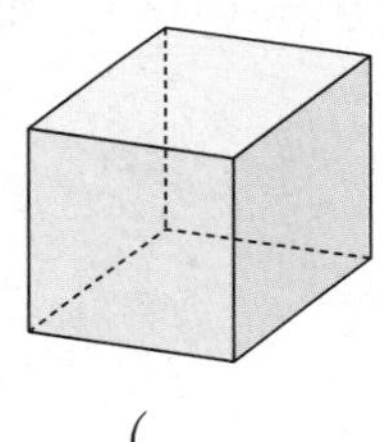

( )

문장제 유형

12 한 모서리의 길이가 3 cm인 정육면체 모양의 주사위가 있습니다. 이 주사위의 모든 모서리의 길이의 합은 몇 cm인가요?

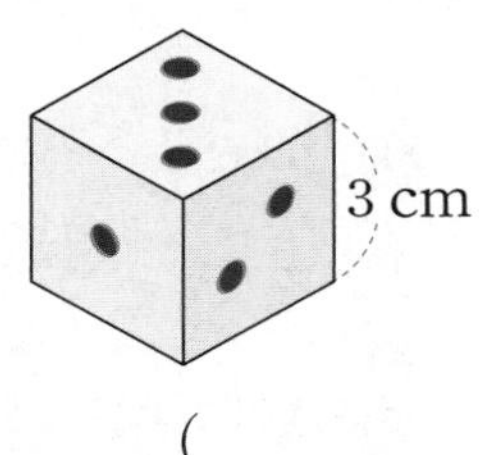

( )

3 STEP 수학 독해력 유형

독해력 유형 1 직육면체의 구성 요소의 합(차) 구하기

직육면체에서 보이는 면의 수와 보이지 않는 모서리의 수의 합은 몇 개인지 구해 보세요.

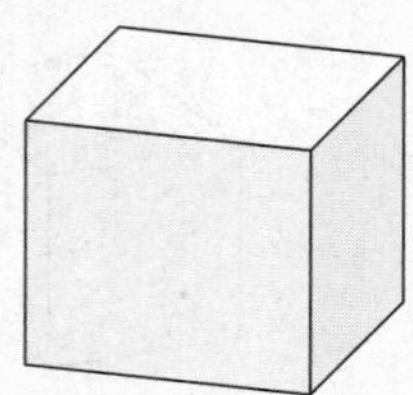

What? 구하려는 것을 찾아 밑줄을 그어 보세요.

How?
❶ 보이는 면의 수 구하기
❷ 보이지 않는 모서리의 수 구하기
❸ 보이는 면의 수와 보이지 않는 모서리의 수의 합 구하기

Solve
❶ 보이는 면은 몇 개인가요?
( )

❷ 보이지 않는 모서리는 몇 개인가요?
( )

❸ 보이는 면의 수와 보이지 않는 모서리의 수의 합은 몇 개인가요?
( )

구하려는 것을 찾아 밑줄을 그은 후 세운 계획에 따라 문제를 풀어 봐~

쌍둥이 유형 1-1

정육면체에서 보이는 모서리의 수와 보이지 않는 꼭짓점의 수의 합은 몇 개인지 구해 보세요.

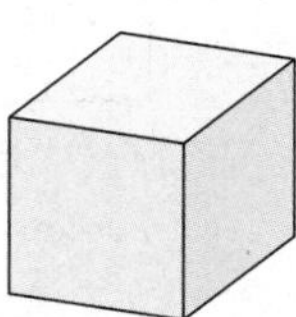

❶

❷

❸

답 ____________

쌍둥이 유형 1-2

직육면체에서 보이는 꼭짓점의 수와 보이지 않는 면의 수의 차는 몇 개인지 구해 보세요.

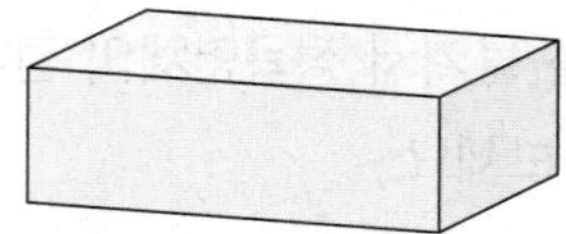

❶

❷

❸

답 ____________

독해력 유형 2 평행한 면의 모서리의 길이의 합 구하기

직육면체에서 면 ㄱㄴㄷㄹ과 평행한 면의 모서리의 길이의 합은 몇 cm인지 구해 보세요.

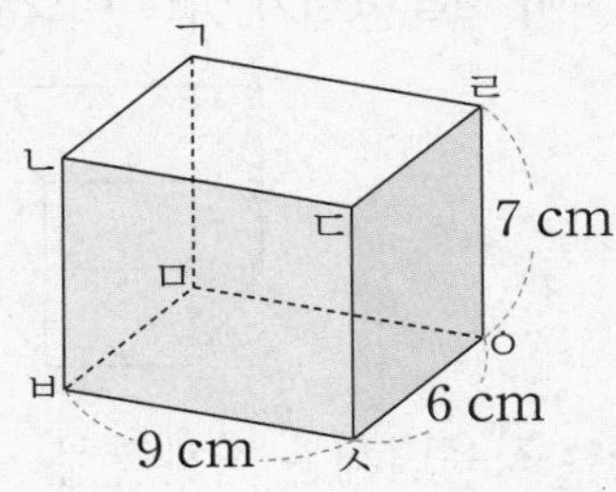

What? 구하려는 것을 찾아 밑줄을 그어 보세요.

How?
1. 면 ㄱㄴㄷㄹ과 평행한 면 찾기
2. 1에서 찾은 면의 네 모서리의 길이 알아보기
3. 면 ㄱㄴㄷㄹ과 평행한 면의 모서리의 길이의 합 구하기

Solve
1. 면 ㄱㄴㄷㄹ과 평행한 면을 찾아 써 보세요.
( )

2. 1에서 답한 면의 네 모서리의 길이는 각각 몇 cm인가요?
6 cm, □ cm, □ cm, □ cm

3. 면 ㄱㄴㄷㄹ과 평행한 면의 모서리의 길이의 합은 몇 cm인가요?
( )

쌍둥이 유형 2-1

직육면체에서 면 ㄱㅁㅇㄹ과 평행한 면의 모서리의 길이의 합은 몇 cm인지 구해 보세요.

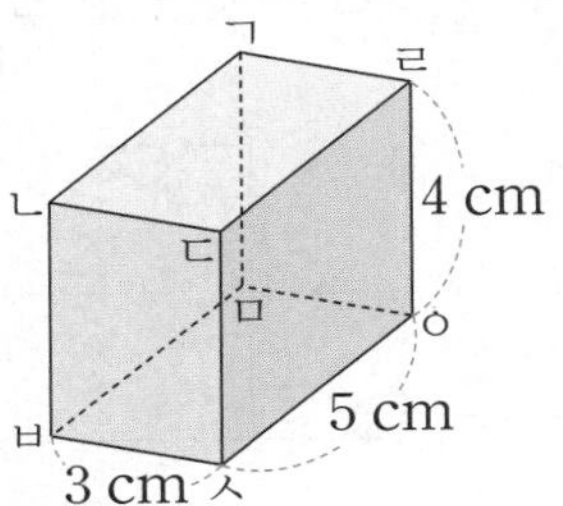

1.

2.

3.

답 ____________

쌍둥이 유형 2-2

직육면체에서 면 ㄷㅅㅇㄹ과 평행한 면의 모서리의 길이의 합은 몇 cm인지 구해 보세요.

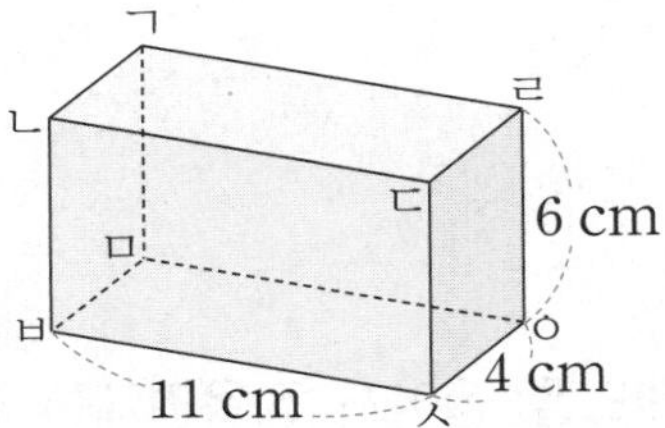

1.

2.

3.

답 ____________

4 STEP 사고력 플러스 유형

플러스 유형 ❶ 전개도를 접었을 때 만나는 점(선분)

1-1 전개도를 접어서 정육면체를 만들었을 때 점 ㅈ과 만나는 점을 모두 찾아 써 보세요.

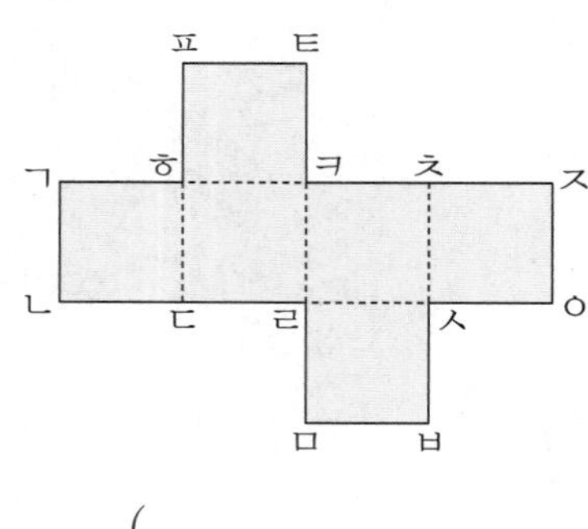

(　　　　　　　　　　)

1-2 전개도를 접어서 정육면체를 만들었을 때 점 ㅋ과 만나는 점을 모두 찾아 써 보세요.

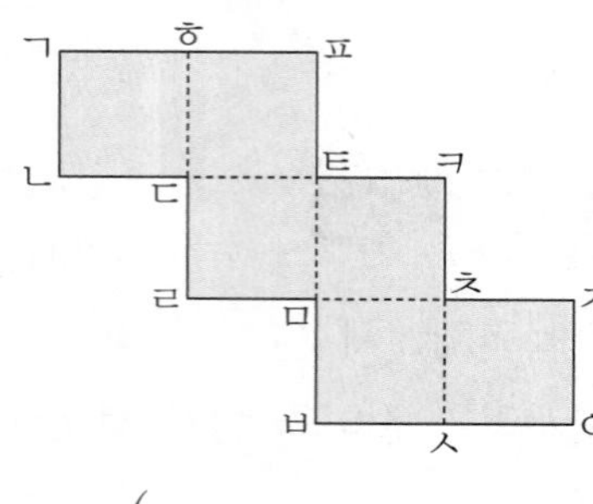

(　　　　　　　　　　)

1-3 전개도를 접어서 정육면체를 만들었을 때 선분 ㄱㄴ과 겹치는 선분을 찾아 써 보세요.

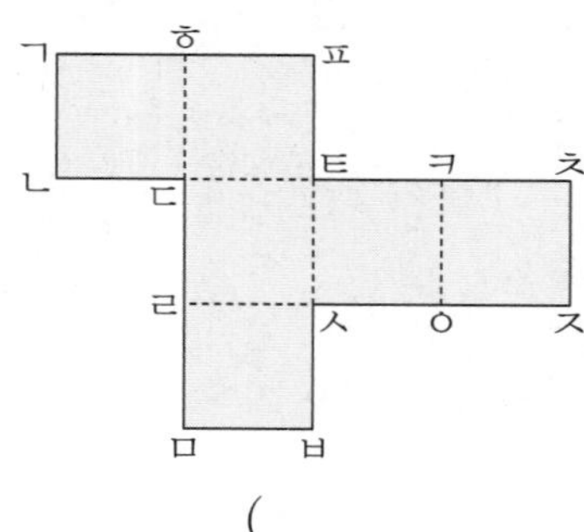

(　　　　　　　　　　)

플러스 유형 ❷ 직육면체(정육면체)가 아닌 이유 쓰기

2-1 도형이 직육면체가 아닌 이유를 써 보세요.

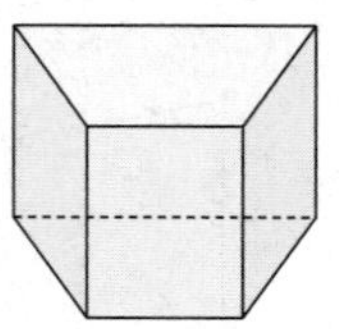

이유 직육면체는 직사각형 ______________________

____

서술형

2-2 도형이 정육면체가 아닌 이유를 써 보세요.

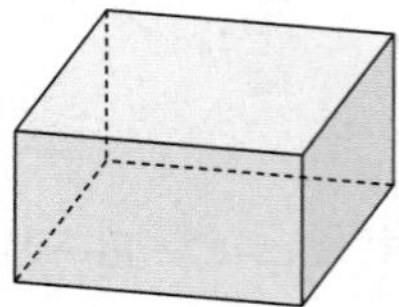

이유 ______________________

____

서술형

2-3 서희의 물건입니다. 직육면체 모양이 아닌 것을 찾아 기호를 쓰고, 그 이유를 써 보세요.

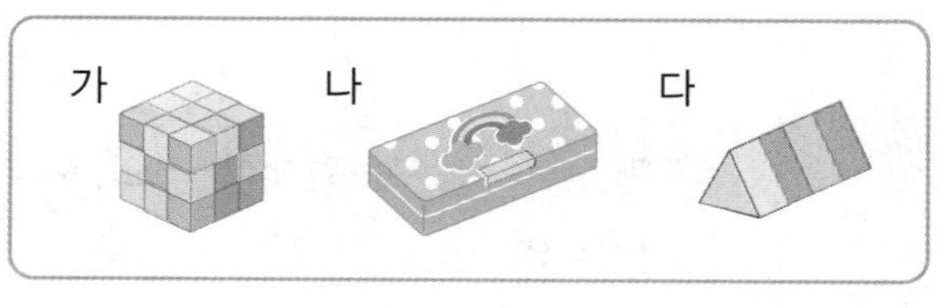

(　　　　　　　　　　)

이유 ______________________

____

플러스 유형 3 모서리의 길이의 합 구하기

3-1 직육면체에서 보이는 모서리의 길이의 합은 몇 cm인가요?

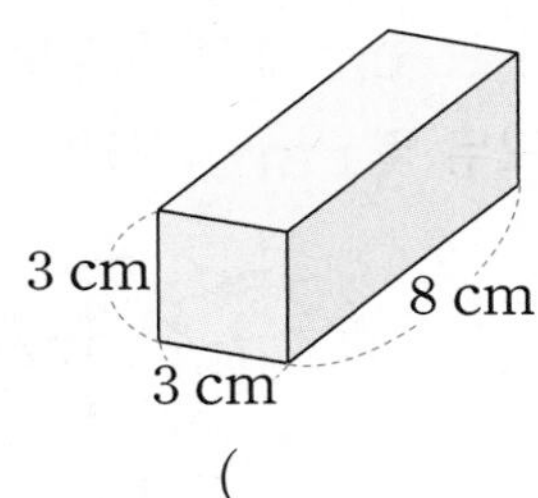

(　　　　　　　　　)

3-2 직육면체에서 보이는 모서리의 길이의 합은 몇 cm인가요?

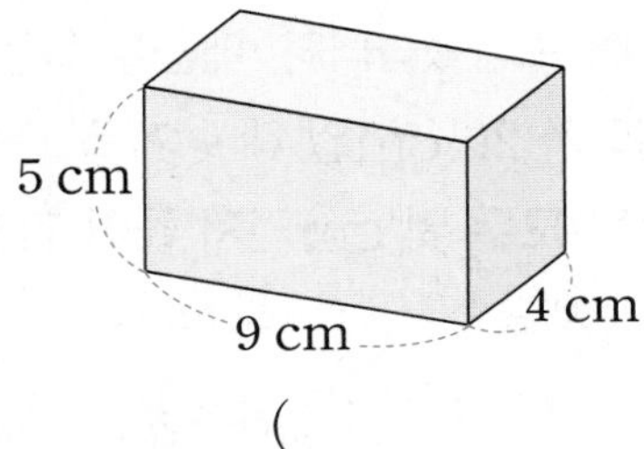

(　　　　　　　　　)

사고력 유형

3-3 직육면체에서 보이지 않는 모서리의 길이의 합은 몇 cm인가요?

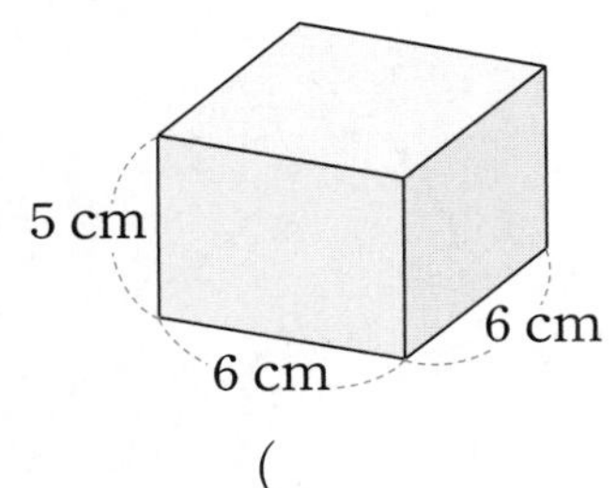

(　　　　　　　　　)

플러스 유형 처방전

보이거나 보이지 않는 모서리는 각각 같은 길이가 몇 개씩 있는지 살펴보라능~

플러스 유형 4 끈이 지나가는 자리 그리기

4-1 직육면체 모양의 선물 상자를 그림과 같이 끈으로 묶었습니다. 직육면체의 전개도가 다음과 같을 때 끈이 지나가는 자리를 그려 넣으세요.

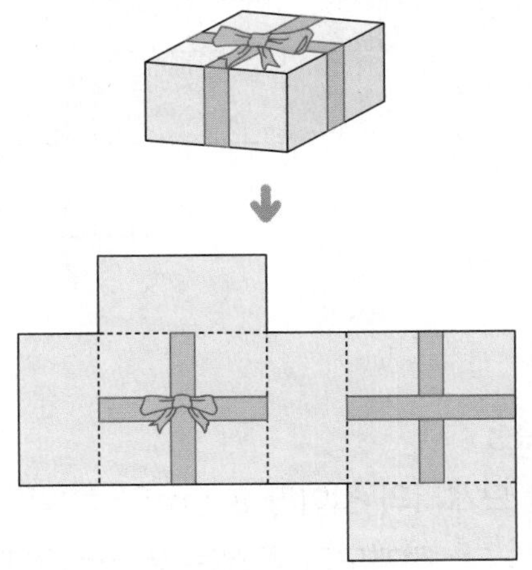

4-2 직육면체 모양의 선물 상자를 그림과 같이 끈으로 묶었습니다. 직육면체의 전개도가 다음과 같을 때 끈이 지나가는 자리를 그려 넣으세요.

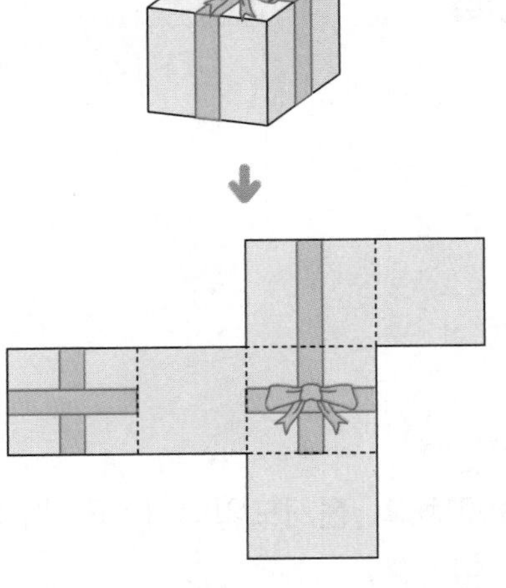

플러스 유형 처방전

전개도를 접었을 때 리본이 있는 윗부분과 아랫부분의 끈 사이에 끈이 지나가는 자리가 없는 면을 찾아 끈이 지나가는 자리를 그려 보라능~

플러스 유형 5 정육면체의 전개도의 둘레 구하기

5-1 한 모서리의 길이가 5 cm인 정육면체의 전개도입니다. 전개도의 둘레는 몇 cm인가요?

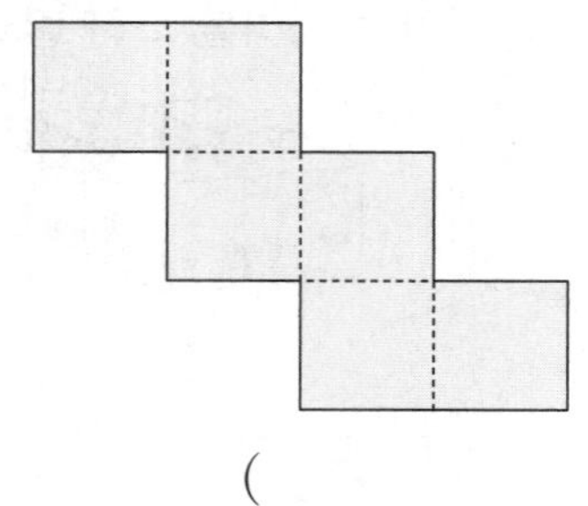

(　　　　　　　　　　)

서술형

5-2 한 모서리의 길이가 8 cm인 정육면체의 전개도입니다. 전개도의 둘레는 몇 cm인지 풀이 과정을 쓰고 답을 구해 보세요.

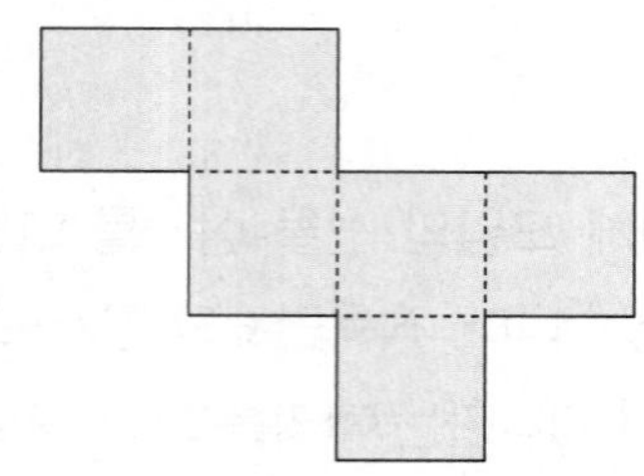

풀이

답

사고력 유형

5-3 정육면체의 전개도입니다. 전개도의 둘레는 몇 cm인가요?

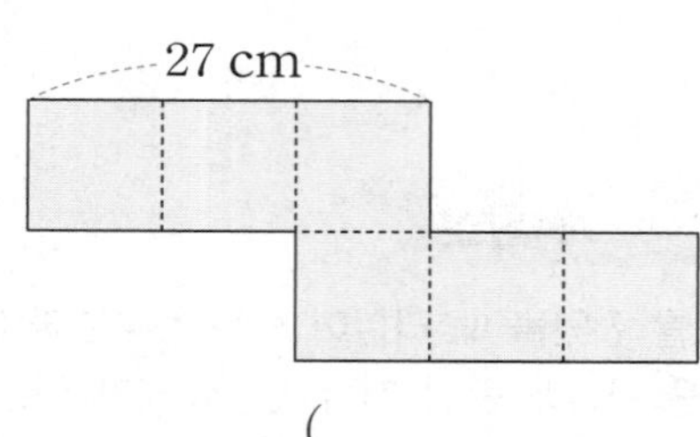

(　　　　　　　　　　)

플러스 유형 6 포장하는 데 필요한 끈의 길이 구하기

6-1 그림과 같이 정육면체 모양의 상자를 끈으로 둘러 묶어 포장했습니다. 매듭을 묶는 데 사용한 끈의 길이가 15 cm일 때 상자를 포장하는 데 사용한 끈은 모두 몇 cm인가요?

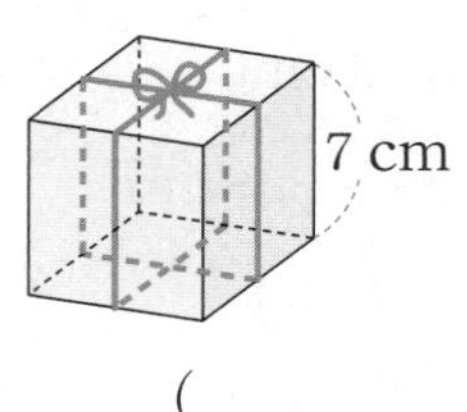

(　　　　　　　　　　)

서술형

6-2 그림과 같이 정육면체 모양의 상자를 끈으로 둘러 묶어 포장했습니다. 매듭을 묶는 데 사용한 끈의 길이가 20 cm일 때 상자를 포장하는 데 사용한 끈은 모두 몇 cm인지 풀이 과정을 쓰고 답을 구해 보세요.

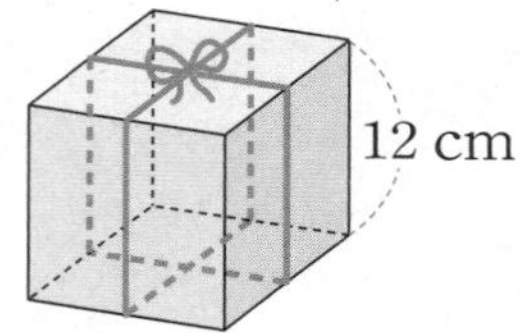

풀이

답

플러스 유형 처방전

(상자를 포장하는 데 사용한 끈의 길이)
=(상자를 두르는 데 사용한 끈의 길이)
+(매듭의 길이)

플러스 유형 7 직육면체를 보고 전개도에 선 긋기

독해력 유형

7-1 직육면체의 면에 선을 그었습니다. 직육면체의 전개도가 오른쪽과 같을 때 전개도에 선이 지나간 자리를 그어 보세요.

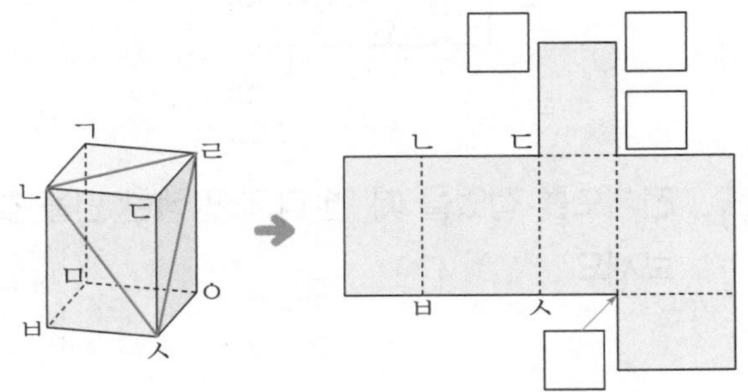

단계 1 전개도의 □ 안에 알맞은 기호를 써넣으세요.

단계 2 전개도에 선이 지나간 자리를 나타내어 보세요.

7-2 직육면체의 면에 선을 그었습니다. 직육면체의 전개도가 오른쪽과 같을 때 □ 안에 알맞은 기호를 써넣고, 전개도에 선이 지나간 자리를 그어 보세요.

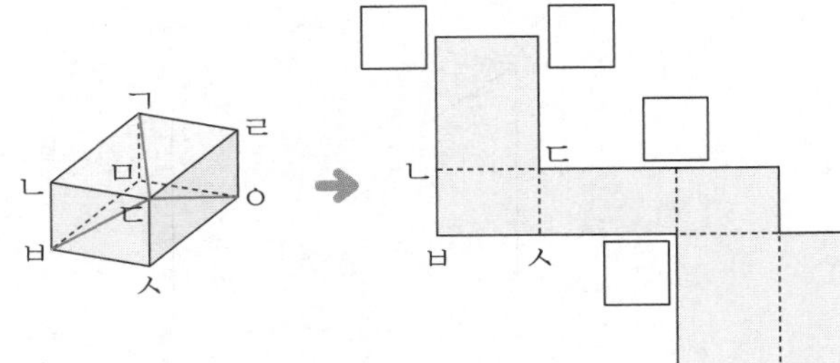

플러스 유형 처방전

전개도를 접었을 때 만나는 점을 먼저 알아보라능~

플러스 유형 8 모서리의 합이 주어진 직육면체의 한 모서리의 길이 구하기

독해력 유형

8-1 모든 모서리의 길이의 합이 100 cm인 직육면체입니다. ㉠에 알맞은 수를 구해 보세요.

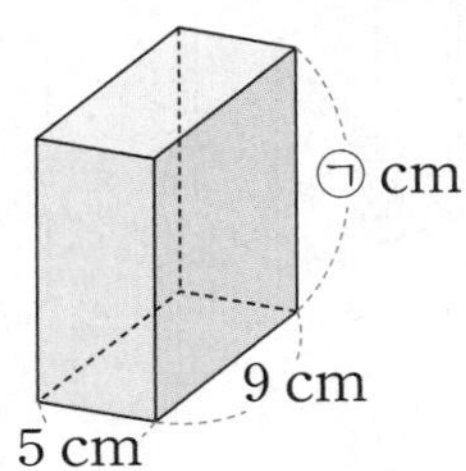

단계 1 길이가 5 cm, 9 cm, ㉠ cm인 모서리가 각각 몇 개씩 있나요?

5 cm (　　　　)

9 cm (　　　　)

㉠ cm (　　　　)

단계 2 5 cm인 모서리 4개와 9 cm인 모서리 4개의 길이의 합은 몇 cm인가요?

(　　　　)

단계 3 ㉠에 알맞은 수는 얼마인가요?

(　　　　)

8-2 모든 모서리의 길이의 합이 96 cm인 직육면체입니다. ㉠의 길이는 몇 cm인가요?

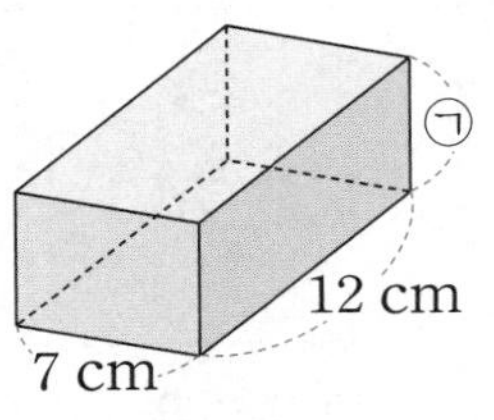

(　　　　)

점수

1 직육면체 각 부분의 이름을 □ 안에 알맞게 써넣으세요.

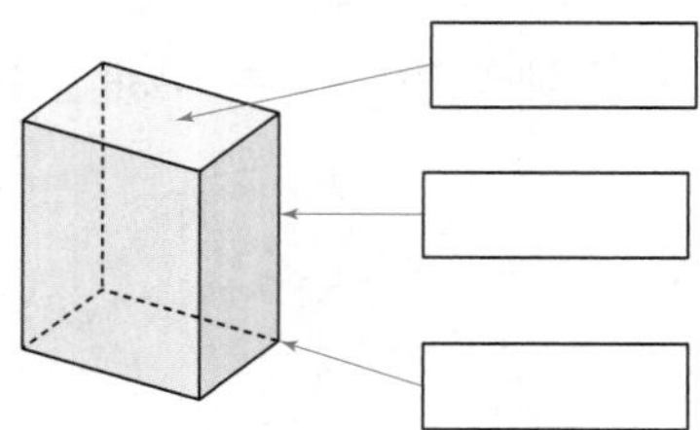

2 직육면체에서 색칠한 면과 평행한 면을 찾아 색칠해 보세요.

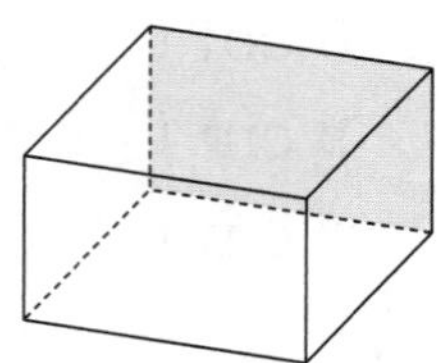

3 겨냥도를 바르게 그린 것을 찾아 기호를 써 보세요.

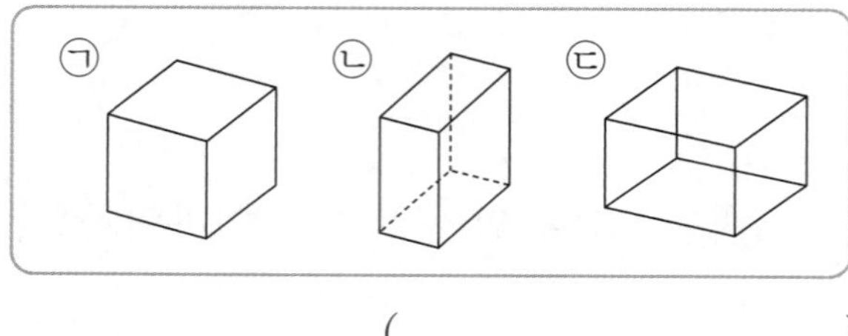

(　　　　　　　　　)

[4~5] 직육면체를 설명한 것이 옳으면 ○표, 틀리면 ×표 하세요.

4

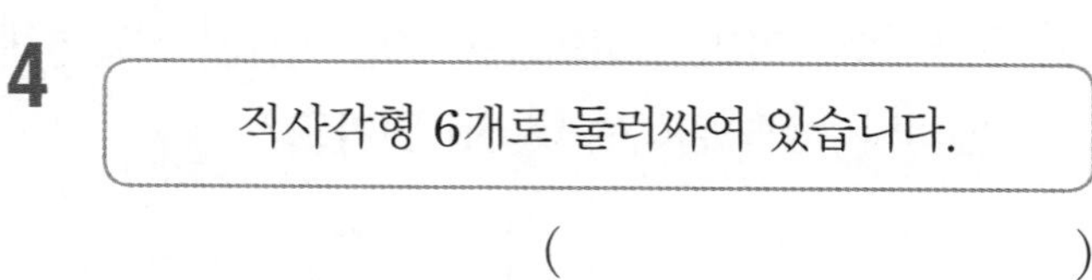

(　　　　　　　　　)

5 직육면체의 면은 모두 합동입니다.

(　　　　　　　　　)

[6~7] 전개도를 접어서 정육면체를 만들었습니다. 물음에 답해 보세요.

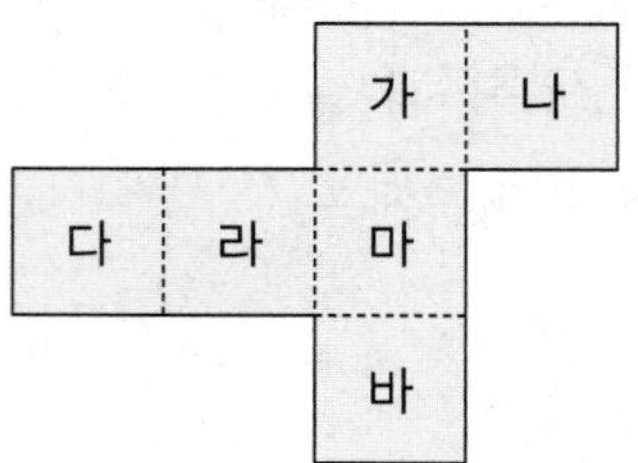

6 전개도를 접었을 때 면 다와 평행한 면을 찾아 써 보세요.

(　　　　　　　　　)

7 전개도를 접었을 때 면 라와 수직인 면을 모두 찾아 써 보세요.

(　　　　　　　　　)

8 그림에서 빠진 부분을 그려 넣어 직육면체의 겨냥도를 완성해 보세요.

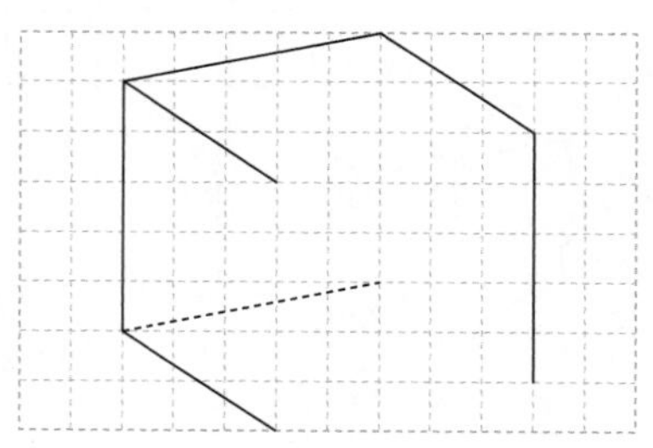

9 정육면체의 꼭짓점은 모두 몇 개인가요?

(　　　　　　　　　)

5 단원 직육면체

10 직육면체와 정육면체에 대해 잘못 설명한 것을 찾아 기호를 써 보세요.

㉠ 직육면체와 정육면체는 꼭짓점의 수가 각각 같습니다.
㉡ 직육면체는 정육면체라고 할 수 있습니다.

( )

11 전개도를 접어 직육면체를 만들었을 때 선분 ㄷㄹ과 겹치는 선분을 찾아 써 보세요.

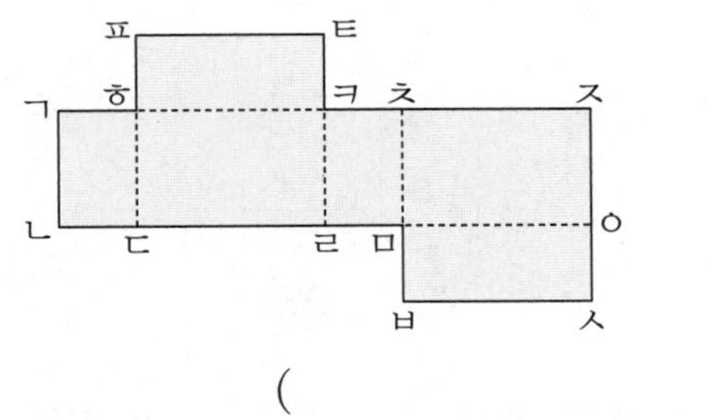

( )

12 한 모서리의 길이가 6 cm인 정육면체의 모든 모서리의 길이의 합은 몇 cm인가요?

( )

13 직육면체의 겨냥도를 보고 전개도를 그려 보세요.

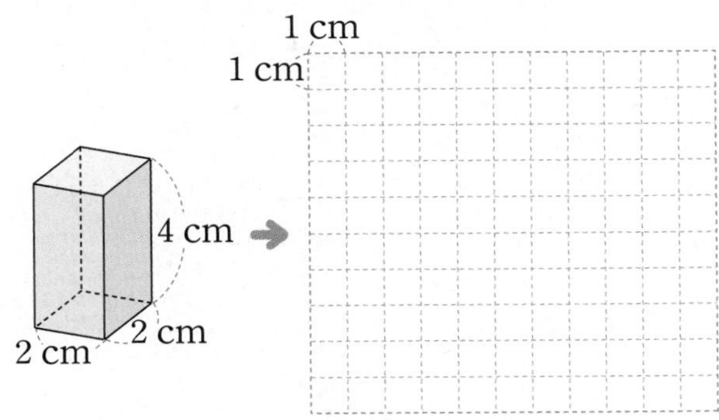

14 직육면체의 모서리를 잘라서 직육면체의 전개도를 만들었습니다. □ 안에 알맞은 기호를 써넣으세요.

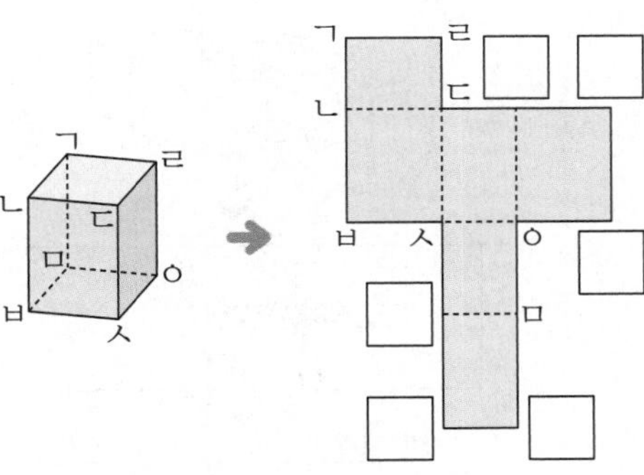

15 보기 와 같이 무늬(◉) 3개가 그려져 있는 정육면체를 만들 수 있도록 전개도에 무늬(◉) 1개를 그려 넣으세요.

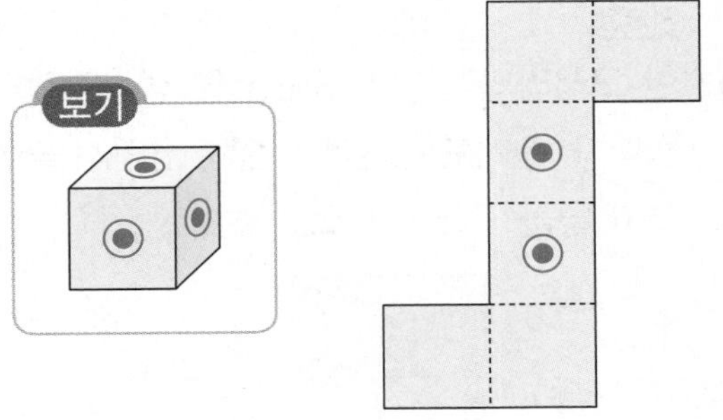

16 오른쪽 주사위의 마주 보는 면의 눈의 수의 합은 7입니다. 4의 눈이 그려진 면과 평행한 면의 눈의 수는 얼마인가요?

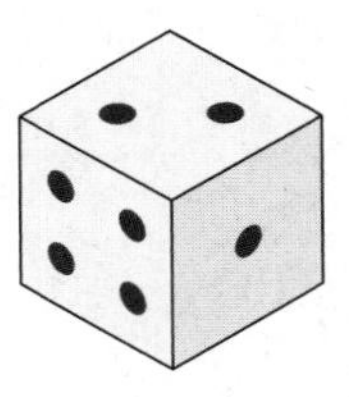

( )

정답 및 풀이 35쪽

≫ 139쪽 4-1 유사 문제

17 직육면체 모양의 선물 상자를 그림과 같이 끈으로 묶었습니다. 직육면체의 전개도가 다음과 같을 때 끈이 지나가는 자리를 그려 넣으세요.

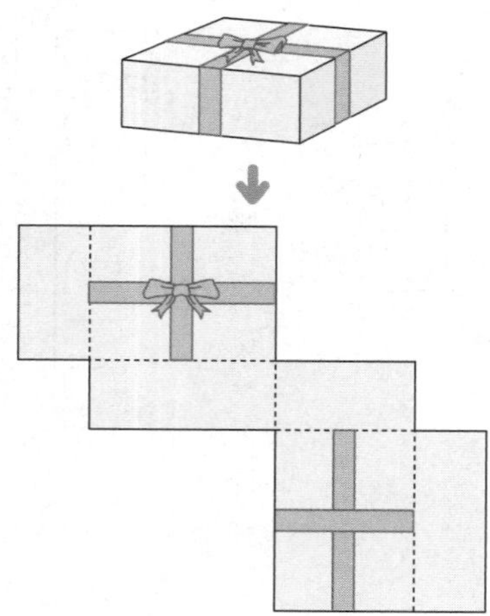

서술형 ≫ 140쪽 5-2 유사 문제

18 한 모서리의 길이가 6 cm인 정육면체의 전개도입니다. 전개도의 둘레는 몇 cm인지 풀이 과정을 쓰고 답을 구해 보세요.

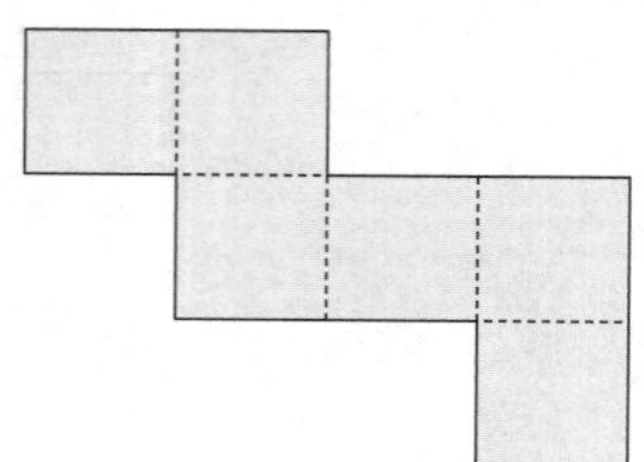

풀이

답

서술형 ≫ 140쪽 6-2 유사 문제

19 오른쪽 그림과 같이 정육면체 모양의 상자를 끈으로 둘러 묶어 포장했습니다. 매듭을 묶는 데 사용한 끈의 길이가 16 cm일 때 상자를 포장하는 데 사용한 끈은 모두 몇 cm인지 풀이 과정을 쓰고 답을 구해 보세요.

풀이

답

독해력 유형 서술형 ≫ 141쪽 8-1 유사 문제

20 모든 모서리의 길이의 합이 108 cm인 직육면체입니다. ㉠의 길이는 몇 cm인지 풀이 과정을 쓰고 답을 구해 보세요.

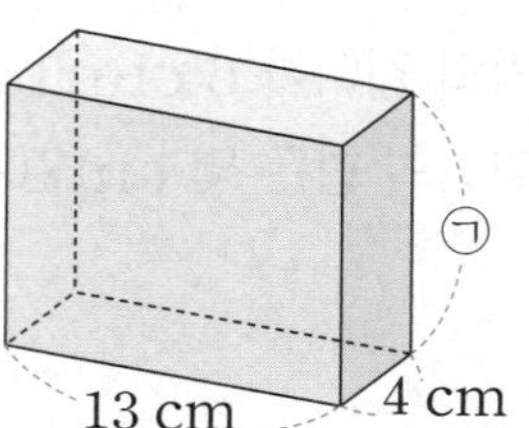

풀이

답

1보다 작은 소수끼리의 곱셈

1 두 수의 곱을 구해 보세요.

0.3 0.07

( )

(자연수) × (1보다 작은 소수)

2 어림하여 계산 결과가 3보다 작은 것을 찾아 기호를 써 보세요.

㉠ 6×0.47 ㉡ 6의 0.6

( )

1보다 큰 소수끼리의 곱셈

3 지희의 몸무게는 38.2 kg이고 어머니의 몸무게는 지희 몸무게의 1.5배입니다. 어머니의 몸무게는 몇 kg인가요?

식 ____________________

답 ____________________

곱의 소수점의 위치

4 ㉡은 ㉠의 몇 배인지 구해 보세요.

㉠ 6.9의 3.2배 ㉡ 0.69의 320배

( )

주사위를 굴려 보자~!

코딩 1

규칙에 따라 주사위를 굴려서 각 칸에 닿는 면의 수를 알아보자~

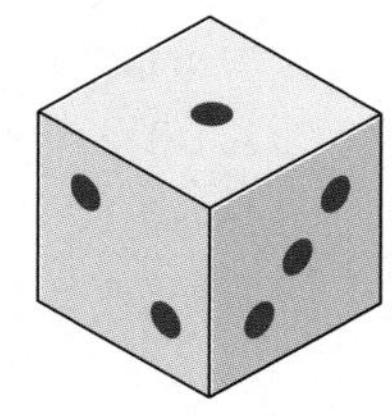

규칙

① 주사위의 서로 마주 보는 두 면의 눈의 수의 합은 7입니다.
② 주사위를 화살표 방향으로 길을 따라 90°씩 굴립니다.
③ 길 한 칸에는 주사위의 한 면이 들어갑니다.

주사위를 굴리기 전에 마주 보는 면의 눈의 수를 먼저 구해 봐~

3과 마주 보는 면의 눈의 수:
$7-3=\square$

2와 마주 보는 면의 눈의 수:
$7-2=\square$

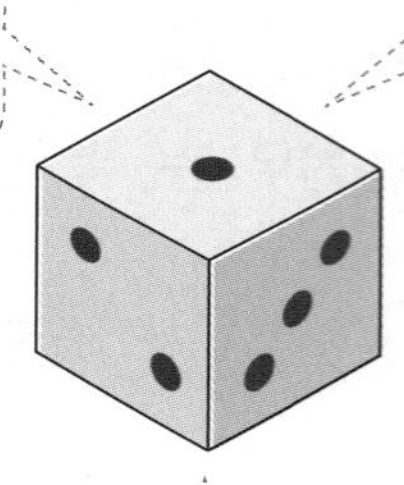

1과 마주 보는 면의 눈의 수:
$7-1=\square$

이제 주사위를 길을 따라 굴릴 때 바닥에 닿는 각 면의 눈의 수를 써 봐~

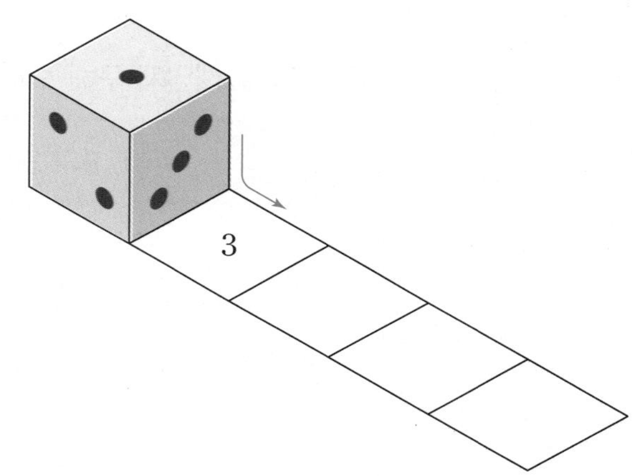

각설탕을 만들어 보자~!

각설탕은 정육면체 모양으로 굳힌 설탕이야.

각설탕은 한 모서리의 길이가 15 mm인 소형과 한 모서리의 길이가 18 mm인 보통형이 있어.

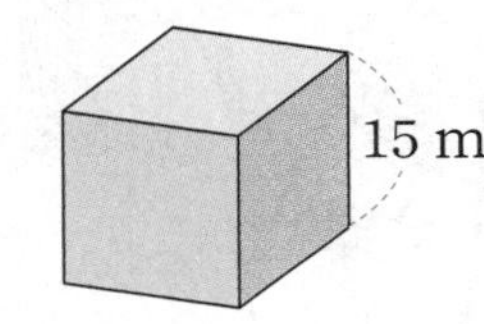

난 정육면체 모양의 소형 각설탕을 만들었어.
이 각설탕의 모든 모서리의 길이의 합은 몇 mm일까?

(모든 모서리의 길이의 합)

$=15\times\square=\square$ (mm)

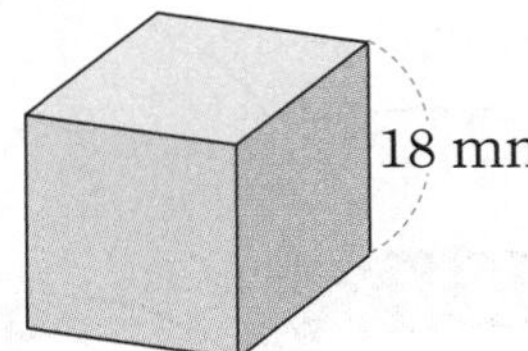

난 정육면체 모양의 보통형 각설탕을 만들었어.
이 각설탕의 모든 모서리의 길이의 합은 몇 mm일까?

(모든 모서리의 길이의 합)

$=18\times\square=\square$ (mm)

어린이 당 섭취량 처방전

어린이의 하루 당 섭취량은 35 g이라능~ 각설탕 한 개는 약 3 g이고 탄산음료 중에는 각설탕이 17개 정도 들어 있는 음료도 있다능~ 즉! 탄산음료를 많이 마시면 이가 몽땅 썩을 거라능~

6 평균과 가능성

어제 내가 어디에 가는 꿈을 꿨어.

어디인지는 모르고?

얘들아! 나 영화표 2장 생겼는데 지금 같이 갈 사람?

나!

나!

스윽

그럼. 공평하게 동전 던지기로 결정하자.

척

난 숫자 면! 어제 꿈이 영화관 가는 거였나봐.

난, 그림 면!

Dr. 유형 처방전

* 동전 던지기로 영화관에 갈 가능성

휘리릭

퍽

앗!
내 눈!

어머! 이를 어째……
넌 눈 아파서 못가겠다.

그 꿈~
너 안과 가는
꿈이였나봐.

그렇게 동전을 집중해서 안 봐도
가능성은 반반이였다능~

반반이였는데……
영화관을 못 가고 안과를
오게 되다니ㅠ.ㅠ

← 일이 일어날 가능성이 낮습니다. | 일이 일어날 가능성이 높습니다. →

~아닐 것 같다	~일 것 같다

불가능하다 　　 반반이다 　　 확실하다

개념 1 평균

자료의 값을 모두 더해 자료의 수로 나눈 수를 자료를 대표하는 값으로 정할 수 있습니다. 이 값을 **평균**이라고 합니다.

예 형진이네 모둠 한 학생당 가지고 있는 고리 수의 평균 구하기

형진 인수 지안 지원

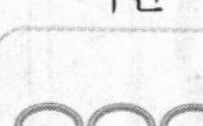

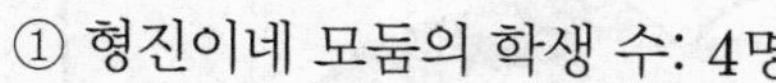

① 형진이네 모둠의 학생 수: 4명
② 전체 고리 수: $4+7+3+6=20$(개)
③ 한 학생당 가지고 있는 고리 수의 평균:
$20 \div 4=5$(개)

가지고 있는 고리 수를 모두 더한 후 학생 수로 나눈 수를 대표하는 값으로 정해~

자료를 대표하는 값을 평균으로 정하면 편리해~

유형

1 지수네 학교 5학년 학급별 학생 수는 24명, 26명, 24명, 22명입니다. 한 학급당 학생 수를 정하는 올바른 방법에 ○표 하세요.

방법	○표
각 학급의 학생 수 24, 26, 24, 22 중 가장 큰 수인 26으로 정합니다.	
각 학급의 학생 수 24, 26, 24, 22 중 가장 작은 수인 22로 정합니다.	
각 학급의 학생 수 24, 26, 24, 22를 고르게 하면 24, 24, 24, 24가 되므로 24로 정합니다.	

[2~5] 지후네 모둠과 승우네 모둠의 턱걸이 기록을 나타낸 표입니다. 물음에 답해 보세요.

지후네 모둠의 턱걸이 기록

이름	턱걸이 기록(회)
지후	4
서진	6
준수	5

승우네 모둠의 턱걸이 기록

이름	턱걸이 기록(회)
승우	3
창희	7
태현	2
민수	4

2 지후네 모둠과 승우네 모둠은 각각 몇 명인가요?

지후네 모둠 (　　　　　　　　)
승우네 모둠 (　　　　　　　　)

3 지후네 모둠과 승우네 모둠의 턱걸이 기록의 합은 각각 몇 회인가요?

지후네 모둠 (　　　　　　　　)
승우네 모둠 (　　　　　　　　)

4 지후네 모둠과 승우네 모둠의 턱걸이 기록의 평균은 각각 몇 회인가요?

지후네 모둠 (　　　　　　　　)
승우네 모둠 (　　　　　　　　)

5 어느 모둠이 더 잘했다고 볼 수 있나요?

(　　　　　　　　)

개념 2 평균 구하기

예 하영이네 모둠이 읽은 책 수의 평균 구하기

하영이네 모둠이 읽은 책 수

이름	하영	선호	정화	지훈
책 수(권)	6	3	5	6

방법 1 자료의 값을 고르게 하여 구하기

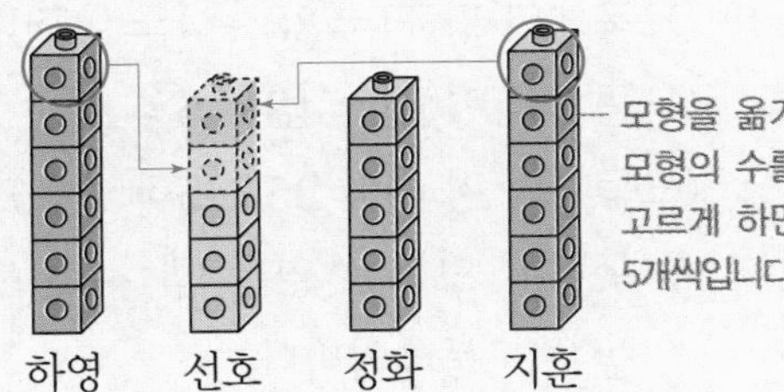

➜ 읽은 책 수의 평균은 5권입니다.

방법 2 자료의 값을 모두 더해 자료의 수로 나누어 구하기

(읽은 책 수의 평균)

$=(6+3+5+6)\div 4=5$(권)

(6+3+5+6 → 20)

(평균)
=(자료의 값을 모두 더한 수)÷(자료의 수)

유형

6 호영이네 모둠이 투호에서 넣은 화살 수를 나타낸 표입니다. 넣은 화살 수의 평균을 2개로 예상하고 ○를 옮겨 평균을 구해 보세요.

투호에서 넣은 화살 수

이름	호영	연지	성호	재현
넣은 화살 수(개)	2	3	1	2

	○		
○	○		○
○	○	○	○
호영	연지	성호	재현

➜ 넣은 화살 수의 평균: □개

[7~8] 수현이의 멀리 던지기 기록을 나타낸 표입니다. 멀리 던지기 기록의 평균을 여러 가지 방법으로 구하려고 합니다. 물음에 답해 보세요.

수현이의 멀리 던지기 기록

회	1회	2회	3회	4회
기록(m)	28	29	30	29

7 멀리 던지기 기록의 평균을 예상하고 예상한 평균을 기준으로 수를 고르게 하여 평균을 구해 보세요.

평균을 29 m로 예상한 후 (28, □), (29, □)(으)로 수를 옮기고 짝 지어 자료의 값을 고르게 합니다.

➜ 멀리 던지기 기록의 평균: □ m

8 멀리 던지기 기록의 합계를 횟수로 나누어 평균을 구해 보세요.

(멀리 던지기 기록의 평균)

$=(28+29+\square+\square)\div\square$

$=\square$ (m)

9 수영이가 월요일부터 수요일까지 접은 종이학 수만큼 종이띠를 겹치지 않게 이어 붙였습니다. 이어 붙인 종이띠를 3등분이 되도록 나누어 접은 종이학 수의 평균은 몇 개인지 구해 보세요.

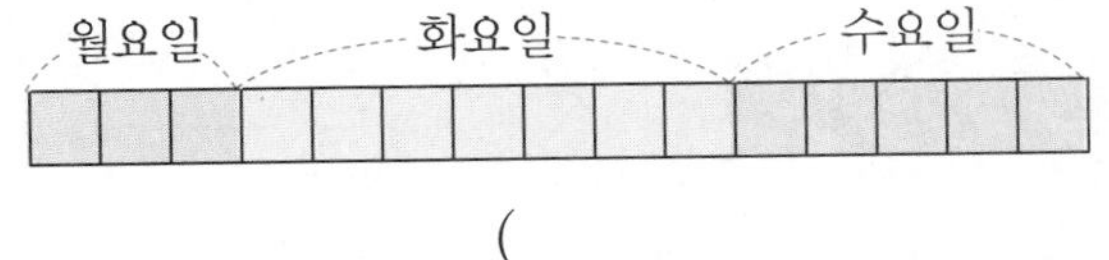

(   )

10 경진이의 줄넘기 기록을 나타낸 표입니다. 경진이의 줄넘기 기록의 평균은 몇 회인가요?

경진이의 줄넘기 기록

회	1회	2회	3회	4회
기록(회)	65	70	78	63

(　　　　　　　　)

11 효성이는 일주일 동안 컴퓨터를 322분 사용하였습니다. 효성이의 하루 컴퓨터 사용 시간의 평균은 몇 분인가요?

(　　　　　　　　)

12 어느 미술관에 4일 동안 다녀간 관람객 수를 나타낸 표입니다. 하루 관람객 수의 평균을 두 가지 방법으로 구해 보세요.

4일 동안 다녀간 관람객 수

요일	화	수	목	금
관람객 수(명)	40	35	45	40

방법 1 예상한 평균 (　　　　　　)명

방법 2

개념 3 평균을 이용하여 문제 해결하기

예 책을 가장 많이 읽은 독서왕 모둠 정하기

모둠 친구 수와 읽은 책 수

	모둠 1	모둠 2	모둠 3
모둠 친구 수(명)	4	6	5
읽은 책 수(권)	36	48	35

(모둠 1의 평균)$=36 \div 4=9$(권)

(모둠 2의 평균)$=48 \div 6=8$(권)

(모둠 3의 평균)$=35 \div 5=7$(권)

➔ 독서왕 모둠은 읽은 책 수의 평균이 가장 높은 모둠 1입니다.

자료의 수가 다를 때에는 평균을 구하여 비교해~

유형

[13~14] 예지네 반 학생들의 제기차기 기록을 나타낸 표입니다. 예지네 반의 제기차기 대표 선수를 뽑으려고 합니다. 물음에 답해 보세요.

학생별 제기차기 기록

회 \ 이름	예지	태우	상미
1회	8개	6개	4개
2회	5개	6개	7개
3회	5개	3개	1개

13 표를 완성해 보세요.

학생별 제기차기 기록의 평균

이름	예지	태우	상미
평균(개)	6		

14 알맞은 이름에 ○표 하세요.

제기차기 대표 선수는 평균이 가장 높은
(예지 , 태우 , 상미)가 되어야 합니다.

[15~17] 민우네 학교 5학년 학급별 학생 수를 나타낸 표입니다. 5학년 학생들이 병뚜껑 480개를 모아서 미술 작품을 만들기로 했습니다. 물음에 답해 보세요.

학급별 학생 수

학급(반)	인	의	예	지
학생 수(명)	24	25	22	25

15 미술 작품을 만들려면 병뚜껑 480개가 필요합니다. 한 학급당 병뚜껑을 평균 몇 개씩 모아야 하나요?

( )

16 한 학급당 학생 수는 평균 몇 명인가요?

( )

17 한 명당 모아야 하는 병뚜껑은 평균 몇 개인가요?

( )

18 진규의 단원평가 점수를 나타낸 표입니다. 점수가 평균과 같은 과목을 써 보세요.

과목별 단원평가 점수

과목	국어	수학	사회	과학
점수(점)	93	85	82	80

(1) 과목별 단원평가 점수의 평균은 몇 점인가요?

( )

(2) 점수가 평균과 같은 과목을 써 보세요.

( )

플러스 개념 4 모르는 자료의 값 구하기

예 붙임딱지 수의 평균이 7장일 때 수정이가 모은 붙임딱지 수 구하기

모은 붙임딱지 수

이름	준범	태한	수정
붙임딱지 수(장)	10	5	

(붙임딱지 수의 합계)$=7\times3=21$(장)

➜ (수정이가 모은 붙임딱지 수)

$=21-(10+5)=6$(장)

(평균)

=(자료의 값을 모두 더한 수)÷(자료의 수)

➜ (자료의 값을 모두 더한 수)

=(평균)×(자료의 수)

유형

[19~21] 승민이가 4일 동안 독서한 시간을 나타낸 표입니다. 4일 동안 독서한 시간의 평균이 40분일 때 물음에 답해 보세요.

승민이가 독서한 시간

요일	월	화	수	목
시간(분)	36	40	50	

19 월요일부터 수요일까지 독서한 시간은 모두 몇 분인가요?

( )

20 4일 동안 독서한 시간은 모두 몇 분인가요?

( )

21 목요일에 독서한 시간은 몇 분인가요?

( )

개념 1 ~ 4 기초력 집중 연습

[1~4] 표를 보고 평균을 구하려고 합니다. □ 안에 알맞은 수를 써넣으세요.

1 주나가 받은 칭찬 도장의 수

월	10월	11월	12월
도장의 수(개)	7	9	8

(받은 칭찬 도장의 수의 평균)

=(7+□+□)÷3=□(개)

2 재하의 과녁 맞히기 점수

회	1회	2회	3회
점수(점)	12	9	15

(과녁 맞히기 점수의 평균)

=(12+□+□)÷□=□(점)

3 정욱이네 모둠의 몸무게

이름	정욱	민지	선우	소정
몸무게(kg)	34	29	40	37

(몸무게의 평균)

=(34+29+□+□)÷4

=□(kg)

4 하윤이의 타자 기록

회	1회	2회	3회	4회
타자 수(타)	325	319	314	306

(타자 기록의 평균)

=(325+319+□+□)÷4

=□(타)

[5~8] 주어진 수들의 평균을 구해 보세요.

5 10 6 8

(   )

6 41 39 28

(   )

7 5 8 7 12

(   )

8 46 52 40 30

(   )

[9~10] 왼쪽 수들의 평균은 오른쪽과 같습니다. 평균을 이용하여 ▒의 값을 구해 보세요.

9 5, ▒, 11 | 평균: 6

(   )

10 10, ▒, 20 | 평균: 12

(   )

유형 진단 TEST

점수 /10점

1 지난주 요일별 최고 기온을 나타낸 막대그래프입니다. 막대의 높이를 고르게 하고 평균은 몇 ℃인지 구해 보세요. [1점]

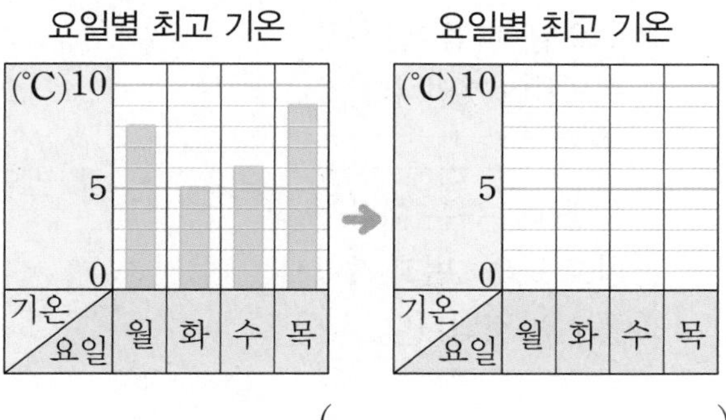

( )

2 두 종이테이프를 겹치지 않게 이어 붙이고, 이어 붙인 종이테이프를 반으로 접은 것입니다. 두 종이테이프 길이의 평균은 몇 cm인가요? [1점]

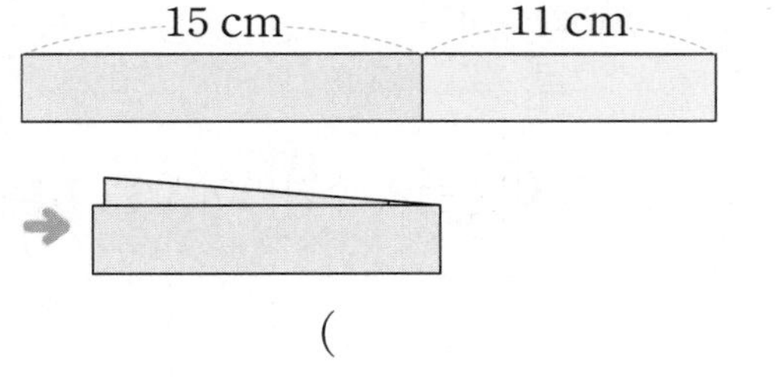

( )

3 세준이는 작년에 한 달 평균 3000원씩 매달 저금을 했습니다. 세준이가 지난 1년 동안 저금한 금액은 모두 얼마인가요? [2점]

( )

4 은정이네 모둠의 발 길이를 나타낸 표입니다. 은정이네 모둠의 발 길이의 평균은 몇 mm인가요? [2점]

은정이네 모둠의 발 길이

이름	은정	도현	상일	미연
발 길이(mm)	220	217	225	230

( )

5 미영이네 모둠과 현호네 모둠의 수학 점수입니다. 어느 모둠이 시험을 더 잘 보았나요? [2점]

미영이네 모둠의 수학 점수	현호네 모둠의 수학 점수
80점 86점 74점	75점 90점 78점

( )

6 지호의 오래 매달리기 기록을 나타낸 표입니다. 평균이 16초 이상이 되어야 준결승에 올라갈 수 있다면 지호는 준결승에 올라갈 수 있나요? [2점]

지호의 오래 매달리기 기록

회	1회	2회	3회	4회
기록(초)	18	16	19	15

( )

개념 5 일이 일어날 가능성을 말로 표현하기

1. 가능성: 어떠한 상황에서 특정한 일이 일어나길 기대할 수 있는 정도
2. 가능성의 정도는 불가능하다, ~아닐 것 같다, 반반이다, ~일 것 같다, 확실하다 등으로 표현할 수 있습니다.

예

일 \ 가능성	불가능하다	반반이다	확실하다
1월 1일 다음 날이 1월 2일일 것입니다.			○
동전을 던지면 그림 면이 나올 것입니다.		○	

유형

1 □ 안에 일이 일어날 가능성을 알맞게 써넣으세요.

← 일이 일어날 가능성이 낮습니다. 일이 일어날 가능성이 높습니다. →

~아닐 것 같다	□

불가능하다 □ 확실하다

[2~3] 일이 일어날 가능성을 생각해 보고, 알맞게 표현한 것에 ○표 하세요.

2 계산기에 '2+3='을 누르면 6이 나올 것입니다.

(불가능하다 , 반반이다 , 확실하다)

3 내일 아침에 동쪽에서 해가 뜰 것입니다.

(불가능하다 , 반반이다 , 확실하다)

4 일이 일어날 가능성을 생각하여 알맞게 이어 보세요.

수요일 다음 날은 토요일일 것입니다. •

은행에서 뽑은 대기 번호표의 번호가 홀수일 것입니다. •

• 확실하다

• 반반이다

• 불가능하다

[5~7] 1부터 6까지의 눈이 그려져 있는 주사위를 한 번 굴릴 때 일이 일어날 가능성을 보기에서 찾아 기호를 써 보세요.

보기

㉠ 불가능하다 ㉡ ~아닐 것 같다
㉢ 반반이다 ㉣ ~일 것 같다
㉤ 확실하다

5 주사위 눈의 수가 3이 나올 가능성

( )

6 주사위 눈의 수가 6 이하로 나올 가능성

( )

7 주사위 눈의 수가 8이 나올 가능성

( )

8 상자 안에는 1번부터 14번까지의 번호표가 있습니다. 상자 안에서 번호표를 1개 꺼낼 때 가능성을 말로 표현해 보세요.

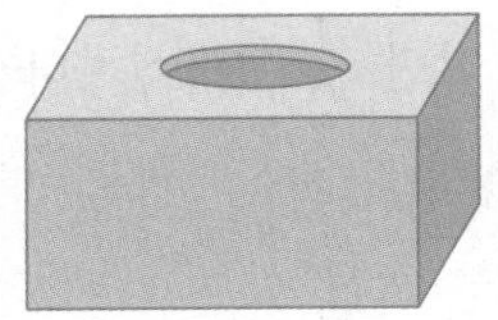

상자 안에서 15번 번호표를 꺼내는 것은

____

9 일이 일어날 가능성을 잘못 말한 사람은 누구인가요?

동전을 세 번 던지면 세 번 모두 그림 면이 나올 가능성은 확실해.

다은

강아지가 날개를 달고 하늘을 날 가능성은 불가능해.

서준

( )

10 다음 가능성에 알맞은 일을 주변에서 찾아 써 보세요.

확실하다

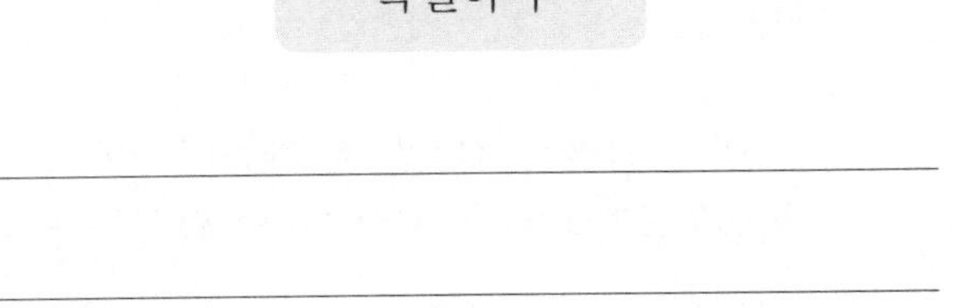

____

____

____

개념 6 일이 일어날 가능성 비교하기

예 회전판을 돌릴 때 화살이 파란색에 멈출 가능성 비교하기

가 (불가능하다) 나 (반반이다)

➔ 화살이 파란색에 멈출 가능성이 더 높은 회전판은 나입니다.

참고
- 가능성이 높은 순서
  확실하다 > ~일 것 같다 > 반반이다 > ~아닐 것 같다 > 불가능하다

유형

[11~12] 회전판을 돌릴 때 화살이 파란색에 멈출 가능성을 비교하려고 합니다. 물음에 답해 보세요.

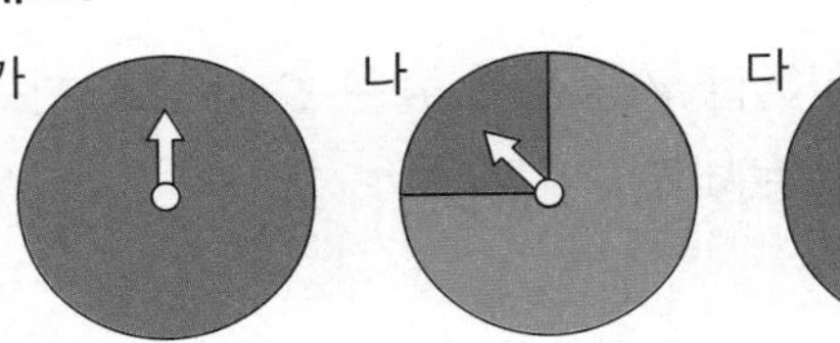

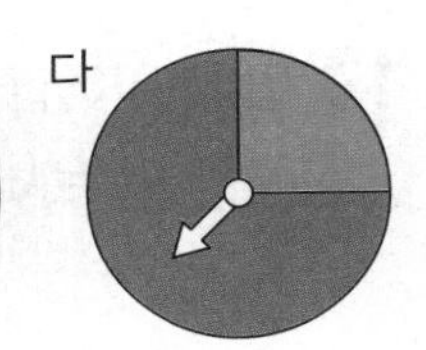

11 가, 나, 다 회전판을 돌릴 때 화살이 파란색에 멈출 가능성을 각각 찾아 기호를 써 보세요.

㉠ 불가능하다	㉡ ~아닐 것 같다
㉢ 반반이다	㉣ ~일 것 같다
㉤ 확실하다	

가 ( )
나 ( )
다 ( )

12 □ 안에 알맞은 기호를 써넣으세요.

가, 나, 다 회전판을 돌릴 때 화살이 파란색에 멈출 가능성이 높은 순서대로 기호를 쓰면 □, □, □입니다.

[13~14] 5학년 친구들이 말한 일이 일어날 가능성을 비교하려고 합니다. 물음에 답해 보세요.

13 일이 일어날 가능성이 '불가능하다'인 경우를 말한 친구를 찾아 이름을 써 보세요.

( )

14 일이 일어날 가능성이 높은 순서대로 친구의 이름을 써 보세요.

( )

15 빨간색, 파란색, 노란색으로 이루어진 회전판과 회전판을 70회 돌려 화살이 멈춘 횟수를 나타낸 표입니다. 표를 보고 일이 일어날 가능성이 더 비슷한 회전판의 기호를 써 보세요.

가
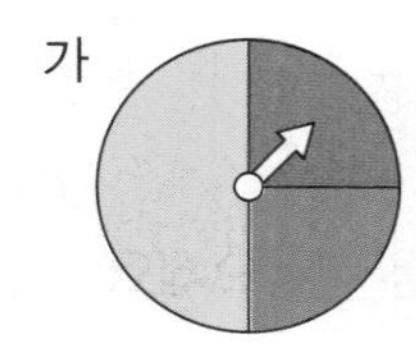

나
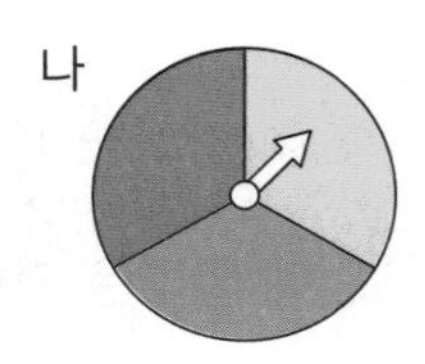

색깔	빨강	파랑	노랑
횟수(회)	18	17	35

( )

개념 7 일이 일어날 가능성을 수로 표현하기

일이 일어날 가능성이 '불가능하다'이면 0, '반반이다'이면 $\frac{1}{2}$, '확실하다'이면 1로 표현할 수 있습니다.

불가능하다 — 반반이다 — 확실하다
0 — $\frac{1}{2}$ — 1

예 왼쪽 주머니에서 구슬 한 개를 꺼낼 때 빨간색일 가능성

말 반반이다

수 $\frac{1}{2}$

유형

16 가능성을 표현하는 말과 수를 알맞게 이어 보세요.

반반이다 •	• 0
확실하다 •	• $\frac{1}{2}$
불가능하다 •	• 1

17 오른쪽과 같이 검은색 바둑돌만 들어 있는 통에서 바둑돌 1개를 꺼낼 때 알맞은 말이나 수에 ○표 하세요.

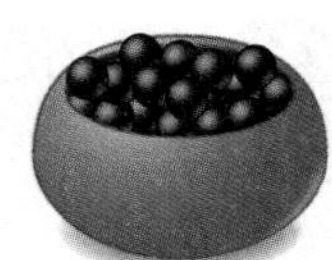

꺼낸 바둑돌이 검은색일 가능성을 말로 표현하면 (불가능하다 , 반반이다 , 확실하다)이고, 이를 수로 표현하면 (0 , $\frac{1}{2}$, 1)입니다.

18 선우가 ○× 문제를 풀고 있습니다. ×라고 답했을 때, 정답을 맞혔을 가능성을 말과 수로 표현해 보세요.

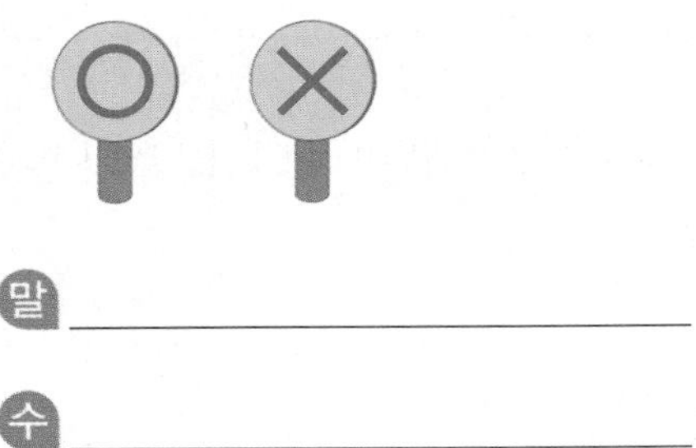

말 ______________________

수 ______________________

[19~20] 회전판 돌리기를 하고 있습니다. 일이 일어날 가능성이 '불가능하다'이면 0, '반반이다'이면 $\frac{1}{2}$, '확실하다'이면 1로 표현할 때 물음에 답해 보세요.

가 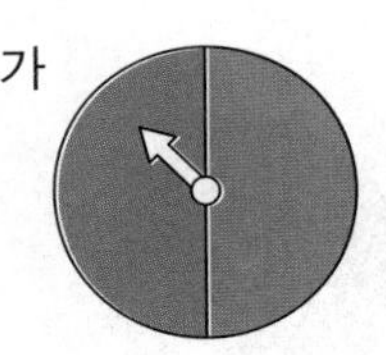

나 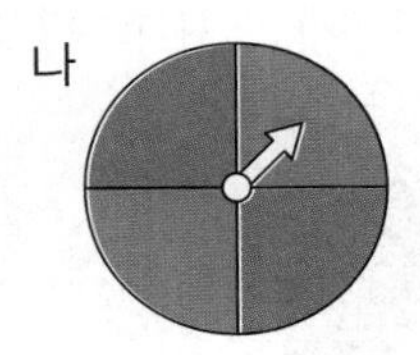

19 회전판 가에서 화살이 초록색에 멈출 가능성을 ↓로 나타내어 보세요.

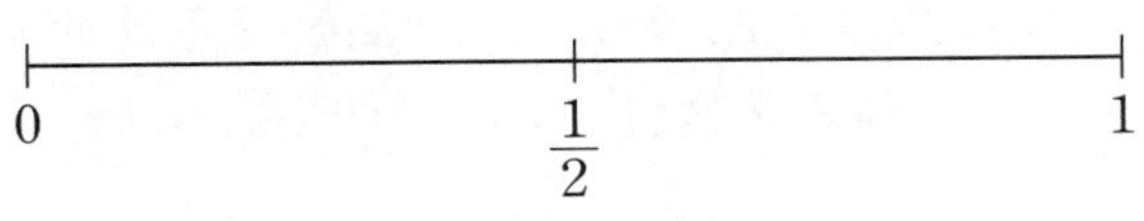

20 회전판 나에서 화살이 빨간색에 멈출 가능성을 ↓로 나타내어 보세요.

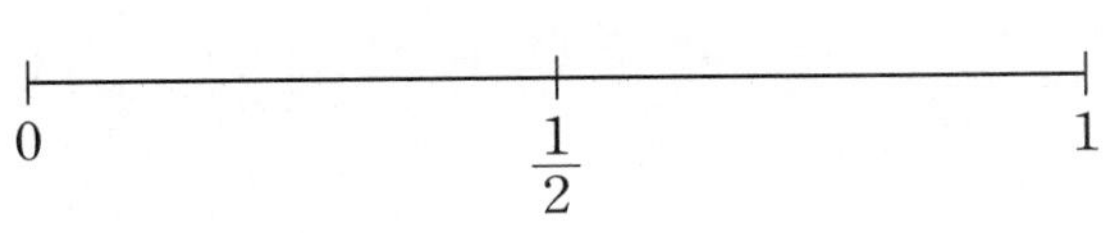

21 일이 일어날 가능성을 수직선에 나타내려고 합니다. □ 안에 알맞은 기호를 써넣으세요.

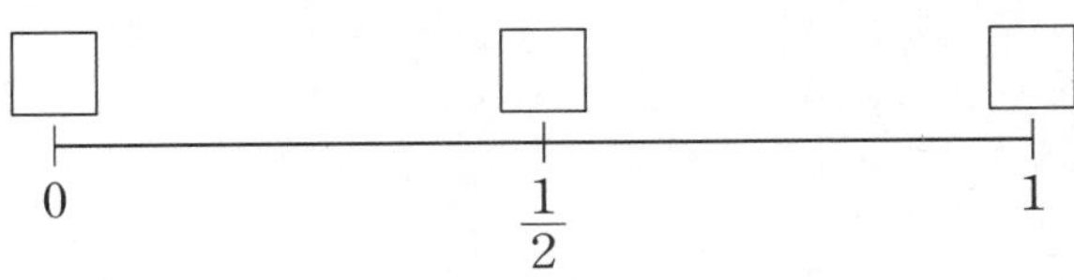

□ □ □

0 $\frac{1}{2}$ 1

[22~23] 당첨 제비만 8개 들어 있는 상자에서 제비 1개를 뽑았습니다. 물음에 답해 보세요.

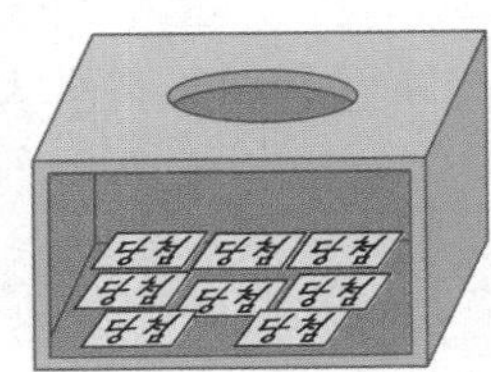

22 뽑은 제비가 당첨 제비일 가능성을 말로 표현해 보세요.

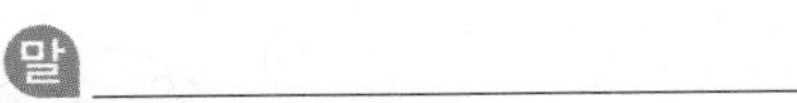

말 ______________________

23 뽑은 제비가 당첨 제비가 아닐 가능성을 수로 표현해 보세요.

( )

24 일이 일어날 가능성이 '불가능하다'이면 0, '반반이다'이면 $\frac{1}{2}$, '확실하다'이면 1로 표현해 보세요.

1부터 6까지의 눈이 그려진 주사위를 한 번 굴릴 때 주사위 눈의 수가 짝수일 가능성

( )

개념 5 ~ 7 기초력 집중 연습

[1~4] 일이 일어날 가능성을 찾아 기호를 써 보세요.

㉠ 불가능하다 ㉡ ~아닐 것 같다 ㉢ 반반이다 ㉣ ~일 것 같다 ㉤ 확실하다

1 4와 5를 곱하면 20이 될 것입니다.

( )

2 내년에는 9월이 8월보다 빨리 올 것입니다.

( )

3 딸기 맛 사탕이 1개, 포도 맛 사탕이 1개 들어 있는 주머니에서 사탕 1개를 꺼냈을 때 꺼낸 사탕은 포도 맛일 것입니다.

( )

4 동전 4개를 동시에 던지면 4개 모두 그림 면이 나올 것입니다.

( )

[5~6] 다음 회전판을 돌릴 때 화살이 멈출 가능성이 더 높은 것에 ○표 하세요.

가
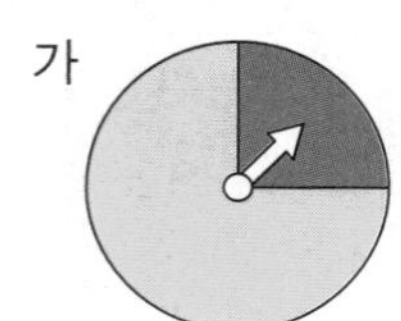
나
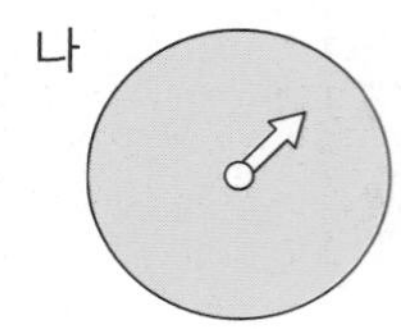
다
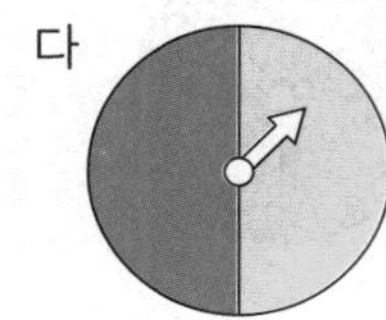
라
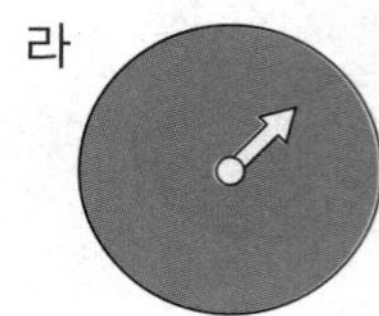

5 회전판 가에서 화살이 초록색에 멈출 가능성 ( ) 회전판 라에서 화살이 노란색에 멈출 가능성 ( )

6 회전판 나에서 화살이 노란색에 멈출 가능성 ( ) 회전판 다에서 화살이 초록색에 멈출 가능성 ( )

[7~8] 일이 일어날 가능성을 수로 표현한 것에 ○표 하세요.

7 8보다 1만큼 더 큰 수가 9일 가능성

(0 , $\frac{1}{2}$, 1)

8 고양이가 알에서 태어날 가능성

(0 , $\frac{1}{2}$, 1)

유형 진단 TEST

점수 /10점

정답 및 풀이 38쪽

1 일이 일어날 가능성을 생각해 보고 알맞게 표현한 곳에 ○표 하세요. [1점]

개구리는 식물일 것입니다.

불가능하다	~아닐 것 같다	반반이다	~일 것 같다	확실하다

2 회전판에서 화살이 빨간색에 멈출 가능성이 높은 순서대로 번호를 써 보세요. [1점]

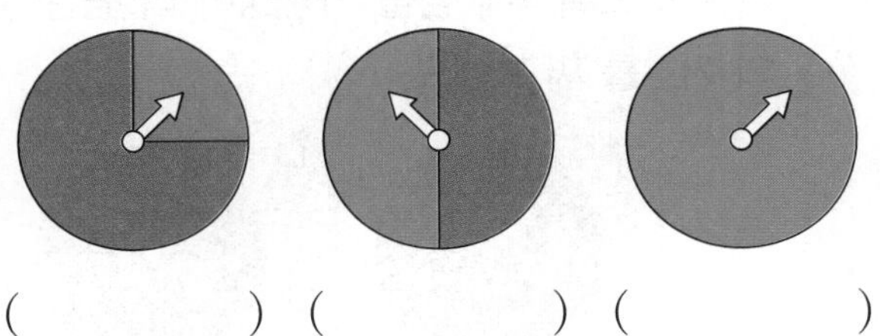

( ) ( ) ( )

3 일이 일어날 가능성을 말과 수로 각각 표현해 보세요. [2점]

내일이 반드시 올 것입니다.

말 ____________

수 ____________

4 일이 일어날 가능성이 더 큰 것에 ○표 하세요. [2점]

흰색 공 1개와 검은색 공 1개가 들어 있는 상자에서 공 1개를 꺼낼 때 흰색 공일 가능성	서울의 12월 평균 기온이 40 ℃가 넘을 가능성
( )	( )

5 일이 일어날 가능성을 잘못 말한 사람의 이름을 쓰고 바르게 고쳐 보세요. [2점]

수민: 내일 아침에 해가 동쪽에서 뜰 가능성은 확실해.
지영: 내년 4월의 날수가 31일일 가능성은 확실해.

( )

바르게 고치기 ____________

6 4장의 수 카드 중에서 한 장을 뽑았을 때 뽑은 카드에 쓰여 있는 수가 홀수일 가능성을 수로 표현해 보세요. [2점]

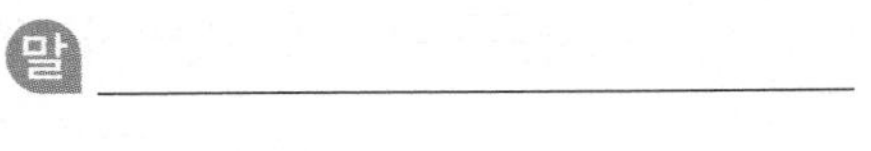

( )

STEP 2

꼬리를 무는 유형

❶ 평균을 이용하여 자료 값의 합 구하기

기본 유형

1 □ 안에 알맞은 수를 써넣으세요.

어느 연극의 7회 동안 관람객 수는 한 회당 평균 45명이라고 합니다. 이 연극을 7회 동안 관람한 사람은 모두 □명입니다.

변형 유형

2 민수는 12일 동안 인터넷을 하루 평균 30분 사용하였습니다. 민수가 12일 동안 인터넷을 사용한 시간은 모두 몇 분인가요?

(　　　　　　　　)

실생활 유형

3 어느 인터넷 사이트에 일주일 동안 접속자 수가 하루 평균 115명이라고 합니다. 이 사이트에 일주일 동안 접속한 사람은 모두 몇 명인가요?

(　　　　　　　　)

❷ 화살이 멈출 가능성 비교하기

기본 유형

4 빨간색, 파란색, 노란색으로 이루어진 오른쪽 회전판을 돌릴 때 화살이 멈출 가능성이 가장 높은 색은 어느 색인가요?

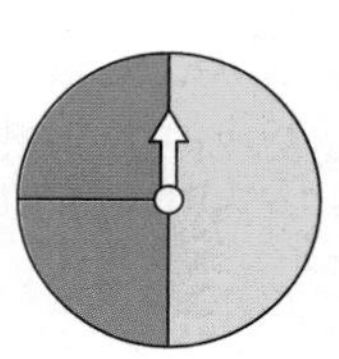

(　　　　　　　　)

변형 유형

5 초록색과 주황색으로 이루어진 회전판을 돌릴 때 화살이 초록색에 멈출 가능성이 더 높은 회전판의 기호를 써 보세요.

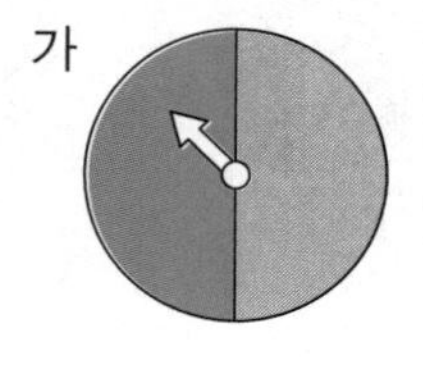

(　　　　　　　　)

실생활 유형

6 어느 할인마트에서 물건을 구매한 사람에게 회전판을 돌렸을 때 화살이 멈추는 상품을 사은품으로 준다고 합니다. 받을 수 있는 가능성이 가장 높은 사은품은 어느 것인가요?

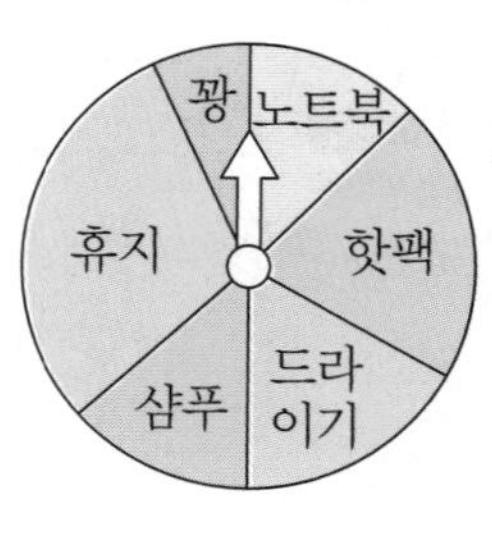

(　　　　　　　　)

③ 평균 구하기

기본 유형 **7** 다음 수들의 평균을 구해 보세요.

43	50	37	62

( )

변형 유형 **8** 민서가 하루 평균 공부한 시간은 몇 분인가요?

( )

실생활 유형 **9** 준하네 모둠의 몸무게를 조사하여 나타낸 표입니다. 준하네 모둠의 몸무게의 평균은 몇 kg인가요?

준하네 모둠의 몸무게

이름	준하	진수	현주	은지
몸무게(kg)	45	50	41	44

( )

④ 자료의 수가 다른 두 자료의 평균 비교하기

기본 유형 **10** 수아네 모둠과 지호네 모둠의 제기차기 기록의 합과 학생 수를 나타낸 표입니다. 제기차기 기록의 평균이 더 높은 모둠은 어느 모둠인가요?

제기차기 기록의 합과 학생 수

	수아네 모둠	지호네 모둠
기록의 합(회)	28	30
학생 수(명)	4	5

( )

변형 유형 **11** 경주네 모둠과 선미네 모둠의 수학 시험 점수의 합과 학생 수를 나타낸 표입니다. 수학 시험 점수의 평균이 더 낮은 모둠은 어느 모둠인가요?

수학 시험 점수의 합과 학생 수

	경주네 모둠	선미네 모둠
점수의 합(점)	425	609
학생 수(명)	5	7

( )

문장제 유형 **12** 책을 지훈이는 4시간 동안 96쪽 읽었고 수희는 3시간 동안 78쪽 읽었습니다. 한 시간 동안 읽은 쪽수의 평균이 더 많은 사람은 누구인가요?

( )

3 STEP 수학 독해력 유형

독해력 유형 1 두 자료의 전체 평균 구하기

어느 반 남녀 학생들의 몸무게의 평균을 나타낸 것입니다. 이 반 전체 학생의 몸무게의 평균은 몇 kg인지 구해 보세요.

남학생 10명	41 kg
여학생 15명	36 kg

What? 구하려는 것을 찾아 밑줄을 그어 보세요.

How?
1. 남학생과 여학생의 몸무게의 합 각각 구하기
2. 반 전체 학생의 몸무게의 합 구하기
3. 남학생 수와 여학생 수를 더해 반 전체 학생 수 구하기
4. ②와 ③을 이용하여 반 전체 학생의 몸무게의 평균 구하기

Solve

① 남학생과 여학생의 몸무게의 합은 각각 몇 kg인가요?

남학생 (　　　　　　　　)
여학생 (　　　　　　　　)

② 반 전체 학생의 몸무게의 합은 몇 kg인가요?

(　　　　　　　　)

③ 반 전체 학생 수는 몇 명인가요?

(　　　　　　　　)

④ 반 전체 학생의 몸무게의 평균은 몇 kg인가요?

(　　　　　　　　)

쌍둥이 유형 1-1

어느 반 남녀 학생들의 앉은키의 평균을 나타낸 것입니다. 이 반 전체 학생의 앉은키의 평균은 몇 cm인지 구해 보세요.

남학생 8명	76 cm
여학생 12명	71 cm

①

②

③

④

답 ____________

쌍둥이 유형 1-2

백현이의 국어, 수학, 과학 점수의 평균은 86점이고 사회, 영어 점수의 평균은 76점입니다. 백현이의 다섯 과목 점수의 평균은 몇 점인지 구해 보세요.

①

②

③

④

답 ____________

정답 및 풀이 39쪽

독해력 유형 2 모르는 자료의 값 구하기

진아네 모둠 3명과 윤하네 모둠 4명이 투호에서 넣은 화살 수입니다. 두 모둠이 넣은 화살 수의 평균이 같을 때 □ 안에 알맞은 수를 구해 보세요.

진아네 모둠이 넣은 화살 수	윤하네 모둠이 넣은 화살 수
5 3 7	9 2 5 □

What? 구하려는 것을 찾아 밑줄을 그어 보세요.

How?
① 진아네 모둠이 넣은 화살 수의 평균 구하기
② 두 모둠이 넣은 화살 수의 평균이 같음을 이용하여 윤하네 모둠이 넣은 화살 수의 합 구하기
③ ②를 이용하여 □ 안에 알맞은 수 구하기

Solve
① 진아네 모둠이 넣은 화살 수의 평균은 몇 개인가요?

( )

② 윤하네 모둠이 넣은 화살 수는 모두 몇 개인가요?

( )

③ □ 안에 알맞은 수는 얼마인가요?

( )

쌍둥이 유형 2-1

정수네 모둠 3명과 민규네 모둠 4명이 가져온 책 수입니다. 두 모둠이 가져온 책 수의 평균이 같을 때 □ 안에 알맞은 수를 구해 보세요.

정수네 모둠이 가져온 책 수	민규네 모둠이 가져온 책 수
4 6 8	7 5 3 □

①

②

③

답 ____________

쌍둥이 유형 2-2

태오가 4회, 수일이가 3회 동안 한 턱걸이 횟수입니다. 두 사람의 턱걸이 횟수의 평균이 같을 때 □ 안에 알맞은 수를 구해 보세요.

태오의 턱걸이 횟수	수일이의 턱걸이 횟수
□ 9 8 12	6 7 11

①

②

③

답 ____________

4 STEP 사고력 플러스 유형

플러스 유형 ❶ 일이 일어날 가능성을 수직선에 나타내기

1-1 회전판을 돌릴 때 화살이 파란색에 멈출 가능성을 ↓로 나타내어 보세요.

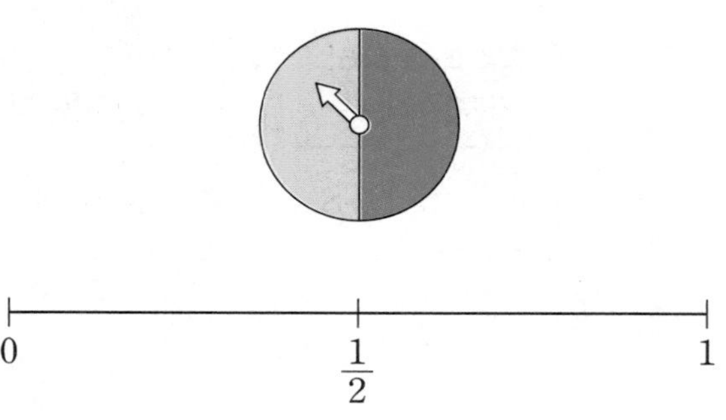
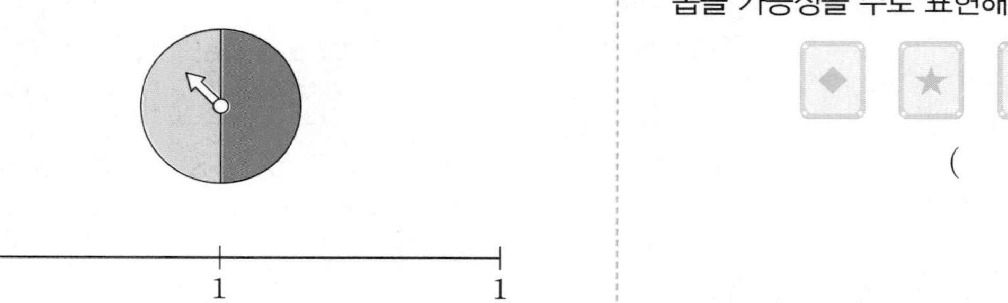

1-2 회전판을 돌릴 때 화살이 주황색에 멈출 가능성을 ↓로 나타내어 보세요.

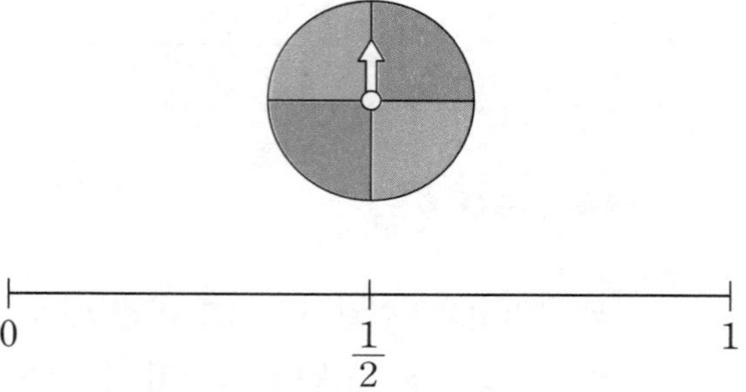

0 $\frac{1}{2}$ 1

1-3 다음 일이 일어날 가능성을 ↓로 나타내어 보세요.

빨간색 공 5개와 파란색 공 5개가 들어 있는 주머니에서 공 1개를 꺼낼 때 꺼낸 공이 흰색일 가능성

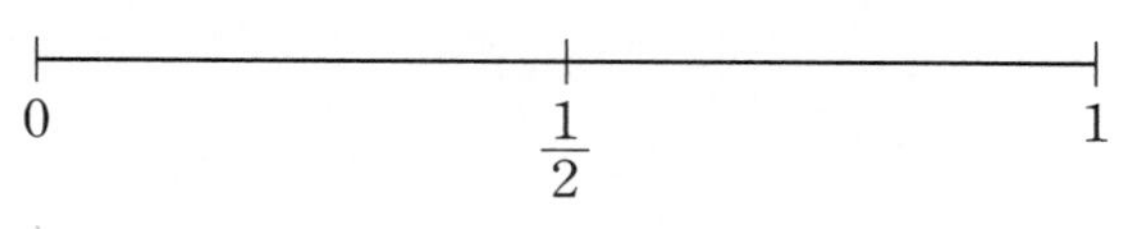

플러스 유형 ❷ 카드를 뽑을 때의 가능성을 수로 표현하기

2-1 다음 카드 중에서 한 장을 뽑을 때 ★ 카드를 뽑을 가능성을 수로 표현해 보세요.

◆ ★ ★ ◆

( )

2-2 다음 카드 중에서 한 장을 뽑을 때 ♥ 카드를 뽑을 가능성을 수로 표현해 보세요.

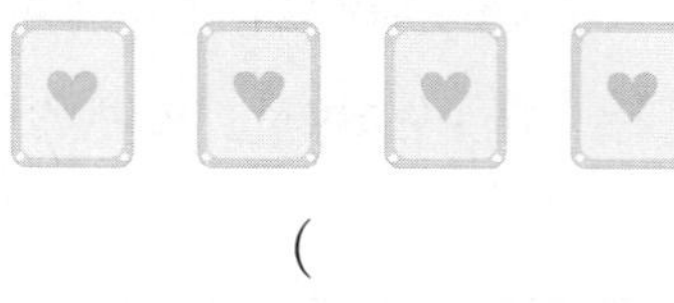

( )

2-3 다음 카드 중에서 한 장을 뽑을 때 2의 배수가 적힌 카드를 뽑을 가능성을 수로 표현해 보세요.

1 2 4 5

( )

2-4 다음 카드 중에서 한 장을 뽑을 때 8이 적힌 카드를 뽑을 가능성을 수로 표현해 보세요.

1 3 5 7

( )

플러스 유형 3 평균을 구하여 자료 비교하기

3-1 주어진 수의 평균보다 큰 수를 찾아 써 보세요.

20 16 24

( )

3-2 주어진 수의 평균보다 큰 수를 찾아 써 보세요.

30 27 34 29

( )

3-3 정우네 모둠이 방학 동안 읽은 책 수를 나타낸 표입니다. 읽은 책 수가 평균보다 많은 사람을 찾아 써 보세요.

방학 동안 읽은 책 수

이름	정우	승호	민지
책 수(권)	8	6	10

( )

플러스 유형 4 조건에 알맞게 회전판 색칠하기

4-1 조건에 알맞은 회전판이 되도록 색칠해 보세요. (단, 경계선에 멈추는 경우는 생각하지 않습니다.)

조건
- 화살이 노란색에 멈출 가능성이 가장 높습니다.
- 화살이 빨간색에 멈출 가능성은 초록색에 멈출 가능성의 2배입니다.

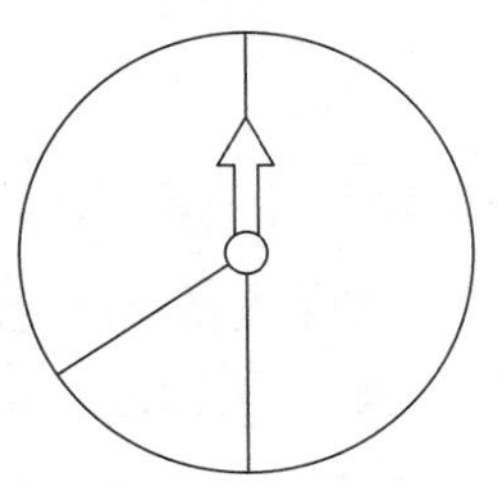

사고력 유형

4-2 조건에 알맞은 회전판이 되도록 색칠해 보세요. (단, 경계선에 멈추는 경우는 생각하지 않습니다.)

조건
- 화살이 빨간색에 멈출 가능성이 가장 높습니다.
- 화살이 보라색에 멈출 가능성은 파란색에 멈출 가능성과 비슷합니다.

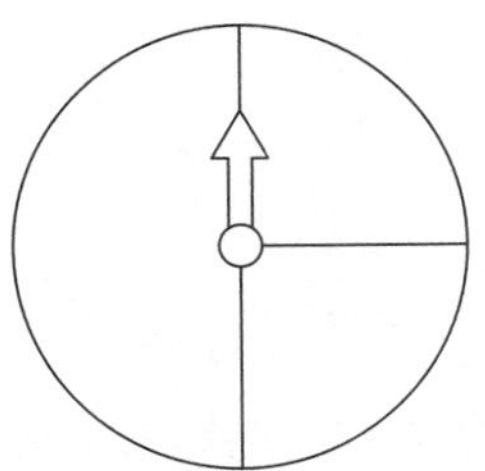

플러스 유형 처방전

회전판에서 차지하는 부분이 넓을수록 화살이 멈출 가능성이 높다능~

플러스 유형 5 일이 일어나지 않을 가능성 알아보기

5-1 지민이는 우체국에서 번호표를 한 장 뽑았습니다. 뽑은 번호표가 짝수가 아닐 가능성을 수로 표현해 보세요.

( )

서술형

5-2 100원짜리 동전 1개를 던질 때 그림 면이 나오지 않을 가능성을 수로 표현하려고 합니다. 풀이 과정을 쓰고 답을 구해 보세요.

풀이

답

사고력 유형

5-3 초록색 구슬 2개가 들어 있는 상자에서 구슬 1개를 꺼낼 때 꺼낸 구슬이 초록색이 아닐 가능성을 수로 표현해 보세요.

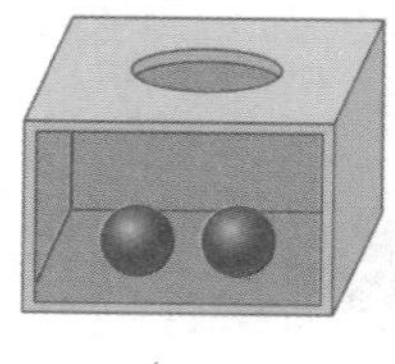

( )

플러스 유형 6 평균을 이용하여 새로운 자료의 값 예상하기

사고력 유형

6-1 진호의 수학 점수를 나타낸 표입니다. 4회까지의 점수의 평균이 3회까지의 점수의 평균보다 높으려면 4회에는 몇 점을 받아야 하는지 예상해 보세요.

진호의 수학 점수

회	1회	2회	3회
점수(점)	86	80	92

( )

서술형

6-2 지현이의 줄넘기 횟수를 나타낸 표입니다. 4회까지의 줄넘기 횟수의 평균이 3회까지의 줄넘기 횟수의 평균보다 높으려면 4회에는 몇 번을 넘어야 하는지 예상해 보세요.

지현이의 줄넘기 횟수

회	1회	2회	3회
횟수(번)	80	75	91

풀이

답

플러스 유형 7 모르는 값을 구하고 자료 비교하기

독해력 유형

7-1 미현이의 수행평가 점수를 나타낸 표입니다. 4회 동안 수행평가 점수의 평균이 81점일 때 수행평가 점수가 가장 높았을 때는 몇 회인지 구해 보세요.

미현이의 수행평가 점수

회	1회	2회	3회	4회
점수(점)	82		80	84

단계 1 4회 동안 수행평가 점수의 합은 몇 점인가요?

( )

단계 2 2회의 수행평가 점수는 몇 점인가요?

( )

단계 3 수행평가 점수가 가장 높았을 때는 몇 회인가요?

( )

7-2 상우네 모둠의 오래 매달리기 기록을 나타낸 표입니다. 네 사람의 기록의 평균이 26초일 때 기록이 가장 좋은 사람의 이름을 써 보세요.

오래 매달리기 기록

이름	상우	진주	영서	민호
기록(초)	27	26		28

( )

플러스 유형 8 새로운 회원의 나이 구하기

독해력 유형

8-1 정수네 동아리 회원의 나이를 나타낸 표입니다. 새로운 회원이 한 명 더 들어와서 나이의 평균이 한 살 늘어났습니다. 새로운 회원의 나이는 몇 살인지 구해 보세요.

동아리 회원의 나이

이름	정수	미희	소연	진철
나이(살)	14	12	16	10

단계 1 처음 동아리 회원의 나이의 평균은 몇 살인가요?

( )

단계 2 새로운 회원이 한 명 더 들어와서 전체 회원의 나이의 합은 몇 살이 되나요?

( )

단계 3 새로운 회원의 나이는 몇 살인가요?

( )

플러스 유형 처방전

새로운 회원이 한 명 더 들어와서 나이의 평균이 한 살 늘어났으므로
(늘어난 후 동아리 전체 회원의 나이의 합)
=((처음 동아리 회원의 나이의 평균)+1)
×(늘어난 후 동아리 전체 회원의 수)
로 구할 수 있다능~

[1~2] 유나네 모둠이 과녁에 맞힌 화살 수를 나타낸 표입니다. 물음에 답해 보세요.

과녁에 맞힌 화살 수

이름	유나	승유	현인	상철
화살 수(개)	2	5	3	6

1 과녁에 맞힌 화살 수만큼 ○를 그려 나타낸 것입니다. ○를 옮겨 고르게 하고 맞힌 화살 수의 평균을 구해 보세요.

			○
	○		○
	○		○
	○	○	○
○	○	○	○
○	○	○	○
유나	승유	현인	상철

➜

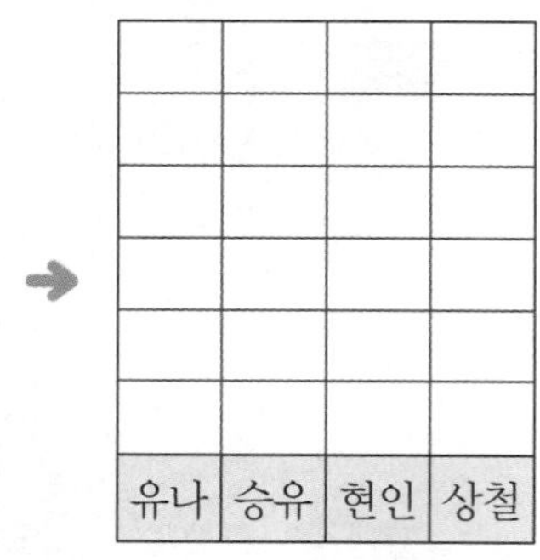

➜ 과녁에 맞힌 화살 수의 평균: □개

2 맞힌 화살 수의 합을 사람 수로 나누어 평균을 구해 보세요.

(과녁에 맞힌 화살 수의 평균)

$=(2+5+\square+\square)\div\square=\square$(개)

3 일이 일어날 가능성을 생각해 보고 알맞게 표현한 것에 ○표 하세요.

어린이날은 5월일 것입니다.

(불가능하다 , 반반이다 , 확실하다)

4 다음 수들의 평균을 구해 보세요.

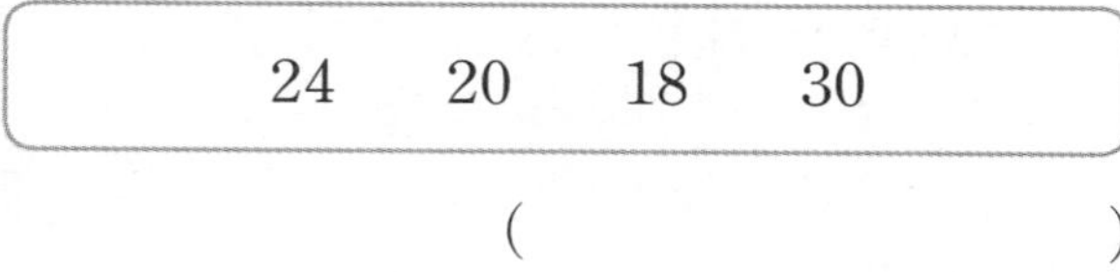

( )

[5~7] 초록색과 노란색으로 이루어진 회전판 돌리기를 하고 있습니다. 주어진 일이 일어날 가능성을 ↓로 나타내어 보세요.

가 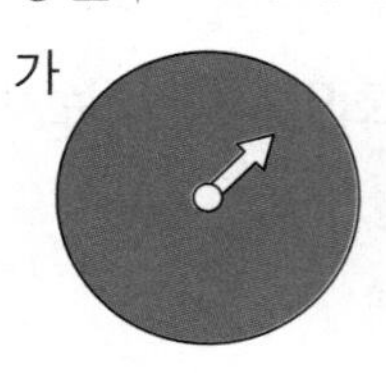 나 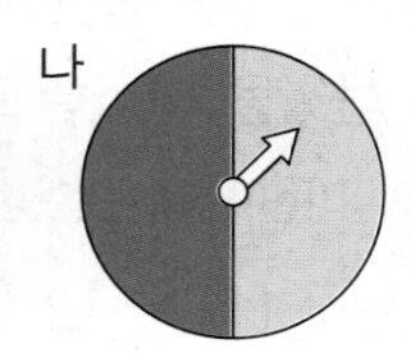 다 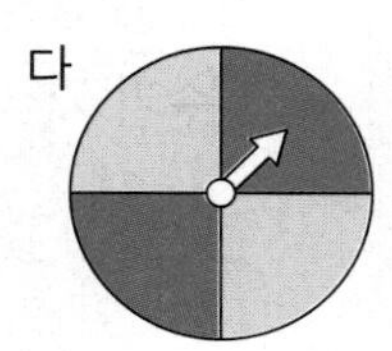

5 회전판 가에서 화살이 초록색에 멈출 가능성

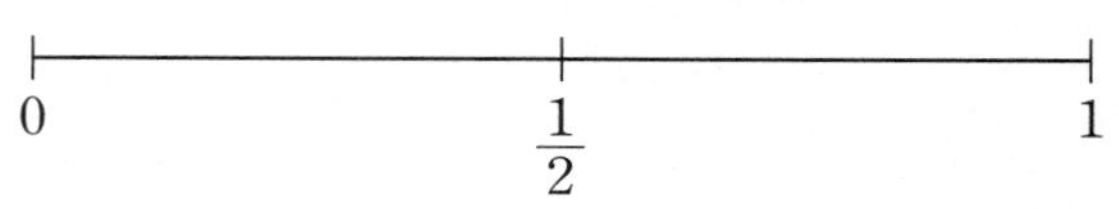

6 회전판 나에서 화살이 노란색에 멈출 가능성

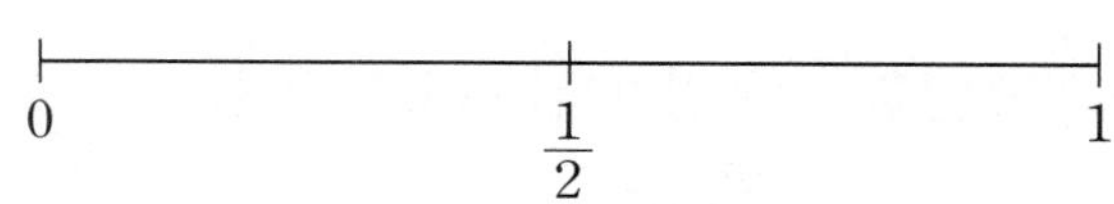

7 회전판 다에서 화살이 초록색에 멈출 가능성

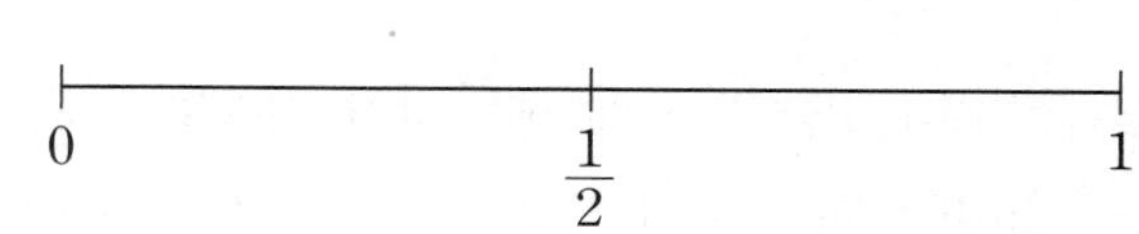

8 상혁이가 5일 동안 운동한 시간의 합은 135분입니다. 하루 평균 운동한 시간은 몇 분인가요?

( )

9 일이 일어날 가능성을 말과 수로 각각 표현해 보세요.

8월은 33일까지 있을 것입니다.

말 ______________________

수 ______________________

10 □ 안에 알맞은 수를 써넣으세요.

어느 블로그에 6일 동안 접속한 사람은 하루 평균 78명입니다. 이 블로그에 6일 동안 접속한 사람은 모두 □명입니다.

11 채현이네 모둠의 50 m 달리기 기록을 나타낸 표입니다. 채현이네 모둠의 50 m 달리기 기록의 평균이 11초일 때 희재의 기록은 몇 초인가요?

채현이네 모둠의 50 m 달리기 기록

이름	채현	희재	영민	서우
기록(초)	11		11	12

(　　　　　　)

12 일이 일어날 가능성을 잘못 말한 사람은 누구인가요?

호진: 당첨 제비만 4개 들어 있는 상자에서 제비 한 개를 꺼낼 때 당첨 제비를 꺼낼 가능성은 반반이야.

민규: 보라색 공 2개, 파란색 공 2개가 들어 있는 상자에서 공 1개를 꺼낼 때 꺼낸 공이 파란색일 가능성은 반반이야.

(　　　　　　)

13 주황색, 초록색, 보라색으로 이루어진 회전판과 회전판을 50회 돌려 화살이 멈춘 횟수를 나타낸 표입니다. 표를 보고 일이 일어날 가능성이 더 비슷한 회전판의 기호를 써 보세요.

가
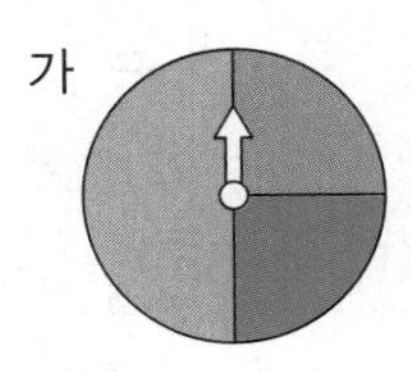
나
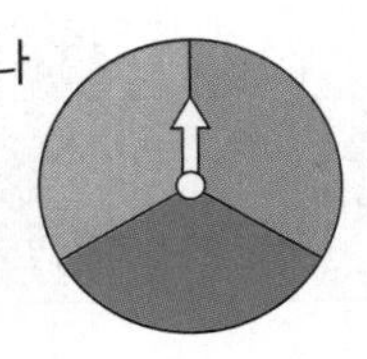

색깔	주황	초록	보라
횟수(회)	16	18	16

(　　　　　　)

14 1부터 6까지의 눈이 쓰여진 주사위를 한 개 굴릴 때 일이 일어날 가능성이 더 높은 것의 기호를 써 보세요.

㉠ 주사위 눈의 수가 홀수가 나올 가능성
㉡ 주사위 눈의 수가 1 이상으로 나올 가능성

(　　　　　　)

15 현지와 유민이의 키의 평균은 120 cm이고 지호의 키는 129 cm입니다. 세 사람의 키의 평균은 몇 cm인가요?

(　　　　　　)

16 수영이네 모둠의 단체 줄넘기 기록을 나타낸 표입니다. 평균이 30번 이상이 되어야 준결승에 올라갈 수 있다면 수영이네 모둠은 준결승에 올라갈 수 있나요?

단체 줄넘기 기록

회	1회	2회	3회	4회
기록(번)	35	29	27	33

(　　　　　　)

정답 및 풀이 41쪽

서술형 » 167쪽 3-3 유사 문제

17 은성이네 모둠이 일주일 동안 푼 수학 문제 수를 나타낸 표입니다. 평균보다 많이 푼 학생을 모두 찾으려고 합니다. 풀이 과정을 쓰고 답을 구해 보세요.

일주일 동안 푼 수학 문제 수

이름	은성	도진	윤정	연수
문제 수(개)	45	55	52	48

풀이

답

서술형 » 168쪽 5-2 유사 문제

18 오른쪽 주머니에서 바둑돌 1개를 꺼낼 때 검은색 바둑돌이 나오지 않을 가능성을 수로 표현하려고 합니다. 풀이 과정을 쓰고 답을 구해 보세요.

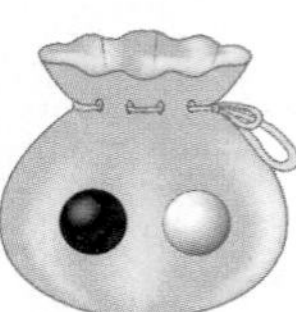

풀이

답

서술형 » 168쪽 6-2 유사 문제

19 다희의 멀리뛰기 기록을 나타낸 표입니다. 4회까지의 기록의 평균이 3회까지의 기록의 평균보다 높으려면 4회에는 몇 cm 뛰어야 하는지 예상해 보려고 합니다. 풀이 과정을 쓰고 답을 구해 보세요.

다희의 멀리뛰기 기록

회	1회	2회	3회
기록(cm)	95	104	92

풀이

답

독해력 유형 서술형 » 169쪽 7-2 유사 문제

20 세영이네 모둠의 왕복 오래달리기 기록을 나타낸 표입니다. 왕복 오래달리기 기록의 평균이 82회일 때 기록이 가장 좋은 사람은 누구인지 풀이 과정을 쓰고 답을 구해 보세요.

왕복 오래달리기 기록

이름	세영	재민	초희	진아
기록(회)		85	73	80

풀이

답

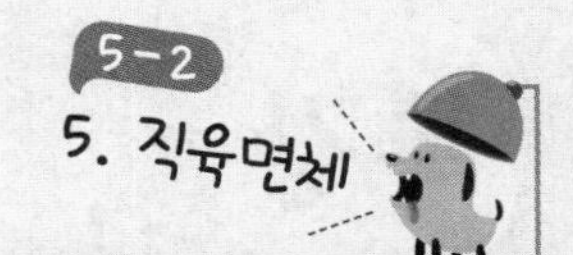

직사각형 6개로 둘러싸인 도형

1 직육면체를 보고 빈칸에 알맞은 수를 써넣으세요.

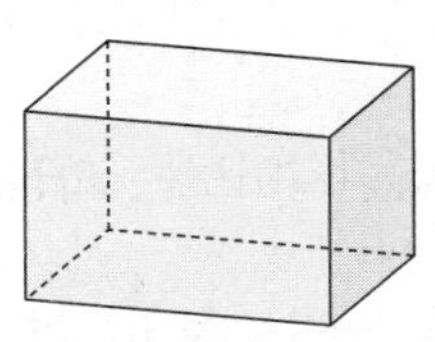

면의 수(개)	모서리의 수(개)	꼭짓점의 수(개)
6		

직육면체의 성질

2 직육면체에서 면 ㄱㄴㄷㄹ과 수직인 면을 모두 찾아 써 보세요.

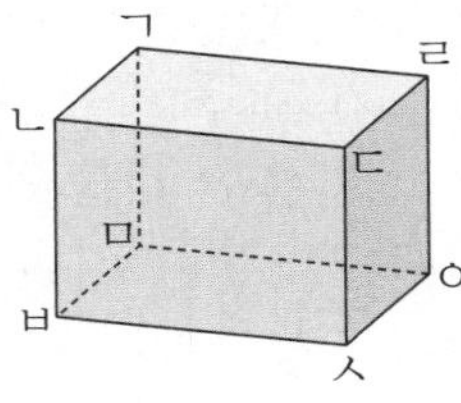

(　　　　　　　　　　　　　　　　)

정육면체 알아보기

3 오른쪽 정육면체의 모든 모서리의 길이의 합은 144 cm입니다. 한 모서리의 길이는 몇 cm인가요?

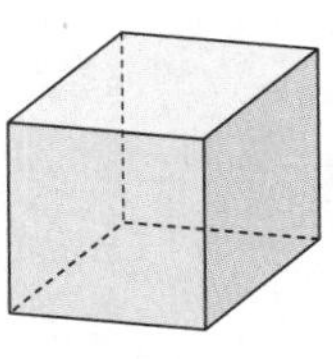

(　　　　　　　)

정육면체의 전개도

4 보기 와 같이 무늬(◇) 3개가 그려져 있는 정육면체를 만들 수 있도록 다음 전개도에 무늬(◇) 1개를 그려 넣으세요.

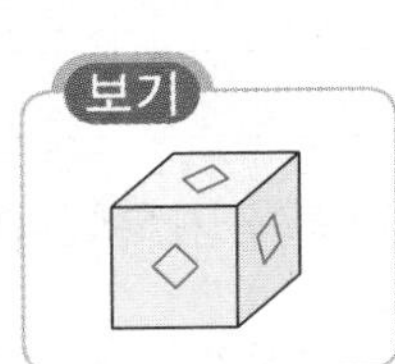

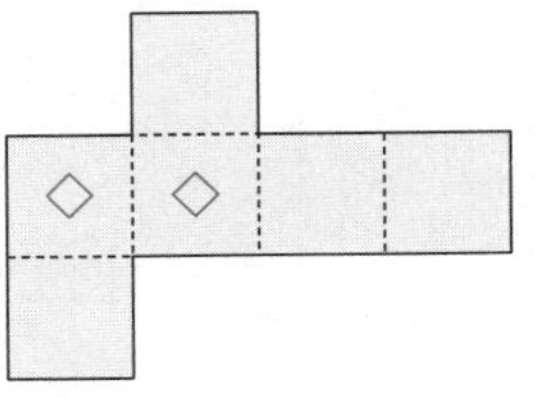

별별 코딩 학습

일이 일어날 가능성을 알아보는 과정입니다. 보기 에서 □ 안에 알맞은 말을 찾아 써넣으세요.

❶ 동전 한 개를 여러 번 던졌을 때 그림 면 또는 숫자 면이 나올 가능성을 알아보는 과정이야.

보기

그림 면 또는 숫자 면, 가능성

순서	단계
①	동전 한 개를 던집니다.
②	동전의 □ 이 나옵니다.
③	동전의 면이 나온 결과를 기록합니다.
④	여러 번 반복합니다.
⑤	결과를 바탕으로 □ 을 구합니다.

❷ 횡단보도 신호등이 여러 번 켜졌을 때 정지 신호 또는 보행자 신호가 나올 가능성을 알아보는 과정이야.

보기

반복, 가능성, 정지 신호 또는 보행자 신호

순서	단계
①	횡단보도 신호등이 켜집니다.
②	신호등의 □ 이/가 나옵니다.
③	신호등이 켜진 결과를 기록합니다.
④	여러 번 □ 합니다.
⑤	결과를 바탕으로 □ 을/를 구합니다.

인기 크리에이터는 누구?

1인 미디어는 개인이 자신의 콘텐츠를 기획해 제작하여 대중에게 내보이는 서비스를 말해.
인터넷을 통해 누구나 스타가 될 수 있고 누구나 기자와 PD가 될 수 있으며,
방송국을 운영할 수 있다는 가능성을 제공하지.
1인 미디어의 주역인 크리에이터들은 어린이들의 인기 장래 희망으로 손꼽히고 있어.

창의 2 다음은 크리에이터 진수와 수정이의 동영상을 본 구독자 수를 나타낸 것입니다. 하루 평균 동영상을 본 구독자 수가 더 많은 크리에이터는 누구인가요?

진수

수정

하루 평균 진수의 동영상을 본 구독자 수를 구하면 $1248 \div 4 = \square$(명)이야.

하루 평균 수정이의 동영상을 본 구독자 수를 구하면 $1545 \div \square = \square$(명)이야.

두 평균을 비교하면 □명 > □명이니까……
하루 평균 동영상을 본 구독자 수가 더 많은 크리에이터는 □(이)야.

점선대로 잘라서 파이널 테스트지로 활용하세요.

단원평가

1. 수의 범위와 어림하기

5학년 이름 :

날짜 . .

점수

1 □ 안에 알맞은 말을 써넣으세요.

58, 59, 62, 66 등과 같이 58과 같거나 큰 수를 58 □인 수라고 합니다.

2 수직선에 나타낸 수의 범위를 바르게 나타낸 것에 ○표 하세요.

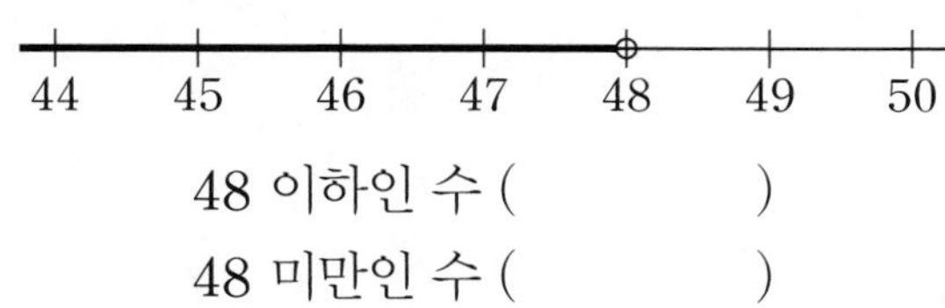

48 이하인 수 ( )

48 미만인 수 ( )

3 버림하여 천의 자리까지 나타내어 보세요.

1985

( )

4 34 초과인 수가 아닌 것을 찾아 써 보세요.

36 47 34 69

( )

5 반올림하여 소수 둘째 자리까지 나타내어 보세요.

3.156

( )

6 65 미만인 수는 모두 몇 개인가요?

91 51 65 60

( )

서준이네 모둠 학생들이 한 훌라후프 횟수를 나타낸 표입니다. 물음에 답해 보세요. (7～8)

서준이네 모둠 학생들이 한 훌라후프 횟수

이름	서준	하윤	지안	민서
횟수(회)	89	52	100	70

7 훌라후프를 한 횟수가 50회 초과 70회 이하인 학생의 이름을 모두 써 보세요.

( )

8 훌라후프를 한 횟수가 89회 이상인 학생은 모두 몇 명인가요?

( )

9 수직선에 나타내어 보세요.

62 초과 66 이하인 수

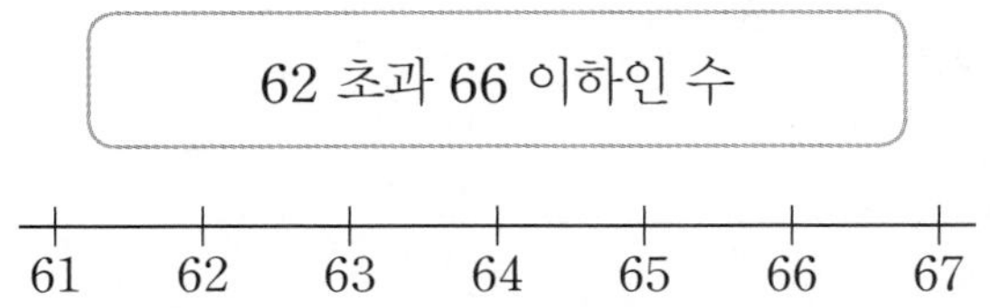

10 올림하여 주어진 자리까지 나타내어 보세요.

수	십의 자리	백의 자리
451		

11 버림하여 백의 자리까지 나타내면 2700이 되는 수를 말한 사람의 이름을 써 보세요.

( )

12 24 이상 28 이하인 자연수는 모두 몇 개인가요?

( )

13 수직선에 나타낸 수의 범위를 써 보세요.

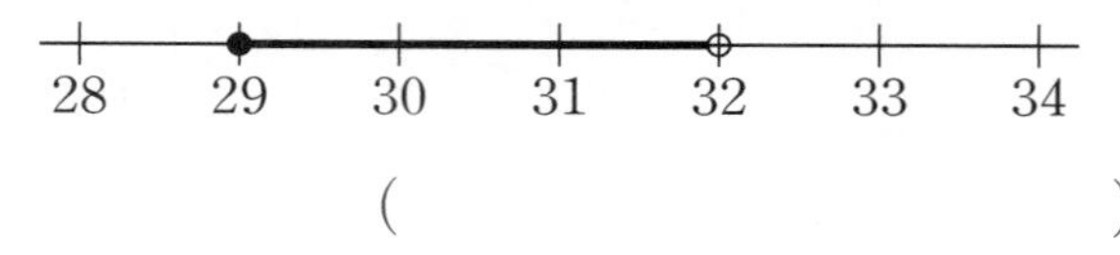

( )

14 동전 7800원을 1000원짜리 지폐로만 바꾸려고 합니다. 1000원짜리 지폐 몇 장까지 바꿀 수 있나요?

( )

15 종이테이프의 길이는 몇 cm인지 반올림하여 일의 자리까지 나타내어 보세요.

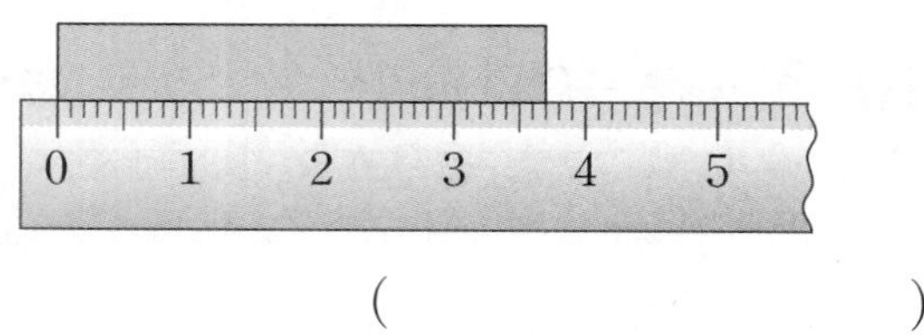

( )

16 사과 5624상자를 트럭에 모두 실으려고 합니다. 트럭 한 대에 1000상자씩 실을 수 있을 때 트럭은 최소 몇 대 필요한가요?

( )

17 수직선에 나타낸 수의 범위에 포함되는 자연수 중에서 가장 작은 수는 얼마인가요?

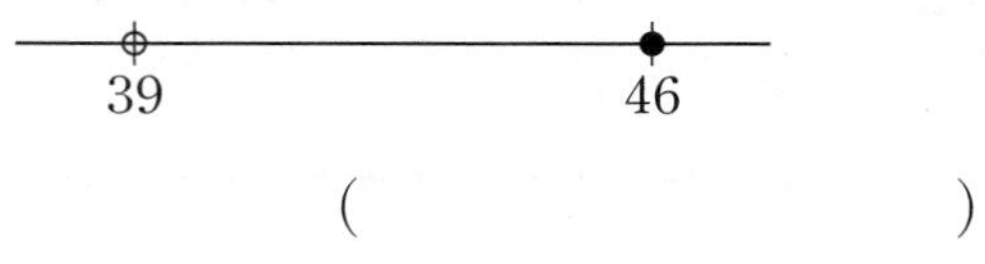

( )

18 다음 수를 올림하여 천의 자리까지 나타낸 수와 백의 자리까지 나타낸 수의 차를 구해 보세요.

62419

( )

19 버림하여 백의 자리까지 나타내면 5400이 되는 자연수 중에서 가장 큰 수를 구해 보세요.

( )

20 수 카드 4장을 한 번씩만 사용하여 가장 큰 네 자리 수를 만들고, 만든 네 자리 수를 반올림하여 백의 자리까지 나타내어 보세요.

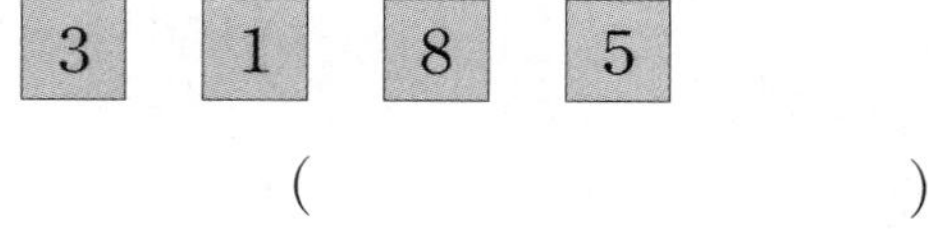

( )

단원평가

2. 분수의 곱셈

5학년 이름 :

날짜 . .

점수

□ 안에 알맞은 수를 써넣으세요. (1～2)

1 $\frac{5}{9}\times4=\frac{\square}{9}=\square$

2 $8\times1\frac{2}{5}=8\times\frac{\square}{5}=\frac{\square}{5}=\square$

3 ●에 알맞은 수를 구해 보세요.

$\frac{1}{5}\times\frac{1}{9}=\frac{1}{●}$

( )

4 빈칸에 알맞은 수를 써넣으세요.

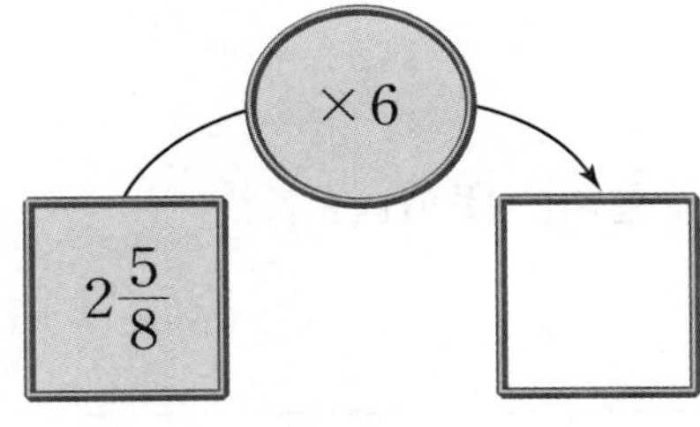

5 보기 와 같은 방법으로 계산해 보세요.

보기

$\frac{5}{6}\times\frac{12}{25}=\frac{\overset{1}{\cancel{5}}\times\overset{2}{\cancel{12}}}{\underset{1}{\cancel{6}}\times\underset{5}{\cancel{25}}}=\frac{2}{5}$

$\frac{9}{20}\times\frac{16}{21}=$ ________

6 두 수의 곱을 구해 보세요.

$1\frac{1}{6}$ $3\frac{3}{5}$

( )

7 계산해 보세요.

$\frac{2}{5}\times1\frac{1}{3}\times4\frac{3}{8}$

( )

8 다음을 식으로 나타내고 계산해 보세요.

$2\frac{3}{8}$의 3배

식 ________

답 ________

9 주스가 $\frac{1}{5}$ L씩 들어 있는 컵이 5개 있습니다. 주스는 모두 몇 L인가요?

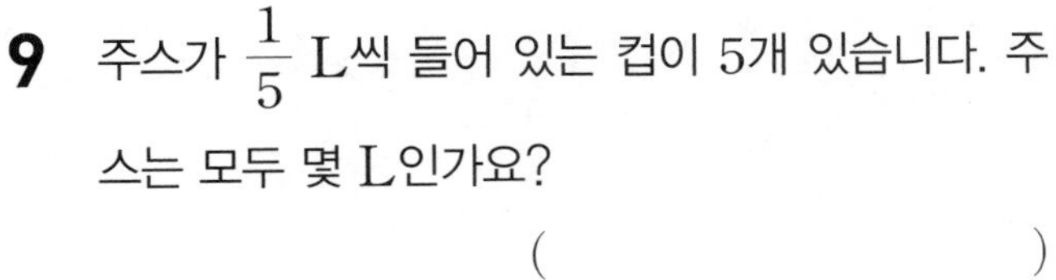

( )

10 철사 6 m 중에서 $\frac{5}{8}$만큼을 사용했습니다. 사용한 철사의 길이는 몇 m인가요?

( )

11 크기를 비교하여 ○ 안에 >, =, <를 알맞게 써넣으세요.

$$21\times2\frac{2}{7} \bigcirc 50$$

12 잘못 계산한 사람의 이름을 써 보세요.

지은: $4\frac{2}{3}\times2\frac{5}{7}=12\frac{2}{3}$

수현: $1\frac{2}{5}\times4\frac{1}{6}=4\frac{5}{6}$

( )

13 한 변의 길이가 $5\frac{1}{6}$ cm인 정사각형의 둘레는 몇 cm인가요?

식

답

14 계산 결과가 3보다 큰 것을 찾아 ○표 하세요.

$3\times1\frac{2}{3}$ $3\times\frac{4}{9}$

15 가장 큰 수와 가장 작은 수의 곱을 구해 보세요.

$\frac{11}{15}$ 9 $4\frac{2}{3}$

( )

16 현서는 하루 24시간 중 $\frac{1}{4}$을 학교에서 생활을 하고 그중 $\frac{5}{6}$는 공부를 합니다. 현서가 하루에 학교에서 공부하는 시간은 몇 시간인가요?

( )

17 □ 안에 들어갈 수 있는 가장 작은 자연수를 구해 보세요.

$9\frac{3}{7}\times\frac{5}{11}<\square$

( )

18 색칠한 부분은 정사각형 전체 넓이의 $\frac{1}{5}$입니다. 색칠한 부분의 넓이는 몇 m^2인가요?

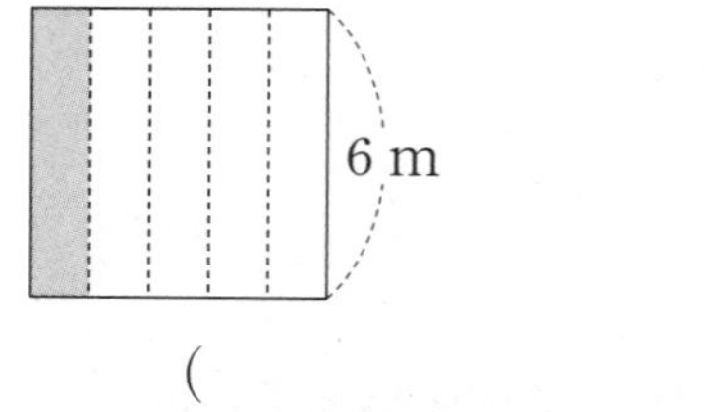

( )

19 ㉠의 길이는 몇 m인가요?

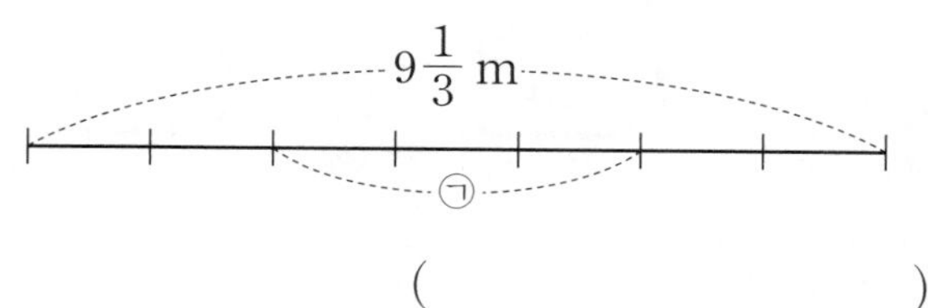

( )

20 수 카드 3장을 모두 한 번씩만 사용하여 만들 수 있는 가장 큰 대분수와 가장 작은 대분수의 곱을 구해 보세요.

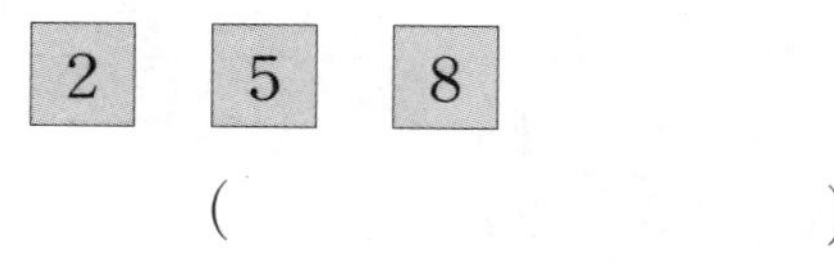

( )

단원평가

3. 합동과 대칭

5학년 이름 :

날짜 . .

점수

1 왼쪽 도형과 서로 합동인 도형을 찾아 ○표 하세요.

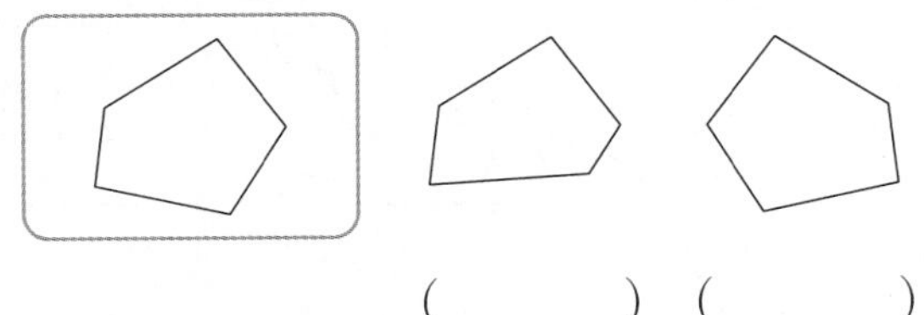

( ) ( )

2 한 직선을 따라 접어서 완전히 겹치는 도형의 기호를 써 보세요.

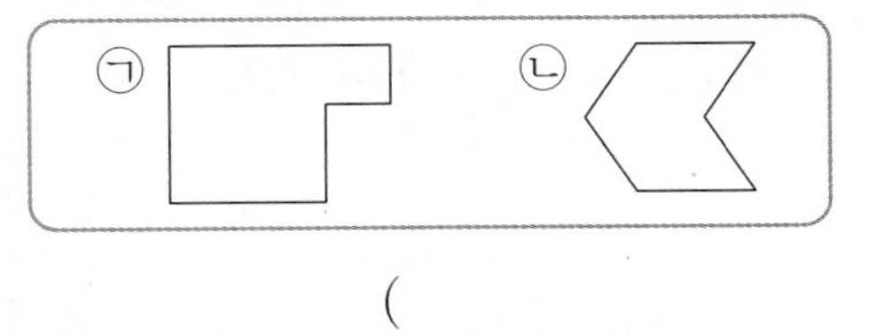

( )

3 선대칭도형의 대칭축을 그려 보세요.

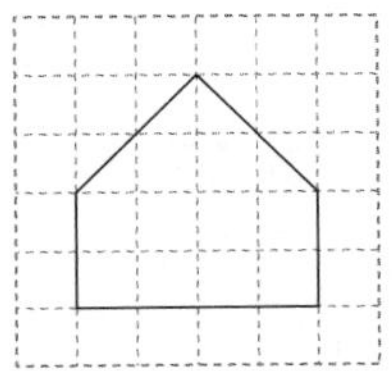

4 점대칭도형의 기호를 써 보세요.

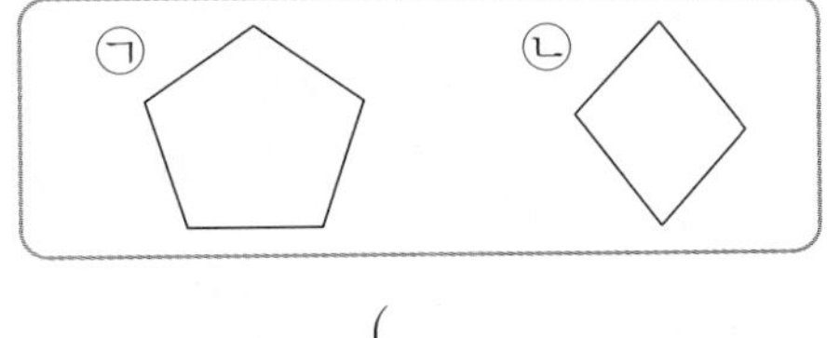

( )

5 대칭의 중심을 찾아 표시해 보세요.

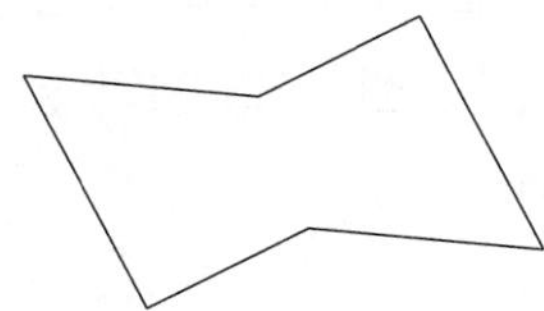

6 두 도형은 서로 합동입니다. 대응각은 몇 쌍인가요?

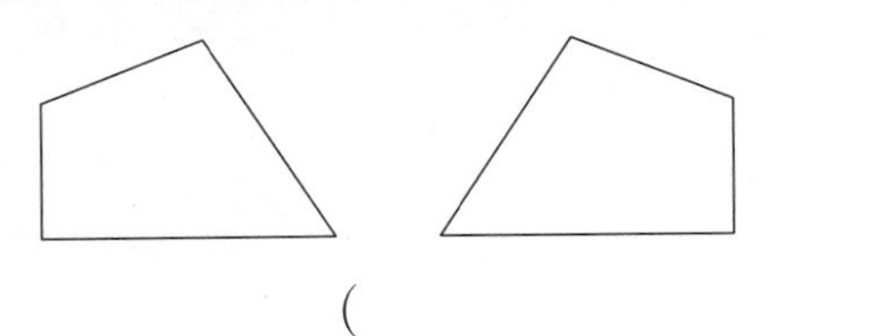

( )

7 왼쪽 도형과 서로 합동인 도형을 그려 보세요.

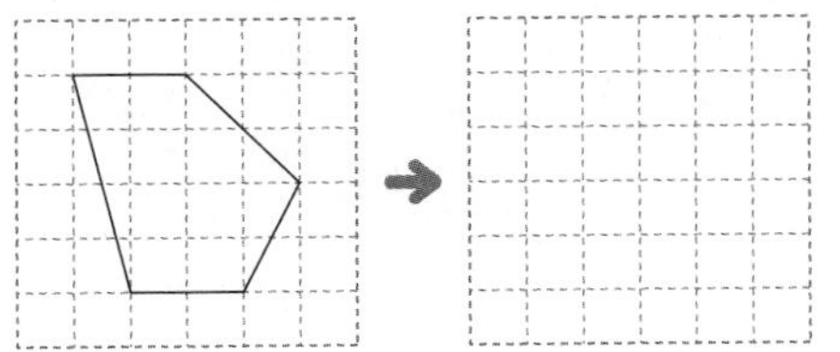

두 삼각형은 서로 합동입니다. 물음에 답해 보세요. (8～9)

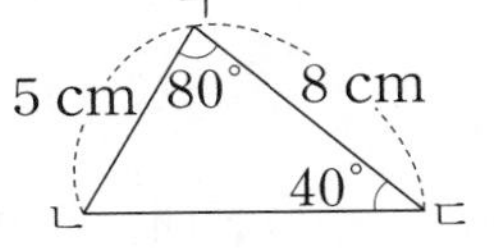

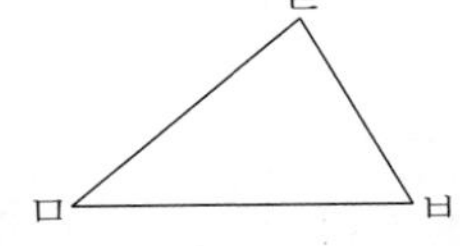

8 변 ㄹㅁ은 몇 cm인가요?

( )

9 각 ㄹㅁㅂ은 몇 도인가요?

( )

10 선대칭도형을 완성해 보세요.

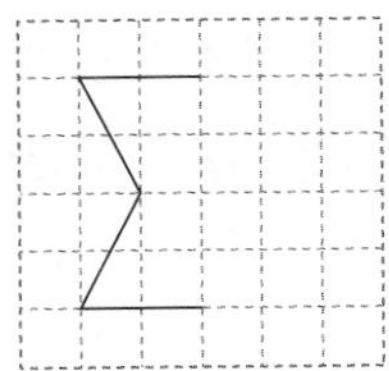

점 ㅇ을 대칭의 중심으로 하는 점대칭도형입니다. 물음에 답해 보세요. (11～12)

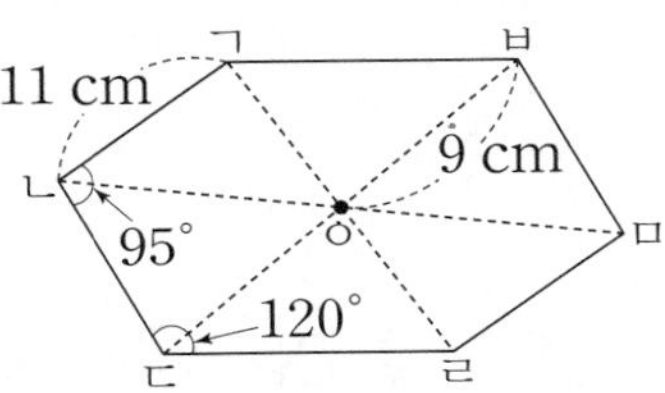

11 선분 ㄷㅇ은 몇 cm인가요?

( )

12 각 ㅂㅁㄹ은 몇 도인가요?

( )

3 단원

합동과 대칭

13 점 ㅇ을 대칭의 중심으로 하는 점대칭도형을 그리려고 합니다. 대응점을 잘못 찍은 것을 찾아 기호를 써 보세요.

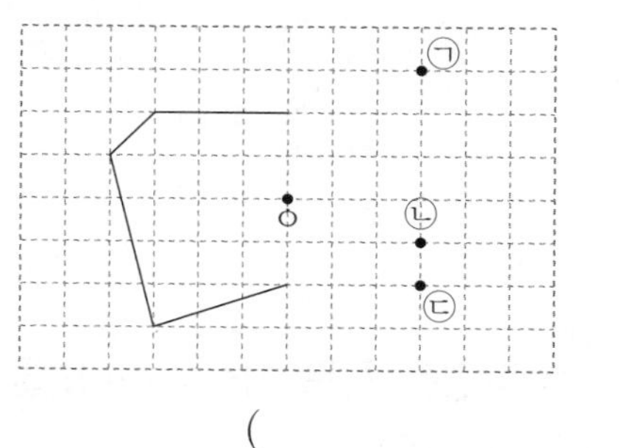

(　　　　　　　　　　)

14 직선 ㄱㄴ을 대칭축으로 하는 선대칭도형입니다. □ 안에 알맞은 수를 써넣으세요.

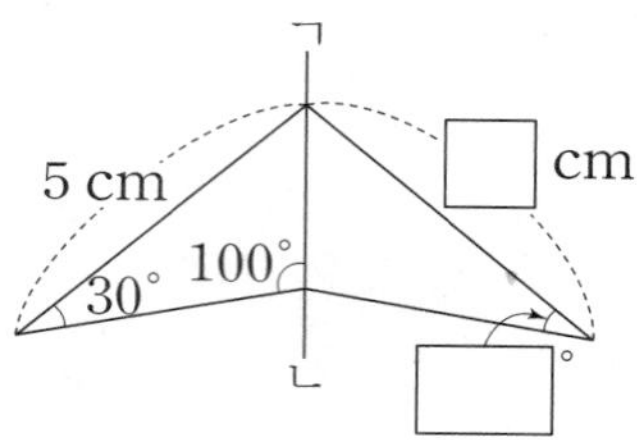

15 점 ㅇ을 대칭의 중심으로 하는 점대칭도형입니다. 선분 ㄱㄹ은 몇 cm인가요?

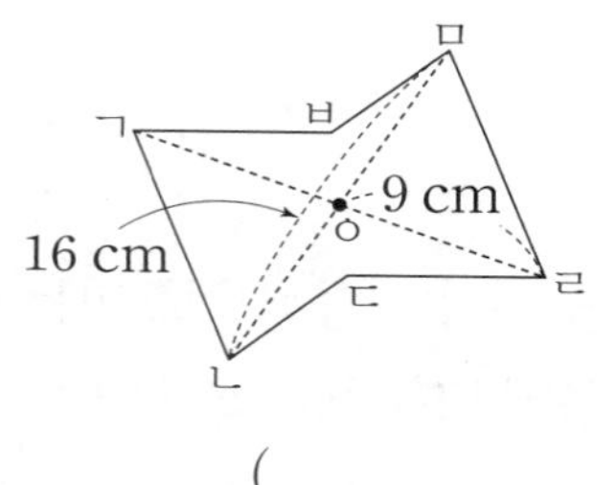

(　　　　　　　　　　)

16 두 사각형은 서로 합동입니다. 사각형 ㄱㄴㄷㄹ의 둘레는 몇 cm인가요?

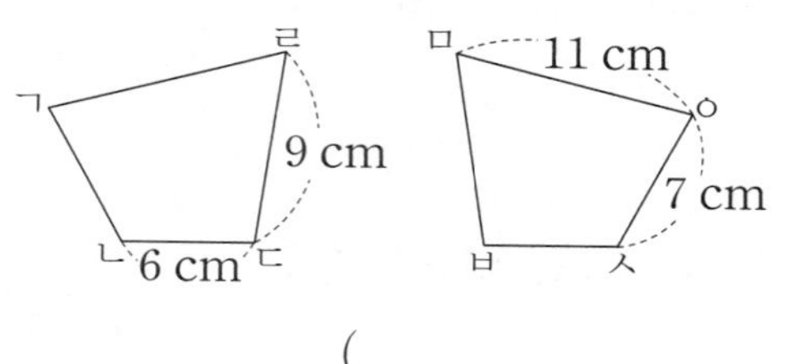

(　　　　　　　　　　)

17 선대칭도형도 되고 점대칭도형도 되는 도형을 찾아 기호를 써 보세요.

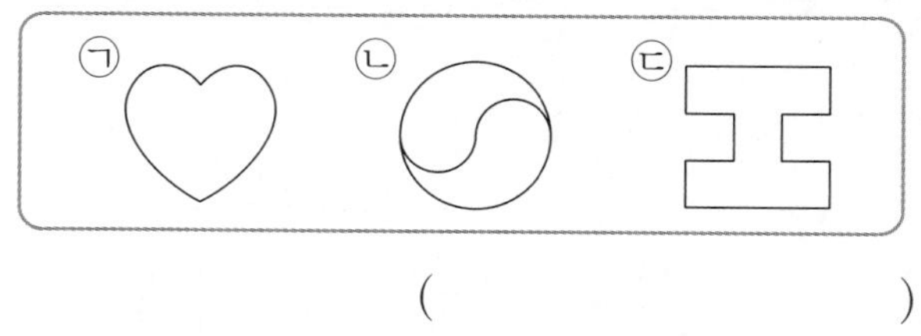

(　　　　　　　　　　)

18 두 직사각형은 서로 합동입니다. 직사각형의 넓이는 몇 cm^2인지 구해 보세요.

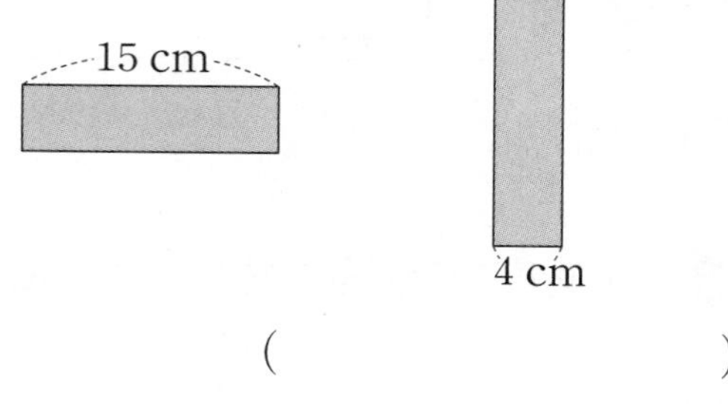

(　　　　　　　　　　)

19 오른쪽 도형은 직선 ㅁㅂ을 대칭축으로 하는 선대칭도형입니다. 각 ㄱㄷㄹ은 몇 도인가요?

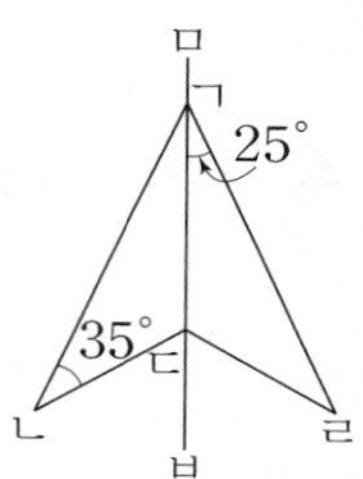

(　　　　　　　　　　)

20 직선 ㄱㄴ을 대칭축으로 하는 선대칭도형을 완성하고, 완성된 선대칭도형의 넓이는 몇 cm^2인지 구해 보세요.

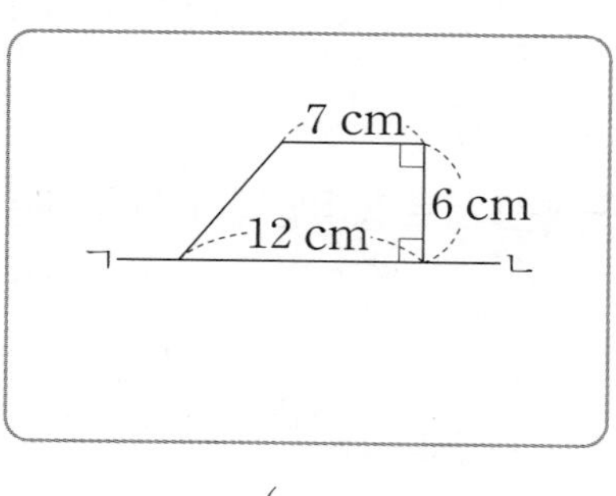

(　　　　　　　　　　)

단원평가

4. 소수의 곱셈

5학년 이름 :

날짜 . .

점수

1 덧셈식으로 계산하려고 합니다. □ 안에 알맞은 수를 써넣으세요.

$0.7+0.7+0.7+0.7+0.7$

$\Rightarrow 0.7\times\square=\square$

2 □ 안에 알맞은 수를 써넣으세요.

$1.25\times3=\dfrac{\square}{100}\times3=\dfrac{\square\times3}{100}$

$=\dfrac{\square}{100}=\square$

계산해 보세요. (3~4)

3

$$\begin{array}{r} 2.4 \\ \times\quad 4 \\ \hline \end{array}$$

4 6×1.72

5 빈칸에 알맞은 수를 써넣으세요.

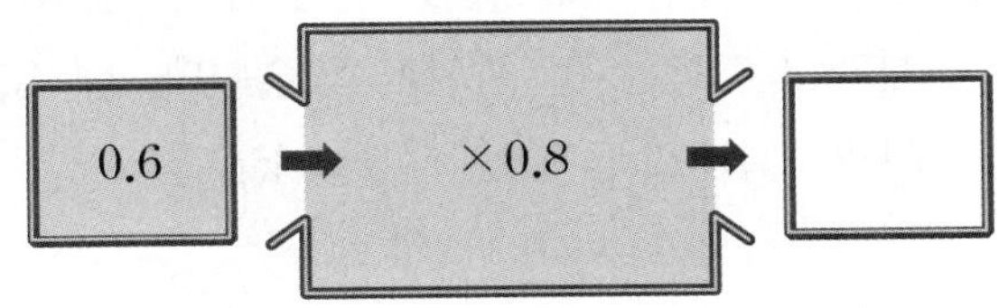

6 두 수의 곱을 구해 보세요.

5 0.59

( )

7 $18\times7=126$입니다. 다음을 계산해 보세요.

18×0.7

( )

8 계산이 잘못된 부분을 찾아 바르게 계산해 보세요.

$$\begin{array}{r} 1\ 3 \\ \times\ 0.0\ 8 \\ \hline 1\ 0.4 \end{array} \Rightarrow \begin{array}{r} 1\ 3 \\ \times\ 0.0\ 8 \\ \hline \end{array}$$

9 다음이 나타내는 수를 구해 보세요.

6.4의 0.7배

( )

10 계산 결과가 6.08인 것에 ○표 하세요.

1.1×5.8 ( )

3.8×1.6 ( )

11 보기를 이용하여 식을 완성해 보세요.

보기

$27 \times 314 = 8478$

$2.7 \times \square = 8.478$

12 더 큰 수의 기호를 써 보세요.

㉠ 0.3×0.61 ㉡ 0.38×0.5

(　　　　　　)

13 직사각형의 넓이는 몇 m^2인지 구해 보세요.

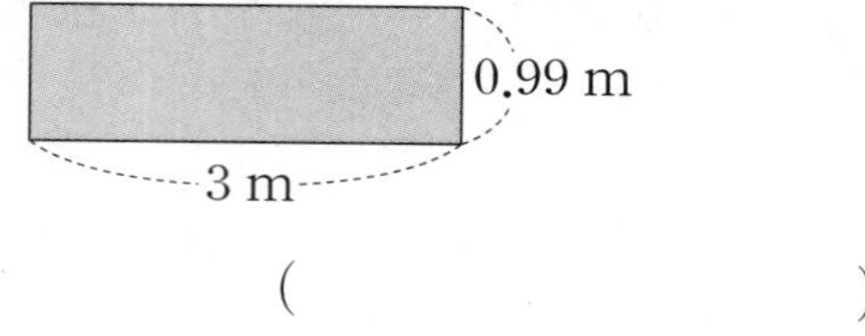

(　　　　　　)

14 주하는 하루에 우유를 0.45 L씩 마십니다. 주하가 일주일 동안 마신 우유는 모두 몇 L인가요?

식

답

15 진수가 가지고 있는 끈은 15.3 cm이고 소영이가 가지고 있는 끈은 0.164 m입니다. 누구의 끈이 더 긴가요?

(　　　　　　)

16 가장 큰 수와 가장 작은 수의 곱을 구해 보세요.

0.81　　38　　6.2

(　　　　　　)

17 □ 안에 들어갈 수 있는 가장 작은 자연수를 구해 보세요.

$0.47 \times 32 < \square$

(　　　　　　)

18 한 변의 길이가 1.5 m인 정사각형 모양의 땅이 있습니다. 이 땅의 넓이의 0.8배만큼 밭을 만든다면 밭의 넓이는 몇 m^2인가요?

(　　　　　　)

19 어떤 수에 2.3를 곱해야 할 것을 잘못하여 뺐더니 7.6이 되었습니다. 바르게 계산한 값을 구해 보세요.

(　　　　　　)

20 한 봉지의 무게가 2.95 kg인 배와 한 봉지의 무게가 1.76 kg인 사과가 있습니다. 배 3봉지와 사과 4봉지의 무게의 합은 몇 kg인가요?

(　　　　　　)

단원평가

5. 직육면체

5학년 이름 :

날짜 . .

점수

1 □ 안에 알맞은 말을 써넣으세요.

직사각형 6개로 둘러싸인 도형을 □(이)라고 합니다.

2 정육면체의 기호를 써 보세요.

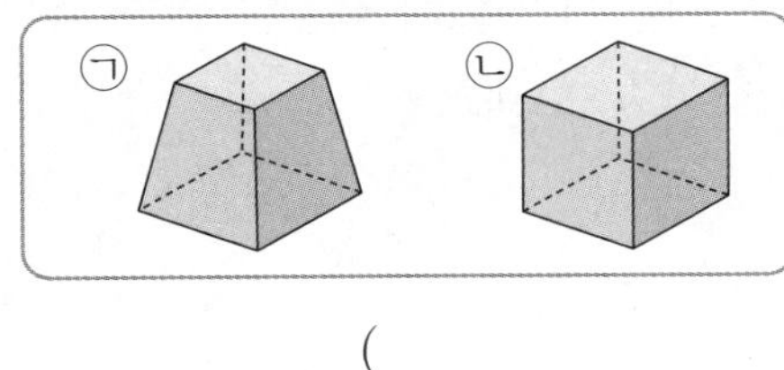

( )

3 직육면체에서 보이는 꼭짓점을 모두 찾아 •으로 표시해 보세요.

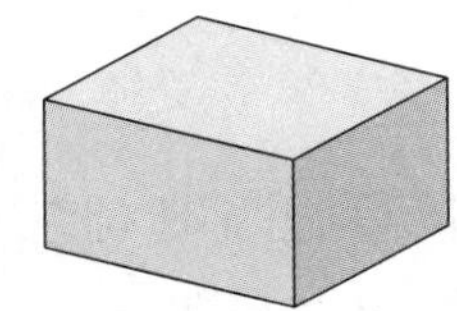

다음 설명이 옳으면 ○표, 틀리면 ×표 하세요. (4～5)

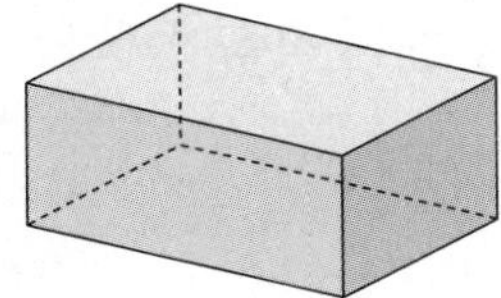

4 직육면체의 면과 면이 만나는 선분을 모서리라고 합니다. ( )

5 직육면체에서 선분으로 둘러싸인 부분을 꼭짓점이라고 합니다. ( )

6 직육면체에서 색칠한 면과 평행한 면을 찾아 색칠해 보세요.

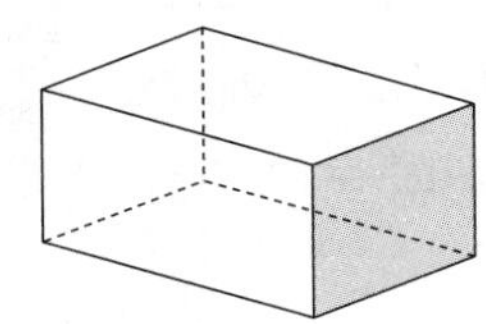

7 직육면체에서 면 ㄱㄴㅂㅁ과 수직인 면은 모두 몇 개인가요?

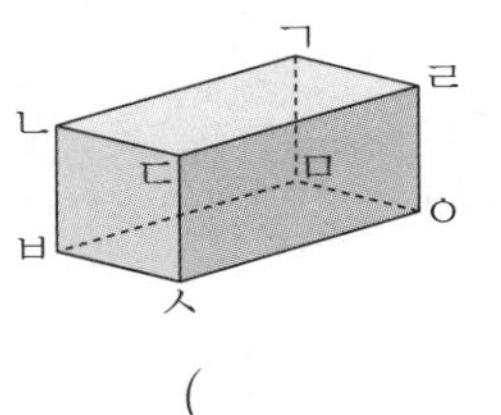

( )

8 오른쪽 정육면체를 보고 빈칸에 알맞은 수를 써넣으세요.

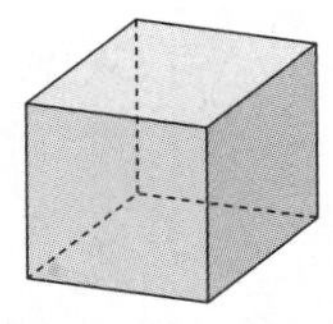

면의 수(개)	모서리의 수(개)	꼭짓점의 수(개)

전개도를 접어서 정육면체를 만들었습니다. 물음에 답해 보세요. (9～10)

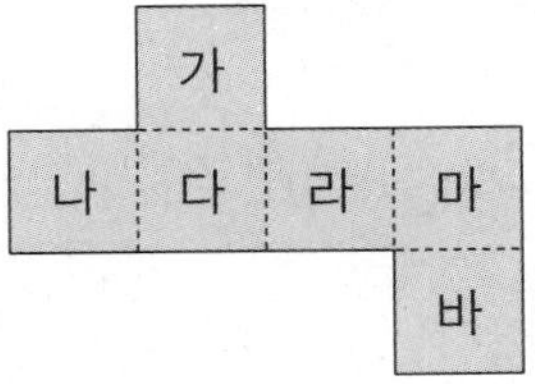

9 면 나와 평행한 면을 찾아 써 보세요.

( )

10 면 나와 수직인 면을 모두 찾아 써 보세요.

( )

11 그림에서 빠진 부분을 그려 넣어 직육면체의 겨냥도를 완성해 보세요.

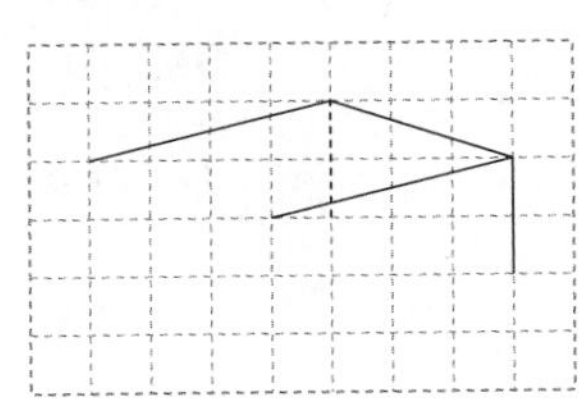

5 단원

직육면체

12 오른쪽 직육면체에서 서로 평행한 면은 모두 몇 쌍인가요?

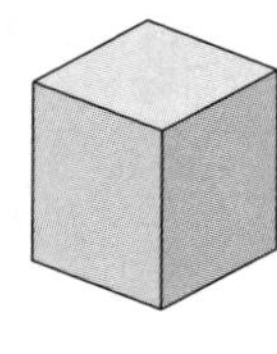

(　　　　　　　　)

13 정육면체의 전개도가 아닌 것의 기호를 써 보세요.

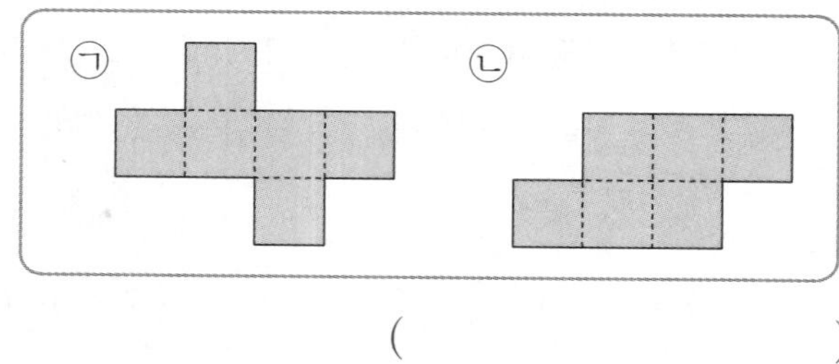

(　　　　　　　　)

14 직육면체의 전개도를 그린 것입니다. □ 안에 알맞은 수를 써넣으세요.

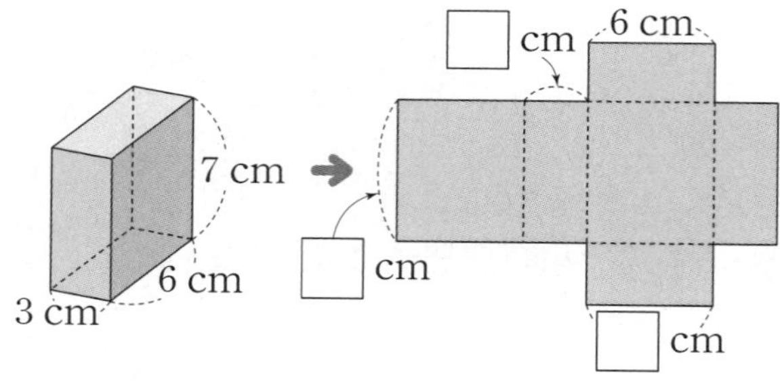

15 직육면체에서 면 ㄱㄴㄷㄹ과 평행한 면의 모서리의 길이의 합은 몇 cm인가요?

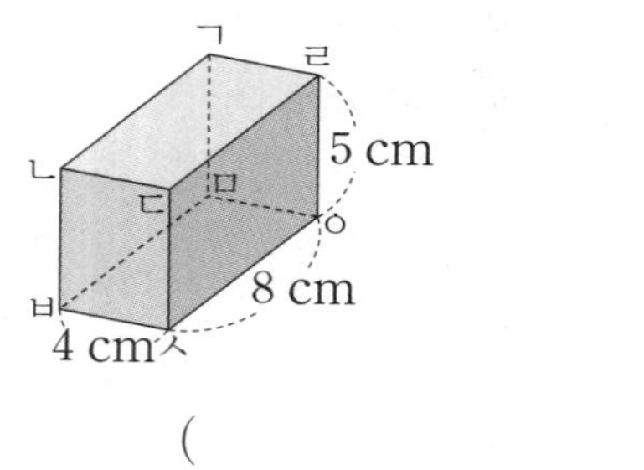

(　　　　　　　　)

직육면체의 전개도를 보고 물음에 답해 보세요. (16～17)

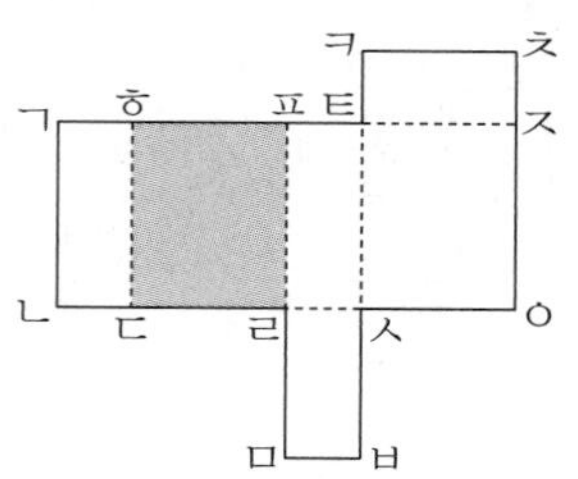

16 전개도를 접었을 때 색칠한 면과 수직인 면을 모두 찾아 써 보세요.

(　　　　　　　　)

17 전개도를 접었을 때 선분 ㅅㅇ과 겹치는 선분을 찾아 써 보세요.

(　　　　　　　　)

18 직육면체와 정육면체에 대한 설명으로 틀린 것을 찾아 기호를 써 보세요.

㉠ 직육면체와 정육면체의 면, 모서리, 꼭짓점의 수가 서로 같습니다.
㉡ 정육면체의 모서리의 길이는 서로 다릅니다.
㉢ 정육면체는 직육면체라고 할 수 있습니다.

(　　　　　　　　)

19 한 모서리의 길이가 8 cm인 정육면체의 모든 모서리의 길이의 합은 몇 cm인가요?

(　　　　　　　　)

20 오른쪽 전개도를 접어서 마주 보는 면의 눈의 수의 합이 7인 주사위를 만들려고 합니다. ㉠에 들어갈 주사위의 눈의 수를 구해 보세요.

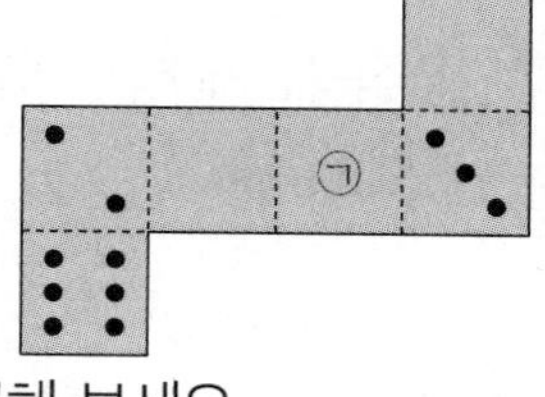

(　　　　　　　　)

단원평가

6. 평균과 가능성

5학년 이름 :

날짜 . .

점수

세 수의 평균을 구하려고 합니다. □ 안에 알맞은 수를 써넣으세요. (1～2)

57	21	45

1 자료의 값을 모두 더한 수를 구해 보세요.

(자료의 값을 모두 더한 수)

$=57+21+\square=\square$

2 세 수의 평균을 구해 보세요.

(평균)$=\square\div3=\square$

3 오른쪽과 같이 흰색 공 2개가 들어 있는 상자에서 공을 1개 꺼낼 때 꺼낸 공이 검은색일 가능성을 알맞게 표현한 것에 ○표 하세요.

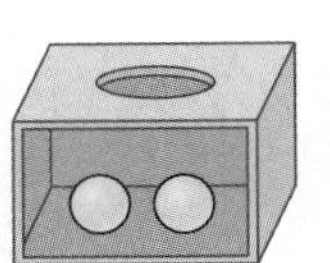

(불가능하다 , 반반이다 , 확실하다)

호준이가 투호에 넣은 화살 수입니다. 물음에 답해 보세요. (4～5)

호준이가 투호에 넣은 화살 수

회	1회	2회	3회	4회
화살 수(개)	6	8	4	6

4 □ 안에 알맞은 수를 써넣으세요.

평균을 6개로 예상한 후 (8, □), (6, □)으로 수를 짝 지어 자료의 값을 고르게 하면 평균은 □개입니다.

5 자료의 값을 모두 더한 수를 자료의 수로 나누어 평균을 구해 보세요.

( )

일이 일어날 가능성이 '불가능하다'이면 0, '반반이다'이면 $\frac{1}{2}$, '확실하다'이면 1로 표현해 보세요. (6～7)

6

당첨 제비만 8개 들어 있는 상자에서 제비 1개를 뽑았습니다. 뽑은 제비는 당첨 제비가 아닐 것입니다.

( )

7

지금 오후 5시니까 1시간 후에는 오후 6시가 될 것입니다.

( )

8 정훈이가 4일 동안 푼 문제집 쪽수를 나타낸 것입니다. 4일 동안 푼 문제집 쪽수의 평균은 몇 쪽인지 구해 보세요.

4쪽	7쪽	6쪽	3쪽

( )

9 오른쪽으로 회전판을 돌릴 때 화살이 색칠한 부분에 멈출 가능성을 ↓로 나타내어 보세요.

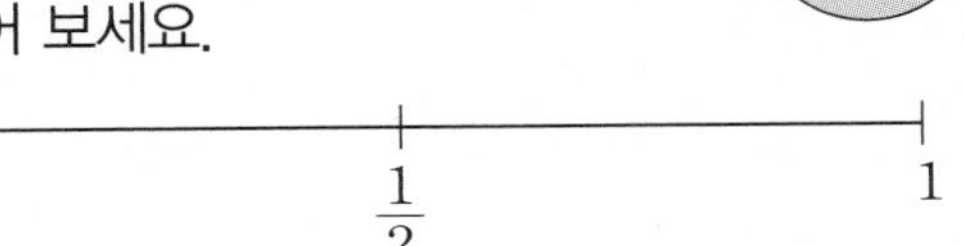

10 정화가 ○×문제를 풀고 있습니다. ○라고 답했을 때, 정답을 맞혔을 가능성을 말과 수로 표현해 보세요.

말 ____________

수 ____________

6 단원 평균과 가능성

진희네 모둠과 승기네 모둠의 줄넘기 기록을 나타낸 표입니다. 물음에 답해 보세요. (11～13)

진희네 모둠

이름	줄넘기 기록(회)
진희	100
호현	92
태준	96
민수	112

승기네 모둠

이름	줄넘기 기록(회)
승기	106
성희	90
주현	98

11 진희네 모둠의 줄넘기 기록의 평균은 몇 회인가요?

( )

12 승기네 모둠의 줄넘기 기록의 평균은 몇 회인가요?

( )

13 어느 모둠이 더 잘했다고 볼 수 있나요?

( )

14 수지네 모둠 학생 4명이 가지고 있는 연필 수의 평균은 8자루입니다. 수지네 모둠 학생들이 가지고 있는 연필은 모두 몇 자루인가요?

( )

15 일이 일어날 가능성을 잘못 말한 사람의 이름을 써 보세요.

수정: 내일 아침에 해가 동쪽에서 뜰 가능성은 확실해.
지민: 3월은 30일까지 있을 가능성은 반반이야.

( )

16 4장의 수 카드 중 한 장을 뽑을 때 2의 배수가 적힌 카드를 뽑을 가능성을 수로 표현해 보세요.

2 4 6 8

( )

17 민수가 4일 동안 운동한 시간을 나타낸 표입니다. 운동한 시간의 평균이 45분일 때 수요일에 운동한 시간은 몇 분인가요?

운동한 시간

요일	월	화	수	목
시간(분)	40	50		55

( )

18 주머니 속에 검은색 바둑돌 1개와 흰색 바둑돌 1개가 있습니다. 바둑돌 1개를 꺼낼 때 흰색 바둑돌이 나오지 않을 가능성을 수로 표현해 보세요.

( )

19 일이 일어날 가능성이 높은 순서대로 기호를 써 보세요.

㉠ 계산기에 '$10\times2=$'을 누르면 20이 나올 것입니다.
㉡ 강아지의 다리를 세어 보면 2개일 것입니다.
㉢ 1부터 10까지의 번호표 중 1장을 뽑으면 번호가 짝수일 것입니다.

( )

20 진호네 모둠 4명과 현서네 모둠 3명의 제기차기 횟수입니다. 두 모둠의 제기차기 횟수의 평균이 같을 때 □ 안에 알맞은 수를 써넣으세요.

진호네 모둠: 6회 7회 9회 10회

현서네 모둠: 11회 8회 □회

5학년 2학기 과정을 모두 끝내셨나요?

한 학기 성취도를 확인해 볼 수 있도록 25문항으로 구성된 평가지입니다.
2학기 내용을 얼마나 이해했는지 평가해 보세요.

차세대 리더

반 .... 이름 ....

총정리

수학 성취도 평가
1단원 ~ 6단원

점수

1 □ 안에 알맞은 수를 써넣으세요.

$$\frac{3}{4}\times7=\frac{3\times\square}{4}=\frac{\square}{4}=\square$$

2 정육면체에 ○표 하세요.

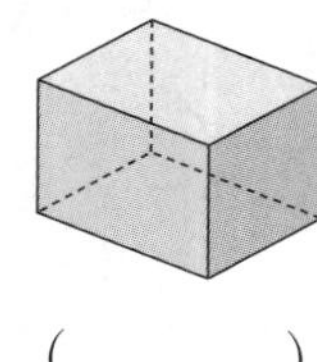
( )

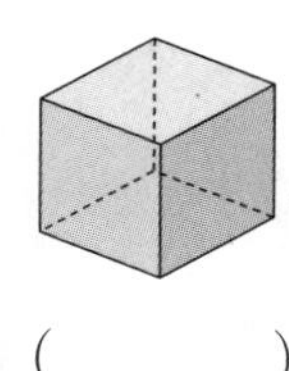
( )

3 주어진 범위에 속하는 수에 모두 ○표 하세요.

134 이상인 수

(127 , 135 , 134 , 124 , 110)

4 빈칸에 두 수의 곱을 써넣으세요.

3.5	7.6

5 일이 일어날 가능성을 생각해 보고, 알맞게 표현한 곳에 ○표 하세요.

가능성	불가능하다	반반이다	확실하다
비둘기의 날개를 세어 보면 2개일 것입니다.			

6 선대칭도형에서 대칭축을 모두 그려 보세요.

7 두 삼각형은 서로 합동입니다. 변 ㅁㅂ은 몇 cm인가요?

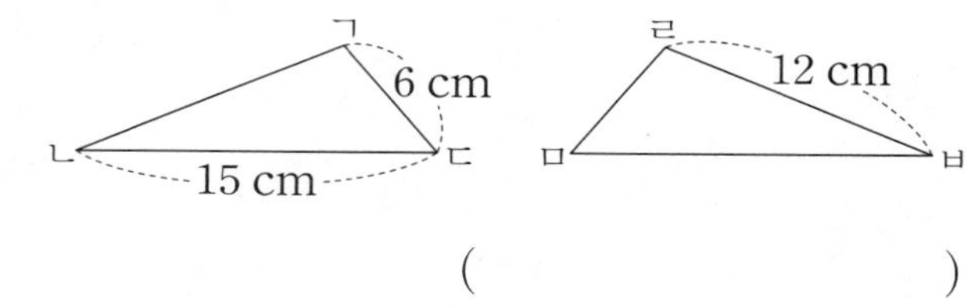

( )

8 보기 를 이용하여 □ 안에 알맞은 수를 써넣으세요.

보기
$223\times15=3345$

$223\times\square=33.45$

9 수직선에 나타내어 보세요.

20 초과 25 이하인 수

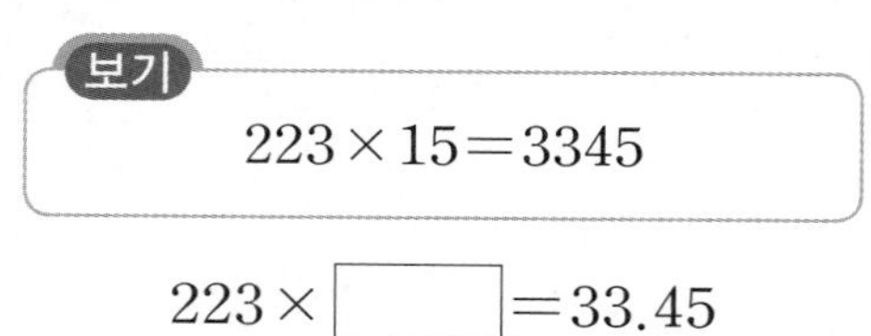
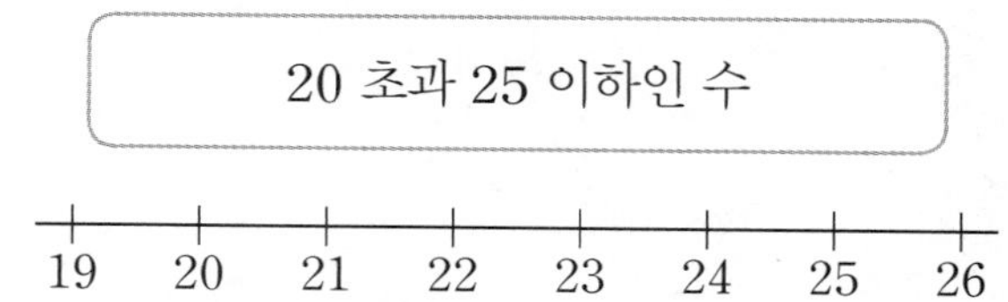

10 직육면체에서 보이는 모서리는 몇 개인가요?

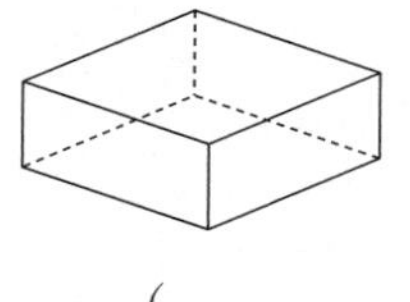

( )

수학 성취도 평가

11 주어진 수를 반올림하여 십의 자리까지 나타내어 보세요.

452

(　　　　　　　　)

12 정수네 모둠의 수학 점수를 나타낸 표입니다. 수학 점수의 평균은 몇 점인지 구해 보세요.

정수네 모둠의 수학 점수

이름	정수	미영	준호	민수
점수(점)	94	98	88	92

(　　　　　　　　)

13 점대칭도형을 찾아 기호를 써 보세요.

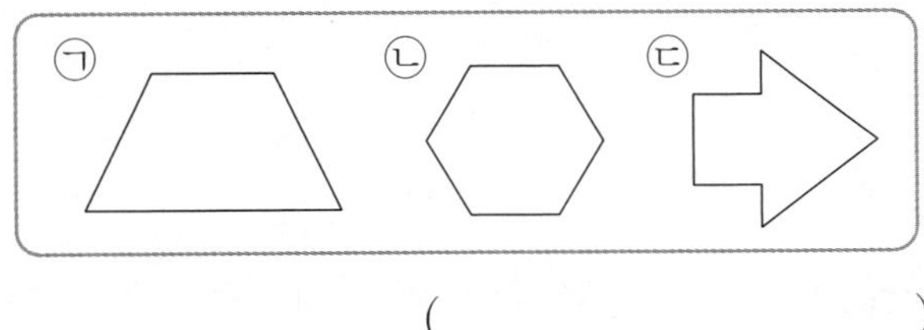

(　　　　　　　　)

14 당첨 제비만 5개 들어 있는 제비뽑기 상자에서 제비 1개를 뽑았습니다. 뽑은 제비가 당첨 제비일 가능성을 수로 표현해 보세요.

(　　　　　　　　)

15 $1\frac{9}{10}$ L짜리 음료수가 5병 있습니다. 음료수는 모두 몇 L인가요?

16 직육면체의 전개도입니다. 선분 ㄱㅎ의 길이는 몇 cm인가요?

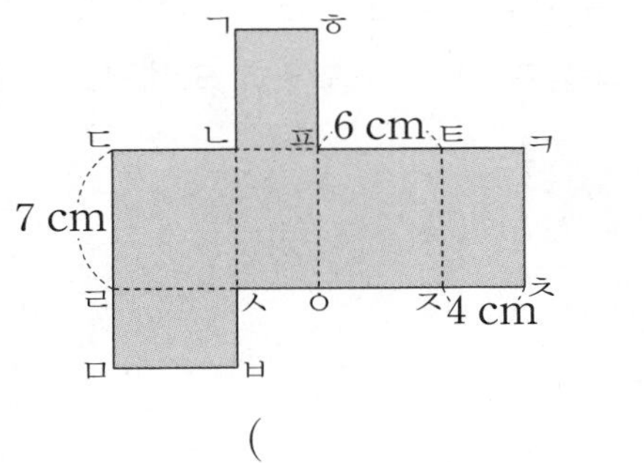

(　　　　　　　　)

서술형

17 주형이는 매일 1시간 30분씩 운동을 합니다. 주형이가 6일 동안 운동한 시간은 모두 몇 시간인지 풀이 과정을 쓰고 답을 구해 보세요.

답

18 빈칸에 알맞은 수를 써넣으세요.

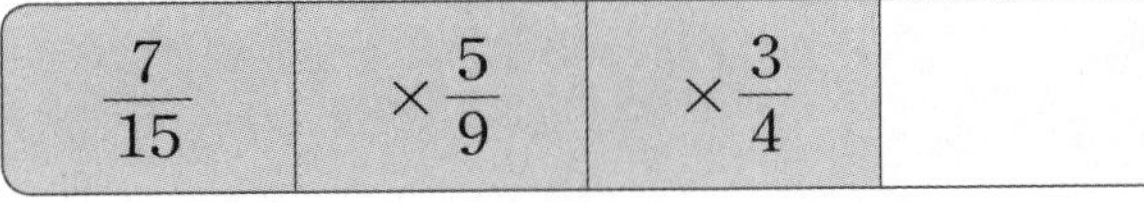

$\frac{7}{15}$	$\times\frac{5}{9}$	$\times\frac{3}{4}$	

19 희수의 멀리뛰기 기록을 나타낸 표입니다. 평균이 99 cm일 때 3회 때 멀리뛰기 기록은 몇 cm인가요?

멀리뛰기 기록

회	1회	2회	3회	4회
기록(cm)	99	104		100

( )

서술형

20 주스가 $\frac{3}{5}$ L 있었습니다. 지호가 전체의 $\frac{7}{10}$만큼을 마셨다면 남은 주스의 양은 얼마인지 풀이 과정을 쓰고 답을 구해 보세요.

풀이

답

21 점 ㅇ을 대칭의 중심으로 하는 점대칭도형입니다. 각 ㄱㄷㄹ은 몇 도인가요?

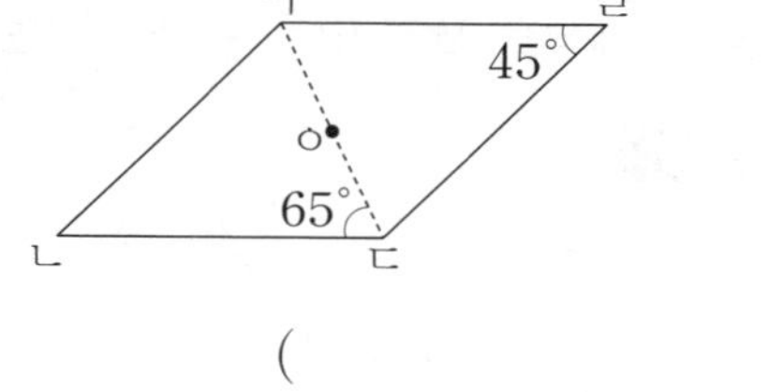

( )

22 직육면체의 모든 모서리 길이의 합은 몇 cm인가요?

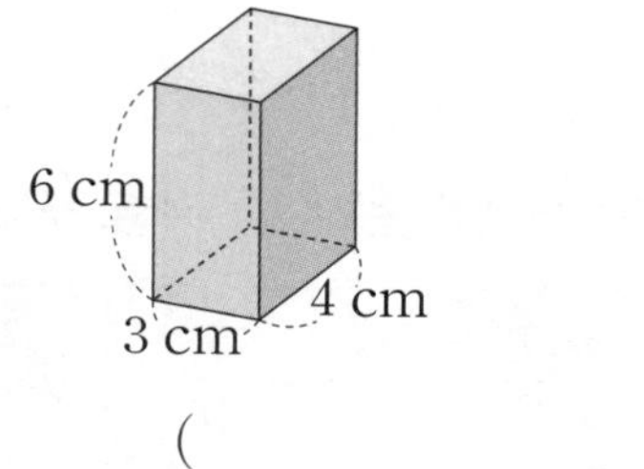

( )

서술형

23 버림하여 백의 자리까지 나타내면 1700이 되는 자연수 중 가장 큰 수를 구하려고 합니다. 풀이 과정을 쓰고 답을 구해 보세요.

풀이

답

24 어느 반 남녀 학생들의 앉은키의 평균을 나타낸 것입니다. 이 반 전체 학생들의 앉은키의 평균은 몇 cm인지 구해 보세요.

남학생 9명	80 cm
여학생 6명	75 cm

( )

25 수 카드 4장을 한 번씩만 사용하여 곱이 가장 크게 되는 (소수 한 자리 수)×(소수 한 자리 수)의 곱셈식을 만들려고 합니다. 그때의 곱을 구해 보세요.

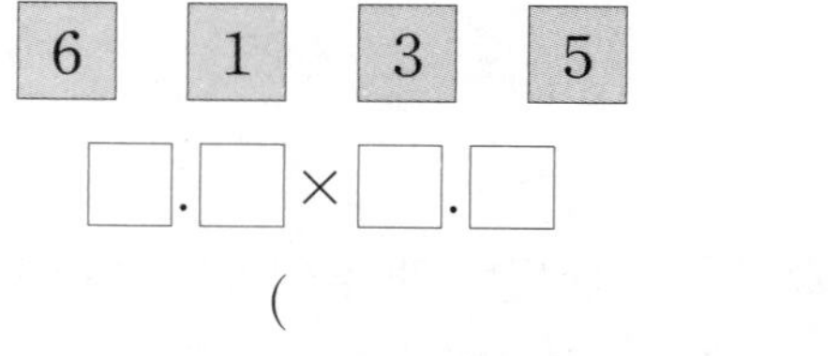

( )

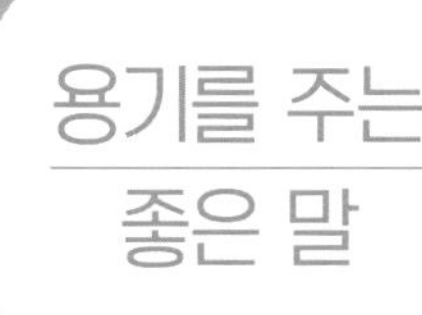

미래를 바꾸는 긍정의 한마디

모든 언행을 칭찬하는 자보다 결점을 친절하게 말해주는 친구를 가까이 하라.

소크라테스(Socrates)

어리석은 사람은 박수에 웃음 짓고 현명한 사람은 비판을 들었을 때 기뻐한다고 합니다. 물론 쓴소리를 들은 직후엔 기분이 좋지 않을 수 있지만, 그 비판이 진심 어린 조언이었다면 여러분의 미래를 바꾸는 터닝포인트가 될 수 있어요.
만약 여러분에게 진심 어린 조언을 해 주는 친구가 있다면 더욱 돈독한 우정을 쌓으세요. 그 친구가 바로 진정한 친구니까요.

험난한 공부 여정의 진정한 친구, 천재교육이 항상 옆을 지켜줄게요.

#난이도별
#천재되는_수학교재

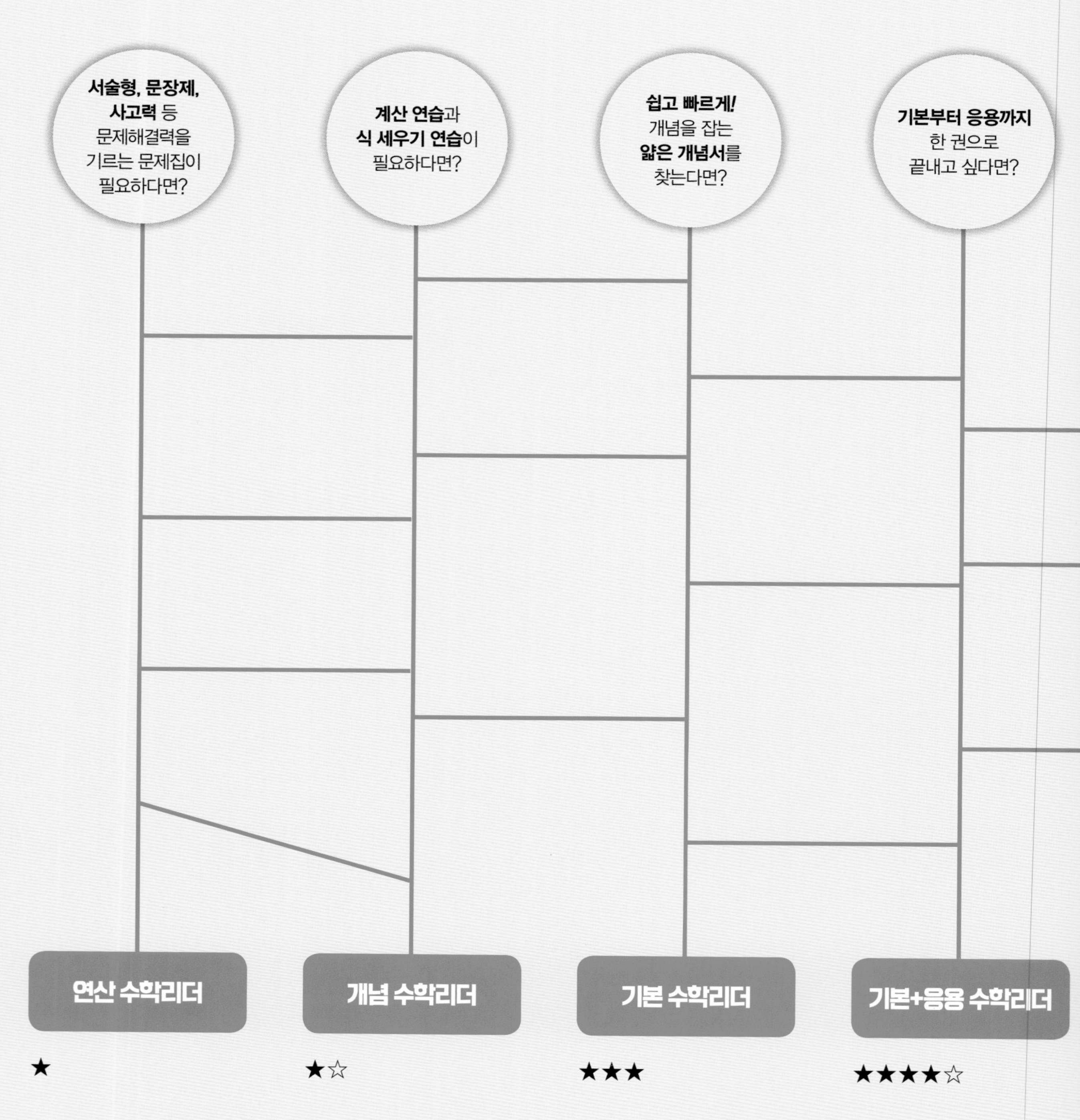

수학리더 유형

해법 전략

BOOK 2

5-2

리더가 되기 위한
공부 비법

라이트 유형서

개념별 유형
\+ 꼬리를 무는 유형
\+ 수학 독해력 유형
\+ 사고력 플러스 유형

천재교육

해법전략
포인트 3가지

▶ 혼자서도 이해할 수 있는 친절한 문제 풀이

▶ 참고, 주의 등 자세한 풀이 제시

▶ 다른 풀이를 제시하여 다양한 방법으로 문제 풀이 가능

정답 및 풀이

1. 수의 범위와 어림하기

1 STEP 개념별 유형 6~11쪽

1 80
2 18에 ○표
3 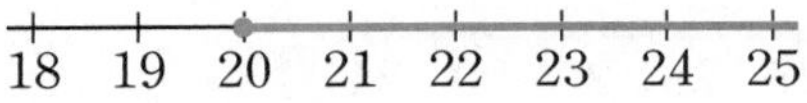
4 현서
5 도일, 수혜
6 2명
7 이하
8 (　　)
(　○　)
9 20, 21, 22에 ○표
10 3개
11 63 이하인 수
12 45.0 kg, 45.5 kg
13 ④
14 (　　)(　　)(　○　)
15 68
16 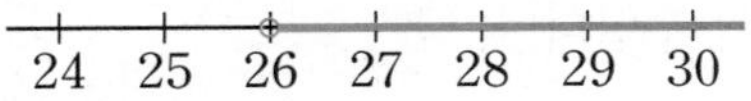
17 32.1, 35.2
18 ㉠
19 석주
20 예 어느 놀이 기구는 키가 110 cm 초과인 사람만 탈 수 있습니다.
21 13에 ○표
22 미만
23 ⑤
24 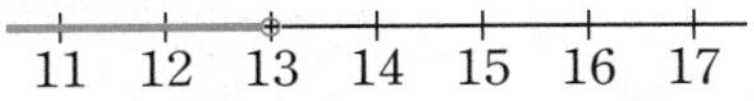
25 나루, 정근
26 2명
27 ㉡
28 (●, ◎) (◉, ○)
29 25, 26에 ○표
30 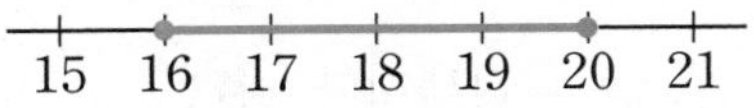
31 14
32 이상, 이하
33 ㉡
34 꿈 마을에 ○표
35 별 마을
36 1등급
37 지아, 영후
38 45 kg 초과 50 kg 이하 /

2 15 이상인 수는 15와 같거나 큰 수이므로 18입니다.

3 20 이상인 수에는 20이 포함되므로 수직선에 기준이 되는 수 20을 점 ●으로 나타내고 오른쪽으로 선을 긋습니다.

4 지안: 38 이상인 수에는 38이 포함되므로 수직선에 기준이 되는 수 38을 점 ●으로 나타내고 오른쪽으로 선을 그어야 합니다.

5 22 이상인 수는 22와 같거나 큰 수이므로 공 던지기 기록이 22 m와 같거나 먼 학생의 기록은 22.8 m, 23.0 m입니다. 따라서 도일, 수혜입니다.

6 32 이상인 수는 32와 같거나 큰 수이므로 읽은 책의 수가 32권과 같거나 많은 학생은 아라, 시원입니다.
➔ 2명

8 25 이하인 수에는 25가 포함되므로 수직선에 기준이 되는 수 25를 점 ●으로 나타내고 왼쪽으로 선을 그은 것을 찾습니다.

9 22 이하인 수는 22와 같거나 작은 수입니다.

10 18 이하인 수는 18과 같거나 작은 수이므로 16, 18, 17로 모두 3개입니다.

11 63을 점 ●으로 나타내고 왼쪽으로 선을 그었으므로 수직선에 나타낸 수의 범위는 63 이하인 수입니다.

12 46 이하인 수는 46과 같거나 작은 수이므로 몸무게가 46 kg과 같거나 가벼운 친구의 몸무게는 45.0 kg, 45.5 kg입니다.

13 150 이하인 수는 150과 같거나 작은 수이므로 ④ 149.9 cm입니다.

14 29 초과인 수는 29보다 큰 수이므로 30입니다.

15 68을 점 ○으로 나타내고 오른쪽으로 선을 그었으므로 수직선에 나타낸 수의 범위는 68 초과인 수입니다.

16 26 초과인 수에는 26이 포함되지 않으므로 수직선에 기준이 되는 수 26을 점 ○으로 나타내고 오른쪽으로 선을 긋습니다.

17 32 초과인 수는 32보다 큰 수이므로 32.1, 35.2입니다.

18 ㉠ 10 초과인 수는 10보다 큰 수입니다.

19 52 초과인 수는 52보다 큰 수이므로 1분 동안 넘은 줄넘기 횟수가 52회보다 많은 학생은 석주입니다.

21 14 미만인 수는 14보다 작은 수이므로 13입니다.

22 35를 점 ○으로 나타내고 왼쪽으로 선을 그었으므로 수직선에 나타낸 수의 범위는 35 미만인 수입니다.

23 37 미만인 수는 37보다 작은 수이므로 ⑤ 36입니다.

24 13 미만인 수에는 13이 포함되지 않으므로 수직선에 기준이 되는 수 13을 점 ○으로 나타내고 왼쪽으로 선을 긋습니다.

25 148 미만인 수는 148보다 작은 수이므로 나루, 정근입니다.

26 150 미만인 수는 150보다 작은 수이므로 나루, 정근으로 모두 2명입니다.

27 ㉠ 25 미만인 수는 25보다 작은 수이므로 25가 포함되지 않습니다.
㉡ 26 미만인 수는 26보다 작은 수이므로 25가 포함됩니다.

28 이상과 이하는 점 ●으로, 초과와 미만은 점 ○으로 나타냅니다.

29 25 이상 27 미만인 수는 25와 같거나 크고 27보다 작은 수입니다. ➔ 25, 26

30 16 이상인 수와 20 이하인 수는 점 ●으로 나타냅니다.

31 13보다 크고 15보다 작은 자연수는 14입니다.

32 40과 44가 포함되므로 40 이상 44 이하인 수입니다.

33 ㉠ 53 초과 55 이하인 수는 53보다 크고 55와 같거나 작은 수의 범위이므로 53이 포함되지 않습니다.
㉡ 52 이상 54 미만인 수는 52와 같거나 크고 54보다 작은 수의 범위이므로 53이 포함됩니다.

34 18 ℃ 이하인 기온은 17.8 ℃입니다.
➔ 꿈 마을

35 20.0 ℃: 별 마을

36 경진이는 31회를 했으므로 30회 이상인 범위인 1등급입니다.

37 20회 이상 30회 미만에 속하는 친구는 24회인 지아, 20회인 영후입니다.

38 준모의 몸무게는 45 kg 초과 50 kg 이하의 범위에 속하므로 수직선에 45 초과인 수는 점 ○으로, 50 이하인 수는 점 ●으로 나타냅니다.

개념 1 ~ 6 기초력 집중 연습 12쪽

1 17.3, 18에 ○표　　2 18.9, 17에 ○표
3 16.3, 18.4에 ○표　　4 23.1, 24에 ○표

5 27 28 29 30 31 32 33

6 40 41 42 43 44 45 46

7 25 26 27 28 29 30 31

8 42 43 44 45 46 47 48

9 26 이상 30 미만인 수
10 11 초과 14 이하인 수

3 16 초과 20 이하인 수는 16보다 크고 20과 같거나 작은 수입니다. ➔ 16.3, 18.4

9 26은 점 ●으로, 30은 점 ○으로 나타내었으므로 26 이상 30 미만인 수입니다.

10 11은 점 ○으로, 14는 점 ●으로 나타내었으므로 11 초과 14 이하인 수입니다.

유형 진단 TEST 13쪽

1 ⑤　　2 ㉡　　3 ㉡
4 재석, 유라　　5 ㉢　　6 ㉠, ㉢

1 수직선에 나타낸 수의 범위는 43 이상 47 미만인 수이므로 포함되지 않는 수는 ⑤ 47입니다.

2 19와 23을 점 ○으로 나타냅니다. ➔ ㉡

3 ㉠ 3 초과인 자연수는 4, 5, 6……입니다.

4 140.2 이하인 수는 140.2와 같거나 작은 수이므로 키가 140.2 cm와 같거나 작은 학생의 키는 140.0 cm, 138.9 cm입니다. 따라서 우유를 더 마셔야 하는 학생은 재석, 유라입니다.

5 3 m=300 cm
통과할 수 있는 차는 높이가 3 m 미만이어야 하므로 300 cm보다 낮은 ㉢입니다.

참고
1 m=100 cm  3 m=300 cm

6 ㉠ 35 이상 36 이하인 수는 35와 같거나 크고 36과 같거나 작은 수의 범위이므로 35가 포함됩니다.
㉡ 33 이상 35 미만인 수는 33과 같거나 크고 35보다 작은 수의 범위이므로 35가 포함되지 않습니다.
㉢ 34 초과 36 이하인 수는 34보다 크고 36과 같거나 작은 수의 범위이므로 35가 포함됩니다.

1 STEP 개념별 유형 14~17쪽

1 6, 0	2 900
3 330, 400	4 2.8
5 ㉡	6 ㉠
7 (왼쪽부터) 2000, =	8 230에 ○표
9 8.79	10 5360, 5300
11 7초	12 25000원
13 20000원	
14 (수직선: 2580, 2590), 2580	
15 6400	16 310, 300
17 5.6	18 2000
19 현서	20 6 cm
21 (1) 버림에 ○표 (2) 52상자	
22 올림	23 3, 8
24 4대	25 (1) 100 cm (2) 6개

1 올림하여 십의 자리까지 나타내기 위하여 십의 자리 아래 수인 1을 10으로 보고 올림하면 460이 됩니다.

2 올림하여 백의 자리까지 나타내기 위하여 백의 자리 아래 수인 40을 100으로 보고 올림하면 900이 됩니다.

3 324 ➔ 330, 324 ➔ 400

4 2.74 ➔ 2.8

5 ㉠ 981 ➔ 990 ㉡ 978 ➔ 980

6 ㉡ 2030을 올림하여 백의 자리까지 나타내기 위하여 백의 자리 아래 수인 30을 100으로 보고 올림하면 2100이 됩니다.

7 1951을 올림하여 백의 자리까지 나타내기 위하여 백의 자리 아래 수인 51을 100으로 보고 올림하면 2000이 됩니다. ➔ 2000 ⊜ 2000

8 235를 버림하여 십의 자리까지 나타내기 위하여 십의 자리 아래 수인 5를 0으로 보고 버림하면 230이 됩니다.

9 소수 둘째 자리 아래 수인 0.004를 0으로 보고 버림하면 8.79가 됩니다.

10 5368을 버림하여 십의 자리까지 나타내기 위하여 십의 자리 아래 수인 8을 0으로 보고 버림하면 5360이 됩니다.
5368을 버림하여 백의 자리까지 나타내기 위하여 백의 자리 아래 수인 68을 0으로 보고 버림하면 5300이 됩니다.

11 일의 자리 아래 수인 0.5를 0으로 보고 버림하면 7이 됩니다. ➔ 7초

12 25820을 버림하여 천의 자리까지 나타내면 25000이므로 최대 25000원까지 바꿀 수 있습니다.

13 25820을 버림하여 만의 자리까지 나타내면 20000이므로 최대 20000원까지 바꿀 수 있습니다.

14 2582는 2580과 2590 중 2580에 더 가까우므로 반올림하여 십의 자리까지 나타내면 2580입니다.

15 십의 자리 숫자가 7이므로 올림하여 6400이 됩니다.

16 일의 자리 숫자가 6이므로 올림하여 310이 됩니다.
십의 자리 숫자가 0이므로 버림하여 300이 됩니다.

17 5.643을 반올림하여 소수 첫째 자리까지 나타내면 소수 둘째 자리 숫자가 4이므로 버림하여 5.6이 됩니다.

18 백의 자리 숫자가 5이므로 올림하여 2000이 됩니다.
➔ 2000명

19 현서: 6150의 백의 자리 숫자는 1이므로 버림하여 6000이 됩니다.
다은: 4704의 일의 자리 숫자는 4이므로 버림하여 4700이 됩니다.

20 연필의 실제 길이는 5.8 cm입니다. 5.8을 반올림하여 일의 자리까지 나타내면 소수 첫째 자리 숫자가 8이므로 올림하여 6이 됩니다. ➔ 6 cm

21 (2) 529를 버림하여 십의 자리까지 나타내면 520이고 한 상자에 10개씩 담아서 파는 것이므로 최대 52상자까지 팔 수 있습니다.

22 400원짜리 지우개를 1개 사기 위해 지우개 값을 올림하여 1000원짜리 지폐를 한 장 내고 거스름돈을 받았습니다.

23 지혜: 2.8 ➔ 3, 윤호: 8.3 ➔ 8

24 토마토 382상자를 트럭 한 대당 100상자씩 싣는다면 트럭 3대에 100상자씩 싣고 남은 82상자를 실을 트럭 한 대가 더 필요합니다. 따라서 토마토 382상자를 트럭에 모두 실으려면 트럭은 최소 4대 필요합니다.

25 (1) 1 m=100 cm
(2) 1 m(=100 cm)보다 짧은 리본은 사용할 수 없으므로 버림해야 합니다. 624를 버림하여 백의 자리까지 나타내면 600이므로 상자를 최대 6개까지 포장할 수 있습니다.

개념 7 ~ 10 기초력 집중 연습 18쪽

1 320	2 2000
3 9600	4 6.2
5 950	6 2.4
7 5790	8 5000
9 4.39	10 8.2

4 소수 첫째 자리 아래 수인 0.037을 0.1로 보고 올림하면 6.2가 됩니다.

5 십의 자리 아래 수인 3을 0으로 보고 버림하면 950이 됩니다.

7 일의 자리 숫자가 4이므로 버림하여 5790이 됩니다.

참고
반올림: 구하려는 자리 바로 아래 자리의 숫자가 0, 1, 2, 3, 4이면 버리고, 5, 6, 7, 8, 9이면 올려서 나타내는 방법

9 소수 셋째 자리 숫자가 7이므로 올림하여 4.39가 됩니다.

유형 진단 TEST 19쪽

1 ㉡ 2 2.48, 2.5 3 11000원
4 (왼쪽부터) 100, <, 140
5 올림 예 상자를 포장할 때 필요한 끈을 충분히 사야 하는 경우
버림 예 동전을 지폐로 바꾸는 경우
6 980

1 ㉠ 2446 ➔ 2440 ㉡ 2453 ➔ 2450

2 • 2.473을 올림하여 소수 둘째 자리까지 나타내면 2.48입니다. ➔ ㉠=2.48
• 2.473을 반올림하여 소수 첫째 자리까지 나타내면 2.5입니다. ➔ ㉡=2.5

3 10600원을 1000원짜리 지폐로만 낸다면 최소 11000원을 내고 거스름돈으로 400원을 받게 됩니다.

4 153을 버림하여 백의 자리까지 나타내기 위하여 백의 자리 아래 수인 53을 0으로 보고 버림하면 100이 됩니다.
146을 버림하여 십의 자리까지 나타내기 위하여 십의 자리 아래 수인 6을 0으로 보고 버림하면 140이 됩니다.
➔ 100<140

5 평가 기준
'올림'과 '버림'을 해야 하는 상황을 바르게 찾아 썼으면 정답입니다.

6 9>7>5이므로 만들 수 있는 가장 큰 세 자리 수는 975입니다. 975를 반올림하여 십의 자리까지 나타내면 980입니다.

2 STEP 꼬리를 무는 유형 20~21쪽

1 48, 49
2 이상
3 150.0 cm, 149.2 cm
4 버림
5 올림, 반올림
6 버림
7 22, 23, 24
8 3개
9 13, 14, 15
10 18세, 19세, 20세
11 5, 6, 7, 8, 9
12 0, 1, 2, 3, 4
13 9개

1 48 이상인 수는 48과 같거나 큰 수이므로 48, 49입니다.

2 주어진 수는 46과 같거나 큰 수이므로 46 이상인 수입니다.

3 150 이하인 수는 150과 같거나 작은 수이므로 150.0 cm, 149.2 cm입니다.

4 1539 ➔ 1530
십의 자리 아래 수인 9를 0으로 보고 버림하여 십의 자리까지 나타낸 것입니다. ➔ 버림

5 2626 ➔ 2630
십의 자리 아래 수인 6을 10으로 보고 올림하여 십의 자리까지 나타낸 것입니다. ➔ 올림
일의 자리 숫자가 6이므로 반올림하여 십의 자리까지 나타낸 것입니다. ➔ 반올림

6 58 ➔ 50
십의 자리 아래 수인 8을 0으로 보고 버림하여 십의 자리까지 나타낸 것입니다. ➔ 버림

7 21보다 크고 24와 같거나 작은 자연수
➔ 22, 23, 24

8 15와 같거나 크고 18보다 작은 자연수: 15, 16, 17
➔ 3개

9 수직선에 나타낸 수의 범위: 12 초과 15 이하인 수
12보다 크고 15와 같거나 작은 자연수
➔ 13, 14, 15

10 18세와 같거나 많고 20세와 같거나 적은 나이
➔ 18세, 19세, 20세

11 십의 자리 숫자가 8 ➔ 9로 되었으므로 올려서 나타낸 것입니다. 반올림은 구하려는 자리 바로 아래 자리의 숫자가 5, 6, 7, 8, 9이면 올려서 나타내므로 □ 안에 들어갈 수 있는 일의 자리 숫자는 5, 6, 7, 8, 9입니다.

12 천의 자리 숫자가 그대로 4이므로 버려서 나타낸 것입니다. 반올림은 구하려는 자리 바로 아래 자리의 숫자가 0, 1, 2, 3, 4이면 버려서 나타내므로 □ 안에 들어갈 수 있는 백의 자리 숫자는 0, 1, 2, 3, 4입니다.

13 십의 자리 숫자가 5 ➔ 6으로 되었으므로 십의 자리 아래 수인 □를 10으로 보고 2460으로 나타낸 것입니다. 따라서 □ 안에 들어갈 수 있는 일의 자리 숫자는 1, 2, 3, 4, 5, 6, 7, 8, 9로 모두 9개입니다.

3 STEP 수학 독해력 유형 22~23쪽

독해력 유형 1 ❶ 1000원 ❷ 2000원 ❸ 3000원
쌍둥이 유형 1-1 6500원
쌍둥이 유형 1-2 37000원
독해력 유형 2 ❶ 버림에 ○표, 올림에 ○표
❷ 5700원 ❸ 하윤
쌍둥이 유형 2-1 현서

독해력 유형 1 ❶ 소희는 8세 이상 13세 이하의 범위에 포함되므로 어린이 요금인 1000원입니다.
❷ 언니는 13세 초과 20세 미만의 범위에 포함되므로 청소년 요금인 2000원입니다.
❸ $1000+2000=3000$(원)

쌍둥이 유형 1-1 ❶ 연주는 8세 이상 13세 이하의 범위에 포함되므로 어린이 요금인 1500원입니다.
❷ 이모의 나이는 20세 이상의 범위에 포함되므로 어른 요금인 5000원입니다.
❸ ➔ $1500+5000=6500$(원)

쌍둥이 유형 1-2 ❶ 규호는 13세 초과 20세 미만의 범위에 포함되므로 청소년 요금인 17000원입니다.
❷ 아버지는 20세 이상의 범위에 포함되므로 어른 요금인 20000원입니다.
❸ ➔ $17000+20000=37000$(원)

독해력 유형 2 ❷ $2300+3400=5700$(원)
❸ 캐스터네츠와 트라이앵글 값의 합은 5700원이므로 어림하기에는 올림이 더 적절합니다.
➔ 하윤

주의
물건을 사는 데 필요한 돈을 어림할 때에는 '버림'과 '반올림'은 적절하지 않습니다.

쌍둥이 유형 2-1 ❶ 현서가 어림한 방법: 올림
다은이가 어림한 방법: 버림(또는 반올림)
❷ (식빵의 값)+(햄버거의 값)
$=5400+4300$
$=9700$(원)
❸ 식빵과 햄버거 값의 합은 9700원이므로 어림하기에는 올림이 더 적절합니다.
➔ 현서

4 STEP 사고력 플러스 유형 24~27쪽

1-1 16 17 18 19 20 21
1-2 12 13 14 15 16 17
1-3 21.2, 20.8에 ○표
2-1 1700
2-2 5480
2-3 145
2-4 42
3-1 34
3-2 24
3-3 43
4-1 100
4-2 예 7330 → 7330, 7348 → 7350
➜ 7350－7330＝20 답 20
4-3 40
5-1 2799
5-2 예 버림하여 백의 자리까지 나타내면 3200이 되는 자연수는 32□□입니다. □□에는 00, 01, 02……98, 99가 들어갈 수 있으므로 가장 큰 수는 3299입니다.
답 3299
5-3 4999
6-1 2, 4
6-2 예 올림하여 백의 자리까지 나타내면 8400이 될 수 있는 수는 8300 초과 8400 이하인 수입니다. 따라서 □□26에서 □□ 안에 알맞은 수는 83입니다.
➜ 현관 비밀번호: 8326 답 8, 3
6-3 1, 7
7-1 단계 1 70, 79 단계 2 72 단계 3 9
7-2 6
8-1 단계 1 455, 465
단계 2 450 460 470
8-2 5370 5380 5390

1-1 18 이상인 수는 18과 같거나 큰 수, 18 이하인 수는 18과 같거나 작은 수입니다.

주의
18은 18 이상인 수와 18 이하인 수에 모두 포함되므로 18에는 ○표도 하고 △표도 합니다.

1-2 15 초과인 수는 15보다 큰 수, 15 미만인 수는 15보다 작은 수입니다.

1-3 19 이상 22 이하인 수는 19와 같거나 크고 22와 같거나 작은 수입니다. ➜ 21.2, 20.8

2-1 백의 자리 아래 수인 37을 100으로 보고 올림하면 1700이 됩니다.

2-2 십의 자리 아래 수인 2를 0으로 보고 버림하면 5480이 됩니다.

2-3 소수 첫째 자리 숫자가 6이므로 올림하여 145 cm가 됩니다.

2-4 소수 첫째 자리 숫자가 3이므로 버림하여 42 kg이 됩니다.

3-1 수직선에 나타낸 수의 범위는 31 초과 34 이하인 수입니다. 따라서 이 범위에 포함되는 자연수 중에서 가장 큰 수는 34입니다.

3-2 수직선에 나타낸 수의 범위는 20 초과 25 미만인 수입니다. 따라서 이 범위에 포함되는 자연수 중에서 가장 큰 수는 24입니다.

3-3 수직선에 나타낸 수의 범위는 42 초과 47 이하인 수입니다. 따라서 이 범위에 포함되는 자연수 중에서 가장 작은 수는 43입니다.

4-1 6142 → 6200, 6095 → 6100
➜ 6200－6100＝100

4-2 평가 기준
두 수를 각각 올림하여 십의 자리까지 나타낸 후 나타낸 값의 차를 바르게 구했으면 정답입니다.

4-3 3054 → 3100, 3054 → 3060
➜ 3100－3060＝40

5-1 버림하여 백의 자리까지 나타내면 2700이 되는 자연수는 27□□입니다. □□에는 00, 01, 02……98, 99가 들어갈 수 있으므로 가장 큰 수는 2799입니다.

5-2 평가 기준
버림하여 백의 자리까지 나타냈을 때 3200이 될 수 있는 수의 범위를 구하여 가장 큰 자연수를 구했으면 정답입니다.

5-3 버림하여 천의 자리까지 나타내면 4000이 되는 자연수는 4□□□입니다. □□□에는 000, 001, 002……998, 999가 들어갈 수 있으므로 가장 큰 자연수는 4999입니다.

6-1 올림하여 백의 자리까지 나타내면 2500이 될 수 있는 수는 2400 초과 2500 이하인 수입니다. 따라서 □□25에서 □□ 안에 알맞은 수는 24입니다.
➜ 자물쇠의 비밀번호: 2425

6-2 평가 기준
올림하여 백의 자리까지 나타내면 8400이 되는 수의 범위를 구하여 현관 비밀번호를 바르게 구했으면 정답입니다.

6-3 버림하여 백의 자리까지 나타내면 1700이 될 수 있는 수는 1700 이상 1800 미만인 수입니다. 따라서 □□59에서 □□ 안에 알맞은 수는 17입니다.
➜ 스마트폰 비밀번호: 1759

7-1 단계 1 버림하여 십의 자리까지 나타내면 70이므로 버림하기 전의 자연수는 70부터 79까지의 수 중 하나입니다.
단계 2 9×8=72이므로 70부터 79까지의 수 중 8의 배수는 72입니다.
단계 3 9×8=72
➜ 하윤이가 처음에 생각한 자연수: 9

7-2 버림하여 십의 자리까지 나타내면 50이므로 버림하기 전의 자연수는 50부터 59까지의 수 중 하나입니다. 6×9=54이므로 50부터 59까지의 수 중 9의 배수는 54입니다. ➜ 어떤 수: 6

8-1 단계 1 어떤 수의 일의 자리 숫자가 5, 6, 7, 8, 9이면 올려서 460이 되므로 어떤 수는 455와 같거나 큰 수입니다. → 455 이상인 수
어떤 수의 일의 자리 숫자가 0, 1, 2, 3, 4이면 버려서 460이 되므로 어떤 수는 465보다 작은 수입니다.
→ 465 미만인 수
➜ 455 이상 465 미만인 수

8-2 어떤 수의 일의 자리 숫자가 5, 6, 7, 8, 9이면 올려서 5380이 되므로 어떤 수는 5375와 같거나 큰 수입니다. → 5375 이상인 수
어떤 수의 일의 자리 숫자가 0, 1, 2, 3, 4이면 버려서 5380이 되므로 어떤 수는 5385보다 작은 수입니다. → 5385 미만인 수
➜ 5375 이상 5385 미만인 수

유형 TEST

28~30쪽

1 올림 **2** 2600

3

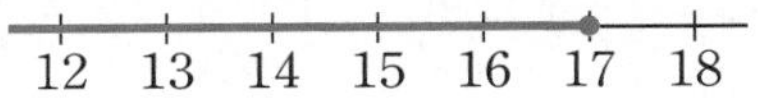

4 16.4, 17.1 **5** 500

6 750, 700 **7** ⑤

8 예 이 영화는 20세 미만은 관람할 수 없습니다.

9 버림 **10** ㉠

11 밴텀급 **12** 성호

13 사촌 언니

14 415상자

15 17700, 17600, 17600

16 ㉠, ㉣

17 예 ❶ 4628 → 4630
❷ 4569 → 4570
❸ ➜ 4630−4570=60 답 60

18 예 ❶ 버림하여 천의 자리까지 나타내면 8000이 되는 자연수는 8□□□입니다.
❷ □□□에는 000, 001, 002……998, 999가 들어갈 수 있습니다.
❸ 따라서 가장 큰 수는 8999입니다. 답 8999

19 예 ❶ 올림하여 백의 자리까지 나타내면 3600이 될 수 있는 수는 3500 초과 3600 이하인 수입니다.
❷ 따라서 □□94에서 □□ 안에 알맞은 수는 35입니다.
❸ ➜ 여행용 가방의 비밀번호: 3594 답 3, 5

20 예 ❶ 버림하여 십의 자리까지 나타내면 60이므로 버림하기 전의 자연수는 60부터 69까지의 수 중 하나입니다.
❷ 9×7=63이므로 60부터 69까지의 수 중 7의 배수는 63입니다.
❸ 따라서 어떤 자연수는 9입니다. 답 9

2 십의 자리 숫자가 1이므로 버림하여 2600이 됩니다.

3 17 이하인 수에는 17이 포함되므로 수직선에 기준이 되는 수 17을 점 ●으로 나타내고 왼쪽으로 선을 긋습니다.

4 16 초과인 수는 16보다 큰 수입니다.
➜ 16.4, 17.1

5 백의 자리 아래 수인 80을 100으로 보고 올림하면 500이 됩니다.

6 754 → 750, 754 → 700

7 수직선에 나타낸 수의 범위는 20 이상 25 미만인 수이므로 수직선에 나타낸 수의 범위에 포함되지 않는 수는 ⑤ 25입니다.

다른 풀이

수직선에 수를 나타낸 범위를 보면 25는 ○으로 나타내었으므로 ⑤ 25는 포함되지 않습니다.

9 57 → 50이므로 지안이가 어림한 방법은 버림입니다.

10 ㉡ 15 미만인 수는 15보다 작은 수이므로 15.0이 포함되지 않습니다.

11 수명이가 속한 몸무게의 범위는 34 kg 초과 36 kg 이하이므로 밴텀급입니다.

12 수명이는 밴텀급에 속하므로 밴텀급에 속한 학생의 몸무게는 34.8 kg입니다. → 성호

13 19 미만인 수는 19보다 작은 수이므로 18세인 사촌 언니입니다.

14 4152를 버림하여 십의 자리까지 나타내면 4150이므로 최대 415상자까지 팔 수 있습니다.

15 올림: 17642 → 17700
버림: 17642 → 17600
반올림: 17642 → 17600

16 ㉠ 29 이상 31 이하인 수는 29와 같거나 크고 31과 같거나 작은 수의 범위이므로 29가 포함됩니다.
㉡ 30 이상 33 미만인 수는 30과 같거나 크고 33보다 작은 수의 범위이므로 29가 포함되지 않습니다.
㉢ 29 초과 32 이하인 수는 29보다 크고 32와 같거나 작은 수의 범위이므로 29가 포함되지 않습니다.
㉣ 28 초과 31 미만인 수는 28보다 크고 31보다 작은 수의 범위이므로 29가 포함됩니다.

17 채점 기준

❶ 4628을 올림하여 십의 자리까지 나타냄.	2점	5점
❷ 4569를 올림하여 십의 자리까지 나타냄.	2점	
❸ ❶과 ❷의 차를 구함.	1점	

18 채점 기준

❶ 버림하여 천의 자리까지 나타내면 8000이 되는 자연수는 8□□□임을 앎.	2점	5점
❷ □□□에 들어갈 수 있는 수를 구함.	2점	
❸ 가장 큰 수를 구함.	1점	

19 채점 기준

❶ 올림하여 백의 자리까지 나타내면 3600이 될 수 있는 수의 범위를 구함.	2점	5점
❷ □□에 알맞은 수를 구함.	2점	
❸ 여행용 가방의 비밀번호를 구함.	1점	

20 채점 기준

❶ 버림하여 십의 자리까지 나타내면 60이 될 수 있는 수의 범위를 구함.	2점	5점
❷ 수의 범위에 포함되는 수 중에서 7의 배수를 구함.	2점	
❸ 어떤 자연수를 구함.	1점	

앞 단원 유형 다시 보기 31쪽

1 (1) 36 cm (2) 30 cm
2 (1) 9 cm^2 (2) 26 cm^2
3 99 cm^2

1 (1) $9\times4=36$ (cm)
(2) $6\times5=30$ (cm)

2 (1) $6\times3\div2=9$ (cm^2)
(2) $(5+8)\times4\div2=26$ (cm^2)

3 $9\times11=99$ (cm^2)

재미있는 창의·융합·코딩 32~33쪽

코딩1 10, 11, 12 /
(왼쪽 순서도부터) 10, 15 / 11, 11, 16 / 12, 12, 17

창의2 6800, 6000, 6500 /

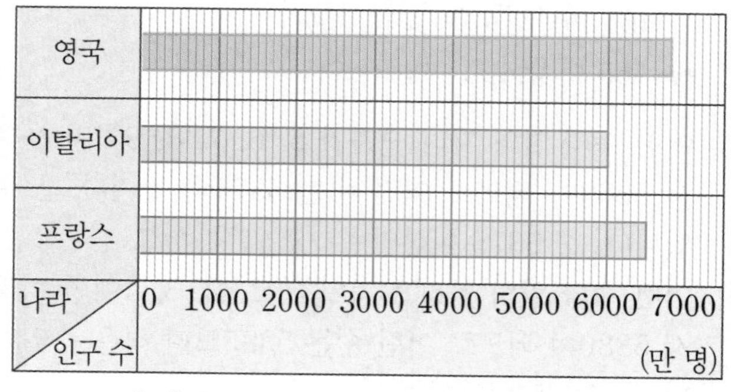

/ 영국

2. 분수의 곱셈

1 STEP 개념별 유형 36~39쪽

1 3, 3

2 3, 9, $2\frac{1}{4}$

3 $8\frac{2}{5}$

4 하윤

5 ㉡

6 $\frac{1}{7}\times 4=\frac{4}{7}$, $\frac{4}{7}$ kg

7 2, 2, $2\frac{2}{5}$

8 $12\frac{1}{2}$

9 $2\frac{1}{8}\times 2=\frac{17}{\underset{4}{\cancel{8}}}\times \overset{1}{\cancel{2}}=\frac{17}{4}=4\frac{1}{4}$

10 ㉡

11 $3\frac{1}{2}\times 4=14$, 14 cm

12 5, 28, $5\frac{3}{5}$

13 $4\frac{1}{2}$

14 (×)
(○)
(○)

15

16 $10\times\frac{3}{4}=7\frac{1}{2}$, $7\frac{1}{2}$ cm

17 11, 11, $5\frac{1}{2}$

18 8, $8\frac{8}{9}$

19 18

20 (○)(   )

21 $22\frac{1}{2}$

22 $4\times 1\frac{1}{3}=5\frac{1}{3}$, $5\frac{1}{3}$ cm^2

2 **참고**
분모가 같은 분수의 덧셈을 할 때에는 분자끼리만 더하면 됩니다.

3 $\frac{7}{\underset{5}{\cancel{10}}}\times\overset{6}{\cancel{12}}=\frac{42}{5}=8\frac{2}{5}$

4 시우: $\frac{3}{8}\times 6=\frac{3\times 6}{8}=\frac{\overset{9}{\cancel{18}}}{\underset{4}{\cancel{8}}}=\frac{9}{4}=2\frac{1}{4}$

5 ㉠ $\frac{5}{\underset{3}{\cancel{6}}}\times\overset{4}{\cancel{8}}=\frac{20}{3}=6\frac{2}{3}$ ㉡ $\frac{4}{\underset{1}{\cancel{5}}}\times\overset{2}{\cancel{10}}=8$

6 $\frac{1}{7}\times 4=\frac{1\times 4}{7}=\frac{4}{7}$ (kg)

8 $1\frac{1}{4}\times 10=\frac{5}{\underset{2}{\cancel{4}}}\times\overset{5}{\cancel{10}}=\frac{25}{2}=12\frac{1}{2}$

10 ㉠ $1\frac{1}{8}\times 6=\frac{9}{\underset{4}{\cancel{8}}}\times\overset{3}{\cancel{6}}=\frac{27}{4}=6\frac{3}{4}$

㉡ $2\frac{3}{8}\times 6=\frac{19}{\underset{4}{\cancel{8}}}\times\overset{3}{\cancel{6}}=\frac{57}{4}=14\frac{1}{4}$

11 $3\frac{1}{2}\times 4=\frac{7}{\underset{1}{\cancel{2}}}\times\overset{2}{\cancel{4}}=14$ (cm)

13 $12\times\frac{3}{8}=\frac{\overset{3}{\cancel{12}}\times 3}{\underset{2}{\cancel{8}}}=\frac{9}{2}=4\frac{1}{2}$

14 • $\overset{2}{\cancel{10}}\times\frac{4}{\underset{1}{\cancel{5}}}=8$이므로 10보다 작습니다.

• $\overset{2}{\cancel{10}}\times\frac{3}{\underset{1}{\cancel{5}}}=6$이므로 10보다 작습니다.

• $\overset{2}{\cancel{10}}\times\frac{2}{\underset{1}{\cancel{5}}}=4$

15 $\overset{2}{\cancel{14}}\times\frac{2}{\underset{1}{\cancel{7}}}=4$, $\overset{3}{\cancel{15}}\times\frac{3}{\underset{1}{\cancel{5}}}=9$

16 $\overset{5}{\cancel{10}}\times\frac{3}{\underset{2}{\cancel{4}}}=\frac{15}{2}=7\frac{1}{2}$ (cm)

18 $8\times 1\frac{1}{9}=(8\times 1)+\left(8\times\frac{1}{9}\right)=8+\frac{8}{9}=8\frac{8}{9}$

19 $15\times 1\frac{1}{5}=\overset{3}{\cancel{15}}\times\frac{6}{\underset{1}{\cancel{5}}}=18$

20 $6\times 2\frac{3}{4}=\overset{3}{\cancel{6}}\times\frac{11}{\underset{2}{\cancel{4}}}=\frac{33}{2}=16\frac{1}{2}$

$4\times 1\frac{5}{8}=\overset{1}{\cancel{4}}\times\frac{13}{\underset{2}{\cancel{8}}}=\frac{13}{2}=6\frac{1}{2}$

21 가장 큰 수: 12, 가장 작은 수: $1\frac{7}{8}$

➔ $12\times 1\frac{7}{8}=\overset{3}{\cancel{12}}\times\frac{15}{\underset{2}{\cancel{8}}}=\frac{45}{2}=22\frac{1}{2}$

22 $4\times 1\frac{1}{3}=4\times\frac{4}{3}=\frac{16}{3}=5\frac{1}{3}$ (cm^2)

개념 1 ~ 4 기초력 집중 연습 40쪽

1 $\frac{6}{7}$ 2 $7\frac{1}{2}$ 3 $2\frac{1}{3}$
4 $7\frac{1}{2}$ 5 $8\frac{1}{3}$ 6 $5\frac{1}{4}$
7 8 8 $10\frac{2}{5}$ 9 $3\frac{1}{2}$
10 $13\frac{1}{2}$ 11 $16\frac{1}{2}$
12 15 13 $3\frac{1}{3}$

11 $12\times1\frac{3}{8}=\overset{3}{\cancel{12}}\times\frac{11}{\underset{2}{\cancel{8}}}=\frac{33}{2}=16\frac{1}{2}$

12 $2\frac{1}{2}\times6=\frac{5}{\underset{1}{\cancel{2}}}\times\overset{3}{\cancel{6}}=15$

13 $\overset{2}{\cancel{6}}\times\frac{5}{\underset{3}{\cancel{9}}}=\frac{10}{3}=3\frac{1}{3}$

유형 진단 TEST 41쪽

1 14 2 ㉡, 4
3 $\frac{2}{7}\times3=\frac{6}{7}$, $\frac{6}{7}$ L
4 방법 1 예 $1\frac{2}{7}\times2=\frac{9}{7}\times2=\frac{18}{7}=2\frac{4}{7}$
방법 2 예 $1\frac{2}{7}\times2=(1\times2)+\left(\frac{2}{7}\times2\right)$
$=2+\frac{4}{7}=2\frac{4}{7}$
5 예 구슬 한 상자의 무게는 $2\frac{2}{5}$ kg입니다. 구슬 3 상자의 무게는 모두 몇 kg인가요? / 예 $7\frac{1}{5}$ kg

2 ㉠ $\overset{2}{\cancel{4}}\times\frac{5}{\underset{3}{\cancel{6}}}=\frac{10}{3}=3\frac{1}{3}$ ㉡ $\overset{2}{\cancel{6}}\times\frac{2}{\underset{1}{\cancel{3}}}=4$

3 $\frac{2}{7}\times3=\frac{6}{7}$ (L)

5 $2\frac{2}{5}\times3=\frac{12}{5}\times3=\frac{36}{5}=7\frac{1}{5}$

1 STEP 개념별 유형 42~45쪽

1 (위에서부터) 1, 4, 12 2 $\frac{5}{48}$
3 $\frac{7}{24}$
4 (　　)(　○　)(　　)
5 > 6 $\frac{3}{4}\times\frac{1}{2}=\frac{3}{8}$, $\frac{3}{8}$
7 (위에서부터) 3, 5, $\frac{9}{20}$
8 (위에서부터) 1, 2, $\frac{5}{14}$
9 $\frac{9}{14}$ 10 ㉡
11

$\frac{5}{8}$	$\frac{5}{8}\times\frac{4}{7}$

12 $\frac{5}{12}$, $\frac{5}{12}$ 13 $\frac{7}{9}\times\frac{3}{5}=\frac{7}{15}$, $\frac{7}{15}$ m
14 6, 18 15 $\frac{3}{\underset{2}{\cancel{4}}}\times\frac{\overset{3}{\cancel{6}}}{\underset{1}{\cancel{7}}}\times\frac{\overset{1}{\cancel{7}}}{10}=\frac{9}{20}$
16 $\frac{4}{21}$ 17 4, 32, $3\frac{5}{9}$
18 ㉡ 19 $3\frac{1}{9}$
20 $3\frac{1}{2}$ 21 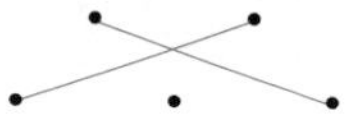
22 $2\frac{2}{5}\times1\frac{2}{3}=4$, 4 kg
23 1, 1, 5, $2\frac{2}{5}$
24 $\frac{5}{9}\times2=\frac{5}{9}\times\frac{2}{1}=\frac{5\times2}{9\times1}=\frac{10}{9}=1\frac{1}{9}$
25 예 5를 가분수로 나타내어 계산하려면 $\frac{5}{1}$로 나타내어야 합니다. / $2\frac{1}{2}$

4 $\frac{1}{2}\times\frac{1}{6}=\frac{1}{12}$, $\frac{1}{4}\times\frac{1}{2}=\frac{1}{8}$, $\frac{1}{3}\times\frac{1}{4}=\frac{1}{12}$

5 $\frac{1}{7}$에 1보다 작은 수를 곱하면 계산 결과는 $\frac{1}{7}$보다 작습니다.

다른 풀이
$\frac{1}{7}\times\frac{1}{4}=\frac{1}{28}$ ➡ 단위분수는 분모가 작을수록 큰 수이므로 $\frac{1}{7}>\frac{1}{7}\times\frac{1}{4}$입니다.

10 ㉠ $\frac{\overset{2}{\cancel{4}}}{\underset{1}{\cancel{5}}}\times\frac{\overset{1}{\cancel{5}}}{\underset{3}{\cancel{6}}}=\frac{2}{3}$ ㉡ $\frac{\overset{1}{\cancel{4}}}{7}\times\frac{3}{\underset{2}{\cancel{8}}}=\frac{3}{14}$

11 $\frac{5}{8}$에 1보다 작은 $\frac{4}{7}$를 곱하면 곱해지는 수 $\frac{5}{8}$보다 작아집니다.

12 $\frac{5}{\underset{3}{\cancel{9}}}\times\frac{\overset{1}{\cancel{3}}}{4}=\frac{5}{12}$, $\frac{\overset{1}{\cancel{2}}}{3}\times\frac{5}{\underset{4}{\cancel{8}}}=\frac{5}{12}$

13 $\frac{7}{\underset{3}{\cancel{9}}}\times\frac{\overset{1}{\cancel{3}}}{5}=\frac{7}{15}$ (m)

15 지안이는 곱셈을 하는 과정에서 약분을 하여 계산했습니다.

16 $\frac{\overset{1}{\cancel{5}}}{7}\times\frac{4}{\underset{3}{\cancel{9}}}\times\frac{\overset{1}{\cancel{3}}}{\underset{1}{\cancel{5}}}=\frac{4}{21}$

18 $1\frac{1}{3}\times2\frac{2}{5}=\frac{4}{\underset{1}{\cancel{3}}}\times\frac{\overset{4}{\cancel{12}}}{5}=\frac{16}{5}=3\frac{1}{5}$

19 $1\frac{1}{6}\times2\frac{2}{3}=\frac{7}{\underset{3}{\cancel{6}}}\times\frac{\overset{4}{\cancel{8}}}{3}=\frac{28}{9}=3\frac{1}{9}$

다른 풀이

$1\frac{1}{6}\times2\frac{2}{3}=\left(1\frac{1}{6}\times2\right)+\left(1\frac{1}{6}\times\frac{2}{3}\right)=\left(\frac{7}{\underset{3}{\cancel{6}}}\times\overset{1}{\cancel{2}}\right)+\left(\frac{7}{\underset{3}{\cancel{6}}}\times\frac{\overset{1}{\cancel{2}}}{3}\right)$

$=\frac{7}{3}+\frac{7}{9}=\frac{21}{9}+\frac{7}{9}=\frac{28}{9}=3\frac{1}{9}$

20 $2\frac{1}{2}\times1\frac{2}{5}=\frac{\overset{1}{\cancel{5}}}{2}\times\frac{7}{\underset{1}{\cancel{5}}}=\frac{7}{2}=3\frac{1}{2}$

21 $3\frac{1}{3}\times2\frac{1}{2}=\frac{\overset{5}{\cancel{10}}}{3}\times\frac{5}{\underset{1}{\cancel{2}}}=\frac{25}{3}=8\frac{1}{3}$

$1\frac{1}{7}\times2\frac{1}{4}=\frac{\overset{2}{\cancel{8}}}{7}\times\frac{9}{\underset{1}{\cancel{4}}}=\frac{18}{7}=2\frac{4}{7}$

22 $2\frac{2}{5}\times1\frac{2}{3}=\frac{\overset{4}{\cancel{12}}}{\underset{1}{\cancel{5}}}\times\frac{\overset{1}{\cancel{5}}}{\underset{1}{\cancel{3}}}=4$ (kg)

25 $5\times\frac{1}{2}=\frac{5}{1}\times\frac{1}{2}=\frac{5}{2}=2\frac{1}{2}$

평가 기준

잘못 계산한 이유를 쓰고, 바르게 계산한 값을 구했으면 정답입니다.

개념 5 ~ 9 기초력 집중 연습 46쪽

1 $\frac{1}{10}$	2 $\frac{1}{9}$	3 $\frac{10}{27}$
4 $\frac{1}{9}$	5 $\frac{5}{21}$	6 $\frac{5}{24}$
7 $1\frac{1}{2}$	8 $3\frac{1}{5}$	9 $\frac{3}{14}$
10 $\frac{7}{15}$	11 $\frac{3}{7}$	
12 $5\frac{5}{8}$	13 $2\frac{3}{7}$	

12 $1\frac{1}{2}\times3\frac{3}{4}=\frac{3}{2}\times\frac{15}{4}=\frac{45}{8}=5\frac{5}{8}$

13 $1\frac{2}{7}\times1\frac{8}{9}=\frac{\overset{1}{\cancel{9}}}{7}\times\frac{17}{\underset{1}{\cancel{9}}}=\frac{17}{7}=2\frac{3}{7}$

유형 진단 TEST 47쪽

1 예 $\frac{3}{4}\times\frac{9}{10}=\frac{3\times9}{4\times10}=\frac{27}{40}$

2 ㉠

3 예 분자는 분자끼리, 분모는 분모끼리 곱하여 계산합니다.

4 예 1 (m)

0 1 2 3 (m) /

$2\frac{1}{4}\times\frac{1}{2}=1\frac{1}{8}$, $1\frac{1}{8}$ m^2

5 $\frac{1}{6}\times\frac{1}{2}\times\frac{4}{5}=\frac{1}{15}$, $\frac{1}{15}$

2 ㉠ $1\frac{3}{4}\times1\frac{5}{7}=\frac{\cancel{7}^{1}}{\cancel{4}_{1}}\times\frac{\cancel{12}^{3}}{\cancel{7}_{1}}=3$

㉡ $\frac{1}{\cancel{4}_{2}}\times\frac{\cancel{2}^{1}}{5}=\frac{1}{10}$

3 평가 기준

지안이가 계산한 방법을 바르게 썼으면 정답입니다.

4 $2\frac{1}{4}\times\frac{1}{2}=\frac{9}{4}\times\frac{1}{2}=\frac{9}{8}=1\frac{1}{8}\ (\mathrm{m}^2)$

5 $\frac{1}{\cancel{6}_{3}}\times\frac{1}{\cancel{2}_{1}}\times\frac{\cancel{4}^{\cancel{2}^{1}}}{5}=\frac{1}{15}$

2 STEP 꼬리를 무는 유형 48~49쪽

1 $6\frac{2}{3}$	2 $7\frac{1}{3}$	3 $\frac{2}{7}$ m
4 $43\frac{4}{5}$ kg	5 ㉡	6 ㉢
7 적습니다.	8 5 m^2	9 $\frac{5}{7}$ m^2
10 $31\frac{1}{2}$ m^2	11 7, 8, 9에 ○표	
12 5, 6, 7에 ○표		13 6

3 $\frac{1}{\cancel{3}_{1}}\times\frac{\cancel{6}^{2}}{7}=\frac{2}{7}\ (\mathrm{m})$

4 $36\frac{1}{2}\times1\frac{1}{5}=\frac{73}{\cancel{2}_{1}}\times\frac{\cancel{6}^{3}}{5}=\frac{219}{5}=43\frac{4}{5}\ (\mathrm{kg})$

5 ㉠, ㉢ $\frac{5}{7}$에 진분수를 곱하면 계산 결과는 $\frac{5}{7}$보다 작습니다.

㉡ $\frac{5}{7}$에 대분수를 곱하면 계산 결과는 $\frac{5}{7}$보다 큽니다.

7 (유라가 마신 우유의 양)$=200\times\frac{4}{5}$

200에 진분수를 곱하면 200보다 작으므로 유라가 마신 우유의 양은 민지가 마신 우유의 양보다 적습니다.

8 $2\frac{1}{2}\times2=\frac{5}{\cancel{2}_{1}}\times\cancel{2}^{1}=5\ (\mathrm{m}^2)$

9 $\frac{\cancel{6}^{1}}{7}\times\frac{5}{\cancel{6}_{1}}=\frac{5}{7}\ (\mathrm{m}^2)$

10 $6\times5\frac{1}{4}=\cancel{6}^{3}\times\frac{21}{\cancel{4}_{2}}=\frac{63}{2}=31\frac{1}{2}\ (\mathrm{m}^2)$

11 $\frac{3}{\cancel{5}_{1}}\times\cancel{10}^{2}=6$

➜ 6<□이므로 □ 안에 들어갈 수 있는 수는 7, 8, 9입니다.

12 $1\frac{1}{3}\times6=\frac{4}{\cancel{3}_{1}}\times\cancel{6}^{2}=8$

➜ 8>□이므로 □ 안에 들어갈 수 있는 수는 5, 6, 7입니다.

13 $3\times1\frac{2}{3}=\cancel{3}^{1}\times\frac{5}{\cancel{3}_{1}}=5$

➜ 5<□이므로 □ 안에는 5보다 큰 자연수가 들어갈 수 있습니다. 따라서 □ 안에 들어갈 수 있는 가장 작은 자연수는 6입니다.

3 STEP 수학 독해력 유형 50~51쪽

독해력 유형 1 ❶ 60분 ❷ 1, 20, 1, 1

❸ $12\frac{1}{2}\times1\frac{1}{3}=16\frac{2}{3}$, $16\frac{2}{3}$ km

쌍둥이 유형 1-1 90 km

쌍둥이 유형 1-2 $4\frac{9}{10}$ km

독해력 유형 2 ❶ $\frac{2}{3}$ ❷ $\frac{5}{12}$ ❸ $\frac{1}{24}$

쌍둥이 유형 2-1 $\frac{3}{10}$

쌍둥이 유형 2-2 $1\frac{1}{8}$

독해력 유형 1 ❶ 1시간=60분

❷ 1시간=60분이므로 20분=$\frac{20}{60}$시간입니다.

따라서 1시간 20분은 $1\frac{20}{60}$시간$=1\frac{1}{3}$시간입니다.

❸ $12\frac{1}{2}\times1\frac{1}{3}=\frac{25}{\underset{1}{\cancel{2}}}\times\frac{\overset{2}{\cancel{4}}}{3}=\frac{50}{3}=16\frac{2}{3}$ (km)

쌍둥이 유형 1-1

❶ 1시간은 60분입니다.

❷ 1시간 30분은 몇 시간인지 분수로 나타내면

$1\frac{30}{60}$시간$=1\frac{1}{2}$시간입니다.

❸ $60\times1\frac{1}{2}=90$ (km)

쌍둥이 유형 1-2

❶ 1시간은 60분입니다.

❷ 1시간 10분은 몇 시간인지 분수로 나타내면

$1\frac{10}{60}$시간$=1\frac{1}{6}$시간입니다.

❸ $4\frac{1}{5}\times1\frac{1}{6}=4\frac{9}{10}$ (km)

독해력 유형 2 ❷ $\frac{5}{\underset{4}{\cancel{8}}}\times\frac{\overset{1}{\cancel{2}}}{3}=\frac{5}{12}$

❸ $\frac{\overset{1}{\cancel{5}}}{12}\times\frac{1}{\underset{2}{\cancel{10}}}=\frac{1}{24}$

쌍둥이 유형 2-1

❶ $\frac{1}{6}$의 $\frac{1}{2}$ ➔ $\frac{1}{6}\times\frac{1}{2}$

❷ $\frac{1}{6}\times\frac{1}{2}=\frac{1}{12}$ ➔ (어떤 수)$=\frac{1}{12}$

❸ 어떤 수의 $3\frac{3}{5}$ ➔ $\frac{1}{12}\times3\frac{3}{5}=\frac{1}{\underset{2}{\cancel{12}}}\times\frac{\overset{3}{\cancel{18}}}{5}=\frac{3}{10}$

쌍둥이 유형 2-2

❶ $\frac{2}{5}$의 $\frac{3}{4}$ ➔ $\frac{2}{5}\times\frac{3}{4}$

❷ $\frac{\overset{1}{\cancel{2}}}{5}\times\frac{3}{\underset{2}{\cancel{4}}}=\frac{3}{10}$ ➔ (어떤 수)$=\frac{3}{10}$

❸ 어떤 수의 $\frac{15}{4}$ ➔ $\frac{3}{\underset{2}{\cancel{10}}}\times\frac{\overset{3}{\cancel{15}}}{4}=\frac{9}{8}=1\frac{1}{8}$

4 STEP 사고력 플러스 유형 52~55쪽

1-1 예 $\frac{2}{3}\times12=\frac{2\times\overset{4}{\cancel{12}}}{\underset{1}{\cancel{3}}}=8$

1-2 예 $21\times\frac{3}{7}=\frac{\overset{3}{\cancel{21}}\times3}{\underset{1}{\cancel{7}}}=9$ **1-3** ㉠, $2\frac{1}{2}$

2-1 50 cm **2-2** 200 mL **2-3** ㉡

3-1 $1\frac{1}{2}$ kg **3-2** $6\frac{2}{3}$ kg

3-3 $9\frac{3}{4}\times8=78$, 78 km **4-1** 8

4-2 예 단위분수끼리의 곱셈은 분자는 1이고, 분모끼리 곱하면 됩니다. 따라서 분모를 살펴보면 $3\times$㉠$=27$, ㉠$=9$입니다.
답 9

4-3 $\frac{1}{5}$ **5-1** 8, 6(또는 6, 8)

5-2 예 $\frac{1}{\square}\times\frac{1}{\square}$에서 분모의 곱이 클수록 계산 결과가 작아집니다. 따라서 수 카드의 수 중 가장 큰 수와 둘째로 큰 수를 사용해야 합니다.
$7>5>4>3$이므로 □ 안에 알맞은 두 수는 7, 5입니다. / 7, 5

6-1 나

6-2 예 (가의 넓이)$=3\times2\frac{1}{4}=3\times\frac{9}{4}$
$=\frac{27}{4}=6\frac{3}{4}$ (cm²)

(나의 넓이)$=2\frac{1}{2}\times2\frac{1}{2}=\frac{5}{2}\times\frac{5}{2}$
$=\frac{25}{4}=6\frac{1}{4}$ (cm²)

➔ $6\frac{3}{4}>6\frac{1}{4}$이므로 더 넓은 것은 가입니다.

답 가

6-3 $\frac{8}{25}$ cm²

7-1 단계 1 $\frac{2}{5}$ 단계 2 $\frac{3}{20}$ 단계 3 18쪽

7-2 90개

8-1 단계 1 $1\frac{1}{2}$ m 단계 2 $\frac{1}{4}$ m 단계 3 $1\frac{1}{4}$ m

8-2 $3\frac{13}{20}$ m

1-3 ㉠ $2\times1\frac{1}{4}=\overset{1}{\cancel{2}}\times\frac{5}{\underset{2}{\cancel{4}}}=\frac{5}{2}=2\frac{1}{2}$

2-1 1 m=100 cm

➔ 100의 $\frac{1}{2}$은 $\overset{50}{\cancel{100}}\times\frac{1}{\underset{1}{\cancel{2}}}=50$이므로 50 cm입니다.

2-2 1 L=1000 mL

➔ 1000의 $\frac{1}{5}$은 $\overset{200}{\cancel{1000}}\times\frac{1}{\underset{1}{\cancel{5}}}=200$이므로 200 mL 입니다.

2-3 ㉠ 1 m=100 cm

➔ 100의 $\frac{1}{5}$은 $\overset{20}{\cancel{100}}\times\frac{1}{\underset{1}{\cancel{5}}}=20$이므로 20 cm입니다.

㉡ 1시간=60분

➔ 60의 $\frac{4}{5}$는 $\overset{12}{\cancel{60}}\times\frac{4}{\underset{1}{\cancel{5}}}=48$이므로 48분입니다.

참고

1 m=100 cm, 1 L=1000 mL, 1시간=60분

3-1 (막대 $1\frac{1}{6}$ m의 무게)$=1\frac{2}{7}\times1\frac{1}{6}=\frac{\overset{3}{\cancel{9}}}{\underset{1}{\cancel{7}}}\times\frac{\overset{1}{\cancel{7}}}{\underset{2}{\cancel{6}}}$

$=\frac{3}{2}=1\frac{1}{2}$ (kg)

따라서 막대 $1\frac{1}{6}$ m의 무게는 $1\frac{1}{2}$ kg입니다.

3-2 (철근 $1\frac{1}{4}$ m의 무게)$=5\frac{1}{3}\times1\frac{1}{4}=\frac{\overset{4}{\cancel{16}}}{3}\times\frac{5}{\underset{1}{\cancel{4}}}$

$=\frac{20}{3}=6\frac{2}{3}$ (kg)

따라서 철근 $1\frac{1}{4}$ m의 무게는 $6\frac{2}{3}$ kg입니다.

3-3 (8 L의 휘발유로 갈 수 있는 거리)

$=9\frac{3}{4}\times8=\frac{39}{\underset{1}{\cancel{4}}}\times\overset{2}{\cancel{8}}=78$ (km)

따라서 8 L의 휘발유로 갈 수 있는 거리는 78 km 입니다.

4-1 단위분수끼리의 곱셈은 분자는 1이고, 분모끼리 곱하면 됩니다. 따라서 분모를 살펴보면 ㉠×9=72, ㉠=8입니다.

4-2 평가 기준

분모끼리 곱해야 함을 알고 ㉠을 바르게 구했으면 정답입니다.

4-3 단위분수끼리의 곱셈은 분자는 1이고, 분모끼리 곱하면 됩니다. 분모를 ■라 하면 ■×6=30, ■=5이므로 분모는 5입니다.

따라서 □ 안에 알맞은 단위분수는 $\frac{1}{5}$입니다.

5-1 $\frac{1}{\square}\times\frac{1}{\square}$에서 분모의 곱이 클수록 계산 결과가 작아집니다. 따라서 두 장의 카드를 사용하여 계산 결과가 가장 작은 식을 만들려면 수 카드의 수 중 가장 큰 수와 둘째로 큰 수를 사용해야 합니다. 8>6>4>2이므로 □ 안에 알맞은 수는 8, 6입니다.

5-2 평가 기준

분모에 큰 수가 들어가야 함을 알고 □ 안에 알맞은 두 수를 바르게 구했으면 정답입니다.

6-1 (가의 넓이)$=1\frac{2}{3}\times1\frac{2}{3}=\frac{5}{3}\times\frac{5}{3}$

$=\frac{25}{9}=2\frac{7}{9}$ (cm²)

(나의 넓이)$=2\frac{1}{3}\times1\frac{1}{3}=\frac{7}{3}\times\frac{4}{3}$

$=\frac{28}{9}=3\frac{1}{9}$ (cm²)

➔ $3\frac{1}{9}>2\frac{7}{9}$이므로 더 넓은 것은 나입니다.

6-2 평가 기준

직사각형 가와 정사각형 나의 넓이를 각각 구하여 더 넓은 것을 바르게 구했으면 정답입니다.

6-3 (가의 넓이)$=1\frac{1}{5}\times1\frac{1}{5}=\frac{6}{5}\times\frac{6}{5}$

$=\frac{36}{25}=1\frac{11}{25}$ (cm²)

(나의 넓이)$=1\frac{2}{5}\times\frac{4}{5}=\frac{7}{5}\times\frac{4}{5}$

$=\frac{28}{25}=1\frac{3}{25}$ (cm²)

➔ $1\frac{11}{25}-1\frac{3}{25}=\frac{8}{25}$ (cm²)

7-1 단계 1 전체를 1이라고 하면 어제 읽고 남은 동화책은 전체의 $1-\frac{3}{5}=\frac{2}{5}$입니다.

단계 2 오늘 읽은 동화책은 전체의 $\frac{\overset{1}{\cancel{2}}}{5}\times\frac{3}{\underset{4}{\cancel{8}}}=\frac{3}{20}$입니다.

단계 3 $\overset{6}{\cancel{120}}\times\frac{3}{\underset{1}{\cancel{20}}}=18$(쪽)

7-2 전체를 1이라고 하면 어제 먹고 남은 송편은 전체의 $1-\frac{2}{7}=\frac{5}{7}$입니다.

오늘 먹은 송편은 전체의 $\frac{\overset{1}{\cancel{5}}}{7}\times\frac{3}{\underset{1}{\cancel{5}}}=\frac{3}{7}$입니다.

(오늘 먹은 송편 수)$=\overset{30}{\cancel{210}}\times\frac{3}{\underset{1}{\cancel{7}}}=90$(개)

다른 풀이

전체를 1이라고 할 때 어제 먹고 남은 송편을 전체의 $1-\frac{2}{7}$라 하여 하나의 식을 세워 계산할 수도 있습니다.

$210\times\left(1-\frac{2}{7}\right)\times\frac{3}{5}=\overset{30}{\cancel{210}}\times\frac{\overset{1}{\cancel{5}}}{\underset{1}{\cancel{7}}}\times\frac{3}{\underset{1}{\cancel{5}}}=90$(개)

8-1 단계 1 $\frac{3}{\underset{2}{\cancel{8}}}\times\overset{1}{\cancel{4}}=\frac{3}{2}=1\frac{1}{2}$ (m)

단계 2 $\frac{1}{\underset{4}{\cancel{12}}}\times\overset{1}{\cancel{3}}=\frac{1}{4}$ (m)

단계 3 (이어 붙인 색 테이프의 전체 길이)
$=$(색 테이프 4장의 길이의 합)
$-$(겹친 부분의 길이의 합)
$=1\frac{1}{2}-\frac{1}{4}=1\frac{2}{4}-\frac{1}{4}=1\frac{1}{4}$ (m)

8-2 (색 테이프 3장의 길이의 합)
$=1\frac{3}{10}\times3=\frac{13}{10}\times3=\frac{39}{10}=3\frac{9}{10}$ (m)

(겹친 부분의 길이의 합)$=\frac{1}{\underset{4}{\cancel{8}}}\times\overset{1}{\cancel{2}}=\frac{1}{4}$ (m)

(이어 붙인 색 테이프의 전체 길이)
$=$(색 테이프 3장의 길이의 합)
$-$(겹친 부분의 길이의 합)
$=3\frac{9}{10}-\frac{1}{4}=3\frac{13}{20}$ (m)

유형 TEST

56~58쪽

1 (위에서부터) 1, 2, $\frac{3}{8}$

2 $\frac{7}{32}$

3 6

4 $16\frac{1}{2}$

5 ×, ○

6 예 $6\times2\frac{1}{4}=\overset{3}{\cancel{6}}\times\frac{9}{\underset{2}{\cancel{4}}}=\frac{3\times9}{2}=\frac{27}{2}=13\frac{1}{2}$

7 ㉡

8 $\frac{7}{10}$ m

9 △ $5\times\frac{8}{9}$, 5×1, ○ $5\times1\frac{1}{2}$

10 $20\frac{1}{2}$

11 $>$

12 $4\frac{4}{7}$ kg

13 10, 200

14 36 cm

15 6

16 $\frac{14}{15}$

17 예 ❶ 단위분수끼리의 곱셈은 분자는 1이고, 분모끼리 곱하면 됩니다.
❷ 따라서 분모를 살펴보면 $7\times$㉠$=56$, ㉠$=8$입니다.
답 8

18 예 ❶ $\frac{1}{\square}\times\frac{1}{\square}$에서 분모의 곱이 클수록 계산 결과가 작아집니다.
❷ 따라서 수 카드의 수 중 가장 큰 수와 둘째로 큰 수를 사용해야 합니다.
❸ $9>5>3>2$이므로 □ 안에 알맞은 두 수는 9, 5입니다.
답 9, 5

19 예 ❶ (가의 넓이)$=1\frac{4}{5}\times2=3\frac{3}{5}$ (cm²)
❷ (나의 넓이)$=2\frac{2}{5}\times1\frac{1}{3}=3\frac{1}{5}$ (cm²)
❸ ➜ $3\frac{3}{5}>3\frac{1}{5}$이므로 더 넓은 것은 가입니다.
답 가

20 예 ❶ 전체를 1이라고 하면 남학생은 전체의 $1-\frac{4}{9}=\frac{5}{9}$입니다.
❷ 남학생 중 안경을 쓴 학생은 전체의 $\frac{\overset{1}{\cancel{5}}}{\underset{3}{\cancel{9}}}\times\frac{\overset{1}{\cancel{3}}}{\underset{1}{\cancel{5}}}=\frac{1}{3}$입니다.
❸ (5학년 남학생 중 안경을 쓴 학생 수)
$=\overset{60}{\cancel{180}}\times\frac{1}{\underset{1}{\cancel{3}}}=60$(명)
답 60명

9 5에 진분수를 곱하면 계산 결과는 5보다 작습니다.
5에 1을 곱하면 계산 결과는 그대로 5입니다.
5에 대분수를 곱하면 계산 결과는 5보다 큽니다.

10 $5\frac{1}{8}\times4=\frac{41}{\cancel{8}_{2}}\times\cancel{4}^{1}=\frac{41}{2}=20\frac{1}{2}$

11 $2\frac{2}{5}\times1\frac{3}{4}=\frac{\cancel{12}^{3}}{5}\times\frac{7}{\cancel{4}_{1}}=\frac{21}{5}=4\frac{1}{5}$ ➜ $5>4\frac{1}{5}$

12 $\frac{4}{7}\times8=\frac{32}{7}=4\frac{4}{7}$ (kg)

13 • $\cancel{100}^{10}\times\frac{1}{\cancel{10}_{1}}=10$ (cm) ➜ ㉠=10

• $\cancel{1000}^{200}\times\frac{1}{\cancel{5}_{1}}=200$ (mL) ➜ ㉡=200

14 $\cancel{84}^{12}\times\frac{3}{\cancel{7}_{1}}=12\times3=36$ (cm)

15 $1\frac{1}{8}\times4\frac{2}{3}=\frac{\cancel{9}^{3}}{\cancel{8}_{4}}\times\frac{\cancel{14}^{7}}{\cancel{3}_{1}}=\frac{21}{4}=5\frac{1}{4}$

➜ $5\frac{1}{4}<\square$이므로 □ 안에 들어갈 수 있는 가장 작은 자연수는 6입니다.

16 ㉠ $\frac{1}{\cancel{4}_{1}}\times\frac{\cancel{4}^{1}}{5}=\frac{1}{5}$, ㉡ $\frac{2}{3}\times7=\frac{14}{3}=4\frac{2}{3}$

➜ ㉠×㉡ $=\frac{1}{5}\times4\frac{2}{3}=\frac{1}{5}\times\frac{14}{3}=\frac{14}{15}$

다른 풀이

한꺼번에 계산할 수 있습니다.

㉠×㉡ $=\frac{1}{\cancel{4}_{1}}\times\frac{\cancel{4}^{1}}{5}\times\frac{2}{3}\times7=\frac{14}{15}$

17 **채점 기준**

기준	점수	총점
❶ 단위분수는 분모끼리 곱해야 함을 앎.	2점	5점
❷ ㉠에 알맞은 수를 구함.	3점	

18 **채점 기준**

기준	점수	총점
❶ 분모에 큰 수가 들어갈수록 계산 결과가 작아짐을 앎.	1점	5점
❷ 수 카드의 수 중 가장 큰 수와 둘째로 큰 수를 사용해야 함을 앎.	2점	
❸ □ 안에 알맞은 두 수를 구함.	2점	

19 **채점 기준**

기준	점수	총점
❶ 가의 넓이를 구함.	2점	5점
❷ 나의 넓이를 구함.	2점	
❸ 더 넓은 것은 어느 것인지 구함.	1점	

20 **채점 기준**

기준	점수	총점
❶ 남학생은 전체의 몇 분의 몇인지 구함.	1점	5점
❷ 남학생 중 안경을 쓴 학생은 전체의 몇 분의 몇인지 구함.	2점	
❸ 남학생 중 안경을 쓴 학생은 몇 명인지 구함.	2점	

앞 단원 유형 다시 보기 59쪽

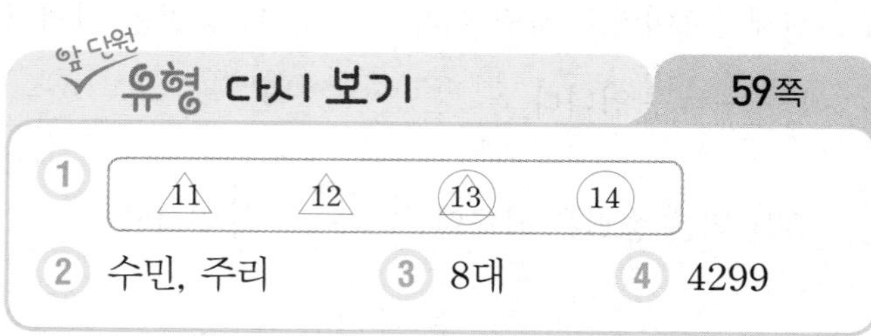

③ 콩 752상자를 트럭 한 대당 100상자씩 싣는다면 트럭 7대에 100상자씩 싣고 남은 52상자를 실을 트럭 한 대가 더 필요합니다. ➜ 8대

④ 버림하여 백의 자리까지 나타내면 4200이 되는 자연수는 42□□입니다. □□에는 00, 01, 02……98, 99가 들어갈 수 있으므로 가장 큰 자연수는 4299입니다.

재미있는 창의·융합·코딩 60~61쪽

코딩1 ❶ $6\frac{1}{5}$ ❷ $1\frac{17}{18}$

코딩2 ×, $\frac{3}{5}$, ×, $\frac{5}{9}$, $\frac{5}{27}$

창의3 예

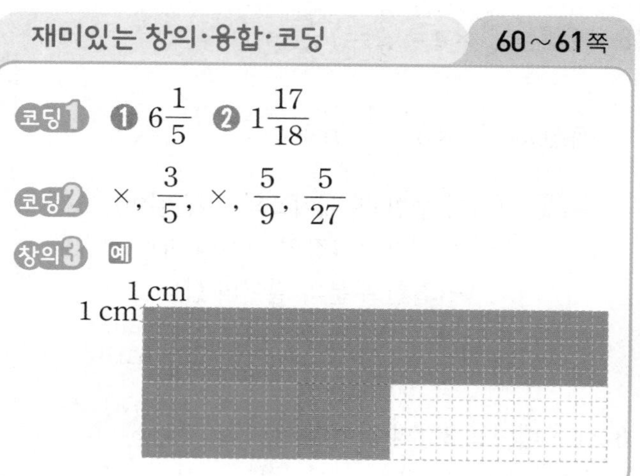

코딩1 ❶ $\frac{4}{5}\times1\frac{1}{2}=\frac{\cancel{4}^{2}}{5}\times\frac{3}{\cancel{2}_{1}}=\frac{6}{5}=1\frac{1}{5}$

$1\frac{1}{5}+5=6\frac{1}{5}$

코딩2 $\frac{5}{\cancel{9}_{3}}\times\frac{\cancel{3}^{1}}{\cancel{5}_{1}}\times\frac{\cancel{5}^{1}}{9}=\frac{5}{27}$

3. 합동과 대칭

1 STEP 개념별 유형 64~67쪽

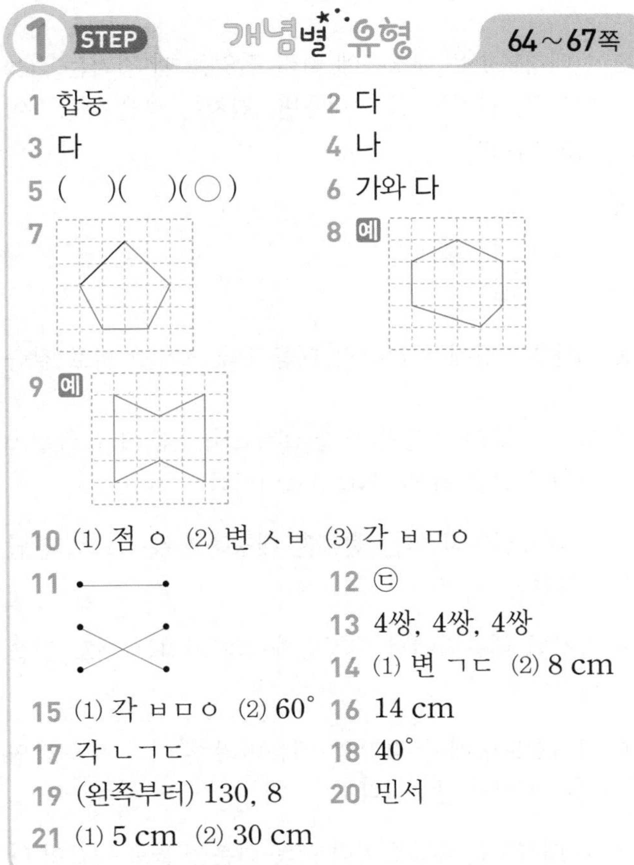

1 합동 2 다
3 다 4 나
5 ( )( )(○) 6 가와 다
7 8 예
9 예
10 (1) 점 ㅇ (2) 변 ㅅㅂ (3) 각 ㅂㅁㅇ
11 12 ㉢
13 4쌍, 4쌍, 4쌍
14 (1) 변 ㄱㄷ (2) 8 cm
15 (1) 각 ㅂㅁㅇ (2) 60° 16 14 cm
17 각 ㄴㄱㄷ 18 40°
19 (왼쪽부터) 130, 8 20 민서
21 (1) 5 cm (2) 30 cm

4 왼쪽 도형과 모양과 크기가 같아서 포개었을 때 완전히 겹치는 도형은 나입니다.

7 모눈의 칸 수를 세어 주어진 도형의 꼭짓점과 같은 위치에 점을 찍은 후 점들을 연결하여 완성합니다.

8 참고
도형을 밀기, 뒤집기, 돌리기 한 것도 모양과 크기가 같으므로 서로 합동인 도형입니다.

12 ㉠ 변 ㄱㄴ의 대응변은 변 ㅁㅇ입니다.
㉡ 변 ㄱㄹ의 대응변은 변 ㅁㅂ입니다.

14 (1) 변 ㄹㅁ의 대응변은 변 ㄱㄷ입니다.
(2) 서로 합동인 두 도형에서 각각의 대응변의 길이가 서로 같습니다. ➔ (변 ㄹㅁ)=(변 ㄱㄷ)=8 cm

15 (1) 각 ㄷㄹㄱ의 대응각은 각 ㅂㅁㅇ입니다.
(2) 서로 합동인 두 도형에서 각각의 대응각의 크기가 서로 같습니다. ➔ (각 ㄷㄹㄱ)=(각 ㅂㅁㅇ)=60°

16 변 ㄴㄷ의 대응변은 변 ㅂㅁ이므로 변 ㄴㄷ은 14 cm입니다.

17 각 ㅂㄹㅁ의 대응각은 각 ㄴㄱㄷ이므로 각 ㅂㄹㅁ과 크기가 같은 각은 각 ㄴㄱㄷ입니다.

18 각 ㅂㅅㅇ의 대응각은 각 ㄱㄹㄷ이므로 각 ㅂㅅㅇ은 40°입니다.

19 (변 ㅅㅇ)=(변 ㄴㄱ)=8 cm
(각 ㄱㄹㄷ)=(각 ㅇㅁㅂ)=130°

20 (변 ㄹㅁ)=(변 ㄷㄱ)=5 cm
(각 ㄱㄴㄷ)=(각 ㅁㅂㄹ)=40°

21 (1) (변 ㄱㄴ)=(변 ㅁㄹ)=5 cm
(2) (삼각형 ㄱㄴㄷ의 둘레)=5+12+13=30 (cm)

개념 1 ~ 4 기초력 집중 연습 68쪽

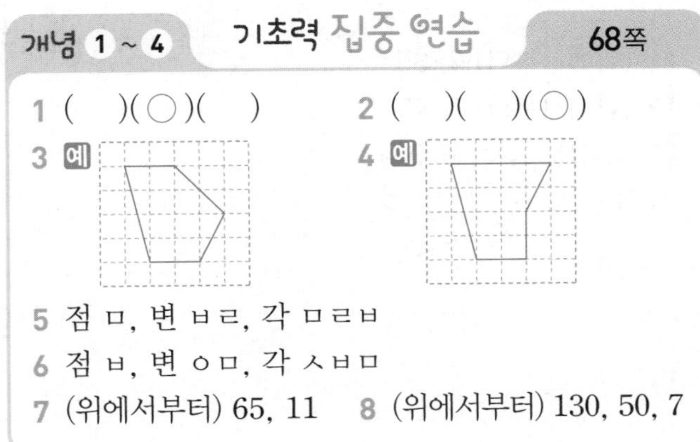

1 ( )(○)( ) 2 ( )( )(○)
3 예 4 예
5 점 ㅁ, 변 ㅂㄹ, 각 ㅁㄹㅂ
6 점 ㅂ, 변 ㅇㅁ, 각 ㅅㅂㅁ
7 (위에서부터) 65, 11 8 (위에서부터) 130, 50, 7

유형 진단 TEST 69쪽

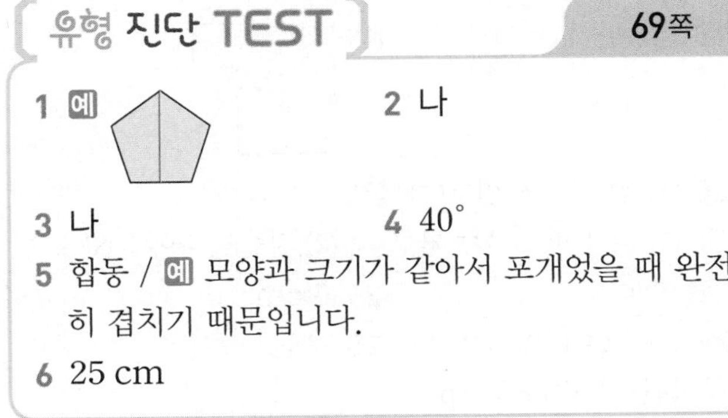

1 예 2 나
3 나 4 40°
5 합동 / 예 모양과 크기가 같아서 포개었을 때 완전히 겹치기 때문입니다.
6 25 cm

4 (각 ㄴㄷㄱ)=(각 ㅂㄹㅁ)=40°

5 평가 기준
모양과 크기가 같아서 포개었을 때 완전히 겹친다는 설명을 썼으면 정답입니다.

6 (변 ㄴㄷ)=(변 ㅅㅂ)=8 cm
(변 ㄱㄹ)=(변 ㅇㅁ)=4 cm
➔ (사각형 ㄱㄴㄷㄹ의 둘레)=7+8+6+4
=25 (cm)

1 STEP 개념별 유형 70~75쪽

1 선대칭도형, ㄱㄴ　　2 ㉡

3 (　)(○)(　)　　4

5 점 ㄹ, 변 ㄷㅂ, 각 ㅁㄹㄷ

6 4개

7 2, ㅂㅁ, 2 / 같습니다에 ○표

8 각 ㄷㄱㄹ

9 (1) 선분 ㄴㅂ, 선분 ㄷㅁ (2) 90°

10 ○ ×

11 (위에서부터) 6, 35

12 (위에서부터) 7, 45

13 (1) 선분 ㄹㄷ (2) 9 cm

14 (1)~(2)

15

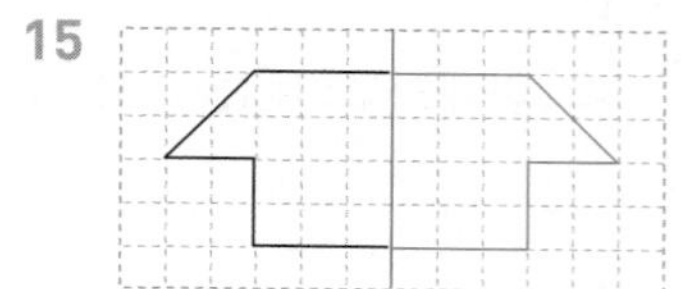

16 ㅇ, 점대칭도형　　17 점 ㅁ

18 (　)(　)(○)　　19

20 (1) 점 ㄹ (2) 변 ㅂㄱ (3) 각 ㄱㄴㄷ

21 (1) 각 ㅁㅂㄱ, 각 ㄹㄷㄴ (2) 같습니다에 ○표

22 변 ㅁㅂ　　23 6 cm

24 (1) 4 cm (2) 70°　　25 우진

26 (왼쪽부터) 85, 15

27 (1) 선분 ㄱㅇ (2) 4 cm

28 (1)~(2)

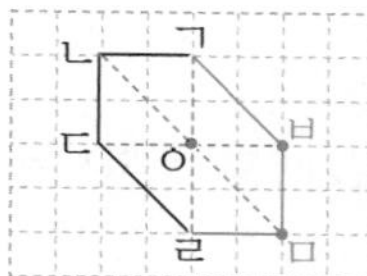

29

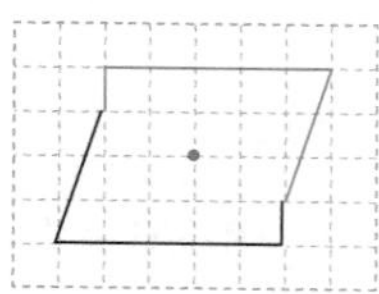

3

5 선대칭도형을 대칭축에 따라 접었을 때 겹치는 점을 대응점, 겹치는 변을 대응변, 겹치는 각을 대응각이라고 합니다.

6

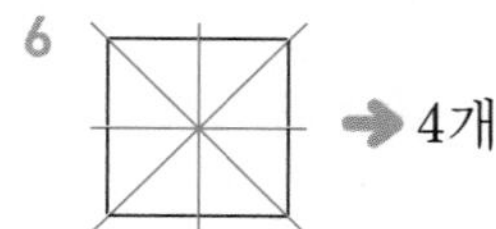

➔ 4개

8 선대칭도형에서 각각의 대응각의 크기가 서로 같습니다.
각 ㄷㄱㄴ의 대응각은 각 ㄷㄱㄹ이므로 각 ㄷㄱㄴ과 크기가 같은 각은 각 ㄷㄱㄹ입니다.

9 (2) 대응점끼리 이은 선분은 대칭축과 수직으로 만납니다.

10 각각의 대응점에서 대칭축까지의 거리는 서로 같습니다.

11 선대칭도형에서 각각의 대응변의 길이와 대응각의 크기가 서로 같습니다.

13 (1) 대칭축은 대응점끼리 이은 선분을 둘로 똑같이 나눕니다. ➔ (선분 ㄹㅁ)=(선분 ㄹㄷ)
(2) (선분 ㄹㅁ)=(선분 ㄷㅁ)÷2=18÷2=9 (cm)

14 (1) 점 ㄱ과 점 ㄴ에서 대칭축에 수선을 긋고, 이 수선에 점 ㄱ과 점 ㄴ에서 대칭축까지의 길이가 같도록 대응점을 찍습니다.
(2) 대칭축을 따라 접었을 때 완전히 겹치도록 그립니다.

15 각 점에서 대칭축에 수선을 그어 대응점을 찾아 표시한 다음 찾은 대응점을 차례로 이어 선대칭도형을 완성합니다.

참고
- 완성한 도형이 선대칭도형인지 확인하는 방법
  ① 대응점끼리 이은 선분이 대칭축과 서로 수직으로 만나는지 확인하기
  ② 각각의 대응점에서 대칭축까지의 거리가 서로 같은지 확인하기

17 대응점끼리 이은 선분들이 만나는 점은 점 ㅁ입니다.

18 어떤 점을 중심으로 180° 돌렸을 때 처음 도형과 완전히 겹치는 도형을 찾습니다.

19 대응점끼리 이은 선분들이 만나는 점을 찾아 표시합니다.

20 (1) 점 ㅇ을 중심으로 180° 돌렸을 때 겹치는 점을 찾습니다.
(2) 점 ㅇ을 중심으로 180° 돌렸을 때 겹치는 변을 찾습니다.
(3) 점 ㅇ을 중심으로 180° 돌렸을 때 겹치는 각을 찾습니다.

22 점대칭도형에서 각각의 대응변의 길이가 서로 같습니다.
변 ㄴㄷ의 대응변은 변 ㅁㅂ이므로 변 ㄴㄷ과 길이가 같은 변은 변 ㅁㅂ입니다.

23 각각의 대응점에서 대칭의 중심까지의 거리는 서로 같습니다.
➔ (선분 ㄴㅇ)=(선분 ㄹㅇ)=6 cm

24 (1) 점대칭도형에서 각각의 대응변의 길이가 서로 같습니다.
➔ (변 ㄴㄷ)=(변 ㅁㅂ)=4 cm
(2) 점대칭도형에서 각각의 대응각의 크기가 서로 같습니다.
➔ (각 ㄴㄱㅂ)=(각 ㅁㄹㄷ)=70°

25 우진: 점대칭도형에서 대칭의 중심은 항상 1개입니다.

26 점대칭도형에서 각각의 대응변의 길이와 대응각의 크기가 서로 같습니다.

27 (1) (선분 ㄷㅇ)=(선분 ㄱㅇ)
(2) (선분 ㄷㅇ)=(선분 ㄱㄷ)÷2
=8÷2=4 (cm)

참고
대칭의 중심은 대응점끼리 이은 선분을 둘로 똑같이 나눕니다.

28 (1) 점 ㄴ과 점 ㄷ에서 대칭의 중심을 지나는 직선을 긋고, 점 ㄴ과 점 ㄷ에서 대칭의 중심까지의 길이가 같도록 대응점을 찾아 점 ㅁ과 점 ㅂ으로 표시합니다.

29 각 점에서 대칭의 중심까지의 길이가 같도록 대응점을 찾아 표시한 다음 찾은 대응점을 차례로 이어 점대칭도형을 완성합니다.

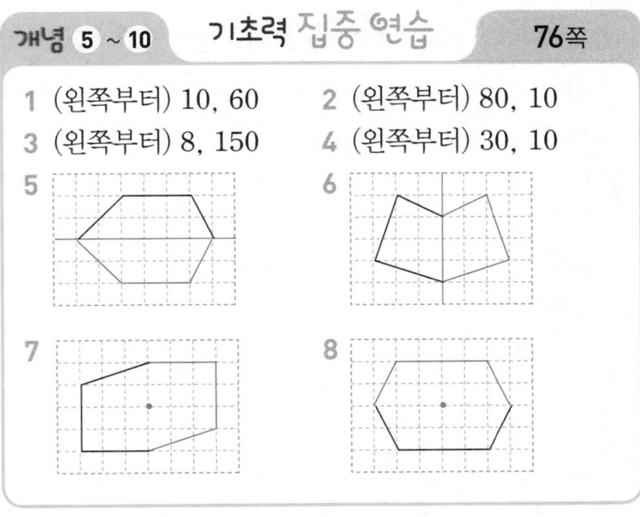

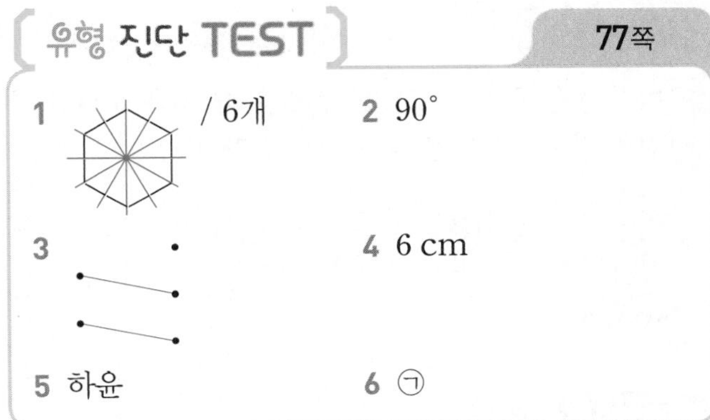

1 도형을 완전히 겹치도록 접었을 때 접은 직선을 모두 찾습니다.

2 대응점끼리 이은 선분은 대칭축과 수직으로 만납니다.

3 각각의 대응점에서 대칭의 중심까지의 거리가 서로 같습니다.

4 대칭축은 대응점끼리 이은 선분을 둘로 똑같이 나눕니다.
➔ (변 ㄴㄷ)=(선분 ㄴㄹ)×2=3×2=6 (cm)

5 각 알파벳을 180° 돌려 봅니다.
현서: F ➔ Ⅎ 하윤: H ➔ H
서준: J ➔ ſ

6 선대칭도형: ㉠, ㉢
점대칭도형: ㉠, ㉡
➔ 선대칭도형도 되고 점대칭도형도 되는 도형: ㉠

2 STEP 꼬리를 무는 유형 78~79쪽

1 나
2 ( )( )(○)( )
3 민정
4 ( )(○)( )
5 나
6 2개
7 2개
8 가, 다
9 2개
10 2개
11 3개
12
13 (○)( )
14 4개

5 한 직선을 따라 접었을 때 완전히 겹치는 도형은 가, 다이므로 선대칭도형이 아닌 것은 나입니다.

6 한 직선을 따라 접었을 때 완전히 겹치는 것을 모두 찾으면 나, 마입니다. ➔ 2개

7 A, M ➔ 2개

8 어떤 점을 중심으로 180° 돌렸을 때 처음 도형과 완전히 겹치는 도형을 모두 찾으면 가, 다입니다.

9 어떤 점을 중심으로 180° 돌렸을 때 처음 도형과 완전히 겹치는 도형을 모두 찾으면 마, 바입니다. ➔ 2개

10 ㄹ, ⊙ ➔ 2개

11 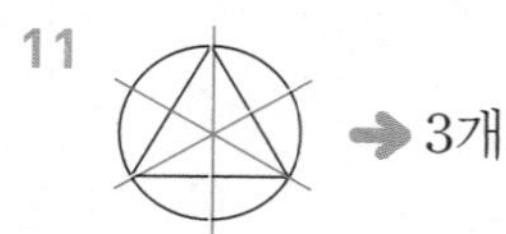 ➔ 3개

참고
선대칭도형에서 대칭축은 한 개인 경우도 있고 여러 개인 경우도 있습니다.

13 ➔ 원은 원의 중심을 지나는 어떤 직선을 따라 접어도 완전히 겹치므로 원의 대칭축은 무수히 많습니다.

➔ 5개

14 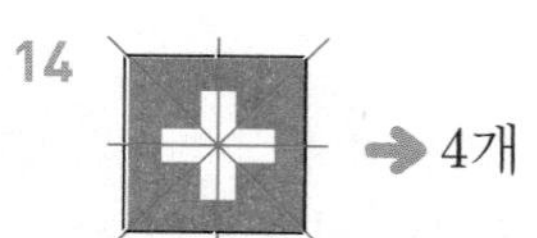 ➔ 4개

3 STEP 수학 독해력 유형 80~81쪽

독해력 유형 1 ❶ 100° ❷ 360° ❸ 95°
쌍둥이 유형 1-1 105°
쌍둥이 유형 1-2 45°
독해력 유형 2 ❶ 24 m ❷ 7 m ❸ 96 m
쌍둥이 유형 2-1 70 m
쌍둥이 유형 2-2 108 m

독해력 유형 1 ❶ (각 ㄹㅁㅂ)=(각 ㄱㄴㄷ)=100°
❸ 사각형 ㄱㄹㅁㅂ에서
(각 ㅂㄱㄹ)=360°−(75°+100°+90°)=95°

쌍둥이 유형 1-1 ❶ 점대칭도형에서 각각의 대응각의 크기가 서로 같습니다.
(각 ㄹㅁㅂ)=(각 ㄱㄴㄷ)=45°
❷ 사각형의 네 각의 크기의 합은 360°입니다.
❸ 사각형 ㄷㄹㅁㅂ에서
(각 ㄷㅂㅁ)=360°−(95°+115°+45°)=105°

쌍둥이 유형 1-2 ❶ 점대칭도형에서 각각의 대응각의 크기가 서로 같습니다.
(각 ㄴㄷㄹ)=(각 ㄹㄱㄴ)=110°
❷ 삼각형의 세 각의 크기의 합은 180°입니다.
❸ 삼각형 ㄴㄷㄹ에서
(각 ㄴㄹㄷ)=180°−(25°+110°)=45°

독해력 유형 2 ❶ 변 ㄱㄴ의 대응변은 변 ㄹㅁ이므로 (변 ㄱㄴ)=24 m입니다.
❷ 변 ㄷㄹ의 대응변은 변 ㅁㄱ이므로 (변 ㄷㄹ)=7 m입니다.
❸ (사각형 ㄱㄴㄷㄹ의 둘레)
=(24+7)×2+34
=96 (m)이므로 울타리를 96 m 쳐야 합니다.

쌍둥이 유형 2-1 ❶ 변 ㄱㅁ의 대응변은 변 ㄹㄷ이므로 (변 ㄱㅁ)=15 m입니다.
❷ 변 ㄹㅁ의 대응변은 변 ㄱㄴ이므로 (변 ㄹㅁ)=8 m입니다.
❸ (사각형 ㄱㄴㄷㄹ의 둘레)
=(8+15)×2+24
=70 (m)이므로 울타리를 70 m 쳐야 합니다.

쌍둥이 유형 2-2 ❶ 변 ㄴㅁ의 대응변은 변 ㄷㄹ이므로 (변 ㄴㅁ)=24 m입니다.

❷ 변 ㅁㄷ의 대응변은 변 ㄱㄴ이므로 (변 ㅁㄷ)=10 m입니다.

❸ (사각형 ㄱㄴㄷㄹ의 둘레)
$=(10+24)\times2+40$
$=108$ (m)이므로 울타리를 108 m 쳐야 합니다.

4 STEP 사고력 플러스 유형 82~85쪽

1-1 13 cm	1-2 5 cm	1-3 12 cm
2-1 55°	2-2 90°	2-3 60°
3-1 5 cm	3-2 7 cm	3-3 9 cm

4-1 56 cm

4-2 예 (변 ㄱㅁ)=(변 ㄹㅁ)=7 cm,
(변 ㄷㅂ)=(변 ㄴㅂ)=9 cm,
(변 ㄷㄹ)=(변 ㄴㄱ)=10 cm
(선대칭도형의 둘레)
$=(10+9+7)\times2=52$ (cm) 답 52 cm

5-1 60 cm^2

5-2 예 서로 합동인 두 삼각형에서 각각의 대응변의 길이가 서로 같습니다.
(변 ㄱㄴ)=(변 ㅁㅂ)=8 cm
(삼각형 ㄱㄴㄷ의 넓이)$=15\times8\div2=60$ (cm^2)
답 60 cm^2

5-3 68 cm^2 6-1 ㉡

6-2 예
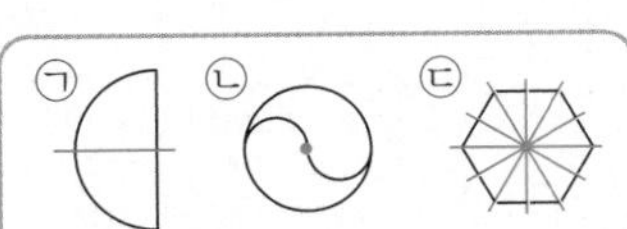

선대칭도형: ㉠, ㉢ 점대칭도형: ㉡, ㉢
따라서 선대칭도형도 되고 점대칭도형도 되는 도형은 ㉢입니다. 답 ㉢

6-3 2개

7-1 단계1
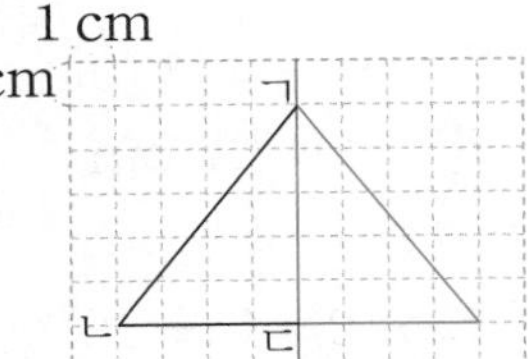

단계2 10 cm^2 단계3 20 cm^2

7-2 120 cm^2

8-1 단계1 5 cm, 6 cm 단계2 18 cm
단계3 9 cm

1-1 (변 ㄱㄷ)=(변 ㅁㅂ)=13 cm

1-2 (변 ㄴㄷ)=(변 ㅇㅅ)=5 cm

1-3 삼각형 ㄹㅁㅂ은 이등변삼각형이므로
(변 ㄹㅁ)=(변 ㄹㅂ)=12 cm입니다.
변 ㄱㄷ의 대응변은 변 ㄹㅁ(또는 변 ㄹㅂ)이므로 변 ㄱㄷ은 12 cm입니다.

참고
서로 합동인 두 이등변삼각형이므로 변 ㄱㄷ의 대응변은 변 ㄹㅁ도 될 수 있고 변 ㄹㅂ도 될 수 있습니다.

2-3 만든 도형은 선분 ㄷㅂ을 대칭축으로 하는 선대칭도형입니다.
선대칭도형에서 각각의 대응각의 크기가 서로 같습니다. ➜ (각 ㄴㄱㅂ)=(각 ㄹㅁㅂ)=60°

3-1 대칭축은 대응점끼리 이은 선분을 둘로 똑같이 나눕니다.
➜ (선분 ㄱㅈ)=(선분 ㄱㄹ)$\div2=10\div2=5$ (cm)

3-2 (선분 ㄹㅅ)=(선분 ㄷㄹ)$\div2=14\div2=7$ (cm)

3-3 대칭의 중심은 대응점끼리 이은 선분을 둘로 똑같이 나눕니다.
➜ (선분 ㄷㅇ)=(선분 ㄱㄷ)$\div2=18\div2=9$ (cm)

4-1 (변 ㄱㅁ)=(변 ㄹㅁ)=12 cm,
(변 ㄴㅂ)=(변 ㄷㅂ)=10 cm,
(변 ㄷㄹ)=(변 ㄴㄱ)=6 cm
➜ (선대칭도형의 둘레)$=(6+10+12)\times2$
$=56$ (cm)

4-2 평가 기준
선대칭도형의 성질을 이용하여 변의 길이를 모두 구하고 선대칭도형의 둘레를 구했으면 정답입니다.

5-1 서로 합동인 두 사각형에서 각각의 대응변의 길이가 서로 같습니다.
(변 ㄱㄴ)=(변 ㅁㅇ)=5 cm
➜ (직사각형 ㄱㄴㄷㄹ의 넓이)$=12\times5=60$ (cm^2)

참고
변 ㄱㄴ의 대응변은 변 ㅂㅅ도 될 수 있습니다.

5-2 평가 기준
변 ㄱㄴ의 길이를 구하고 삼각형 ㄱㄴㄷ의 넓이를 구했으면 정답입니다.

5-3 서로 합동인 두 도형에서 각각의 대응변의 길이가 서로 같으므로 (변 ㅂㅅ)=(변 ㄷㄴ)=12 cm입니다.

➡ (사다리꼴 ㅁㅂㅅㅇ의 넓이)$=(5+12)\times8\div2$
$=68\ (\text{cm}^2)$

6-1

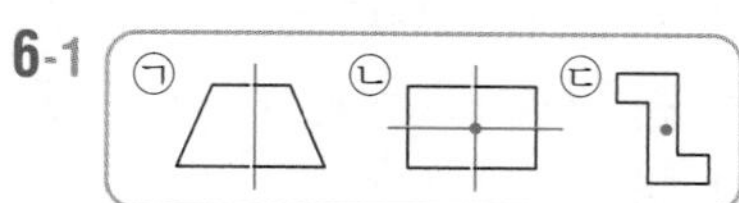

선대칭도형: ㉠, ㉡
점대칭도형: ㉡, ㉢
➡ 선대칭도형도 되고 점대칭도형도 되는 도형: ㉡

6-2 평가 기준

선대칭도형과 점대칭도형을 각각 찾고 두 가지 다 되는 도형을 찾았으면 정답입니다.

6-3

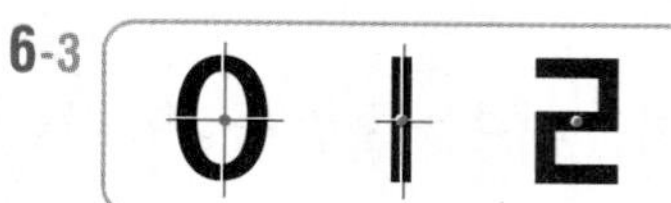

선대칭도형이 되는 숫자: 0, 1
점대칭도형이 되는 숫자: 0, 1, 2
선대칭도형도 되고 점대칭도형도 되는 숫자: 0, 1
➡ 2개

7-1 단계 2 (삼각형 ㄱㄴㄷ의 넓이)$=4\times5\div2=10\ (\text{cm}^2)$

단계 3 완성된 선대칭도형의 넓이는 삼각형 ㄱㄴㄷ의 넓이의 2배입니다.

➡ (완성된 선대칭도형의 넓이)$=10\times2$
$=20\ (\text{cm}^2)$

7-2

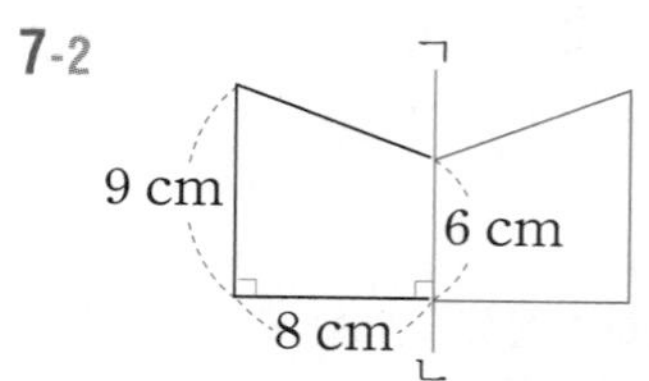

(주어진 사다리꼴의 넓이)$=(9+6)\times8\div2=60\ (\text{cm}^2)$
완성된 선대칭도형의 넓이는 주어진 사다리꼴의 넓이의 2배이므로 $60\times2=120\ (\text{cm}^2)$입니다.

8-1 단계 1 점대칭도형에서 각각의 대응변의 길이가 서로 같습니다.
(변 ㄹㅁ)=(변 ㄱㄴ)=5 cm
(변 ㄱㅂ)=(변 ㄹㄷ)=6 cm

단계 2 (변 ㄴㄷ)+(변 ㅁㅂ)$=40-(5+6+5+6)$
$=40-22=18$ (cm)

단계 3 변 ㄴㄷ과 변 ㅁㅂ은 대응변으로 길이가 같습니다. ➡ (변 ㄴㄷ)$=18\div2=9$ (cm)

유형 TEST

86~88쪽

1 (○)(　)
2 대응변, 대응각
3 ㉢
4 다
5 (그림)
6 4쌍
7 2개
8 ㉡
9 각 ㄱㄴㅂ
10 (그림)
11 7 cm
12 45°
13 (위에서부터) 95, 9
14 6 cm
15 44 cm
16 135°

17 예 ❶ 선대칭도형에서 각각의 대응변의 길이가 서로 같습니다.
(변 ㄷㅂ)=(변 ㄹㅂ)=6 cm,
(변 ㄹㅁ)=(변 ㄷㄴ)=3 cm,
(변 ㅁㄱ)=(변 ㄴㄱ)=8 cm
❷ (선대칭도형의 둘레)
$=(8+3+6)\times2=34$ (cm)
답 34 cm

18 예 ❶ 서로 합동인 두 삼각형에서 각각의 대응변의 길이가 서로 같으므로
(변 ㄴㄷ)=(변 ㅂㄹ)=14 cm입니다.
❷ (삼각형 ㄱㄴㄷ의 넓이)
$=14\times7\div2=49\ (\text{cm}^2)$
답 $49\ \text{cm}^2$

19 예

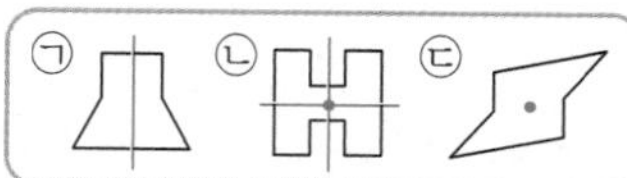

❶ 선대칭도형: ㉠, ㉡
❷ 점대칭도형: ㉡, ㉢
❸ 따라서 선대칭도형도 되고 점대칭도형도 되는 도형은 ㉡입니다.
답 ㉡

20 예 ❶ 점대칭도형에서 각각의 대응변의 길이가 서로 같습니다.
(변 ㄱㄴ)=(변 ㄹㅁ)=15 cm,
(변 ㅁㅂ)=(변 ㄴㄷ)=12 cm
❷ (변 ㄷㄹ)+(변 ㅂㄱ)
$=70-(15+12+15+12)$
$=70-54=16$ (cm)
❸ 따라서 변 ㄷㄹ과 변 ㅂㄱ은 대응변으로 길이가 같으므로 (변 ㄷㄹ)$=16\div2=8$ (cm)입니다.
답 8 cm

4 도형 가와 포개었을 때 완전히 겹치는 도형을 찾습니다.

5 대응점끼리 이은 선분들이 만나는 점을 찾습니다.

6 두 도형은 서로 합동인 사각형이므로 대응변은 4쌍 있습니다.

7 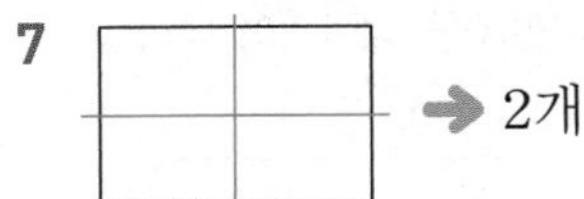 ➔ 2개

8 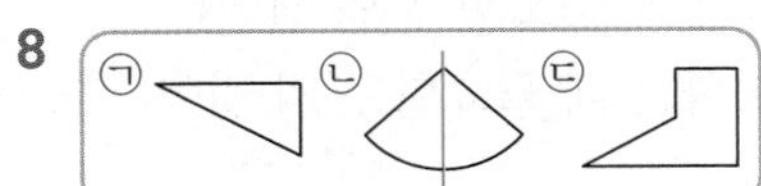

9 대칭축을 따라 접었을 때 각 ㄹㄷㅂ과 각 ㄱㄴㅂ이 겹칩니다.

10 참고

- 점대칭도형 그리는 방법
  각 점에서 대칭의 중심까지의 길이가 같도록 대응점을 찾아 표시한 다음 찾은 대응점을 차례로 이어 점대칭도형을 완성합니다.

11 변 ㄹㅂ의 대응변은 변 ㄱㄴ이므로 변 ㄹㅂ은 7 cm입니다.

12 각 ㄴㄱㄷ의 대응각은 각 ㅂㄹㅁ이므로 각 ㄴㄱㄷ은 45°입니다.

14 대칭축은 대응점끼리 이은 선분을 둘로 똑같이 나눕니다.
➔ (선분 ㄷㄹ)=(선분 ㄴㄷ)÷2=12÷2=6 (cm)

15 점대칭도형에서 각각의 대응변의 길이가 서로 같습니다.
(변 ㄷㄹ)=(변 ㅂㄱ)=8 cm,
(변 ㄹㅁ)=(변 ㄱㄴ)=10 cm,
(변 ㅁㅂ)=(변 ㄴㄷ)=4 cm
➔ (점대칭도형의 둘레)=(10+4+8)×2=44 (cm)

16 점대칭도형에서 각각의 대응각의 크기가 서로 같습니다.
➔ (각 ㄴㄱㅂ)=(각 ㅁㄹㄷ)=60°
사각형의 네 각의 크기의 합은 360°이므로
사각형 ㄱㄴㄷㅂ에서
(각 ㄴㄷㅂ)=360°−(60°+75°+90°)=135°입니다.

17 채점 기준

❶ 변 ㄷㅂ, 변 ㄹㅁ, 변 ㅁㄱ의 길이를 각각 구함.	3점	5점
❷ 선대칭도형의 둘레를 구함.	2점	

18 채점 기준

❶ 변 ㄴㄷ의 길이를 구함.	2점	5점
❷ 삼각형 ㄱㄴㄷ의 넓이를 구함.	3점	

19 채점 기준

❶ 선대칭도형을 찾음.	2점	5점
❷ 점대칭도형을 찾음.	2점	
❸ 선대칭도형도 되고 점대칭도형도 되는 도형을 찾음.	1점	

20 채점 기준

❶ 변 ㄱㄴ, 변 ㅁㅂ의 길이를 각각 구함.	2점	5점
❷ 변 ㄷㄹ과 변 ㅂㄱ의 길이의 합을 구함.	1점	
❷ 변 ㄷㄹ의 길이를 구함.	2점	

앞 단원 유형 다시 보기 89쪽

① $4\frac{1}{2}$

② $1\frac{3}{10}\times 6=\frac{13}{\cancel{10}_{5}}\times \cancel{6}^{3}=\frac{39}{5}=7\frac{4}{5}$

③ $\frac{7}{9}\times\frac{1}{5}=\frac{7}{45}$, $\frac{7}{45}$ m

① $\cancel{7}^{1}\times\frac{9}{\cancel{14}_{2}}=\frac{9}{2}=4\frac{1}{2}$

③ (진분수)×(진분수)는 분자는 분자끼리, 분모는 분모끼리 곱합니다.

재미있는 창의·융합·코딩 90~91쪽

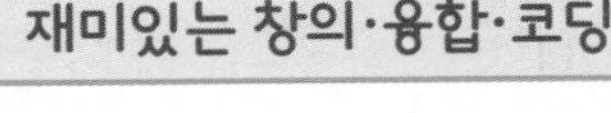

코딩1 왼, 3, 오른 / 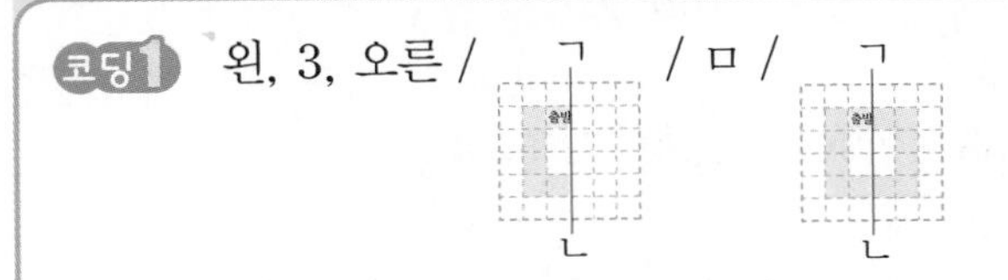 / ㅁ /

창의2

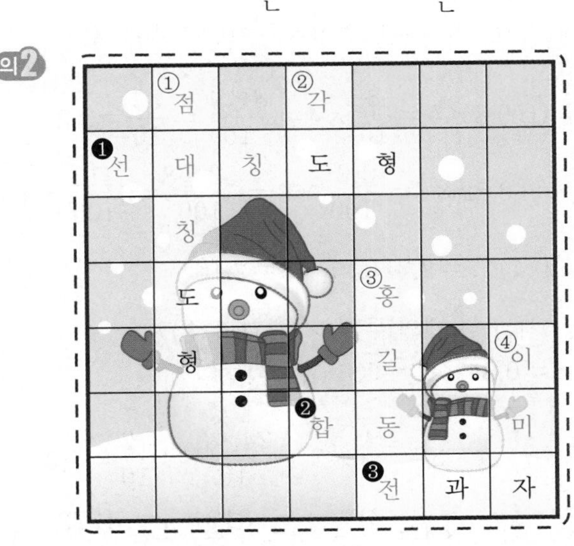

4. 소수의 곱셈

1 STEP 개념별 유형 94~97쪽

1 (1) 0.9, 0.9, 0.9, 4.5
(2) 9, 9, 45, 4.5
2 (1) 3.2 (2) 4.16
3 $0.54\times6=\frac{54}{100}\times6=\frac{54\times6}{100}=\frac{324}{100}=3.24$
4 (선 잇기)
5 $0.34\times6=2.04$, 2.04 kg
6 168, 16.8
7 33, 33, 198, 19.8
8 (1) 7.2 (2) 12.72
9 34.5
10 시우
11 $1.7\times5=8.5$, 8.5 m
12 1.4
13 6, 6, 48, 4.8
14 (1) 25.2 (2) 1.26 (3) 0.84
15 (위에서부터) $\frac{1}{100}$, 0.95
16 12
17 $3\times0.17=0.51$, 0.51 L
18 3, 2.4, 5.4
19 (1) 42.5 (2) 26.64
20 (위에서부터) $\frac{1}{10}$, 39.2
21 (위에서부터) $\frac{1}{100}$, 9.84
22 >
23 $38\times2.04=77.52$, 77.52 kg

1 (2) $0.9\times5=0.1\times9\times5=0.1\times45=4.5$

2 (1) $0.8\times4=\frac{8}{10}\times4=\frac{8\times4}{10}=\frac{32}{10}=3.2$
(2) $0.52\times8=\frac{52}{100}\times8=\frac{52\times8}{100}=\frac{416}{100}=4.16$

4 $0.4\times7=2.8$, $0.27\times8=2.16$

5 (사과 한 개의 무게)×(사과의 수)
$=0.34\times6=2.04$ (kg)

8 (1) $2.4\times3=\frac{24}{10}\times3=\frac{24\times3}{10}=\frac{72}{10}=7.2$
(2) $3.18\times4=\frac{318}{100}\times4=\frac{318\times4}{100}=\frac{1272}{100}=12.72$

9 $6.9\times5=34.5$

10 시우: $8.16\times4=32.64$
지호: $6.25\times6=37.50$ ➔ 37.5

참고
소수점 아래 끝자리 수가 0이면 0을 생략하여 나타낼 수 있습니다.

11 (선물 5개를 포장하는 데 필요한 끈의 길이)
=(선물 1개를 포장하는 데 필요한 끈의 길이)
×(선물 수)
$=1.7\times5=8.5$ (m)

14 (1) $28\times0.9=28\times\frac{9}{10}=\frac{28\times9}{10}=\frac{252}{10}=25.2$
(2) $2\times0.63=2\times\frac{63}{100}=\frac{2\times63}{100}=\frac{126}{100}=1.26$
(3)
```
     7              7
 × 1 2   ➔   × 0 . 1 2
 -----       ---------
   8 4          0 . 8 4
```

다른 풀이
(1) $28\times9=252$ → $\frac{1}{10}$배, $\frac{1}{10}$배 → $28\times0.9=25.2$
(2) $2\times63=126$ → $\frac{1}{100}$배, $\frac{1}{100}$배 → $2\times0.63=1.26$

15 곱하는 수가 $\frac{1}{100}$배가 되면 계산 결과도 $\frac{1}{100}$배가 됩니다.

16 $15\times0.8=12$

17 (채아가 마신 우유의 양)=(전체 우유의 양)×0.17
$=3\times0.17=0.51$ (L)

19 (1) $25\times1.7=25\times\frac{17}{10}=\frac{25\times17}{10}=\frac{425}{10}=42.5$
(2) $9\times2.96=9\times\frac{296}{100}=\frac{9\times296}{100}=\frac{2664}{100}=26.64$

20 곱하는 수가 $\frac{1}{10}$배가 되면 계산 결과도 $\frac{1}{10}$배가 됩니다.

21 곱하는 수가 $\frac{1}{100}$배가 되면 계산 결과도 $\frac{1}{100}$배가 됩니다.

22 $11\times5.2=57.2$ ➔ $57.2>55.8$

23 (아버지의 몸무게)=(하진이의 몸무게)×2.04
$=38\times2.04=77.52$ (kg)

개념 1 ~ 4 기초력 집중 연습 98쪽

1 3.2
2 4.5
3 7.56
4 21.7
5 141.6
6 25.47
7 2
8 7.68
9 4.32
10 19.5
11 57.54
12 46.44
13 1.96
14 9.24
15 41.4
16 369.2

2 소수점 아래 끝자리 수가 0이면 0을 생략하여 나타낼 수 있습니다.
$0.75\times6=4.50$ ➔ 4.5

7 $5\times0.4=2.0$ ➔ 2

유형 진단 TEST 99쪽

1 5.92

2

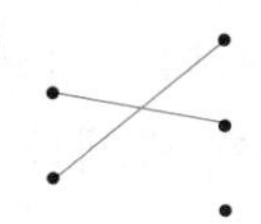

3 우진

4 예 $4.5\times3=\frac{45}{10}\times3=\frac{45\times3}{10}=\frac{135}{10}=13.5$

예 4.5는 0.1이 45개이므로 4.5×3은 0.1이 45×3=135(개)입니다.
따라서 4.5×3=13.5입니다.

5 ㉡
6 7.5시간

1 $8\times0.74=5.92$

2 곱하는 수가 $\frac{1}{10}$배, $\frac{1}{100}$배가 되면 계산 결과도 각각 $\frac{1}{10}$배, $\frac{1}{100}$배가 됩니다.

3 우진: 0.59×5에서 0.6과 5의 곱이 3이므로 계산 결과는 3 정도입니다.

5 ㉠ 9의 0.34는 9와 0.3의 곱인 2.7보다 큽니다.
㉡ 5의 0.38배는 5와 0.4의 곱인 2보다 작습니다.
따라서 계산 결과가 2보다 작은 것은 ㉡입니다.

6 1시간 30분은 1.5시간이고 월요일부터 금요일까지는 5일입니다.
➔ (하루에 그림을 그린 시간)×(날수)
=1.5×5=7.5(시간)

1 STEP 개념별 유형 100~103쪽

1 9, 6, 54, 0.54
2 0.315
3 (1) 0.16 (2) 0.364 (3) 0.117
4 0.288
5 $0.25\times0.7=0.175$, 0.175 kg
6 (위에서부터) $\frac{1}{100}$, 11.48
7 735, 7.35
8 (1) 18.85 (2) 7.371 (3) 7.293
9 $7.5\times8.9=\frac{75}{10}\times\frac{89}{10}=\frac{6675}{100}=66.75$
10 $4.2\times8.35=35.07$, 35.07 m
11 39, 390
12 232, 23.2, 2.32
13
14 4.6, 0.046
15 305 g, 3050 g
16 (위에서부터) 0.001, 0.592
17 ( )(×)
18 (1) 13.8 (2) 0.138
19 ④
20 100
21 (1) 0.67 (2) 6.7

3 (1) $0.4\times0.4=\frac{4}{10}\times\frac{4}{10}=\frac{4\times4}{100}=\frac{16}{100}=0.16$

주의
0.4는 4의 $\frac{1}{10}$배이므로 0.4×0.4는 16의 $\frac{1}{10}$배가 아닌 $\frac{1}{100}$배가 되어야 함에 주의합니다.

(2) $0.52\times0.7=\frac{52}{100}\times\frac{7}{10}=\frac{52\times7}{1000}=\frac{364}{1000}=0.364$

(3) $\begin{array}{r}65\\ \times\ 18\\ \hline 1170\end{array}$ ➔ $\begin{array}{r}0.65\\ \times\ 0.18\\ \hline 0.1170\end{array}$ ➔ 0.117

5 (탄수화물 성분의 양)=(과자 한 봉지의 양)×0.7
=0.25×0.7=0.175 (kg)

6 곱하는 두 수가 각각 $\frac{1}{10}$배, $\frac{1}{10}$배가 되면 계산 결과는 $\frac{1}{100}$배가 됩니다.

7 자연수의 곱셈 결과에 소수의 크기를 생각하여 소수점을 찍습니다.

정답 및 풀이

8 (1) $6.5\times2.9=\frac{65}{10}\times\frac{29}{10}=\frac{65\times29}{100}=\frac{1885}{100}$
$=18.85$

(2) $6.3\times1.17=\frac{63}{10}\times\frac{117}{100}=\frac{63\times117}{1000}=\frac{7371}{1000}$
$=7.371$

(3) $561\times13=7293$ ➔ $5.61\times1.3=7.293$

13 $12.64\times100=1264.$
$1264\times0.01=12.64$

15 (사탕 100개의 무게)$=3.05\times100=305$ (g)
(사탕 1000개의 무게)$=3.05\times1000=3050$ (g)

18 (1) 9.2×1.5의 소수점 아래 자리 수의 합은 2이므로 1380에서 소수점을 왼쪽으로 두 자리 옮겨 13.80=13.8이 됩니다.
(2) 0.92×0.15의 소수점 아래 자리 수의 합은 4이므로 1380에서 소수점을 왼쪽으로 네 자리 옮겨 0.1380=0.138이 됩니다.

19 52에서 소수점을 왼쪽으로 두 자리 옮기면 0.52가 되므로 □ 안에 알맞은 수는 ④ 0.01입니다.

20 5.086에서 소수점을 오른쪽으로 두 자리 옮기면 508.6이 되므로 ㉠에 알맞은 수는 100입니다.

21 (1) $2.1\times□=1.407$
2.1: 소수점 아래 한 자리 수, 1.407: 소수점 아래 세 자리 수
➔ □ 안에 알맞은 수는 소수점 아래 두 자리 수인 0.67입니다.

(2) $0.021\times□=0.1407$
0.021: 소수점 아래 세 자리 수, 0.1407: 소수점 아래 네 자리 수
➔ □ 안에 알맞은 수는 소수점 아래 한 자리 수인 6.7입니다.

개념 5~9 기초력 집중 연습 104쪽

1 0.35 2 0.245 3 0.432
4 11.52 5 16.786 6 4.41
7 0.54 8 5.16 9 7.605
10 50.3, 503, 5030 11 406, 40.6, 4.06
12 1116, 11.16, 11.16, 1.116
13 1495, 149.5, 1.495, 0.1495
14 0.1 15 100

유형 진단 TEST 105쪽

1 0.24 2 다은
3 예 $62\times85=5270$
$\frac{1}{10}$배, $\frac{1}{10}$배, $\frac{1}{100}$배
$6.2\times8.5=52.7$
4 ㉢ 5 ㉠
6 ㉡

1 $0.3\times0.8=0.24$

2 $0.28\times0.45=0.1260=0.126$

3 보기 는 분수의 곱셈으로 계산한 것입니다.

4 ㉠ 7.2 ㉡ 7.2 ㉢ 72
따라서 계산 결과가 다른 하나는 ㉢입니다.

5 ㉠ 8.5의 0.6은 9의 0.6으로 어림하면 5.4보다 작습니다.
㉡ 3.1의 2.4배는 3.1의 2배인 6.2보다 큽니다.
따라서 어림하여 계산 결과가 6보다 작은 것은 ㉠입니다.

6 ㉠ 0.01 ㉡ 10 ㉢ 0.1
따라서 □ 안에 알맞은 수가 가장 큰 것은 ㉡입니다.

참고
곱해지는 수와 비교하여 곱의 소수점이 어느 쪽으로 몇 자리 옮겨졌는지 알아봅니다.

2 STEP 꼬리를 무는 유형 106~107쪽

1 ㉢ 2 26.145
3 59.52 / 예 9.6×6.2를 9의 6배로 어림하면 54보다 큰 값이기 때문입니다.
4 47.5 5 23.7 6 0.54
7 $0.142\times100=14.2$, 14.2 m
8 ㉠ 9 ㉡ 10 서준
11 ㉠ 12 ㉠
13 > 14 은주

1 19.6×2.4를 20의 2배로 어림하면 40보다 큰 값이므로 $19.6\times2.4=47.04$입니다. 따라서 소수점을 찍어야 할 곳은 ㉢입니다.

2 4.15×6.3을 4.1의 6배로 어림하면 24.6보다 큰 값이므로 4.15×6.3=26.145입니다.

3 **평가 기준**

9.6×6.2를 9의 6배로 어림하여 결괏값에 소수점을 찍고 이유를 썼으면 정답입니다.

4 0.475×100=47.5

6 540×0.001=0.540=0.54

7 (수희의 끈의 길이)=(정화의 끈의 길이)×100
=0.142×100=14.2 (m)

8 ㉠ 3.03×5=15.15
➜ 15.15>15이므로 더 큰 것은 ㉠입니다.

9 ㉠ 0.92×7=6.44
➜ 6.44>6이므로 더 작은 것은 ㉡입니다.

10 민서: 1.62×8=12.96 ➜ 12.96<13

11 1 m=100 cm이므로 ㉡ 0.629 m=62.9 cm입니다.
➜ 69.2>62.9

참고

단위가 다르게 주어진 경우에는 단위를 같게 나타낸 다음 비교합니다.

12 1 kg=1000 g이므로 ㉠ 3.519 kg=3519 g입니다.
➜ 3519>328.4

13 1 m=100 cm이므로 0.321 m=32.1 cm입니다.
➜ 32.1>31.2

다른 풀이

1 cm=0.01 m이므로 31.2 cm=0.312 m입니다.
➜ 0.321>0.312

14 1 m=100 cm이므로 0.268 m=26.8 cm입니다.
26.8>20.9이므로 은주가 키우는 식물이 더 큽니다.

3 STEP 수학 독해력 유형 108~109쪽

독해력 유형 1 ❶ 0.4시간 ❷ 7일 ❸ 2.8시간
쌍둥이 유형 1-1 5.25시간
쌍둥이 유형 1-2 27.9시간

독해력 유형 2 ❶ 0.3 L, 5일 ❷ 1.5 L ❸ 2개
쌍둥이 유형 2-1 3개
쌍둥이 유형 2-2 5개

독해력 유형 1 ❶ 1시간은 60분이므로
24분=$\frac{24}{60}$시간=$\frac{4}{10}$시간=0.4시간입니다.
❸ (일주일 동안 독서한 시간)
=(하루에 독서한 시간)×(날수)
=0.4×7=2.8(시간)

쌍둥이 유형 1-1 ❶ 1시간은 60분이므로
45분=$\frac{45}{60}$시간=$\frac{3}{4}$시간=$\frac{75}{100}$시간=0.75시간입니다.
❷ 일주일은 7일입니다.
❸ (일주일 동안 운동한 시간)
=(하루에 운동한 시간)×(날수)
=0.75×7=5.25(시간)

쌍둥이 유형 1-2 ❶ 1시간은 60분이므로
54분=$\frac{54}{60}$시간=$\frac{9}{10}$시간=0.9시간입니다.
❷ 12월은 31일까지 있습니다.
❸ (12월 한 달 동안 숙제를 한 시간)
=(하루에 숙제를 한 시간)×(날수)
=0.9×31=27.9(시간)

독해력 유형 2 ❶ 우유가 필요한 날은 월요일, 수요일, 목요일, 금요일, 일요일로 0.3 L씩 5일 필요합니다.
❷ (하루에 필요한 우유의 양)×(날수)
=0.3×5=1.5 (L)
❸ 우유 1.5 L가 필요하므로 1 L짜리 우유를 최소 2개 사야 합니다.

쌍둥이 유형 2-1 ❶ 밀가루가 필요한 날은 월요일, 목요일, 금요일로 0.84 kg씩 3일 필요합니다.
❷ (이번 주에 필요한 전체 밀가루의 양)
=(하루에 필요한 밀가루의 양)×(날수)
=0.84×3=2.52 (kg)
❸ 밀가루 2.52 kg이 필요하므로 1 kg짜리 밀가루를 최소 3개 사야 합니다.

쌍둥이 유형 2-2 ❶ 지점토가 필요한 날은 월요일, 수요일, 금요일로 1.65 kg씩 3일 필요합니다.
❷ (이번 주에 필요한 전체 지점토의 양)
=(하루에 필요한 지점토의 양)×(날수)
=1.65×3=4.95 (kg)
❸ 지점토 4.95 kg이 필요하므로 1 kg짜리 지점토를 최소 5개 사야 합니다.

4 STEP 사고력 플러스 유형 110~113쪽

1-1 $7 \times 34 = 238$

$\frac{1}{10}$배, $\frac{1}{10}$배

$7 \times 3.4 = 23.8$

1-2 $9 \times 42 = 378$

$\frac{1}{100}$배, $\frac{1}{100}$배

$9 \times 0.42 = 3.78$

1-3 $8 \times 26 = 208$

$\frac{1}{10}$배, $\frac{1}{100}$배, $\frac{1}{1000}$배

$0.8 \times 0.26 = 0.208$

2-1 $4.25 \times 6 = \frac{425}{100} \times 6 = \frac{425 \times 6}{100} = \frac{2550}{100} = 25.5$

2-2 $8.4 \times 12 = \frac{84}{10} \times 12 = \frac{84 \times 12}{10} = \frac{1008}{10} = 100.8$

2-3 예 자연수의 곱을 이용하여 계산하면 $15 \times 26 = 390$이므로 $1.5 \times 2.6 = 3.9$입니다.

3-1 17.67 m^2 **3-2** 10.79 m^2

3-3 52.32 m^2 **4-1** 1, 2, 3

4-2 예 $5 \times 0.65 = 3.25$이므로 $3.25 > \square$입니다.
따라서 □ 안에 들어갈 수 있는 자연수는 1, 2, 3입니다.
답 1, 2, 3

4-3 20 **5-1** 6.09

5-2 예 어떤 수를 □라 하면 $\square + 8.6 = 10.5$, $\square = 10.5 - 8.6 = 1.9$입니다.
따라서 바르게 계산한 값은 $1.9 \times 8.6 = 16.34$입니다.
답 16.34

5-3 64.9

6-1 5.4, 0.5(또는 0.54, 5)

6-2 예 $0.95 \times 0.72 = 0.684$
결과가 0.684가 나와야 하는데 효진이가 잘못 눌러서 0.684의 10배인 6.84가 나왔으므로 9.5와 0.72를 눌렀거나 0.95와 7.2를 누른 것입니다.
답 9.5, 0.72(또는 0.95, 7.2)

7-1 단계 1 10.2 m
단계 2 11.4 m
단계 3 116.28 m^2

7-2 71.28 m^2

8-1 단계 1 7, 8
단계 2 예 8.3, 7.1, 58.93 / 8.1, 7.3, 59.13
단계 3 59.13

1-1 곱하는 수가 $\frac{1}{10}$배가 되면 계산 결과도 $\frac{1}{10}$배가 됩니다.

1-2 곱하는 수가 $\frac{1}{100}$배가 되면 계산 결과도 $\frac{1}{100}$배가 됩니다.

1-3 곱하는 두 수가 각각 $\frac{1}{10}$배, $\frac{1}{100}$배가 되면 계산 결과가 $\frac{1}{1000}$배가 됩니다.

2-1 4.25는 소수 두 자리 수이므로 분모가 100인 분수로 나타내어 계산해야 합니다.

2-2 8.4는 소수 한 자리 수이므로 분모가 10인 분수로 나타내어 계산해야 합니다.

2-3 1.5×2.6에서 소수점 아래 자리 수의 합은 2이므로 곱도 소수 두 자리 수가 됩니다. 이때 소수점 아래 끝자리 수 0은 생략하므로 $1.5 \times 2.6 = 3.9$가 됩니다.

3-1 (직사각형의 넓이)=(가로)×(세로)
$= 5.7 \times 3.1 = 17.67\ (m^2)$

3-2 (직사각형의 넓이)=(가로)×(세로)
$= 2.6 \times 4.15 = 10.79\ (m^2)$

3-3 (꽃밭의 넓이)=(밑변의 길이)×(높이)
$= 8.72 \times 6 = 52.32\ (m^2)$

참고
(평행사변형의 넓이)=(밑변의 길이)×(높이)

4-1 $4 \times 0.91 = 3.64$이므로 $3.64 > \square$입니다.
따라서 □ 안에 들어갈 수 있는 자연수는 1, 2, 3입니다.

4-2 평가 기준
소수의 곱셈을 하고 크기를 비교하여 □ 안에 들어갈 수 있는 자연수를 모두 구했으면 정답입니다.

4-3 $5.1 \times 4.1 = 20.91$이므로 $20.91 > \square$입니다.
따라서 □ 안에 들어갈 수 있는 자연수는 1부터 20까지이므로 가장 큰 자연수는 20입니다.

5-1 어떤 수를 □라 하면 $\square + 0.7 = 9.4$, $\square = 9.4 - 0.7 = 8.7$입니다.
따라서 바르게 계산한 값은 $8.7 \times 0.7 = 6.09$입니다.

5-2 **평가 기준**

어떤 수를 구한 다음 바르게 계산한 값을 구했으면 정답입니다.

5-3 어떤 수를 □라 하면 □$-5.5=6.3$, □$=6.3+5.5=11.8$입니다.
따라서 바르게 계산한 값은 $11.8\times5.5=64.9$입니다.

6-1 $0.54\times0.5=0.27$
결과가 0.27이 나와야 하는데 정수가 잘못 눌러서 0.27의 10배인 2.7이 나왔으므로 5.4와 0.5를 눌렀거나 0.54와 5를 누른 것입니다.

참고

소수끼리의 곱셈에서 곱의 소수점의 위치는 곱하는 두 수의 소수점 아래 수를 더한 것만큼 소수점을 왼쪽으로 옮겨 표시합니다.

6-2 **평가 기준**

바르게 계산한 값을 구하고 곱의 소수점의 위치를 비교하여 계산기에 누른 두 수를 구했으면 정답입니다.

7-1 단계 1 (새로운 놀이터의 가로)$=8.5\times1.2=10.2$ (m)
단계 2 (새로운 놀이터의 세로)$=9.5\times1.2=11.4$ (m)
단계 3 (새로운 놀이터의 넓이)
$=$(가로)$\times$(세로)$=10.2\times11.4$
$=116.28$ (m^2)

7-2 (새로운 강당의 가로)$=7.2\times1.5=10.8$ (m)
(새로운 강당의 세로)$=4.4\times1.5=6.6$ (m)
(새로운 강당의 넓이)
$=$(가로)$\times$(세로)$=10.8\times6.6=71.28$ (m^2)

다른 풀이

(처음 강당의 넓이)$=7.2\times4.4=31.68$ (m^2)
새로운 강당의 넓이는 처음 강당의 넓이의 $1.5\times1.5=2.25$(배)입니다.
➔ (새로운 강당의 넓이)$=31.68\times2.25=71.28$ (m^2)

8-1 단계 1 곱하는 두 소수의 자연수 부분이 클수록 곱이 커집니다. 따라서 자연수 부분에 들어갈 수 있는 두 수는 7, 8입니다.
단계 2 큰 수부터 높은 자리에 놓아 곱셈식을 만들면 만들 수 있는 곱이 다른 곱셈식은
$8.3\times7.1=58.93$, $8.1\times7.3=59.13$입니다.
단계 3 곱이 가장 크게 되는 곱셈식은
$8.1\times7.3=59.13$입니다.

유형 TEST

114~116쪽

1 6, 2, 6, 12, 1.2

2 (위에서부터) $\frac{1}{100}$, 14.45

3 67.68

4 ㉠

5 (선 잇기)

6 (1) 1.575 (2) 15.75

7 $0.6\times0.8=\frac{6}{10}\times\frac{8}{10}=\frac{6\times8}{100}=\frac{48}{100}=0.48$

8 36.5

9 ( )(○)

10 0.83

11 있습니다에 ○표

12 $1.6\times7=11.2$, 11.2 km

13 27.35위안

14 ㉡

15 69.75

16 ㉠, ㉢, ㉡

17 예 ❶ $6\times0.48=2.88$이므로 $2.88>$□입니다.
❷ 따라서 □ 안에 들어갈 수 있는 자연수는 1, 2입니다.
답 1, 2

18 예 ❶ 어떤 수를 □라 하면
□$+4.7=9.2$, □$=9.2-4.7=4.5$입니다.
❷ 따라서 바르게 계산한 값은
$4.5\times4.7=21.15$입니다.
답 21.15

19 예 ❶ $0.6\times0.25=0.15$
❷ 결과가 0.15가 나와야 하는데 영준이가 잘못 눌러서 0.15의 10배인 1.5가 나왔으므로 6과 0.25를 눌렀거나 0.6과 2.5를 누른 것입니다.
답 6, 0.25(또는 0.6, 2.5)

20 예 ❶ (새로운 잔디밭의 가로)$=7.5\times1.4$
$=10.5$ (m)
❷ (새로운 잔디밭의 세로)$=4.5\times1.4$
$=6.3$ (m)
❸ (새로운 잔디밭의 넓이)$=$(가로)$\times$(세로)
$=10.5\times6.3$
$=66.15$ (m^2)
답 66.15 m^2

1 소수 한 자리 수는 분모가 10인 분수로 나타내어 계산합니다.

2 곱하는 두 수가 각각 $\frac{1}{10}$배, $\frac{1}{10}$배가 되면 계산 결과가 $\frac{1}{100}$배가 됩니다.

3 $94\times0.72=67.68$

4 ㉠ $8.2\times40=328$ ㉡ $6.01\times5=30.05$
따라서 바르게 계산한 것은 ㉠입니다.

5 $59\times1.4=82.6$, $42\times1.35=56.7$

참고
소수점 아래 끝자리 수 0은 생략하여 나타낼 수 있습니다.
➜ $42\times1.35=56.70$ ➜ 56.7

6 (1) 곱하는 수의 소수점 아래 자리 수가 2개 더 늘어났으므로 곱의 소수점을 왼쪽으로 두 자리 옮깁니다.
(2) 곱해지는 수의 소수점 아래 자리 수가 1개 더 늘어났으므로 곱의 소수점을 왼쪽으로 한 자리 옮깁니다.

7 분자는 분자끼리, 분모는 분모끼리 곱합니다.

8 $0.365\times100=36.5$

9 $3.745\times10=37.45$ ➜ $37.45<374.5$

10 $7.5\times\square=6.225$
소수점 아래 한 자리 수 / 소수점 아래 세 자리 수
➜ □ 안에 알맞은 수는 소수점 아래 두 자리 수인 0.83입니다.

11 9.5×300은 10×300인 3000보다 작기 때문에 사탕을 살 수 있습니다.

12 (상진이가 일주일 동안 산책한 거리)
$=1.6\times7=11.2$ (km)

13 우리나라 돈 1000원이 중국 돈 5.47위안이므로 우리나라 돈 5000원은 중국 돈 $5.47\times5=27.35$(위안)입니다.

14 ㉠ 9.7의 0.5는 10의 0.5로 어림하면 5보다 작습니다.
㉡ 2.5×2.1은 2.5의 2배인 5보다 큽니다.
따라서 어림하여 계산 결과가 5보다 큰 것은 ㉡입니다.

15 가장 큰 수: 75, 가장 작은 수: 0.93
➜ $75\times0.93=69.75$

16 ㉠ $0.47\times0.3=0.141$ ㉡ $0.6\times0.14=0.084$
㉢ $0.12\times0.9=0.108$
➜ $0.141>0.108>0.084$이므로 계산 결과가 큰 것부터 차례로 기호를 쓰면 ㉠, ㉢, ㉡입니다.

17 채점 기준

❶ 소수의 곱셈을 계산함.	3점	5점
❷ □ 안에 들어갈 수 있는 자연수를 모두 구함.	2점	

18 채점 기준

❶ 잘못 계산한 식을 세우고 어떤 수를 구함.	3점	5점
❷ 바르게 계산한 값을 구함.	2점	

19 채점 기준

❶ 바르게 계산한 값을 구함.	1점	5점
❷ 계산기에 누른 두 수를 구함.	4점	

20 채점 기준

❶ 새로운 잔디밭의 가로의 길이를 구함.	2점	5점
❷ 새로운 잔디밭의 세로의 길이를 구함.	2점	
❸ 새로운 잔디밭의 넓이를 구함.	1점	

앞 단원 유형 다시 보기 117쪽

1 (1)
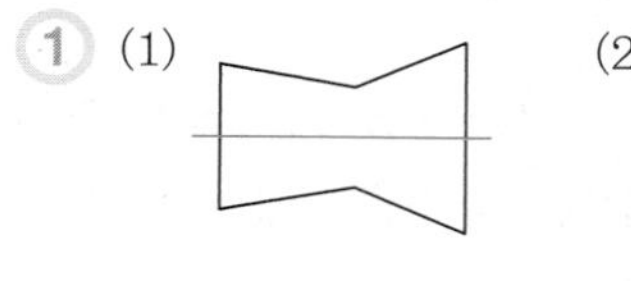
(2)
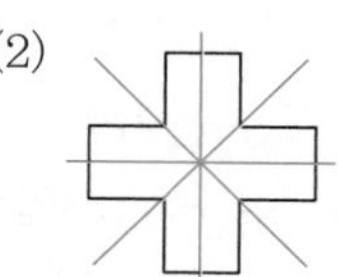

2 60 3 다

1 선대칭도형이 완전히 겹치도록 접을 수 있는 직선을 찾아 모두 긋습니다.

2 각각의 대응각의 크기는 서로 같습니다.
(각 ㄱㄴㄷ)=(각 ㄹㅂㅁ)=60°

3 점대칭도형: 어떤 점을 중심으로 180° 돌렸을 때 처음 도형과 완전히 겹치는 도형

재미있는 창의·융합·코딩 118~119쪽

코딩1 ❶ 7.6 / 7.6, 0.76, 0.76 / 0.76, 0.076, 0.076
❷ 0.89 / 0.89, 8.9, 8.9 / 8.9, 89, 89

창의2 ❶ 2.54, 106.68
❷ 2.54, 25.908
❸ 2.54, 15.494

5. 직육면체

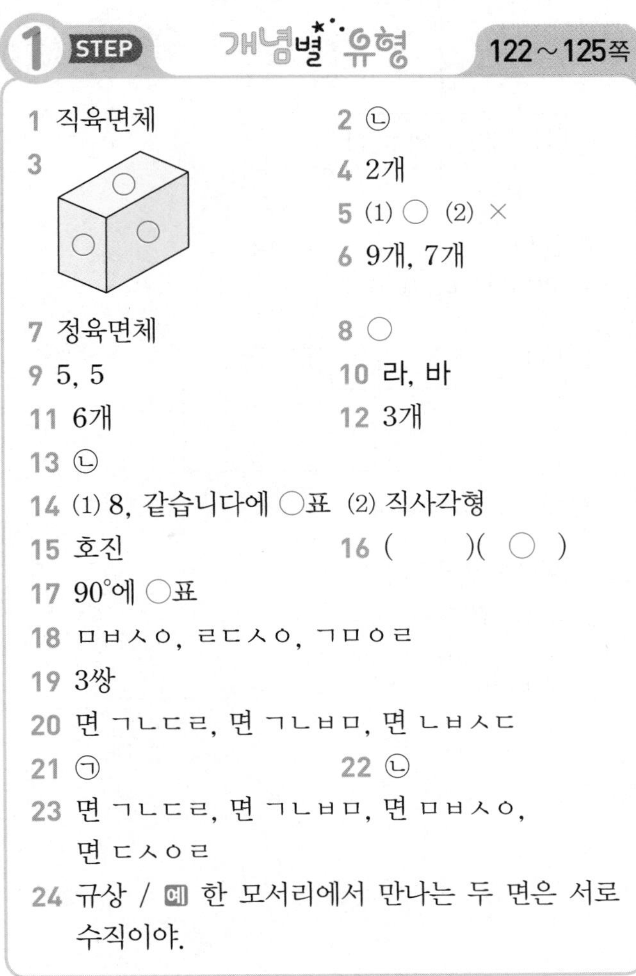

1 STEP 개념별 유형 122~125쪽

1 직육면체
2 ㉡
3
4 2개
5 (1) ○ (2) ×
6 9개, 7개
7 정육면체
8 ○
9 5, 5
10 라, 바
11 6개
12 3개
13 ㉡
14 (1) 8, 같습니다에 ○표 (2) 직사각형
15 호진
16 ( )(○)
17 90°에 ○표
18 ㅁㅂㅅㅇ, ㄹㄷㅅㅇ, ㄱㅁㅇㄹ
19 3쌍
20 면 ㄱㄴㄷㄹ, 면 ㄱㄴㅂㅁ, 면 ㄴㅂㅅㄷ
21 ㉠
22 ㉡
23 면 ㄱㄴㄷㄹ, 면 ㄱㄴㅂㅁ, 면 ㅁㅂㅅㅇ, 면 ㄷㅅㅇㄹ
24 규상 / 예 한 모서리에서 만나는 두 면은 서로 수직이야.

2 면과 면이 만나는 선분을 찾으면 ㉡입니다.

3 직육면체에서 보이는 면은 3개입니다.

4 직사각형 6개로 둘러싸인 도형을 모두 찾으면 나, 라입니다. ➔ 2개

6 보이는 모서리는 △표 한 것으로 9개, 보이는 꼭짓점은 ●표 한 것으로 7개입니다.

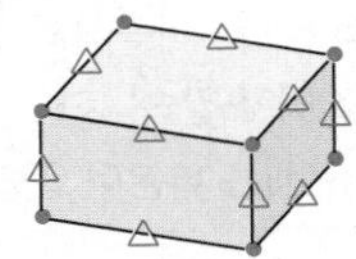

9 정육면체는 모서리의 길이가 모두 같습니다.

10 정사각형 6개로 둘러싸인 도형은 라, 바입니다.

11 라는 정육면체이고 면은 6개입니다.

12 정육면체에서 보이지 않는 모서리는 3개입니다.

13 ㉡ 정육면체의 모서리는 12개입니다.

15 직사각형은 정사각형이라고 할 수 없으므로 직육면체는 정육면체라고 할 수 없습니다.

17 색칠한 두 면은 수직으로 만납니다. ➔ 90°

18 서로 마주 보는 면을 찾습니다.

19 직육면체에서 마주 보는 면은 서로 평행하고 서로 평행한 면은 모두 3쌍입니다.

20 직육면체의 한 꼭짓점에서 만나는 면은 모두 3개입니다.

21 ㉡ 꼭짓점 ㄷ에서 만나는 면은 모두 3개입니다.

22 ㉡은 색칠한 면과 평행한 면에 색칠한 것입니다.

23 면 ㄴㅂㅅㄷ과 수직인 면은 면 ㄴㅂㅅㄷ과 평행한 면(면 ㄱㅁㅇㄹ)을 제외한 4개의 면입니다.

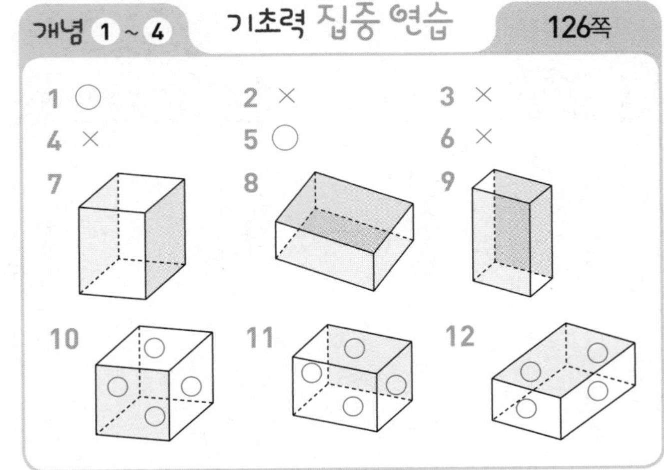

개념 1~4 기초력 집중 연습 126쪽

1 ○
2 ×
3 ×
4 ×
5 ○
6 ×
7
8
9
10
11
12

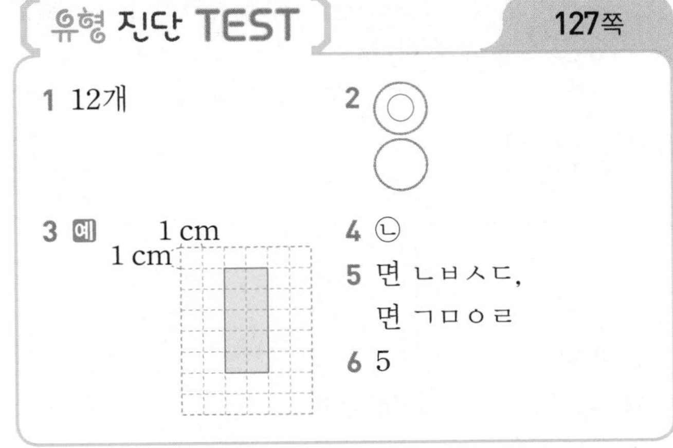

유형 진단 TEST 127쪽

1 12개
2
3 예 1 cm 1 cm
4 ㉡
5 면 ㄴㅂㅅㄷ, 면 ㄱㅁㅇㄹ
6 5

1 정육면체는 모서리의 길이가 모두 같고 모서리는 12개입니다.

2 정육면체는 면의 모양과 크기가 모두 같습니다.

참고

직육면체는 면의 모양과 크기가 같을 수도 있고 다를 수도 있지만 정육면체는 면의 모양과 크기가 모두 같습니다.

3 직육면체의 면의 모양은 직사각형이므로 가로가 2 cm, 세로가 5 cm인 직사각형을 그립니다.

4 ㉠ 수직 ㉡ 평행 ㉢ 수직

5 • 면 ㄱㄴㄷㄹ과 수직인 면:
면 ㄱㅁㅂㄴ, 면 ㄴㅂㅅㄷ, 면 ㄹㅇㅅㄷ, 면 ㄱㅁㅇㄹ
• 면 ㄱㅁㅂㄴ과 수직인 면:
면 ㄱㄴㄷㄹ, 면 ㄴㅂㅅㄷ, 면 ㅁㅂㅅㅇ, 면 ㄱㅁㅇㄹ
➡ 색칠한 두 면에 공통으로 수직인 면:
면 ㄴㅂㅅㄷ, 면 ㄱㅁㅇㄹ

6 2의 눈이 그려진 면과 평행한 면의 눈의 수는 $7-2=5$입니다.

1 STEP 개념별 유형 128~131쪽

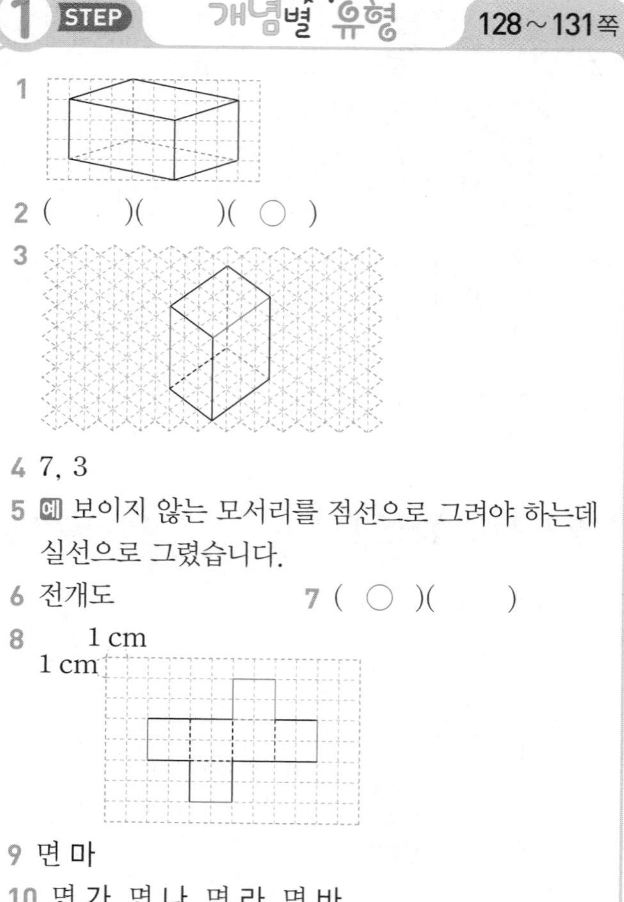

1

2 (   )(   )(○)

3

4 7, 3

5 예 보이지 않는 모서리를 점선으로 그려야 하는데 실선으로 그렸습니다.

6 전개도

7 (○)(   )

8 1 cm 1 cm

9 면 마

10 면 가, 면 나, 면 라, 면 바

11 8, 8

12 점 ㅂ, 점 ㅇ

13 선분 ㅍㅎ

14 면 ㅋㅌㅈㅊ

15 (위에서부터) ㄹ, ㄱ, ㄹ, ㅇ, ㅁ, ㅇ

16

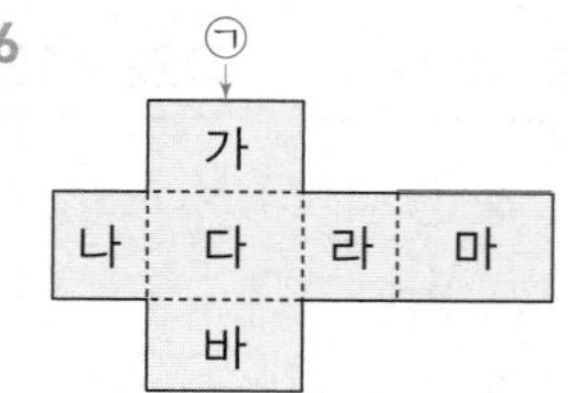

17 면 나

18 다

19 (위에서부터) 3, 6, 5

20 1 cm 1 cm

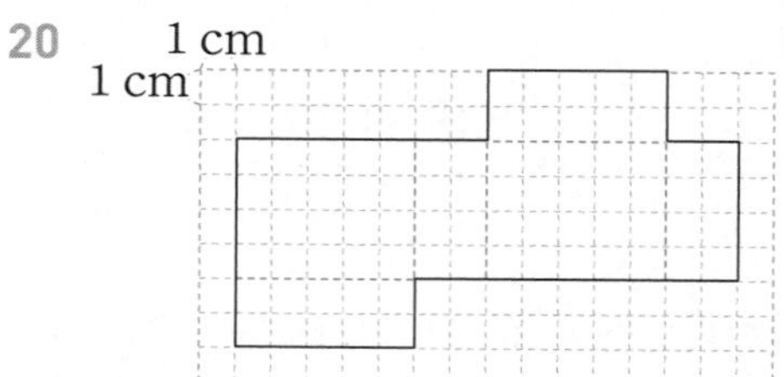

21 (위에서부터) ㄷ, ㄱ, ㅁ, ㅅ

22 점 ㄴ, 점 ㅇ

23 예 1 cm 1 cm

5 평가 기준

겨냥도를 잘못 그린 이유를 바르게 썼으면 정답입니다.

7 오른쪽 전개도는 접었을 때 서로 겹치는 부분이 있으므로 정육면체의 전개도가 아닙니다.

참고

정육면체의 전개도의 특징
(1) 합동인 정사각형 6개로 이루어져 있습니다.
(2) 모든 모서리의 길이가 같습니다.
(3) 접었을 때 서로 겹치는 부분이 없습니다.

10 전개도를 접었을 때 면 다와 수직인 면은 면 다와 평행한 면인 면 마를 제외한 4개의 면입니다.

11 정육면체는 모서리의 길이가 모두 같으므로 전개도에서 한 모서리의 길이는 8 cm입니다.

14 전개도를 접었을 때 면 ㄹㅁㅂㅅ과 마주 보는 면은 면 ㅋㅌㅈㅊ이므로 평행한 면은 면 ㅋㅌㅈㅊ입니다.

15 전개도를 접었을 때 만나는 점끼리 같은 기호를 써넣습니다.

17 전개도를 접었을 때 면 라와 마주 보는 면은 면 나이므로 평행한 면은 면 나입니다.

18 다는 전개도를 접었을 때 마주 보는 면의 모양과 크기가 다른 면이 있으므로 직육면체의 전개도가 아닙니다.

19 전개도를 접었을 때 겨냥도의 모양과 같도록 선분의 길이를 써넣습니다.

20 보이지 않는 모서리를 찾아 점선으로 그립니다.

21 전개도를 접었을 때 만나는 점끼리 같은 기호를 써넣습니다.

22 전개도를 접었을 때 점 ㅂ과 점 ㄴ, 점 ㅇ이 만나 한 꼭짓점이 됩니다.

개념 5 ~ 7 **기초력 집중 연습** 132쪽

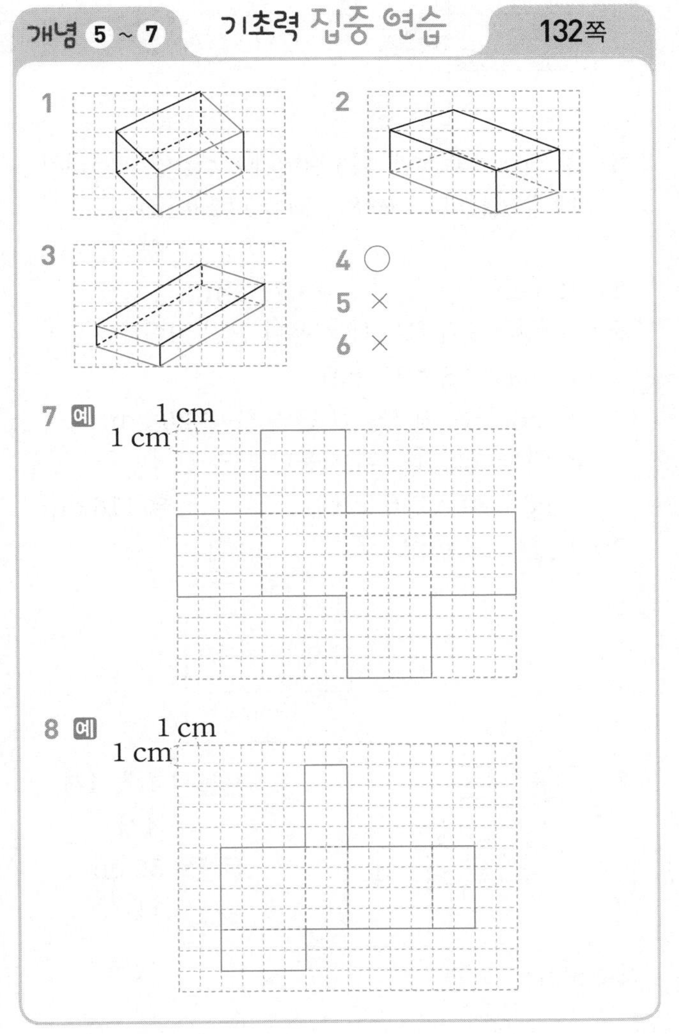

유형 진단 TEST 133쪽

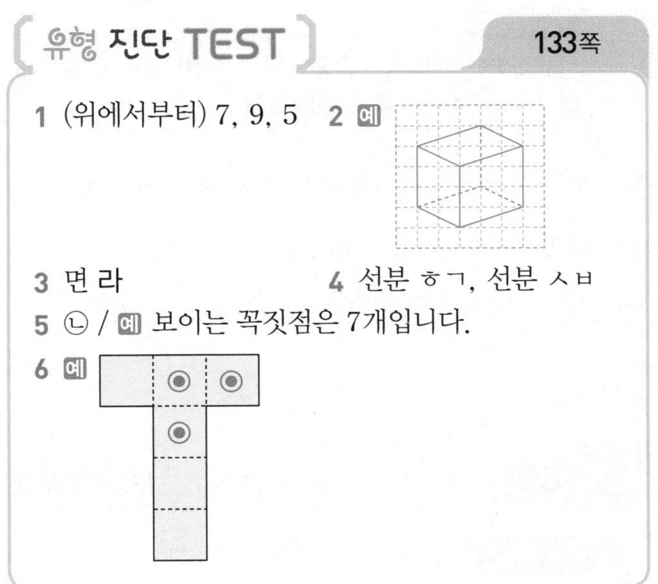

2 STEP 꼬리를 무는 유형 134~135쪽

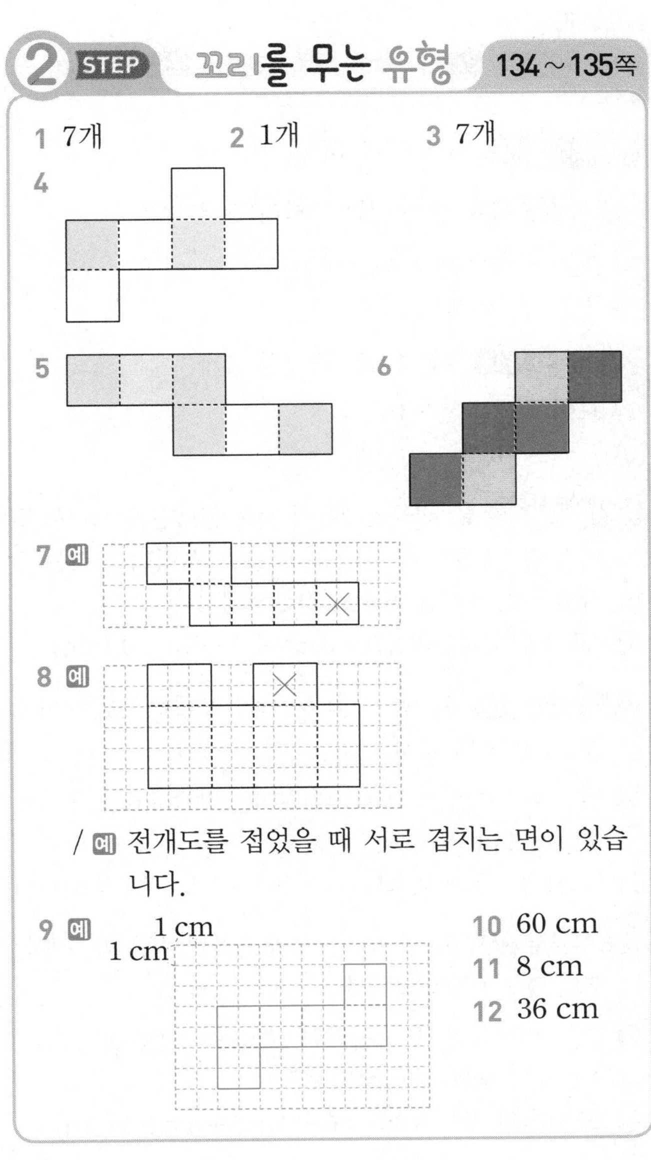

정답 및 풀이

8 평가 기준

직육면체의 전개도에서 잘못 그린 면 1개를 찾고, 잘못 그린 이유를 바르게 썼으면 정답입니다.

10 (모든 모서리의 길이의 합)$=5\times12=60$ (cm)

11 (한 모서리의 길이)$=96\div12=8$ (cm)

12 (모든 모서리의 길이의 합)$=3\times12=36$ (cm)

3 STEP 수학 독해력 유형 136~137쪽

독해력 유형 1 ❶ 3개 ❷ 3개 ❸ 6개

쌍둥이 유형 1-1 10개 쌍둥이 유형 1-2 4개

독해력 유형 2 ❶ 면 ㅁㅂㅅㅇ ❷ 9, 6, 9 ❸ 30 cm

쌍둥이 유형 2-1 14 cm 쌍둥이 유형 2-2 20 cm

독해력 유형 1 ❸ $3+3=6$(개)

쌍둥이 유형 1-1 ❶ 보이는 모서리: 9개
❷ 보이지 않는 꼭짓점: 1개
❸ $9+1=10$(개)

쌍둥이 유형 1-2 ❶ 보이는 꼭짓점: 7개
❷ 보이지 않는 면: 3개
❸ $7-3=4$(개)

독해력 유형 2 ❷ 직육면체에서 서로 평행한 모서리는 길이가 같으므로 면 ㅁㅂㅅㅇ의 네 모서리의 길이는 각각 6 cm, 9 cm, 6 cm, 9 cm입니다.
❸ (모서리의 길이의 합)$=6+9+6+9=30$ (cm)

쌍둥이 유형 2-1 ❶ 면 ㄱㅁㅇㄹ과 평행한 면은 마주 보는 면인 면 ㄴㅂㅅㄷ입니다.
❷ 면 ㄴㅂㅅㄷ의 네 모서리의 길이는 각각 4 cm, 3 cm, 4 cm, 3 cm입니다.
❸ (모서리의 길이의 합)$=4+3+4+3=14$ (cm)

쌍둥이 유형 2-2 ❶ 면 ㄷㅅㅇㄹ과 평행한 면은 마주 보는 면인 면 ㄴㅂㅁㄱ입니다.
❷ 면 ㄴㅂㅁㄱ의 네 모서리의 길이는 각각 6 cm, 4 cm, 6 cm, 4 cm입니다.
❸ (모서리의 길이의 합)$=6+4+6+4=20$ (cm)

4 STEP 사고력 플러스 유형 138~141쪽

1-1 점 ㄱ, 점 ㅍ 1-2 점 ㅈ, 점 ㅍ 1-3 선분 ㅁㄹ

2-1 예 직육면체는 직사각형 6개로 둘러싸인 도형인데 주어진 도형은 직사각형이 아닌 면이 있기 때문입니다.

2-2 예 정육면체는 정사각형 6개로 둘러싸인 도형인데 주어진 도형은 정사각형이 아닌 면이 있기 때문입니다.

2-3 다 / 예 직육면체는 직사각형 6개로 둘러싸인 도형인데 다에는 직사각형이 아닌 면이 있기 때문입니다.

3-2 42 cm 3-2 54 cm 3-2 17 cm

4-1

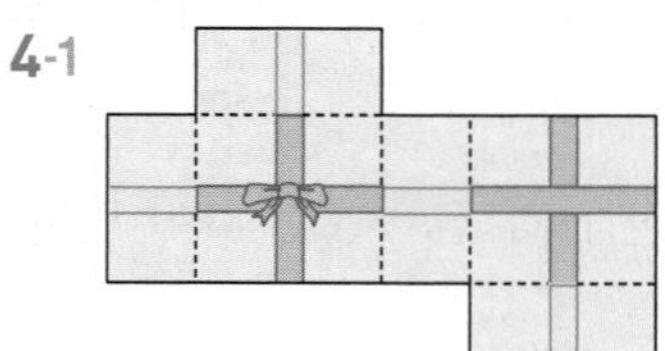

4-2

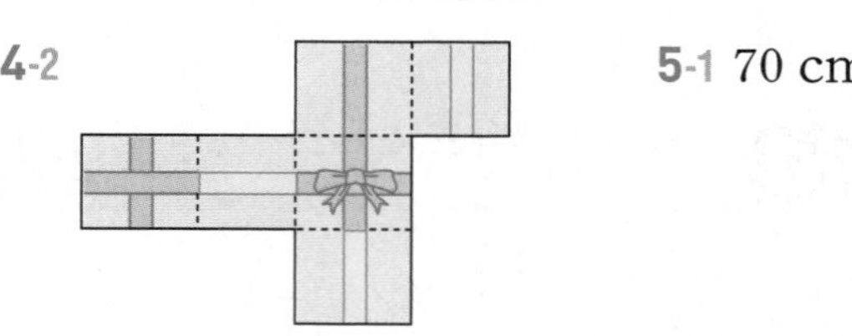

5-1 70 cm

5-2 예 전개도의 둘레에는 길이가 8 cm인 모서리가 14개 있습니다. ➔ $8\times14=112$ (cm)

답 112 cm

5-3 126 cm 6-1 71 cm

6-2 예 (상자를 두르는 데 사용한 끈의 길이)
$=12\times8=96$ (cm)
매듭을 묶는 데 사용한 끈의 길이: 20 cm
(상자를 포장하는 데 사용한 끈의 길이)
$=96+20=116$ (cm) 답 116 cm

7-1 단계 1 ~ 단계 2

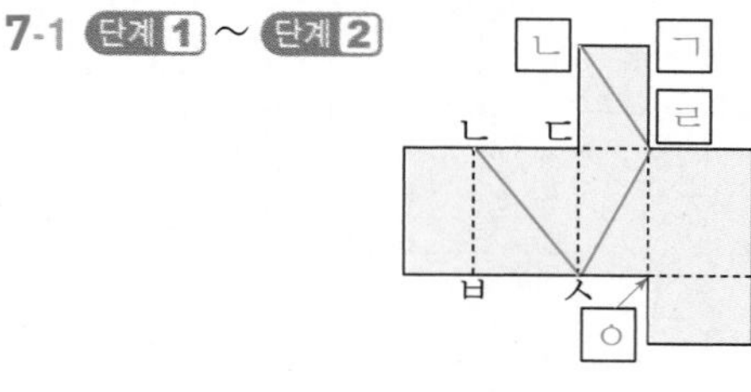

7-2

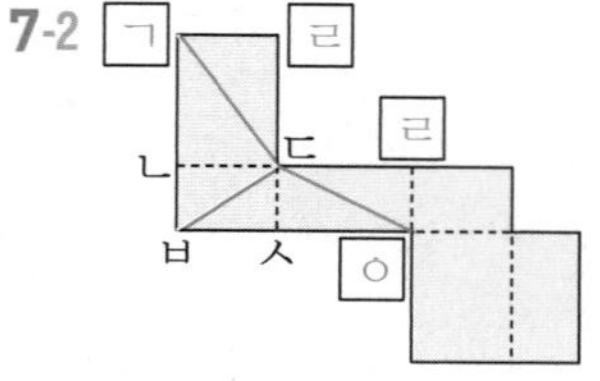

8-1 단계 1 4개, 4개, 4개
단계 2 56 cm
단계 3 11

8-2 5 cm

2-2 **평가 기준**
도형이 정육면체가 아닌 이유를 바르게 썼으면 정답입니다.

2-3 **평가 기준**
직육면체 모양이 아닌 것을 찾고, 그 이유를 바르게 썼으면 정답입니다.

3-1 $3\times6+8\times3=42$ (cm)

3-2 $9\times3+4\times3+5\times3=54$ (cm)

3-3 $6\times2+5\times1=17$ (cm)

5-1 (전개도의 둘레)$=5\times14=70$ (cm)

5-2 **평가 기준**
전개도에 길이가 8 cm인 모서리가 몇 개 있는지 알고 전개도의 둘레를 바르게 구했으면 정답입니다.

5-3 (정육면체의 한 모서리의 길이)$=27\div3=9$ (cm)
전개도의 둘레에는 길이가 9 cm인 모서리가 14개 있습니다. ➔ (전개도의 둘레)$=9\times14=126$ (cm)

6-2 **평가 기준**
상자를 두르는 데 사용한 끈의 길이를 구하여 포장하는 데 사용한 끈은 모두 몇 cm인지 바르게 구했으면 정답입니다.

7-1 단계 1 전개도를 접었을 때 만나는 점을 찾아 전개도에 꼭짓점의 기호를 표시합니다.
단계 2 직육면체에 그은 선이 어떤 꼭짓점끼리 이은 것인지 알아보고 전개도에 선이 지나간 자리를 긋습니다.

7-2 전개도를 접었을 때 만나는 점을 찾아 전개도에 꼭짓점의 기호를 표시한 후 직육면체에 그은 선이 어떤 꼭짓점끼리 이은 것인지 알아보고 전개도에 선이 지나간 자리를 긋습니다.

8-1 단계 1 직육면체에는 길이가 같은 모서리가 4개씩 3쌍 있으므로 길이가 5 cm, 9 cm, ㉠ cm인 모서리가 각각 4개씩 있습니다.
단계 2 $5\times4+9\times4=20+36=56$ (cm)
단계 3 $100-56=44$ ➔ ㉠$\times4=44$, ㉠$=11$

8-2 직육면체에는 길이가 7 cm, 12 cm, ㉠인 모서리가 각각 4개씩 있습니다. $7\times4+12\times4=76$ (cm)
(㉠ 모서리 4개의 길이의 합)$=96-76=20$ (cm)
➔ ㉠$\times4=20$, ㉠$=5$이므로 5 cm입니다.

유형 TEST

142~144쪽

1 면, 모서리, 꼭짓점

2
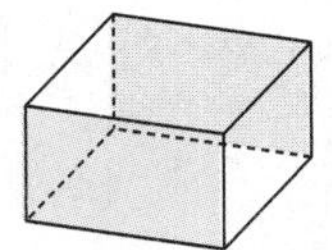

3 ㉡　4 ○　5 ×　6 면 마

7 면 가, 면 다, 면 마, 면 바

8
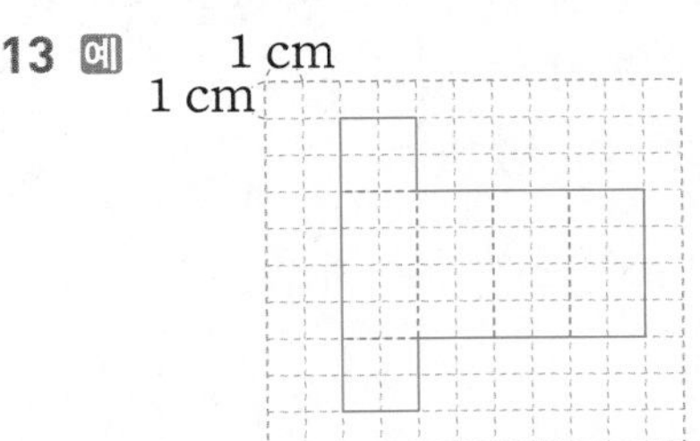

9 8개

10 ㉡

11 선분 ㅅㅂ

12 72 cm

13 예 1 cm 1 cm

14 (위에서부터) ㄹ, ㄱ, ㅁ, ㅂ, ㄴ, ㄱ

15 예
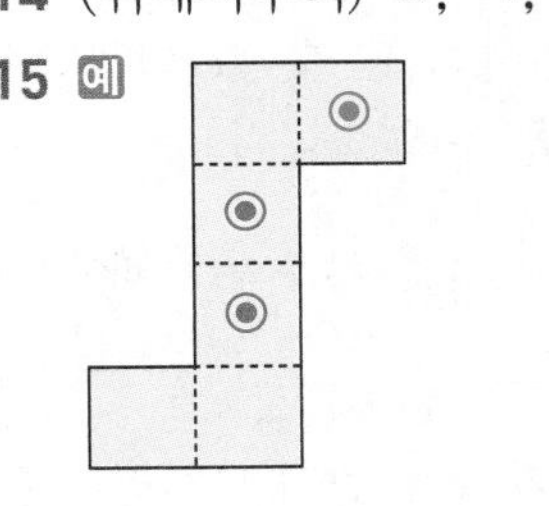

16 3

17
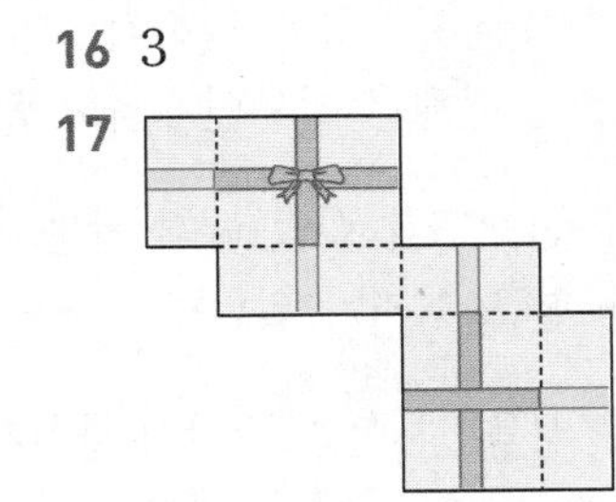

18 예 ❶ 전개도의 둘레에는 길이가 6 cm인 모서리가 14개 있습니다.
❷ ➔ $6\times14=84$ (cm)　답 84 cm

19 예 ❶ (상자를 두르는 데 사용한 끈의 길이)
$=10\times8=80$ (cm)
❷ 매듭을 묶는 데 사용한 끈의 길이: 16 cm
❸ (상자를 포장하는 데 사용한 끈의 길이)
$=80+16=96$ (cm)　답 96 cm

20 예 ❶ 직육면체에는 길이가 13 cm, 4 cm, ㉠인 모서리가 각각 4개씩 있습니다.
❷ (13 cm인 모서리 4개와 4 cm인 모서리 4개의 길이의 합)$=13\times4+4\times4=68$ (cm)
❸ (㉠ 모서리 4개의 길이의 합)
$=108-68=40$ (cm)
➔ ㉠$\times4=40$, ㉠$=10$이므로 10 cm입니다.
답 10 cm

1 면: 선분으로 둘러싸인 부분
모서리: 면과 면이 만나는 선분
꼭짓점: 모서리와 모서리가 만나는 점

2 마주 보는 면에 색칠합니다.

3 보이는 모서리는 실선으로, 보이지 않는 모서리는 점선으로 그린 것을 찾으면 ㉡입니다.

5 직육면체는 서로 마주 보는 면끼리 합동입니다.

6 전개도를 접었을 때 면 다와 마주 보는 면을 찾으면 면 마입니다.

7 전개도를 접었을 때 면 라와 수직인 면은 평행한 면인 면 나를 제외한 4개의 면입니다.
➜ 면 가, 면 다, 면 마, 면 바

8 보이는 모서리는 실선으로, 보이지 않는 모서리는 점선으로 그립니다.

9 정육면체의 꼭짓점은 모두 8개입니다.

10 ㉡ 직사각형은 정사각형이라고 할 수 없으므로 직육면체는 정육면체라고 할 수 없습니다.

11 전개도를 접었을 때 선분 ㄷㄹ은 선분 ㅅㅂ과 겹쳐져 한 모서리가 됩니다.

12 정육면체는 모서리의 길이가 모두 같고 모서리는 12개입니다.
➜ (모든 모서리의 길이의 합)
$=6\times12=72$ (cm)

13 전개도를 접었을 때 마주 보는 면이 3쌍이고, 마주 보는 면의 모양과 크기가 같아야 하며 만나는 모서리의 길이가 같도록 그려야 합니다.

14 전개도를 접었을 때 만나는 점끼리 같은 기호를 써넣습니다.

15 무늬가 있는 면 3개가 한 꼭짓점에서 만나도록 전개도에 무늬를 그려 넣습니다.

16 ← 4의 눈이 그려진 면과 평행한 면

마주 보는 면의 눈의 수의 합이 7이므로 4의 눈이 그려진 면과 평행한 면의 눈의 수는 $7-4=3$입니다.

18 **채점 기준**

❶ 전개도의 둘레에 길이가 6 cm인 모서리가 몇 개 있는지 구함.	2점	5점
❷ 전개도의 둘레를 구함.	3점	

19 **채점 기준**

❶ 상자를 두르는 데 사용한 끈의 길이를 구함.	3점	5점
❷ 상자를 포장하는 데 사용한 끈의 길이를 구함.	2점	

20 **채점 기준**

❶ 직육면체에 13 cm, 4 cm, ㉠이 각각 몇 개씩 있는지 앎.	1점	5점
❷ 13 cm인 모서리 4개와 4 cm인 모서리 4개의 길이의 합을 구함.	2점	
❸ ㉠의 길이를 구함.	2점	

앞 단원 유형 다시 보기 145쪽

① 0.021 ② ㉠
③ $38.2\times1.5=57.3$, 57.3 kg
④ 10배

② ㉠ 6×0.47은 6과 0.5의 곱인 3보다 작습니다.
㉡ 6의 0.6은 6과 0.5의 곱인 3보다 큽니다.
따라서 계산 결과가 3보다 작은 것은 ㉠입니다.

③ (어머니의 몸무게)=(지희의 몸무게)$\times1.5$
$=38.2\times1.5$
$=57.3$ (kg)

④ ㉠ 22.08 ㉡ 220.8
➜ 220.8은 22.08의 10배이므로 ㉡은 ㉠의 10배입니다.

재미있는 창의·융합·코딩 146~147쪽

코딩1 4, 5, 6 /

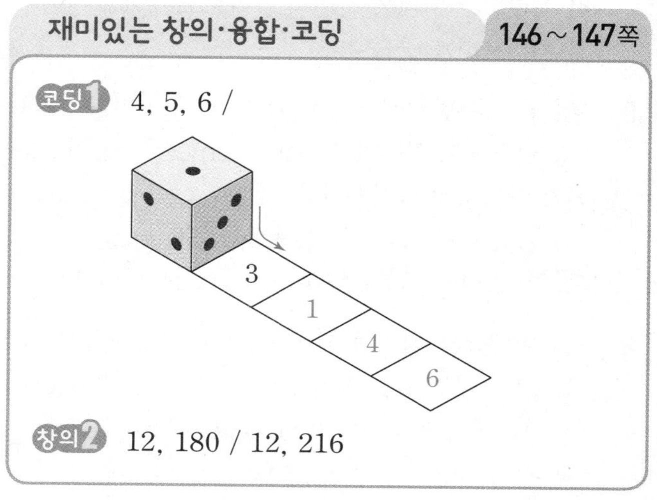

창의2 12, 180 / 12, 216

6. 평균과 가능성

1 STEP 개념별 유형 150~153쪽

1

2 3명, 4명

3 15회, 16회

4 5회, 4회

5 지후네 모둠

6

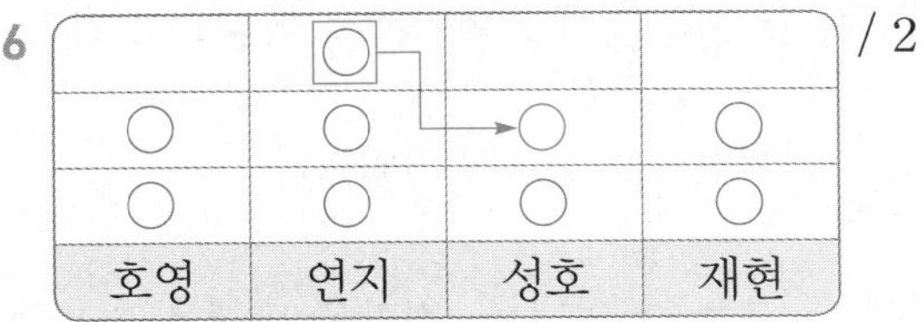

/ 2

7 30, 29, 29

8 30, 29, 4, 29

9 5개

10 69회

11 46분

12 방법 1 예 40 /
예 평균을 40명으로 예상한 후 (40, 40), (35, 45)로 수를 옮기고 짝 지어 자료의 값을 고르게 하여 구한 관람객 수의 평균은 40명입니다.
방법 2 예 $(40+35+45+40)\div4=160\div4$
$=40$(명)

13 5, 4

14 예지에 ○표

15 120개

16 24명

17 5개

18 (1) 85점 (2) 수학

19 126분

20 160분

21 34분

3 (지후네 모둠)$=4+6+5=15$(회)
(승우네 모둠)$=3+7+2+4=16$(회)

4 (지후네 모둠)$=15\div3=5$(회)
(승우네 모둠)$=16\div4=4$(회)

6 ○를 옮겨 고르게 하면 한 사람이 2개씩이므로 넣은 화살 수의 평균은 2개입니다.

참고
(평균)=(자료의 값을 모두 더한 수)÷(자료의 수)

9 월요일 화요일 수요일
5개 5개 5개
종이띠를 3등분으로 나누면 한 부분에는 5개씩이므로 접은 종이학 수의 평균은 5개입니다.
➔ $(3+7+5)\div3=15\div3=5$(개)

10 (줄넘기 기록의 평균)
$=(65+70+78+63)\div4=276\div4=69$(회)

11 일주일은 7일입니다.
(하루 컴퓨터 사용 시간의 평균)$=322\div7=46$(분)

13 (태우의 평균)$=(6+6+3)\div3=15\div3=5$(개)
(상미의 평균)$=(4+7+1)\div3=12\div3=4$(개)

15 병뚜껑 480개를 학급 4반이 모아야 하므로 한 학급당 병뚜껑을 평균 $480\div4=120$(개)씩 모아야 합니다.

16 (한 학급당 학생 수의 평균)
$=(24+25+22+25)\div4=96\div4=24$(명)

18 (1) (단원평가 점수의 평균)
$=(93+85+82+80)\div4=340\div4=85$(점)

20 (4일 동안 독서한 시간)
=(평균)×(날수)$=40\times4=160$(분)

21 (목요일에 독서한 시간)
=(4일 동안 독서한 시간)
−(월~수요일까지 독서한 시간)
$=160-126=34$(분)

개념 1~4 기초력 집중 연습 154쪽

1 9, 8, 8

2 9, 15, 3, 12

3 40, 37, 35

4 314, 306, 316

5 8

6 36

7 8

8 42

9 2

10 6

유형 진단 TEST 155쪽

1

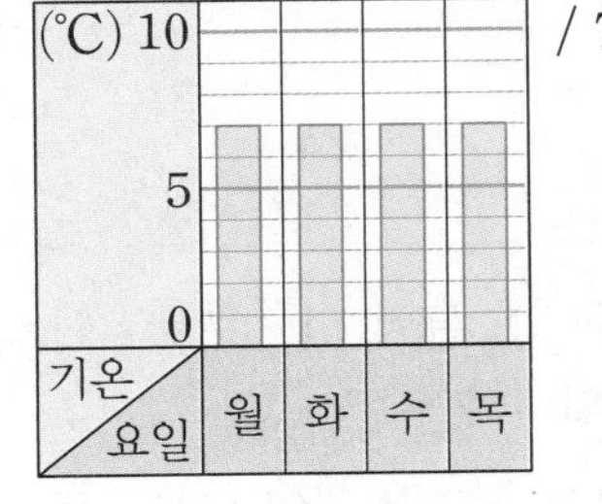

/ 7 ℃

2 13 cm

3 36000원

4 223 mm

5 현호네 모둠

6 올라갈 수 있습니다.

4 (발 길이의 평균)$=(220+217+225+230)\div 4$
$=892\div 4=223$ (mm)

5 (미영이네 모둠의 평균)$=(80+86+74)\div 3=80$(점)
(현호네 모둠의 평균)$=(75+90+78)\div 3=81$(점)
따라서 80점<81점이므로 시험을 더 잘 본 모둠은 현호네 모둠입니다.

6 (지호의 오래 매달리기 기록의 평균)
$=(18+16+19+15)\div 4=68\div 4=17$(초)
➔ 평균이 16초 이상이 되므로 지호는 준결승에 올라갈 수 있습니다.

1 STEP 개념별 유형 156~159쪽

1 (위에서부터) ~일 것 같다, 반반이다
2 불가능하다에 ○표
3 확실하다에 ○표
4 (선 잇기)
5 ㉡
6 ㉤
7 ㉠
8 예 불가능합니다.
9 다은
10 예 서울의 12월 평균 기온은 30 ℃보다 낮을 것입니다.
11 ㉤, ㉡, ㉣
12 가, 다, 나
13 현서
14 지안, 민서, 현서
15 가
16 (선 잇기)
17 확실하다, 1에 ○표
18 반반이다, $\frac{1}{2}$
19 (수직선: 0, $\frac{1}{2}$, 1 중 0에 화살표)
20 (수직선: 0, $\frac{1}{2}$, 1 중 $\frac{1}{2}$에 화살표)
21 (수직선: 0에 ㉡, $\frac{1}{2}$에 ㉠, 1에 □)
22 확실하다
23 0
24 $\frac{1}{2}$

7 주사위에는 1부터 6까지의 눈이 있으므로 8이 나올 가능성은 '불가능하다'입니다.

9 동전을 던지면 숫자 면이나 그림 면이 나오므로 동전을 세 번 던졌을 때 모두 그림 면이 나올 가능성은 '~아닐 것 같다'입니다.

10 예 월요일 다음에는 화요일일 것입니다.
내년에는 2월이 3월보다 빨리 올 것입니다.

12 참고
가능성이 '확실하다'에 가까울수록 일이 일어날 가능성이 더 높습니다.

14 지안: 확실하다, 현서: 불가능하다, 민서: 반반이다

15 표에서 빨강: 18회, 파랑: 17회, 노랑: 35회이므로 노란색이 전체의 $\frac{1}{2}$이고 빨간색과 파란색이 각각 전체의 $\frac{1}{4}$인 회전판을 찾으면 가입니다.

18 정답은 ○ 또는 ×입니다. 정답을 맞혔을 가능성은 '반반이다'이고 이를 수로 표현하면 $\frac{1}{2}$입니다.

21 ㉠ 가능성은 '반반이다'이므로 이를 수로 표현하면 $\frac{1}{2}$입니다.
㉡ 가능성은 '불가능하다'이므로 이를 수로 표현하면 0입니다.

24 1부터 6까지의 수 중 짝수는 2, 4, 6이므로 가능성은 '반반이다'이고 이를 수로 표현하면 $\frac{1}{2}$입니다.

개념 5~7 기초력 집중 연습 160쪽

1 ㉤
2 ㉠
3 ㉢
4 ㉡
5 (○)(   )
6 (○)(   )
7 1에 ○표
8 0에 ○표

유형 진단 TEST 161쪽

1 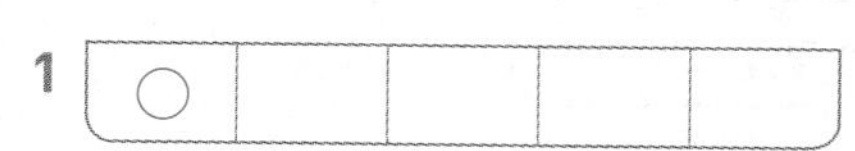
2 3, 2, 1
3 확실하다, 1
4 (○)(   )
5 지영 / 예 내년 4월의 날수가 31일일 가능성은 불가능해.
6 $\frac{1}{2}$

4 왼쪽의 일이 일어날 가능성은 '반반이다'이고 오른쪽의 일이 일어날 가능성은 '불가능하다'입니다.
따라서 일이 일어날 가능성이 더 큰 것은 왼쪽입니다.

5 지영: 4월은 30일까지 있으므로 내년 4월의 날수가 31일 가능성은 '불가능하다'입니다.

6 4장의 수 카드 중 홀수는 5, 7로 2장이므로 뽑은 카드에 쓰여 있는 수가 홀수일 가능성은 '반반이다'이고 이를 수로 표현하면 $\frac{1}{2}$입니다.

2 STEP 꼬리를 무는 유형 162~163쪽

1 315	2 360분
3 805명	4 노란색
5 나	6 휴지
7 48	8 40분
9 45 kg	10 수아네 모둠
11 경주네 모둠	12 수희

3 일주일은 7일입니다.
(일주일 동안 접속자 수)$=115\times7=805$(명)

5 초록색이 차지하는 부분이 더 넓은 것은 나이므로 화살이 초록색에 멈출 가능성이 더 높은 회전판은 나입니다.

7 (평균)$=(43+50+37+62)\div4=192\div4=48$

8 (하루 평균 공부한 시간)$=200\div5=40$(분)

9 (평균)$=(45+50+41+44)\div4$
$=180\div4=45$ (kg)

10 (수아네 모둠의 평균)$=28\div4=7$(회)
(지호네 모둠의 평균)$=30\div5=6$(회)
➡ 7회$>$6회이므로 수아네 모둠의 제기차기 기록의 평균이 더 높습니다.

11 (경주네 모둠의 평균)$=425\div5=85$(점)
(선미네 모둠의 평균)$=609\div7=87$(점)
➡ 85점$<$87점이므로 경주네 모둠의 수학 시험 점수의 평균이 더 낮습니다.

12 (지훈이의 평균)$=96\div4=24$(쪽)
(수희의 평균)$=78\div3=26$(쪽)
➡ 24쪽$<$26쪽이므로 한 시간 동안 읽은 쪽수의 평균이 더 많은 사람은 수희입니다.

3 STEP 수학 독해력 유형 164~165쪽

독해력 유형 1 ❶ 410 kg, 540 kg ❷ 950 kg ❸ 25명 ❹ 38 kg
쌍둥이 유형 1-1 73 cm 쌍둥이 유형 1-2 82점
독해력 유형 2 ❶ 5개 ❷ 20개 ❸ 4
쌍둥이 유형 2-1 9 쌍둥이 유형 2-2 3

독해력 유형 1 ❶ (남학생 10명의 몸무게의 합)
$=41\times10=410$ (kg)
(여학생 15명의 몸무게의 합)$=36\times15=540$ (kg)
❹ (반 전체 학생의 몸무게의 평균)$=950\div25$
$=38$ (kg)

쌍둥이 유형 1-1 ❶ (남학생 8명의 앉은키의 합)
$=76\times8=608$ (cm)
(여학생 12명의 앉은키의 합)$=71\times12=852$ (cm)
❷ (반 전체 학생의 앉은키의 합)
$=608+852=1460$ (cm)
❸ (반 전체 학생 수)$=8+12=20$(명)
❹ (반 전체 학생의 앉은키의 평균)
$=1460\div20=73$ (cm)

쌍둥이 유형 1-2 ❶ (국어, 수학, 과학 점수의 합)
$=86\times3=258$(점)
(사회, 영어 점수의 합)$=76\times2=152$(점)
❷ (다섯 과목의 점수의 합)$=258+152=410$(점)
❸ 전체 과목은 5개입니다.
❹ (다섯 과목의 점수의 평균)$=410\div5=82$(점)

독해력 유형 2 ❶ (진아네 모둠이 넣은 화살 수의 평균)
$=(5+3+7)\div3=15\div3=5$(개)
❷ (진아네 모둠이 넣은 화살 수의 평균)
$=$(윤하네 모둠이 넣은 화살 수의 평균)$=5$개
(윤하네 모둠이 넣은 화살 수의 합)$=5\times4=20$(개)
❸ $\square=20-(9+2+5)=20-16=4$

쌍둥이 유형 2-1 ❶ (정수네 모둠이 가져온 책 수의 평균)
$=(4+6+8)\div3=18\div3=6$(권)
❷ (정수네 모둠이 가져온 책 수의 평균)
$=$(민규네 모둠이 가져온 책 수의 평균)$=6$권
(민규네 모둠이 가져온 책 수의 합)$=6\times4=24$(권)
❸ $\square=24-(7+5+3)=24-15=9$

쌍둥이 유형 2-2 ❶ (수일이의 턱걸이 횟수의 평균)
$=(6+7+11)\div3=24\div3=8$(회)
❷ (수일이의 턱걸이 횟수의 평균)
=(태오의 턱걸이 횟수의 평균)=8회
(태오의 턱걸이 횟수의 합)$=8\times4=32$(회)
❸ $\square=32-(9+8+12)=32-29=3$

4 STEP 사고력 플러스 유형 166~169쪽

1-1 (0에 화살표)

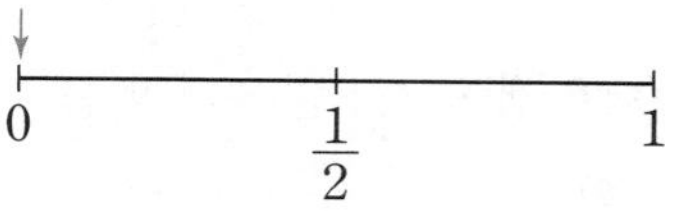

1-2 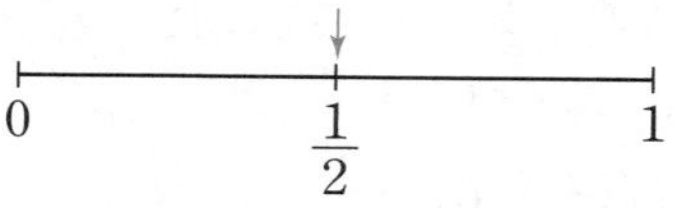 ($\frac{1}{2}$에 화살표)

1-3 (0에 화살표)

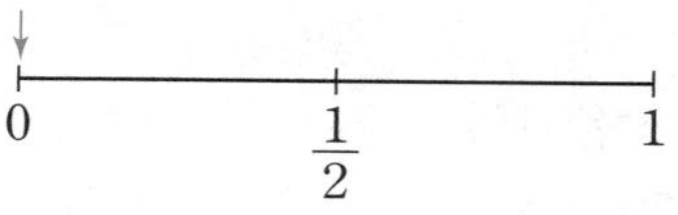

2-1 $\frac{1}{2}$ 2-2 1 2-3 $\frac{1}{2}$ 2-4 0

3-1 24 3-2 34 3-3 민지

4-1 4-2 예 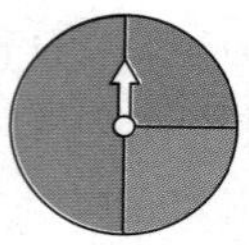 5-1 $\frac{1}{2}$

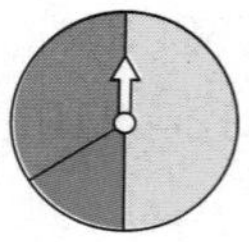

5-2 예 동전의 그림 면이 나오지 않을 가능성은 숫자 면이 나올 가능성과 같습니다. 따라서 숫자 면이 나올 가능성은 '반반이다'이므로 그림 면이 나오지 않을 가능성도 '반반이다'이고 이를 수로 표현하면 $\frac{1}{2}$입니다. 답 $\frac{1}{2}$

5-3 0 6-1 예 87점

6-2 예 (3회까지의 줄넘기 횟수의 평균)
$=(80+75+91)\div3=246\div3=82$(번)
4회에는 3회까지의 줄넘기 횟수의 평균인 82번보다 많이 넘어야 합니다. 답 예 83번

7-1 단계1 324점 단계2 78점 단계3 4회

7-2 민호

8-1 단계1 13살 단계2 70살 단계3 18살

1-1 회전판에는 파란색이 없으므로 화살이 파란색에 멈출 가능성을 수로 표현하면 0입니다.

1-2 회전판에서 주황색과 보라색이 반반이므로 화살이 주황색에 멈출 가능성을 수로 표현하면 $\frac{1}{2}$입니다.

1-3 흰색 공은 없으므로 가능성은 '불가능하다'이고 이를 수로 표현하면 0입니다.

2-1 ★ 카드는 전체 4장 중에서 2장이 있으므로 뽑을 가능성은 '반반이다'이고 이를 수로 표현하면 $\frac{1}{2}$입니다.

2-2 ♥ 카드만 있으므로 뽑을 가능성은 '확실하다'이고 이를 수로 표현하면 1입니다.

2-3 2의 배수는 2, 4입니다.
전체 카드 4장 중에서 2의 배수가 적힌 카드는 2장이므로 뽑을 가능성은 '반반이다'이고 이를 수로 표현하면 $\frac{1}{2}$입니다.

2-4 8이 적힌 카드는 없으므로 뽑을 가능성은 '불가능하다'이고 이를 수로 표현하면 0입니다.

3-1 (평균)$=(20+16+24)\div3=60\div3=20$
평균 20보다 큰 수는 24입니다.

3-2 (평균)$=(30+27+34+29)\div4=120\div4=30$
평균 30보다 큰 수는 34입니다.

3-3 (평균)$=(8+6+10)\div3=24\div3=8$(권)
읽은 책 수가 8권보다 많은 사람은 민지입니다.

4-1 화살이 노란색에 멈출 가능성이 가장 높으므로 회전판에서 가장 넓은 곳에 노란색을 색칠합니다.
화살이 빨간색에 멈출 가능성이 초록색에 멈출 가능성의 2배이므로 가장 좁은 부분에 초록색, 나머지 부분에 빨간색을 색칠합니다.

4-2 화살이 빨간색에 멈출 가능성이 가장 높으므로 회전판에서 가장 넓은 곳에 빨간색을 색칠합니다.
화살이 보라색에 멈출 가능성이 파란색에 멈출 가능성과 비슷하므로 나머지 두 칸에 보라색, 파란색을 각각 색칠합니다.

5-1 뽑은 번호표가 짝수가 아닐 가능성은 홀수일 가능성과 같습니다. 따라서 홀수일 가능성은 '반반이다'이므로 짝수가 아닐 가능성도 '반반이다'이고 이를 수로 표현하면 $\frac{1}{2}$입니다.

5-2 평가 기준

동전의 그림 면이 나오지 않을 가능성과 숫자 면이 나올 가능성이 같다는 것을 알고 가능성을 수로 표현했으면 정답입니다.

5-3 상자 안에 초록색이 아닌 구슬은 없으므로 꺼낸 구슬이 초록색이 아닐 가능성은 '불가능하다'이고 이를 수로 표현하면 0입니다.

6-1 (3회까지의 점수의 평균)
$=(86+80+92)\div3=258\div3=86$(점)
4회에는 3회까지의 점수의 평균인 86점보다 높은 점수를 받아야 합니다.

6-2 평가 기준

3회까지의 줄넘기 횟수의 평균을 구하고 4회에는 3회까지의 평균보다 많이 넘어야 하는 것을 알았으면 정답입니다.

7-1 단계 1 (4회 동안 수행평가 점수의 합)
$=81\times4=324$(점)
단계 2 (2회의 수행평가 점수)
$=324-(82+80+84)=324-246=78$(점)
단계 3 84점>82점>80점>78점이므로 가장 높았을 때는 4회입니다.

7-2 (네 사람의 기록의 합)$=26\times4=104$(초)
(영서의 오래 매달리기 기록)
$=104-(27+26+28)=104-81=23$(초)
➜ 28초>27초>26초>23초이므로 기록이 가장 좋은 사람은 민호입니다.

8-1 단계 1 (처음 동아리 회원의 나이의 평균)
$=(14+12+16+10)\div4=52\div4=13$(살)
단계 2 새로운 회원이 한 명 더 들어와서 나이의 평균이 한 살 늘었으므로 새로운 회원이 들어온 후의 나이의 합은 $(13+1)\times5=70$(살)이 됩니다.
단계 3 (새로운 회원의 나이)
=(새로운 회원이 한 명 더 들어온 후 나이의 합)
−(처음 동아리 회원의 나이의 합)
$=70-52=18$(살)

유형 TEST

170~172쪽

1

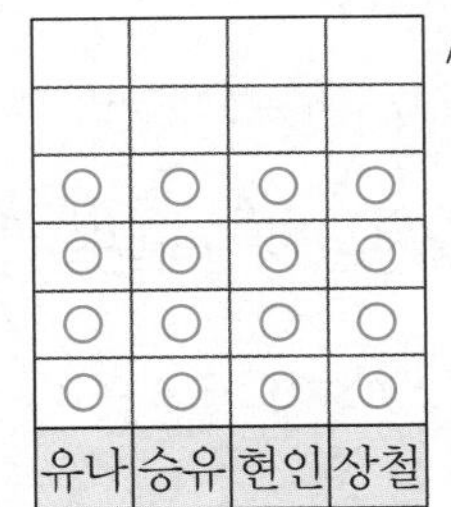

/ 4

2 3, 6, 4, 4

3 확실하다에 ○표

4 23

5 0, $\frac{1}{2}$, 1 (↓ 1)

6 0, $\frac{1}{2}$, 1 (↓ $\frac{1}{2}$)

7 0, $\frac{1}{2}$, 1 (↓ $\frac{1}{2}$)

8 27분 **9** 불가능하다, 0

10 468 **11** 10초 **12** 호진

13 나 **14** ㉡ **15** 123 cm

16 올라갈 수 있습니다.

17 예 ❶ (푼 수학 문제 수의 평균)
$=(45+55+52+48)\div4$
$=200\div4=50$(개)
❷ 따라서 50개보다 많이 푼 학생은 도진, 윤정입니다.
답 도진, 윤정

18 예 ❶ 검은색 바둑돌이 나오지 않을 가능성은 흰색 바둑돌이 나올 가능성과 같습니다.
❷ 흰색 바둑돌이 나올 가능성은 '반반이다'입니다.
❸ 따라서 검은색 바둑돌이 나오지 않을 가능성도 '반반이다'이고 이를 수로 표현하면 $\frac{1}{2}$입니다.
답 $\frac{1}{2}$

19 예 ❶ (3회까지의 멀리뛰기 기록의 평균)
$=(95+104+92)\div3=291\div3=97$ (cm)
❷ 4회에는 3회까지의 멀리뛰기 기록의 평균인 97 cm보다 멀리 뛰어야 합니다. 답 예 98 cm

20 예 ❶ (기록의 합계)$=82\times4=328$(회)
❷ (세영이의 기록)$=328-(85+73+80)$
$=328-238=90$(회)
❸ 따라서 90회>85회>80회>73회이므로 기록이 가장 좋은 사람은 세영입니다. 답 세영

1 ○를 옮겨 고르게 하면 한 사람에 4개씩이므로 과녁에 맞힌 화살 수의 평균은 4개입니다.

2 (평균)=(자료의 값을 모두 더한 수)÷(자료의 수)

3 어린이날은 5월 5일이므로 가능성은 '확실하다'입니다.

4 (평균)=$(24+20+18+30)\div4=92\div4=23$

5 회전판 가는 전체가 초록색이므로 화살이 초록색에 멈출 가능성을 수로 표현하면 1입니다.

6 회전판 나에는 초록색과 노란색이 반반이므로 화살이 노란색에 멈출 가능성을 수로 표현하면 $\frac{1}{2}$입니다.

7 회전판 다에는 초록색과 노란색이 반반이므로 화살이 초록색에 멈출 가능성을 수로 표현하면 $\frac{1}{2}$입니다.

8 (하루 평균 운동한 시간)=$135\div5=27$(분)

9 8월은 31일까지 있으므로 33일까지 있을 가능성은 '불가능하다'이고 이를 수로 표현하면 0입니다.

10 (6일 동안 접속한 사람 수)=$78\times6=468$(명)

11 (채현이네 모둠의 기록의 합)=$11\times4=44$(초)
(희재의 기록)=$44-(11+11+12)=44-34$
=10(초)

12 호진: 당첨 제비만 4개 들어 있는 상자에서 제비 한 개를 꺼낼 때 당첨 제비를 꺼낼 가능성은 '확실하다'입니다.

13 표에서 주황색, 초록색, 보라색이 차지하는 부분이 비슷한 회전판을 찾으면 나입니다.

14 ㉠ 반반이다 ㉡ 확실하다
➔ 일이 일어날 가능성이 더 높은 것은 ㉡입니다.

참고
• 가능성이 높은 순서
확실하다 > ~일 것 같다 > 반반이다 > ~아닐 것 같다 > 불가능하다

15 (현지와 유민이의 키의 합)=$120\times2=240$ (cm)
(세 사람의 키의 평균)=$(240+129)\div3$
=$369\div3=123$ (cm)

16 (수영이네 모둠의 평균)=$(35+29+27+33)\div4$
=$124\div4=31$(번)
➔ 평균이 30번 이상이 되므로 수영이네 모둠은 준결승에 올라갈 수 있습니다.

17 채점 기준

❶ 푼 수학 문제 수의 평균을 구함.	3점	5점
❷ 평균보다 많이 푼 학생을 모두 구함.	2점	

18 채점 기준

❶ 검은색 바둑돌이 나오지 않을 가능성이 흰색 바둑돌이 나올 가능성과 같음을 앎.	2점	5점
❷ 흰색 바둑돌이 나올 가능성을 구함.	2점	
❸ 검은색 바둑돌이 나오지 않을 가능성을 수로 표현함.	1점	

19 채점 기준

❶ 3회까지의 멀리뛰기 기록의 평균을 구함.	2점	5점
❷ 4회에는 몇 cm를 뛰어야 하는지 바르게 예상함.	3점	

20 채점 기준

❶ 기록의 합계를 구함.	2점	5점
❷ 세영이의 기록을 구함.	2점	
❸ 기록이 가장 좋은 사람을 구함.	1점	

앞 단원 유형 다시 보기 173쪽

① 12, 8
② 면 ㄱㄴㅂㅁ, 면 ㄴㅂㅅㄷ, 면 ㄷㅅㅇㄹ, 면 ㄱㄹㅇㅁ
③ 12 cm
④ 예

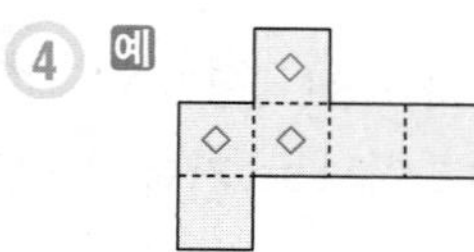

재미있는 창의·융합·코딩 174~175쪽

❶ 그림 면 또는 숫자면, 가능성
❷ 정지 신호 또는 보행자 신호, 반복, 가능성
창의2 312 / 5, 309 / 312, 309, 진수

단원평가 정답 및 풀이

1~2쪽 1. 수의 범위와 어림하기

1 이상 **2** (   ) (○) **3** 1000
4 34 **5** 3.16 **6** 2개
7 하윤, 민서 **8** 2명
9 (수직선: 61, 62, 63, 64, 65, 66, 67 — 62는 점 ○, 66은 점 ●, 62와 66 사이에 선)
10 460, 500 **11** 지안 **12** 5개
13 29 이상 32 미만인 수
14 7장 **15** 4 cm **16** 6대
17 40 **18** 500 **19** 5499
20 8500

1 참고
■와 같거나 큰 수를 ■ 이상인 수라고 합니다.

2 48이 포함되지 않으므로 48 미만인 수입니다.

4 34 초과인 수: 34보다 큰 수
➔ 34는 포함되지 않습니다.

5 3.156 ➔ 3.16
6이므로 올립니다.

6 65보다 작은 수는 51, 60으로 모두 2개입니다.

7 훌라후프를 한 횟수가 50회보다 많고 70회와 같거나 적은 학생을 모두 찾습니다.

8 훌라후프를 한 횟수가 89회와 같거나 많은 학생은 서준, 지안이로 모두 2명입니다.

9 62는 점 ○으로, 66은 점 ●으로 나타내고 62와 66 사이에 선을 긋습니다.

10 • 451 ➔ 460 (올립니다.) • 451 ➔ 500 (올립니다.)

11 서아: 2695 ➔ 2600
지안: 2701 ➔ 2700

12 24 이상 28 이하인 자연수는 24, 25, 26, 27, 28로 모두 5개입니다.

13 29를 점 ●으로, 32를 점 ○으로 나타내었으므로 29 이상 32 미만인 수입니다.

14 800원은 1000원짜리 지폐로 바꿀 수 없으므로 7800원은 1000원짜리 지폐 7장까지 바꿀 수 있습니다.

15 종이테이프의 길이는 3.7 cm입니다.
3.7 ➔ 4
7이므로 올립니다.

16 5624를 올림하여 천의 자리까지 나타내면 6000입니다. 따라서 트럭은 최소 6대가 필요합니다.

17 수직선에 나타낸 수의 범위는 39 초과 46 이하인 수입니다. 따라서 이 범위에 포함되는 자연수 중에서 가장 작은 수는 40입니다.

18 올림하여 천의 자리까지 나타낸 수: 63000
올림하여 백의 자리까지 나타낸 수: 62500
➔ 63000－62500＝500

19 54□□에서 □□에는 0부터 99까지 들어갈 수 있으므로 이 중에서 가장 큰 자연수는 5499입니다.

20 가장 큰 네 자리 수: 8531
반올림하여 백의 자리까지 나타낸 수: 8531 ➔ 8500
버립니다.

3~4쪽 2. 분수의 곱셈

1 20, $2\frac{2}{9}$ **2** 7, 56, $11\frac{1}{5}$
3 45 **4** $15\frac{3}{4}$
5 $\frac{9}{20}\times\frac{16}{21}=\frac{\overset{3}{\cancel{9}}\times\overset{4}{\cancel{16}}}{\underset{5}{\cancel{20}}\times\underset{7}{\cancel{21}}}=\frac{12}{35}$
6 $4\frac{1}{5}$ **7** $2\frac{1}{3}$
8 $2\frac{3}{8}\times3=7\frac{1}{8}$, $7\frac{1}{8}$ **9** 1 L
10 $3\frac{3}{4}$ m **11** < **12** 수현
13 $5\frac{1}{6}\times4=20\frac{2}{3}$, $20\frac{2}{3}$ cm
14 $3\times1\frac{2}{3}$에 ○표
15 $6\frac{3}{5}$ **16** 5시간
17 5 **18** $7\frac{1}{5}$ m^2
19 4 m **20** $22\frac{1}{20}$

3 $\frac{1}{5}\times\frac{1}{9}=\frac{1}{5\times9}=\frac{1}{45}$ ➔ ●=45

4 $2\frac{5}{8}\times6=\frac{21}{8}\times6=\frac{63}{4}=15\frac{3}{4}$

6 $1\frac{1}{6}\times3\frac{3}{5}=\frac{7}{6}\times\frac{18}{5}=\frac{21}{5}=4\frac{1}{5}$

7 $\frac{2}{5}\times1\frac{1}{3}\times4\frac{3}{8}=\frac{2}{5}\times\frac{4}{3}\times\frac{35}{8}=\frac{7}{3}=2\frac{1}{3}$

8 $2\frac{3}{8}\times3=\frac{19}{8}\times3=\frac{57}{8}=7\frac{1}{8}$

9 (주스의 양)$=\frac{1}{5}\times5=1$ (L)

10 (사용한 철사의 길이)$=6\times\frac{5}{8}=\frac{15}{4}=3\frac{3}{4}$ (m)

11 $21\times2\frac{2}{7}=21\times\frac{16}{7}=48$ ➔ $48<50$

12 지은: $4\frac{2}{3}\times2\frac{5}{7}=\frac{14}{3}\times\frac{19}{7}=\frac{38}{3}=12\frac{2}{3}$ (○)

수현: $1\frac{2}{5}\times4\frac{1}{6}=\frac{7}{5}\times\frac{25}{6}=\frac{35}{6}=5\frac{5}{6}$ (×)

13 (정사각형의 둘레)$=5\frac{1}{6}\times4=\frac{31}{6}\times4$

$=\frac{62}{3}=20\frac{2}{3}$ (cm)

참고

(정사각형의 둘레)=(한 변의 길이)×4

14 계산 결과가 3보다 큰 것은 3×(대분수)입니다.

15 가장 큰 수: 9, 가장 작은 수: $\frac{11}{15}$

➔ $9\times\frac{11}{15}=\frac{33}{5}=6\frac{3}{5}$

16 (현서가 하루에 학교에서 공부하는 시간)

$=24\times\frac{1}{4}\times\frac{5}{6}=5$(시간)

17 $9\frac{3}{7}\times\frac{5}{11}=\frac{66}{7}\times\frac{5}{11}=\frac{30}{7}=4\frac{2}{7}$

$4\frac{2}{7}<\square$이므로 □ 안에 들어갈 수 있는 가장 작은 자연수는 5입니다.

18 (색칠한 부분의 넓이)$=6\times6\times\frac{1}{5}=\frac{36}{5}=7\frac{1}{5}$ (m^2)

19 ㉠의 길이는 전체의 $\frac{3}{7}$입니다.

(㉠의 길이)$=9\frac{1}{3}\times\frac{3}{7}=\frac{28}{3}\times\frac{3}{7}=4$ (m)

20 • 만들 수 있는 가장 큰 대분수: $8\frac{2}{5}$

• 만들 수 있는 가장 작은 대분수: $2\frac{5}{8}$

➔ $8\frac{2}{5}\times2\frac{5}{8}=\frac{42}{5}\times\frac{21}{8}=\frac{441}{20}=22\frac{1}{20}$

5~6쪽 3. 합동과 대칭

1 ( )(○) **2** ㉡ **3**

4 ㉡ **5** **6** 4쌍

7 예 **8** 8 cm **9** 40°

10 예 **11** 9 cm **12** 95°

13 ㉡ **14** (위에서부터) 5, 30

15 18 cm **16** 33 cm **17** ㉢

18 60 cm^2 **19** 120°

20 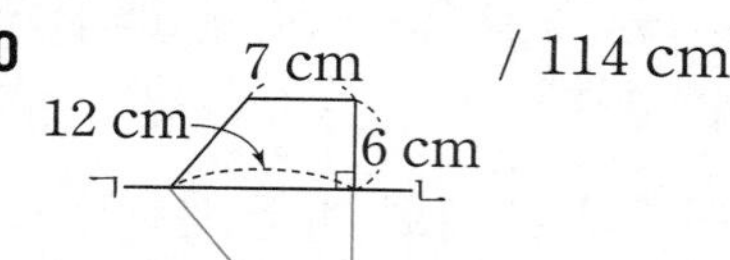

/ 114 cm^2

1 왼쪽 도형과 포개었을 때 완전히 겹치는 도형을 찾습니다.

2 ㉡

3 도형이 완전히 겹치도록 접었을 때 접은 직선을 모두 그립니다.

4 참고

점대칭도형: 어떤 점을 중심으로 180° 돌렸을 때 처음 도형과 완전히 겹치는 도형

5 대응점끼리 이은 선분들이 모두 만나는 점이 대칭의 중심입니다.

6 두 도형은 서로 합동인 사각형이므로 대응각은 4쌍입니다.

7 주어진 도형과 포개었을 때 완전히 겹치도록 그립니다.

8 변 ㄹㅁ의 대응변은 변 ㄱㄷ이므로 변 ㄹㅁ은 8 cm입니다.

9 각 ㄹㅁㅂ의 대응각은 각 ㄱㄷㄴ이므로 각 ㄹㅁㅂ은 40°입니다.

10 각 점에서 대칭축에 수선을 그어 대응점을 찾아 표시한 다음, 찾은 대응점을 차례로 이어 선대칭도형을 완성합니다.

11 점대칭도형에서 각각의 대응점에서 대칭의 중심까지의 거리는 같습니다.
➜ (선분 ㄷㅇ)=(선분 ㅂㅇ)=9 cm

12 점대칭도형에서 각각의 대응각의 크기는 서로 같습니다.
➜ (각 ㅂㅁㄹ)=(각 ㄷㄴㄱ)=95°

13 대칭의 중심으로부터 대응점까지의 거리가 같도록 모눈의 개수를 정확히 세어 봅니다.

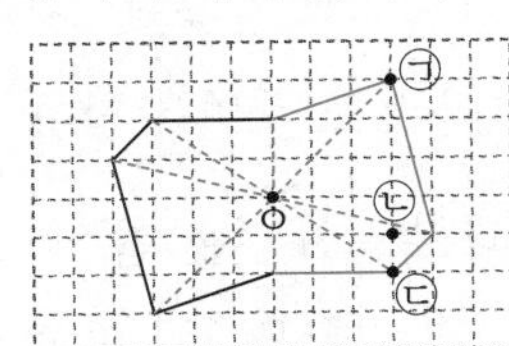

14 선대칭도형에서 각각의 대응변의 길이와 대응각의 크기는 서로 같습니다.

15 점대칭도형에서 각각의 대응점에서 대칭의 중심까지의 거리는 같습니다.
(선분 ㄱㄹ)=(선분 ㅇㄹ)×2=9×2=18 (cm)

16 합동인 두 사각형에서 각각의 대응변의 길이는 서로 같습니다.
(변 ㄱㄴ)=(변 ㅇㅅ)=7 cm,
(변 ㄱㄹ)=(변 ㅇㅁ)=11 cm
➜ (사각형 ㄱㄴㄷㄹ의 둘레)
=7+6+9+11=33 (cm)

17 ㉠ ㉡ ㉢

선대칭도형: ㉠, ㉢ 점대칭도형: ㉡, ㉢
➜ 선대칭도형도 되고 점대칭도형도 되는 도형: ㉢

18 (직사각형의 넓이)=15×4=60 (cm²)

19 선대칭도형에서 각각의 대응각의 크기는 서로 같으므로 (각 ㄱㄹㄷ)=(각 ㄱㄴㄷ)=35°입니다.
삼각형의 세 각의 크기의 합은 180°이므로
(각 ㄱㄷㄹ)=180°−25°−35°=120°입니다.

20 (주어진 사다리꼴의 넓이)=(7+12)×6÷2
=57 (cm²)
완성된 선대칭도형의 넓이는 주어진 사다리꼴의 넓이의 2배이므로 57×2=114 (cm²)입니다.

7~8쪽 4. 소수의 곱셈

1 5, 3.5	2 125, 125, 375, 3.75	
3 9.6	4 10.32	5 0.48
6 2.95	7 12.6	8 $\begin{array}{r} 13 \\ \times\ 0.08 \\ \hline 1.04 \end{array}$
9 4.48	10 ( )(○)	11 3.14
12 ㉡	13 2.97 m²	
14 0.45×7=3.15, 31.5 L		15 소영
16 30.78	17 16	18 1.8 m²
19 22.77	20 15.89 kg	

1 0.7을 5번 더한 결과는 0.7×5와 같습니다.
➜ 0.7×5=3.5

2 1.25를 $\frac{125}{100}$로 나타내어 분수의 곱셈으로 계산합니다.

정답 및 풀이

3 참고

자연수처럼 생각하고 계산한 다음 소수의 크기를 생각하여 소수점을 찍습니다.

4 $6\times1.72=6\times\frac{172}{100}=\frac{6\times172}{100}=\frac{1032}{100}=10.32$

5 $0.6\times0.8=\frac{6}{10}\times\frac{8}{10}=\frac{48}{100}=0.48$

6 $5\times0.59=5\times\frac{59}{100}=\frac{5\times59}{100}=\frac{295}{100}=2.95$

7 곱하는 수가 $\frac{1}{10}$배가 되면 계산 결과도 $\frac{1}{10}$배가 됩니다. ➜ $18\times0.7=12.6$

8 (자연수)×(소수)에서 곱의 소수점은 곱하는 수의 소수점의 위치에 맞추어 찍습니다.

9 6.4의 0.7배 ➜ $6.4\times0.7=4.48$

10 $1.1\times5.8=6.38$, $3.8\times1.6=6.08$

11 $2.7\times\square=8.478$

(2.7: 소수점 아래 한 자리 수, 8.478: 소수점 아래 세 자리 수)

□ 안에 알맞은 수는 소수점 아래 두 자리 수인 3.14입니다.

12 ㉠ $0.3\times0.61=0.183$

㉡ $0.38\times0.5=0.19$

➜ $0.183<0.19$

참고

소수점 아래 끝자리 수가 0이면 0을 생략하여 나타낼 수 있습니다.

13 (직사각형의 넓이)=(가로)×(세로)

$=3\times0.99=2.97\ (\mathrm{m}^2)$

14 일주일은 7일입니다.

(일주일 동안 마신 우유의 양)$=0.45\times7=3.15$ (L)

15 1 cm=0.01 m이므로 진수가 가지고 있는 끈은 15.3 cm=0.153 m입니다.

➜ $0.153<0.164$이므로 소영이의 끈이 더 깁니다.

16 가장 큰 수: 38, 가장 작은 수: 0.81

➜ $38\times0.81=30.78$

17 $0.47\times32=15.04$

$15.04<\square$에서 □ 안에 들어갈 수 있는 가장 작은 자연수는 16입니다.

18 (땅의 넓이)$=1.5\times1.5=2.25\ (\mathrm{m}^2)$

➜ (밭의 넓이)$=2.25\times0.8=1.8\ (\mathrm{m}^2)$

19 어떤 수를 □라 하면

$\square-2.3=7.6$, $\square=7.6+2.3=9.9$입니다.

따라서 바르게 계산한 값은 $9.9\times2.3=22.77$입니다.

20 (배 3봉지의 무게)$=2.95\times3=8.85$ (kg)

(사과 4봉지의 무게)$=1.76\times4=7.04$ (kg)

➜ $8.85+7.04=15.89$ (kg)

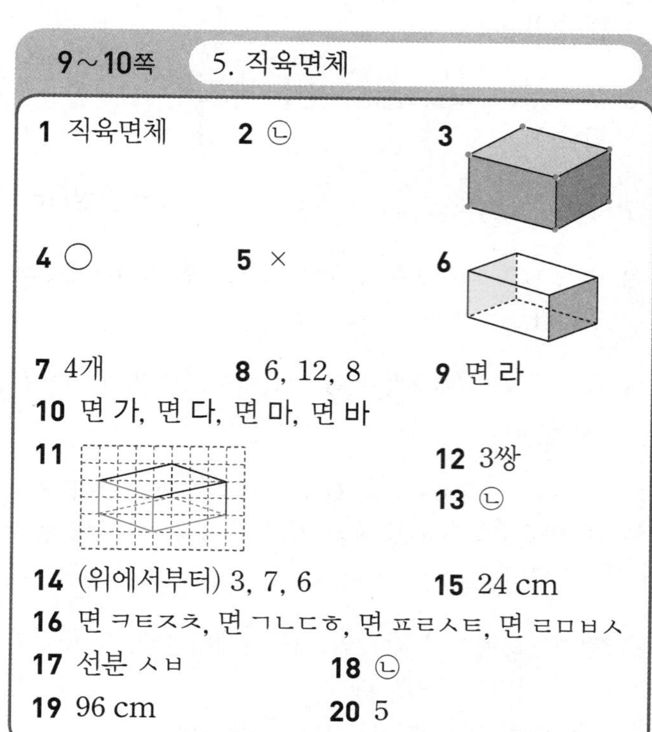

9~10쪽 5. 직육면체

1 직육면체 **2** ㉡ **3** (그림)

4 ○ **5** × **6** (그림)

7 4개 **8** 6, 12, 8 **9** 면 라

10 면 가, 면 다, 면 마, 면 바

11 (그림) **12** 3쌍 **13** ㉡

14 (위에서부터) 3, 7, 6 **15** 24 cm

16 면 ㅋㅌㅈㅊ, 면 ㄱㄴㄷㅎ, 면 ㅍㄹㅅㅌ, 면 ㄹㅁㅂㅅ

17 선분 ㅅㅂ **18** ㉡

19 96 cm **20** 5

2 정사각형 6개로 둘러싸인 도형을 찾습니다.

3 모서리와 모서리가 만나는 점 중 보이는 점을 모두 찾아 표시합니다.

5 직육면체에서 선분으로 둘러싸인 부분을 면이라고 합니다.

6 색칠한 면과 마주 보는 면을 찾아 색칠합니다.

7 면 ㄱㄴㅂㅁ과 수직인 면은 면 ㄱㄴㄷㄹ, 면 ㄴㅂㅅㄷ, 면 ㅂㅅㅇㅁ, 면 ㄱㅁㅇㄹ로 모두 4개입니다.

8 정육면체의 면은 6개, 모서리는 12개, 꼭짓점은 8개입니다.

9 전개도를 접었을 때 면 나와 마주 보는 면을 찾습니다.

10 전개도를 접었을 때 면 나와 평행한 면 라를 제외한 4개의 면은 모두 면 나와 수직인 면입니다.

11 보이는 모서리는 실선으로, 보이지 않는 모서리는 점선으로 그립니다.

12 참고
직육면체에서 서로 마주 보고 있는 면은 모두 3쌍이므로 서로 평행한 면은 모두 3쌍입니다.

15 면 ㄱㄴㄷㄹ과 평행한 면은 면 ㅁㅂㅅㅇ입니다.
➜ 평행한 면의 모서리의 길이는 8 cm, 4 cm, 8 cm, 4 cm이므로 $8+4+8+4=24$ (cm)입니다.

17 점 ㅇ과 만나는 점은 점 ㅂ이므로 선분 ㅅㅇ과 겹치는 선분은 선분 ㅅㅂ입니다.

18 ㉡ 정육면체의 모서리의 길이는 모두 같습니다.

19 정육면체는 길이가 같은 모서리가 12개 있으므로 모든 모서리의 길이의 합은 $8\times12=96$ (cm)입니다.

20 마주 보는 두 면을 찾아 마주 보는 면의 눈의 수의 합이 7이 되게 합니다.
㉠과 마주 보는 면의 눈의 수는 2이므로
㉠$=7-2=5$입니다.

11~12쪽 6. 평균과 가능성

1 45, 123
2 123, 41
3 불가능하다에 ○표
4 4, 6, 6
5 6개
6 0
7 1
8 5쪽
9 (수직선: 0, $\frac{1}{2}$, 1 — 1에 화살표)
10 반반이다, $\frac{1}{2}$
11 100회
12 98회
13 진희네 모둠
14 32자루
15 지민
16 1
17 35분
18 $\frac{1}{2}$
19 ㉠, ㉢, ㉡
20 5

3 흰색 공만 있으므로 검은색 공을 꺼낼 가능성은 '불가능하다'입니다.

5 (평균)$=(6+8+4+6)\div4=24\div4=6$(개)

참고
(평균)=(자료의 값을 모두 더한 수)÷(자료의 수)

8 (4일 동안 푼 문제집 쪽수의 평균)
$=(4+7+6+3)\div4=20\div4=5$(쪽)

10 정답은 ○ 또는 ×입니다. 정답을 맞혔을 가능성은 '반반이다'이며 수로 표현하면 $\frac{1}{2}$입니다.

11 $(100+92+96+112)\div4=400\div4=100$(회)

12 $(106+90+98)\div3=294\div3=98$(회)

13 $100>98$이므로 진희네 모둠의 평균이 더 높습니다.
➜ 진희네 모둠이 더 잘했다고 볼 수 있습니다.

14 (전체 연필 수)=(평균)×(학생 수)
$=8\times4=32$(자루)

15 지민: 3월은 31일까지 있으므로 가능성은 '불가능하다'입니다.

16 2의 배수는 2, 4, 6, 8입니다. 전체 카드 4장 중에서 2의 배수가 적힌 카드는 4장입니다. 따라서 뽑을 가능성은 '확실하다'이며 수로 표현하면 1입니다.

17 (4일 동안 운동한 시간의 합계)$=45\times4=180$(분)
➜ (수요일에 운동한 시간)
$=180-(40+50+55)=35$(분)

18 흰색 바둑돌이 나오지 않을 가능성은 검은색 바둑돌이 나올 가능성과 같습니다. 따라서 검은색 바둑돌이 나올 가능성은 '반반이다'이며 수로 표현하면 $\frac{1}{2}$입니다.

19 ㉠ 확실하다 ㉡ 불가능하다 ㉢ 반반이다
➜ ㉠>㉢>㉡

20 (진호네 모둠의 평균)$=(6+7+9+10)\div4=8$(회)
현서네 모둠의 제기차기 횟수의 평균도 8회입니다.
(현서네 모둠의 제기차기 횟수의 합)$=8\times3=24$(개)
➜ $\square=24-(11+8)=5$

수학 성취도 평가 정답 및 풀이

14~16쪽 총정리 수학 성취도 평가

1 7, 21, $5\frac{1}{4}$ 2 ( )(◯)

3 135, 134에 ◯표 4 26.6

5
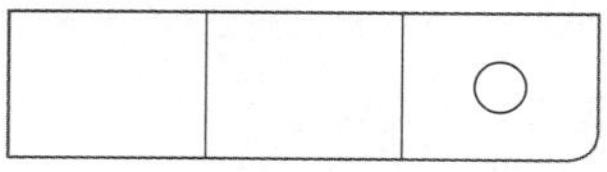

6

7 15 cm

8 0.15

9
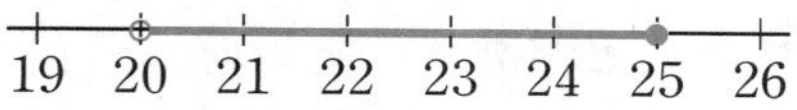

10 9개 11 450 12 93점

13 ㉡ 14 1

15 $1\frac{9}{10}\times5=9\frac{1}{2}$, $9\frac{1}{2}$ L 16 4 cm

17 예 1시간 30분을 소수로 나타내면

$1\frac{30}{60}$시간$=1\frac{5}{10}$시간$=1.5$시간입니다.」+1점

(주형이가 6일 동안 운동한 시간)

=(하루에 운동한 시간)×(날수)

$=1.5\times6=9$(시간)입니다.」+2점 답 9시간」+1점

18 $\frac{7}{36}$ 19 93 cm

20 예 마시고 남은 주스의 양은 전체의 $1-\frac{7}{10}$

$=\frac{3}{10}$입니다.」+1점

따라서 남은 주스의 양은 $\frac{3}{5}\times\frac{3}{10}=\frac{9}{50}$ (L)입니다.」+2점 답 $\frac{9}{50}$ L」+1점

21 70° 22 52 cm

23 예 버림하여 백의 자리까지 나타내면 1700이 되는 자연수는 17□□입니다.」+1점 □□에는 0부터 99까지 들어갈 수 있으므로 가장 큰 수는 1799입니다.」+2점 답 1799」+1점

24 78 cm 25 32.33

1 (진분수)×(자연수)는 진분수의 분모는 그대로 두고 진분수의 분자와 자연수를 곱하여 계산합니다.

3 134 이상인 수는 134와 같거나 큰 수입니다.

4 $3.5\times7.6=26.6$

7 서로 합동인 두 도형에서 각각의 대응변의 길이는 서로 같습니다.
(변 ㅁㅂ)=(변 ㄷㄴ)=15 cm

11 452 ➔ 450
2이므로 버립니다.

12 (평균)$=(94+98+88+92)\div4=372\div4=93$(점)

13 선대칭도형: ㉠, ㉢
점대칭도형: ㉡

15 (음료수의 5병의 무게)
$=1\frac{9}{10}\times5=\frac{19}{\cancel{10}_{2}}\times\cancel{5}^{1}=\frac{19}{2}=9\frac{1}{2}$ (L)

16 (선분 ㄱㅎ)=(선분 ㅋㅌ)=(선분 ㅊㅈ)=4 cm

18 $\frac{7}{\cancel{15}_{3}}\times\frac{\cancel{5}^{1}}{\cancel{9}_{3}}\times\frac{\cancel{3}^{1}}{4}=\frac{7}{36}$

19 (희수의 멀리뛰기 기록의 합계)$=99\times4=396$ (cm)
(3회 때 멀리뛰기 기록)
$=396-(99+104+100)=93$ (cm)

21 (각 ㄷㄱㄹ)=(각 ㄱㄷㄴ)=65°
삼각형 ㄱㄷㄹ에서
(각 ㄱㄷㄹ)=180°−65°−45°=70°입니다.

참고
점대칭도형에서 각각의 대응각의 크기는 서로 같습니다.

22 직육면체에는 길이가 같은 모서리가 4개씩 있습니다.
➔ $(6+3+4)\times4=52$ (cm)

24 (반 전체 학생들의 앉은키의 합)
$=(80\times9)+(75\times6)=720+450=1170$ (cm)
(반 전체 학생 수)$=6+9=15$(명)
(반 전체 학생들의 앉은키의 평균)
$=1170\div15=78$ (cm)

25 높은 자리의 수가 클수록 곱이 커지므로 자연수 부분부터 큰 수를 놓아 곱셈식을 만들어 봅니다.
➔ $6.1\times5.3=32.33$, $6.3\times5.1=32.13$
따라서 곱이 가장 크게 되는 곱셈식의 곱은 32.33입니다.

끝까지 **답**을 찾는

수학의 힘 시리즈

α | 실력

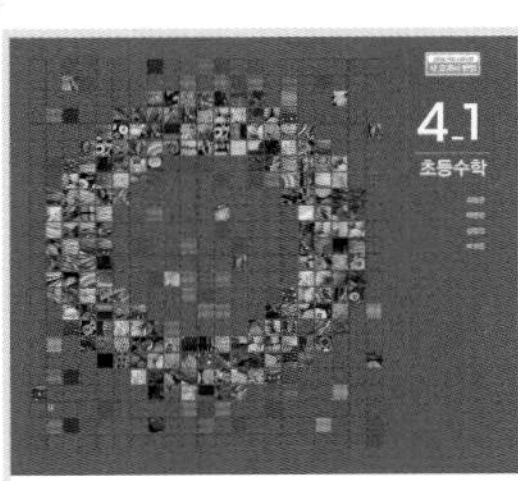

기본도 다지고 실력도 올리는
초등수학 실력서

- 중상위권 기본서
- 중하위권 **다지기용 실력서**

β | 유형

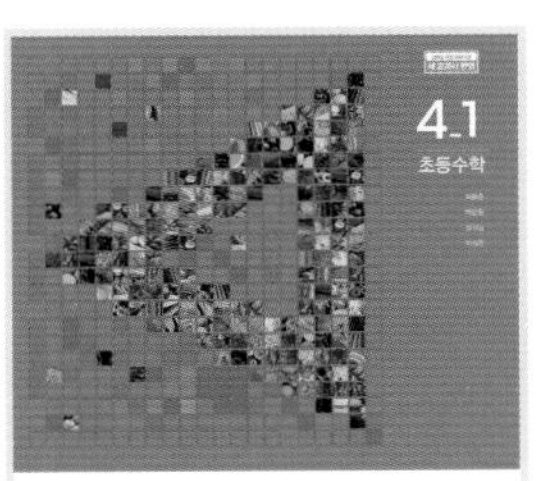

수학 자신감을 키워주는
파워 유형서

- 빠르게 개념 잡고, 적중 유형 & 응용 유형으로 **유형 Drill**
- 꼬리를 무는 유형 & 변형 유형으로 **유형 완벽 대비**

γ | 최상위

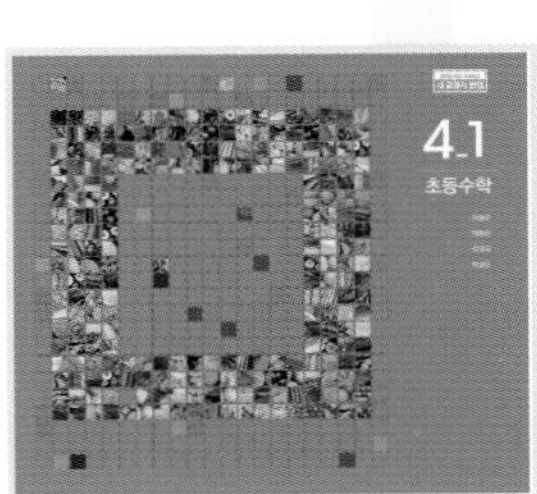

상위권 잡는
최신 유형 심화서

- 시중의 어떤 심화 교재보다도 **최신 유형, 고품질 문제 엄선**
- 토론 발표형 문제 수록(브레인스토밍)

천재교육

◀ 정답은 이안에 있어!

※ **주의**
책 모서리에 다칠 수 있으니 주의하시기 바랍니다.
부주의로 인한 사고의 경우 책임지지 않습니다.
8세 미만의 어린이는 부모님의 관리가 필요합니다.
※ KC 마크는 이 제품이 공통안전기준에 적합하였음을 의미합니다.

응용·심화 단계로 들어가기 전, **다양한 유형**을 연습하고 싶다면?

수학 실력을 높이기 위해 **응용·심화 문제만** 집중적으로 풀고 싶다면?

단계별로 차근차근 **수학 상위권 도약**을 준비하고 있다면?

교과서 진도에 맞춰 **개념**을 다지면서, **여러 유형의 문제**로 기본을 다지고 싶다면?

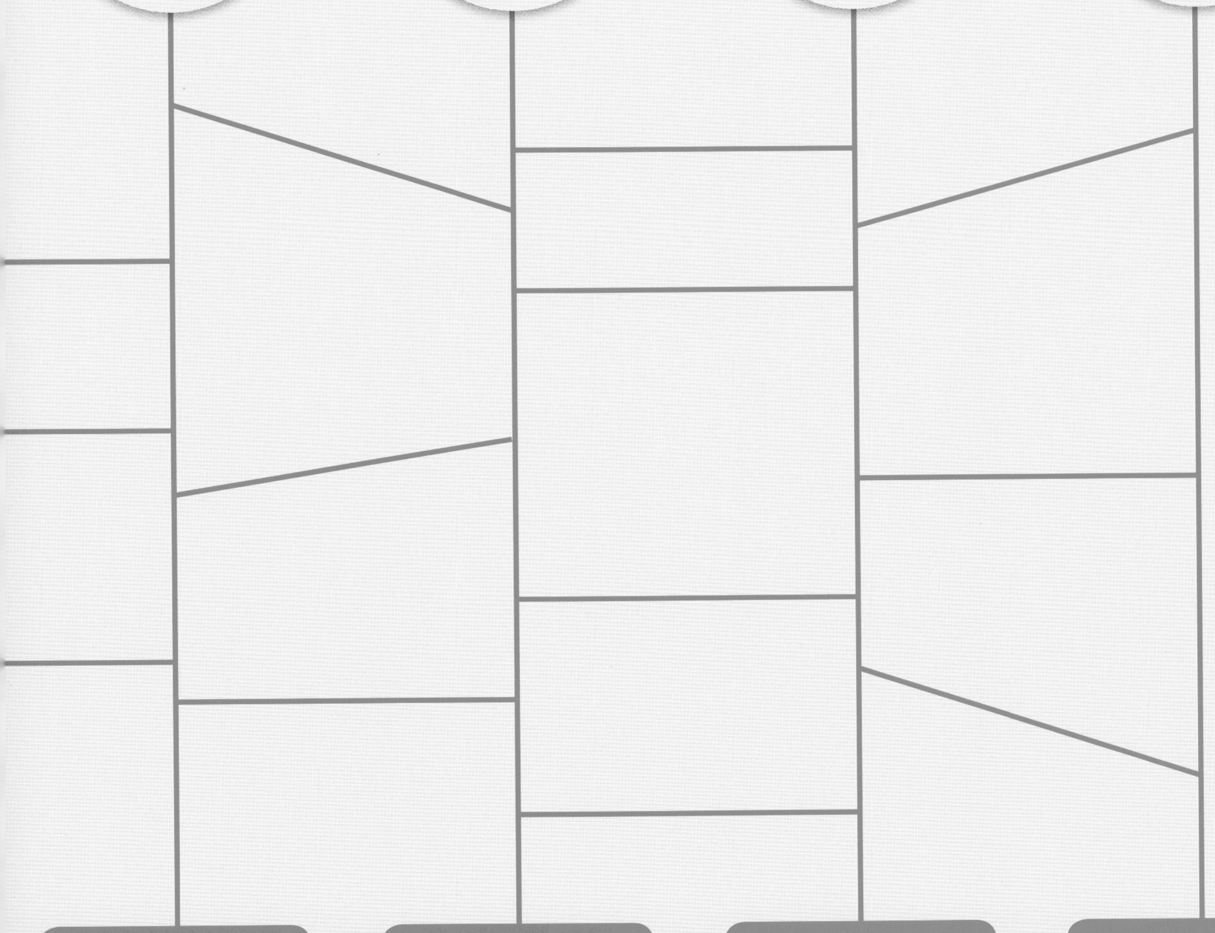

응용·심화 수학리더
★★★★★★

유형 수학리더
★★★☆

수학도 독해가 힘이다
★★★★

수학의 힘
알파(실력) ★★★★
베타(유형) ★★★★★
감마(심화) ★★★★★★★

천재교육의 주요 교재를 소개합니다. 실력에 따라 과목별로 다양하게 준비했어요!

#차원이_다른_클라쓰
#강의전문교재
#초등교재

수학교재

●수학리더 시리즈
- 신간 수학리더 [연산] 예비초~6학년/A·B단계
- 수학리더 [개념] 1~6학년/학기별
- 수학리더 [기본] 1~6학년/학기별
- 신간 수학리더 [유형] 1~6학년/학기별
- 신간 수학리더 [기본+응용] 1~6학년/학기별
- 수학리더 [응용·심화] 1~6학년/학기별

●수학도 독해가 힘이다 *문제해결력 1~6학년/학기별

●수학의 힘 시리즈
- 수학의 힘 알파[실력] 3~6학년/학기별
- 수학의 힘 베타[유형] 1~6학년/학기별
- 수학의 힘 감마[최상위] 3~6학년/학기별

●Go! 매쓰 시리즈
- Go! 매쓰(Start) *교과서 개념 1~6학년/학기별
- Go! 매쓰(Run A/B/C) *교과서+사고력 1~6학년/학기별
- Go! 매쓰(Jump) *유형 사고력 1~6학년/학기별

●계산박사 1~12단계

전과목교재

●리더 시리즈
- 국어 1~6학년/학기별
- 사회 3~6학년/학기별
- 과학 3~6학년/학기별

시험 대비교재

●올백 전과목 단원평가 1~6학년/학기별 (1학기는 2~6학년)

●HME 수학 학력평가 1~6학년/상·하반기용

●HME 국어 학력평가 1~6학년

논술·한자교재

●YES 논술 1~6학년/총 24권

●천재 NEW 한자능력검정시험 자격증 한번에 따기 8~5급(총 7권) / 4급~3급(총 2권)

영어교재

●READ ME
- Yellow 1~3 2~4학년(총 3권)
- Red 1~3 4~6학년(총 3권)

●Listening Pop Level 1~3

●Grammar, ZAP!
- 입문 1, 2단계
- 기본 1~4단계
- 심화 1~4단계

●Grammar Tab 총 2권

●Let's Go to the English World!
- Conversation 1~5단계, 단계별 3권
- Phonics 총 4권

예비중 대비교재

●천재 신입생 시리즈 수학 / 영어

●천재 반편성 배치고사 기출 & 모의고사

월간교재

●NEW 해법수학 1~6학년

●해법수학 단원평가 마스터 1~6학년 / 학기별

●월간 우등생평가 1~6학년